农业综合节水技术

隋家明　李　晓　宫永波
杜贞栋　李永顺　于纪玉　编著

黄河水利出版社

内 容 提 要

本书系统地介绍了传统农业节水技术和近20年来国内外在现代农业节水技术方面取得的新成果,内容丰富、新颖、系统、全面,具有较强的实用性。全书共分9章,主要内容包括地面灌溉节水技术、渠道防渗工程技术、管道输水工程技术、喷灌工程技术、微灌工程技术、水稻节水灌溉技术、农艺节水技术、节水灌溉管理技术等,并给出了相关节水灌溉工程设计示例和常用设计资料。

本书可供从事农业节水工程规划、设计和管理人员阅读使用,也可作为相关专业技术人员的培训教材,还可供有关大专院校师生参考。

图书在版编目(CIP)数据

农业综合节水技术/隋家明等编著.—郑州:黄河
水利出版社,2006.1
ISBN 7 - 80621 - 984 - 6

Ⅰ.农… Ⅱ.隋… Ⅲ.节约用水-灌溉-技术
培训-教材 Ⅳ.S275

中国版本图书馆 CIP 数据核字(2005)第 129879 号

策划组稿:王路平 电话:0371 - 66022212 E - mail:wlp@yrcp.com

出 版 社:黄河水利出版社
　　　　　　地址:河南省郑州市金水路 11 号　　　　　邮政编码:450003
发行单位:黄河水利出版社
　　　　　　发行部电话:0371 - 66026940　　　　　传真:0371 - 66022620
　　　　　　E-mail:yrcp@public.zz.ha.cn
承印单位:河南省瑞光印务股份有限公司
开本:787 mm×1 092 mm 1/16
印张:28.75
字数:664 千字　　　　　　　　　　印数:1—3 700
版次:2006 年 1 月第 1 版　　　　　印次:2006 年 1 月第 1 次印刷
书号:ISBN 7 - 80621 - 984 - 6 / S·63　　　　　定价:60.00 元

前　言

我国水资源总量为 28 100 亿 m³，人均水资源量约 2 200 m³，仅为世界平均值的 1/4。预计到 21 世纪 30 年代，我国人口达到 16 亿高峰时，在降水总量不减少的情况下，人均水资源量将下降到 1 760 m³，逼近国际公认的 1 700 m³ 的严重缺水警戒线。

水资源紧缺已成为严重制约我国国民经济可持续发展的"瓶颈"。农业用水约占全国用水总量的 70%，其中农田灌溉用水量占农业用水量的 90%。一方面我国水资源严重不足，另一方面我国的农业用水浪费现象又十分严重。一是农田灌溉水的利用率低，平均仅为 45% 左右；二是农田对自然降水的利用率低，仅达到 56%；三是水分生产率不高，仅有 1.0 kg/m³ 左右，旱地农田水分生产率为 0.60~0.75 kg/m³。而发达国家灌溉水利用率达到 80% 以上，水分生产率达到 2.0 kg/m³ 左右。因此，我国农业节水潜力很大。

我国农业缺水的问题在很大程度上要依靠节水予以解决。如果采用各种行之有效的农业节水技术，全国已建成灌区的灌溉水利用系数增加 0.1~0.2，则每年可节约灌溉水量 400 亿~800 亿 m³，这不仅对缓解我国水资源供需矛盾起到很大的作用，而且对保障国家水安全、粮食安全和生态安全，推动农业和农村经济可持续发展，都具有重要的战略意义。

本书是以现行国家和行业有关技术规范为依据，以作者多年来的实践经验和研究成果为基础，并吸收了国内外尤其是山东省"六五"以来在农业节水方面所取得的新成果编写而成的。全书既注重实用性，又兼顾理论性，既继承传统技术，又充分吸收新技术，内容丰富，实用性较强。

全书由山东省水利厅隋家明、宫永波，山东省水利科学研究院李晓、杜贞栋、李永顺、吕宁江、习希全、周士勇、赵莹，山东省水利职业学院于纪玉编著。由山东省水利科学研究院总工程师、研究员李龙昌主审。

由于编者水平所限，本书难免存在疏漏或差错，敬请读者批评指正。

编著者

2005 年 8 月

目 录

第一章　绪　论

随着人类对淡水需求的日益增长,水资源紧缺已经成为全球性问题。近几十年来,灌溉农业成为全球粮食增长的主要动力,全球农业是水的最大消费行业。在我国,由于独特的地理环境及气候,降雨时空分布不均,农业生产对水的依赖性很强,有水才能做到稳产高产。我国能以占世界7%的耕地,养活占世界约22%的人口,与灌溉的作用和成就密不可分。目前,我国灌溉用水占总用水量的比例在经历明显的下降过程后,呈稳定态势,但从长远看,随着工业、城市、生活、生态用水的不断增加,由于新增水源的开发潜力越来越小,开发代价越来越大,因此仍将有一部分灌溉用水转为其他行业用水。农业用水占全国总用水量的70%,由于受工程配套状况和管理水平所限,灌溉用水效率仅有50%左右,因而发展农业节水既是对灌溉工程的普遍要求,同时也是缓解我国北方地区水资源短缺的主要对策之一。如何通过各种节水措施,有效地提高灌溉水资源的使用效率是发展农业节水的根本任务。我国北方地区的粮食自给能力及生产发展后劲将在很大程度上取决于对农业节水的认识和实践水平。

第一节　农业节水技术体系

一、农业节水的含义

(一)节水灌溉的含义

《节水灌溉技术规范》(SL207—98)对节水灌溉的定义是:用尽可能少的水投入,取得尽可能多的农作物产出的一种灌溉模式,目的是提高水的利用率和水分生产率。节水灌溉的内涵包括水资源的合理开发利用、输配水系统的节水、田间灌溉过程的节水、用水管理的节水以及农艺节水增产技术措施等方面。

一般认为:

(1)节水灌溉是根据作物需水规律及当地供水条件,在充分利用降水和土壤水的前提下,为了高效利用灌溉水,获取农业生产的最佳经济效益、社会效益、生态环境效益而采取的多种措施的总称。

(2)节水灌溉应从整个灌溉过程着手,凡能减少灌溉水损失、提高灌溉水使用效率的措施、技术和方法均属节水灌溉范畴。一般情况下,节水应是减少灌溉水的无益消耗,不减少作物正常需水量,只有在水源不足,水的供需矛盾靠其他方法不能解决时,才进行非充分灌溉,限制作物蒸腾量。

(3)节水是相对的概念,不同的水资源条件,不同的气候、土壤、地形条件和社会经济发展水平,对节水有不同的要求。因此,不同国家、不同地区、不同历史发展阶段,节水标准是不同的。

(4)节水灌溉的根本目的是提高灌溉水的有效利用率和水分生产率,实现农业节水、高产、优质、高效。

(二)农业节水的含义

农业节水与节水灌溉的含义类似,但其节水的范围更广、更深,包括生物节水、农艺节水和旱作农业节水等。它是以水为核心,研究如何高效利用农业水资源,保障农业可持续发展。农业节水的最终目标是建设节水高效农业。

这里需要说明的是,农业节水与节水农业的内涵不同,两种提法的研究内容和重点不同,适用的场合不同,不能相互代替。节水农业类似节水型农业,是指按照节水的要求规划农业、建设农业、管理农业,农业可以分多种类型,节水农业只是其中的一种。而农业节水,不仅要研究农业生产过程中的节水,还要研究与农业用水有关的水资源开发、优化调配、输水配水过程的节约等。

二、农业节水技术体系

农业节水技术体系是为充分利用灌溉水资源,提高水的利用率和利用效率,达到农作物高产高效而采取的技术措施。它是由水资源、工程、农业、管理等环节的节水技术措施组成的一个综合技术体系。运用这一技术体系,将提高灌溉水资源的整体利用率,增加单位面积或总面积农作物的产量,以促进农业的持续发展。因此,农业节水技术包括以下内容。

(一)工程技术类节水

(1)水资源的合理开发利用技术。农业水资源的合理开发利用,是指采用必要的工程措施,对天然状态下的水进行调节控制和有计划的分配,为农业生产提供所需要的水量。内容包括坑塘截流调控地下水、深沟河网蓄水、不同水源的联合利用技术、机井测试改造技术、灌溉回归水利用技术和劣质水改造利用技术等。

(2)渠系输水过程节水。主要包括渠道各类防渗技术和各种类型管道输水。其中管道输水包括混凝土管网系统、PVC(PE)管网系统、田间塑料软管等。

(3)田间灌水过程节水。包括改进地面灌水技术(如改大畦为小畦,改长畦为短畦,采用间歇波涌灌);激光平整土地;缺水地区推广膜上灌或膜下灌;推广水稻薄、浅、湿、晒节水灌溉技术;推广喷灌、微灌技术等。

(二)管理类节水

管理类节水包括实施节水灌溉制度,土壤墒情监测预报技术,灌区配水、量水技术,现代化灌溉管理技术等。

(三)政策类节水

政策类节水包括建立节水技术服务体系(技术支持和技术服务体系),改进水管理体制、水价与水费计收标准与办法,制定可持续发展节水奖惩政策,制定限制地下水超采制度和防治水污染对策等。

(四)农业(艺)类节水

农业(艺)类节水包括调整作物种植结构、改善耕作制度、改进耕作技术,以及推广秸秆或地膜覆盖的保墒技术、合理倒茬、化学药剂与保水剂应用技术以及节水抗旱作物品种选育等。

本书重点介绍节水灌溉工程技术、农艺节水技术、节水灌溉管理技术。

第二节　国外农业节水发展动态

近20多年的资料表明,世界上粮食增产中25%归功于扩大耕地面积,75%归功于提高单产。虽然单产的提高是综合措施的结果,但灌溉却是其中重要措施之一。但是,由于世界性的水资源日益紧缺,要进一步发展灌溉面积就必须节约灌溉用水,发展节水灌溉。西方发达国家早在20世纪20年代就开始发展管道输水,30年代开始研究喷灌等技术,50年代滴灌技术趋于成熟,70年代后各种新技术不断出现,极大地丰富了农业节水的理论和技术体系。

一、工程节水方面

(一)发展渠道衬砌与管道输水技术

自开发灌区以来,世界各地为了减少渠道输水漏失,都在致力于发展渠系衬砌、管道化工程。到目前,渠系衬砌的材料发生了很大的变化,各国用于衬砌的材料大致分为刚性材料、膜料、土料。其中,刚性材料,尤其是混凝土衬砌是当今各国渠道衬砌的主要形式。美国在累计修建的1.1万km的衬砌渠道中,混凝土衬砌占58%;罗马尼亚70%~80%的明渠为衬砌渠道,其中大部分为混凝土衬砌;意大利几乎所有的明渠都采用混凝土衬砌;日本输水干渠一般采用预制混凝土衬砌,支渠采用U形槽身,就地用混凝土浇筑,其输水损失一般在10%以下;印度成功地将混凝土衬砌用于包括高流速渠道在内的各级渠道的衬砌。

为了减少沟渠占地、输配水损失和提高管理水平,经济实力较强的发达国家和少数欠发达国家,推广了新建渠系全部实行管道化这一做法。美国自20世纪20年代在加利福尼亚的图尔洛克灌区采用混凝土管道代替明渠输水以来,经过数十年的发展,使一半的大型灌区实现了管道化。苏联在1985年以后,明确规定,新建灌区都要实现管道化,并且采用硬质管材逐渐替代软管。以色列地处干旱沙漠地带,人均年占有水量不足400 m³。20世纪50年代,以色列政府力排众多国际顾问提出的应建设成本较低的衬砌输水渠系的建议,修建了堪称世界第一的国家管道输水工程。这个管网可供给全国3 500多个城镇、工矿企业用水,全年供水量达12亿 m³。日本在20世纪60年代初,先在旱地灌溉系统中采用管道代替明渠,由于效益好,在短短10年时间里就得到了普及,70年代末,又开始发展大型管道代替明渠,到1985年,新建灌溉渠系的50%以上都实现了管道化。除新灌区外,也有不少国家将旧灌区改建成管道灌溉系统。如加拿大艾伯塔灌区,20世纪80年代初就开始对49万 hm² 已建灌区进行改建,将输水流量3 m³/s 的明渠改用地下管道,使灌溉水利用率由35%~60%提高到75%以上。可以说,以管代渠为一种发展趋势。

(二)改进传统地面灌溉技术

地面灌溉水流由地表面进入田间并借重力和毛细管作用浸润土壤,目前在大多数国家仍是应用最广泛、最主要的一种灌水方法。但由于这种灌水历时长、灌水量大,且田块首尾灌水不均匀而影响作物产量。因此,长期以来,许多国家都在积极致力于对传统地面灌溉技术的研究与改进,并创造了许多全新的方法。其中波涌灌(间歇灌)和激光控制平地畦田灌就是两种影响最大、效果较好的方法。

波涌灌是美国 20 世纪 70 年代末期推出的适宜于旱作灌溉的一种新技术。是用加大流量把水灌到部分沟长时暂停供水,过一段时间再用加大流量供水,如此时断时续,使水流呈波涌状推进。用相同水量灌溉时,波涌灌的水流前进距离为连续灌的 2～3 倍。同时,由于波涌灌的水流推进速度快,在土壤表层形成薄的密闭层,大大减少深层渗漏,使纵向水均匀分布。美国 10 多年的实践和研究表明,波涌灌具有灌水均匀、省水省时、田间水利用率高等优点。

激光控制平地水平畦田灌是地面灌溉的又一重要进展。一套完整的激光控制平地系统包括激光发射器、激光感应器、电子及液压控制系统、拖拉机与平地机具四大部分。用该系统平整大面积土地,其精度可比人工平地提高 10～50 倍。采用这种系统平整后的畦田灌溉,可大大提高灌水效率和质量。推广激光平地水平畦田灌技术将显著提高发展中国家地面灌溉的效果。

(三)推广喷、微灌技术

由于喷、微灌比传统的沟灌、畦灌等地面灌溉节水 30%～50%,并可节省劳动力 20%～90%,因此发展很快。全世界喷灌面积由 1937 年的 10 万 hm² 发展到 1987 年的 2 000 万 hm²,微灌面积也由 1981 年的 41.6 万 hm² 扩大到 1991 年的 176.9 万 hm²。近年来,微灌年平均增长率高达 63%。以色列在 20 世纪 70 年代中期喷灌就已占全部灌溉面积的 90%,近 20 年来,又把发展重点转向滴灌和微喷灌,90 年代初滴灌和微喷灌面积已占总灌溉面积的 2/3。美国在 1981～1991 年的 10 年间,微灌面积增加了 3 倍多,由占灌溉面积不到 1% 提高到 3%。日本于 20 世纪 80 年代后期随着地膜、温室技术的迅速发展,微灌技术日益受到重视,并且正逐步走向成熟。目前,瑞典、英国、奥地利、德国、法国、丹麦、匈牙利、捷克、罗马尼亚等国家,喷微灌化程度都达 80% 以上。在这些国家,发展微灌不仅节约水量,而且改变了传统的灌溉概念,即仅仅把水灌到田间的概念。以色列对灌溉的新概念是:把含有肥料的水一滴一滴地输入作物根层的土壤中,使土壤中的水、肥、气、热保持协调关系,达到作物高产目的。

为进一步提高喷微灌区技术水平,美国采用了一种低能耗精确灌溉法,即采用平移喷灌机械,改用低压孔口出流装置,用很低的压力将水输入灌水沟,灌水沟分段打埝,以防止产生深层渗漏和径流,同时也避免了喷灌产生的过量蒸发和飘移损失。以色列采用先进的压力补偿式滴头,通过使用计量阀门,安装流量和压力调节设备,以水流量控制灌溉时间,消除压力波动影响,提高灌水均匀度,减少堵塞。美国研制的脉冲式微喷系统由脉冲发生器带动发射器进射出水流,经过微喷头喷洒作物,这种系统抗堵塞性能强,灌水均匀度高,且节水节能。

二、农艺节水技术方面

随着节水工程技术方面的成熟,世界各国更加重视土壤性能对节水利用效率的影响、非充分灌溉对作物产量的影响、耕作制度对土壤水分状况的影响,以及作物合理轮作的节水效益研究。地膜覆盖技术将除了继续进行大规模田间试验,研究覆盖的保墒、增产效果及效益外,还对覆盖后农田的水、气、热交换规律及水盐运行规律开展更为详细、深入的分析研究,同时更加重视应用生物等高新技术开展耐旱作物新品种,以及少耕、免耕技术机理等方面的研究,推动农业节水技术向深层次、理论化方向发展。在膜料研究上,重点提高薄膜的耐久性,相对减少废旧膜的排出量,加紧开发可降解、无污染的新型纸质膜和草纤维膜以逐步取代塑料膜。

三、管理节水技术方面

随着科学技术的迅速发展,采用计算机、电测、遥感等技术实行灌溉管理自动化是发达国家节水管理技术的发展方向。在美国,大型灌区都有调度中心,实行自动化管理。如灌溉面积达 20 万 hm^2 的全美灌区,管理人员只有 14 人;科罗拉多州的大河谷渠道采用电气化控制,仅有 1 人管理,调度中心的中央控制室通常设有大型屏幕,灌区各渠道位置、输配水情况以及各闸门的水位流量、闸门启闭等在屏幕上一目了然。中心的指令可通过微波系统传输到各建筑物、自动启闭闸门、水泵等,其运行情况及流量均显示在屏幕上。此外,许多灌区还采用卫星遥感技术,将从卫星接收站获得的信息图片输入计算机,进行灌溉用水量估算。日本于 20 世纪 80 年代初新建和改建的灌区大多从渠首到各分水点都安装有遥测遥控装置,中央管理所集中监测并发布指令,遥控闸门、水泵的启闭,进行分水和配水。目前日本对水管理系统自动化的目标是:有效利用水源,合理分水配水;节约管理费用,降低劳动强度;通讯联系及时,防止灾害发生。以色列不论大小灌区,全部采用自动化控制,在灌溉季节前编好程序,灌水时按程序自动灌水。

现代灌溉农业是以高新技术应用为标志。在西方发达国家,通过遥感(RS)、地理信息系统(GIS)、地球定位系统(GPS)及计算机网络获取、处理、传送各类农业信息的应用技术已到了实用化的阶段,欧共体将信息及信息技术在农业上的应用列为重点课题,美国农业部建立了全国农作物、耕地、草地等信息网络系统,可以说,信息技术已成为现代节水农业不可缺少的一部分。

第三节 我国农业节水技术的发展现状

一、渠道防渗技术

渠道的主要作用在于把灌溉水从水源处安全、快速、高效地输送到需要灌溉的田间地头。在渠灌区,这是提高灌溉水的一个重要环节,也是减少灌溉水损失的重要措施之一。土质渠道输水渗漏损失一般占引水量的 50%～60%,一些较差的高达 70%。与土渠相比,混凝土护面可减少渗漏损失 80%～90%,浆砌石衬砌可减少 60%～70%,塑料薄膜防渗可减少 90% 以上。我国每年因渠道输水渗漏损失的水量高达 1 500 亿 m^3,相当于 3 条黄河的年水量。渠道防渗技术是我国应用推广面积较大的一项技术。当前,在我国北方地区大力应用推广渠道防渗技术,仍是发展节水灌溉的一项主要技术措施。

据统计,我国防渗渠道衬砌总长度 55 万 km,占渠道总长度的 18%。近几年每年完成渠道防渗约 5 万 km。到 2003 年底,全国渠道防渗灌溉面积达到 807.15 万 hm²。综观目前渠道防渗技术与方法,依据所使用的防渗材料大致可划分为土料压实防渗、三合土料护面防渗、石料衬砌防渗、混凝土衬砌防渗、塑料薄膜防渗和沥青护面防渗等 6 种。我国渠道防渗已经形成了一套相对配套的技术体系。目前,存在的主要问题有:①衬砌技术成本仍较高,群众负担有困难;②高寒地区渠道衬砌防冻胀技术有待进一步研究与完善;③已防渗渠道的维护工作跟不上;④我国中、小型渠道开挖与衬砌施工机械性能差,型号少,满足不了生产实际的需要。

二、低压管道输水技术

低压管道输水技术,简称"管灌"。是利用低压输水管道将水直接输送到田间沟畦灌溉作物,以减少输送过程中水的渗漏和蒸发损失的节水技术。它具有省水、节能、节地、易管理,且省工省时等优点。同时,投资相对较低,采用聚氯乙烯(PVC)管道,每公顷投资 4 200 元左右。以管代渠,可使渠系水利用系数提高到 92%～95%,可使单位面积毛灌水定额减少 30% 左右,节约能耗 25% 以上。低压管道输水可减少占地,提高土地利用率,一般在井灌区可减少占地 2% 左右,在扬水灌区可减少占地 3% 左右;由于输水管道埋于地下,便于机耕及养护,耕作破坏和人为破坏大大减少,加之管道输水速度明显高于土渠,灌溉速度大大提高,可显著提高灌水效率,因而管理方便,省工省时。

我国自 20 世纪 50 年代就开始对管道输水灌溉技术进行试点应用,到 2003 年底,全国管道灌溉面积已达到 447.62 万 hm²。我国已基本普及了井灌区低压管道输水技术,今后的发展方向是:大型渠灌区渠系管道化,并加快相应大口径塑料管材的开发生产。管道输水灌溉技术是北方井灌区未来相当长的一段时间内需要加以推广的主导输水技术。中国水利水电科学研究院承担的水利部"948"项目,引进并开发生产了田间闸管灌溉系统,不仅可替代田间毛渠完成田间配水过程,还可通过启闭安装在管道上的闸门实施田间控制灌溉。与现有的低压管道输水管网相配套,形成了完整的低压管道输水系统,具有投资少、见效快、使用方便灵活的显著特点。近年在新疆棉花灌溉地区的应用表明,田间灌水效率达到了 70% 以上,比现状地面灌溉节水 30%～40%。

目前,影响低压管灌技术发展主要因素有:①用于管灌的相关设备需进一步定型;②与管灌配套的多孔闸管以及量水设备没有先进实用的产品;③大口径管材的使用存在不少技术问题。

三、地面灌水技术

我国灌溉面积约有 97% 采用地面灌溉,地面灌溉技术是我国目前应用面积最广的一种灌水技术,也是世界上应用最广的一种灌水技术。自 20 世纪 60 年代开始,在广大北方地区开展地面灌水技术研究与推广工作;70 年代,提出了小畦灌、长畦分段灌及细流沟灌等多种改进后的地面灌水技术,并在河北、河南、山东、陕西等省推广应用。对传统的沟灌和畦面灌溉适当改进,能节水 10%～20%,增产 10%～15%。基本原则是平整土地,加大灌水流量,将长沟、大畦改为短沟、小畦,并采用合适的流量和引水时间进行灌溉。80 年代后期从美国引进了波涌灌技术,并结合地面覆盖,开发了膜上灌水技术,节水增产效果显著。但我国目前灌溉水利用系数只有 0.4 左右,个别地区甚至更低,田间水利用系数只有 0.6~0.7。有关研究结果表明,如果操作得当,畦田、沟的规格适宜,田间水利用系数可达到 0.8 以上,灌溉定额可大幅度下降。可见地面灌溉节水潜力非常大。膜上灌又称膜孔灌,是在地膜栽培的基础上,利用膜上行水,通过放苗孔和专用灌水孔向作物供水的灌溉方法。膜上灌较一般地面灌溉可节水 30% 以上,最高可达 50%~70%,波涌灌(包括畦灌、沟灌)可节水 10%~30%,灌水均匀度及储水效率均明显提高,分根交替灌溉可节水 10%~30%。这足以表明地面灌水改进提高应用后的节水潜力。

地面灌水技术仍是今后相当长一段时间内我国北方平原地区应大力应用推广的主要田间灌水技术,在全国已推广约 1 330 万 hm²。目前,我国地面灌溉技术研究水平不仅与国外先进水平差距较大,而且与生产实际需求也有较大差距。具体表现在以下几个方面:①对地面灌水技术的研究重视不够且研究不深入;②田间工程不配套;③用水组织及管理水平比较落后。

四、喷灌技术

喷灌是喷洒灌溉的简称,是利用专门的系统将水加压后送到田间,通过喷洒器将水喷射到空中,并使水流分散成细小水滴后均匀地洒落到田间进行灌溉的一种灌水方法。同传统的地面灌水技术相比较,它具有适应性强、控制性强,且不易产生地表径流和深层渗漏等优点。目前,在我国推广的喷灌形式主要有轻小型喷灌机喷灌、固定式喷灌、移动管道式喷灌、卷盘式喷灌机喷灌、大型喷灌机喷灌等。有关研究结果表明,喷灌与传统地面灌水技术相比,可节水 30%~50%,甚至更高,且灌溉均匀,质量高;减少占地,能扩大播种面积 10%~20%;不需平整土地,省时省工;能调节田间小气候,提高农产品的品质,以及对某些作物病虫害起到防治作用。而且实施喷灌技术,有利于促进灌溉机械化、自动化。但喷灌技术的发展也有其局限性,如受风的影响大,且能耗大,一次性投资高,这是影响喷灌技术快速发展的主要障碍。因此,建议喷灌技术的发展一定要和经济效益挂钩,对于那些附加值较高的经济作物,可以提倡发展喷灌,但对于大田作物,则要视经济状况而定,特别是对于那些经济尚不太发达的北方山区、丘陵区更需认真考虑。

尽管如此,由于喷灌技术本身的优点,世界各国均对这项技术非常重视,我国也是如此。到 2003 年底,我国喷灌面积达到 263.37 万 hm²。我国自 20 世纪 70 年代开始发展喷灌技术,喷灌设备生产已具备一定的规模,生产能力基本上可以满足我国现阶段喷灌发展的需求,甚至还有部分出口。但在产品种类、材质、性能等方面与发达国家仍有相当大的差距。其主要表现在:①关键设备耐久性能较差,从而影响设备的寿命;②山丘区喷灌设备配套性能差,还没有形成适合山区的喷灌技术体系;③节能喷灌设备与设备的系列化标准化程度低;④推广喷灌的适应条件不明确,管理跟不上。

五、微灌技术

微灌技术是一种新型的节水灌溉技术,包括滴灌、微喷灌、膜下滴灌、涌泉灌和渗灌。微灌具有节水节能、灌水均匀的优点,灌溉水利用系数可达 80%~90%,并且具有水肥同步、适应性强、操作方便等优点。微灌一般比地面灌节水 30%~50%,甚至超过 60%,比喷灌节水 15%～20%,比喷灌能耗低。由于采用压力管道输水,可适用于山区、坡地、平原等各种地形条件。微灌系统不需平整土地和开沟打畦,可实现自动控制灌水,大大减小了灌水的劳动强度和劳动量。微灌的不利因素在于系统建设的一次性投资太大,且灌水器易堵塞等。对于果园固定式微灌每公顷投资 1.5 万～2.25 万元,大田固定式微灌每公顷投资 0.9 万～1.2 万元,保护地栽培微灌每公顷投资 1.5 万～2.7 万元。因此,其适宜作物尚需同喷灌技术的选择应用一样,要因地、因作物、因区域经济而定,同时又要考虑微灌本身属局部灌溉的特点。

我国微灌技术自 1974 年开始发展以来,大致经历了引进、消化和试制(1974～1980年),深入研究和缓慢发展(1980～1990 年)及快速发展(1990 年以后)三个阶段。到 2003年底,全国微灌面积达 37.1 万 hm^2。目前,在微灌技术领域,我国先后研制和改进了等流量滴灌设备、微喷灌设备、滴灌带(管)、孔口滴头、压力补偿式滴头、折射式和旋转式微喷头、过滤器和进排气阀等设备,总结出了一套基本适合我国国情的微灌设计参数和计算方法,建立了一批新的试验示范基地,发展了一批微灌设备企业。初步估计,我国微灌设备产品的生产能力,从数量上讲,可以满足发展微灌的需要,但从质量上比较,仍与国外先进水平存在较大差距。具体表现在以下几个方面:①微灌设备种类少,性能差,工艺水平落后,材质不耐老化;②水净化技术未完全解决;③对微灌技术的适应作物尚有一定争议;④管理水平差。

六、坐水种灌溉

坐水种灌溉又称注水灌,严格地讲,是一种节水灌溉措施。它是将一定量的水注入局部土壤中,以满足种子发芽和保苗需水最低限度的一种局部灌溉方法,它简便易行,适宜于北方旱区播种时土壤含水率低、不能确保全苗时应用。采用坐水种播种前应先进行浸种或用保水剂、抗旱剂处理种子,使种子吸足水,每公顷灌水量控制在 45～75 m^3(每坑中灌水 2～2.5 kg,或沟灌水深度控制在 3 cm 左右)。有条件的地方可使用抗旱保苗灌水机实施坐水种,能一次完成开沟、注水、播种、施肥、覆土、覆膜等工作。这一灌溉措施技术含量不高,主要应用在北方缺水地区。

七、雨水汇集利用技术

雨水利用技术实质上是雨水资源化的过程,它是以降雨地表径流调控为手段,提高雨水的利用率和利用效率的一项技术,是一项投资低廉、发展迅速的技术,特别是 20 世纪80 年代后期以来,在干旱频发、水资源日益紧缺的情况下,这项技术得到了迅猛发展。窖窖节水灌溉也是雨水利用的一种具体形式。窖窖节水灌溉一般适宜于宽行距的作物,一个盛水 60 m^3 的水窖可保证 0.133 hm^2(2 亩,1 hm^2 = 15 亩,下同)地的灌溉要求。

从总体上看,这项技术有很大的应用前景,但尚有诸多问题未得到深入解决,具体表现在:①雨水资源的适宜开发程度;②不同区域雨水资源的开发利用模式;③雨水利用技术与设备。

八、水稻控制灌溉技术

根据水稻不同生育期对水分的不同需求进行灌溉,即改变以往水稻大水漫灌、串灌的旧习惯,而采取"薄、浅、湿、晒"的方式进行灌溉。这项技术只是改变灌水习惯,每公顷可节水 1 500 m^3,增产稻谷 25 kg,效益显著。该技术曾在山东省济宁市、临沂市等地进行过研究、示范和推广。近几年,已在广西省大面积推广应用。

九、农艺节水灌溉技术

为了充分、高效利用农作物根层的水分,达到作物增产的目的,采用的所有农业技术,称为农业节水配套技术。主要包括节水增产的水肥综合管理技术,蓄水保墒的耕作技术,适雨种植的作物合理布局,提高作物抗旱能力的栽培技术,秸秆、地膜覆盖的增温保墒技术,采用化学药剂抗旱、保墒技术,保水剂的应用技术以及节水抗旱作物品种的选育、选用技术等。近年来,随着生物技术的发展,生物节水调控技术也迅速发展,并开始在节水农业中应用。如通过根源信号传输水分,调节控制作物有效光合,增加蒸腾,依靠水分的供给实现上述调控过程,以达到节水、增产,实现高水分生产效率的目的。

目前,农艺节水技术已基本普及,但生物节水技术尚待进一步开发。如采用保水剂拌种包衣,保水剂能在降水或灌溉后吸收相当于自身重量数百倍乃至上千倍的水分,在土壤水分缺乏时将所含的水分慢慢释放出,供作物吸收利用,遇降水或灌水时还可再吸水膨胀,重复发挥作用。

如何实现各种农业节水增产技术的最佳组合,形成技术整体优势,是目前世界各国均十分重视的一个研究课题,也是至今仍没有很好解决的一个难题。目前,存在的主要问题是对各种节水灌溉条件下的水肥运移、吸收、转化利用规律,耕作保墒、覆盖保墒技术如何与节水灌溉技术相结合,从而形成整体优势与配套技术体系等方面研究不够深入。

十、节水灌溉管理技术

节水灌溉管理技术是指根据作物的需求规律,控制、调配水源,以最大限度地满足作物对水分的需求,实现区域效益最佳的农田水分调控管理技术。包括灌溉用水管理自动信息系统、输配水自动量测及监控技术、土壤墒情自动监测技术、节水灌溉制度等,其中,输配水自动量测及监控技术采用高标准的量测设备,及时准确地掌握灌区水情,如水库、河流、渠道的水位、流量以及抽水水泵运行情况等技术参数,通过数据采集、传输和计算机处理,实现科学配水,减少弃水。土壤墒情自动监测技术采用张力计、中子仪、TDR 等先进的仪器监测土壤墒情,以科学制定灌溉计划、实施适时适量的精细灌溉。国家节水灌溉北京工程技术研究中心在水利部"948"项目的支持下,研制开发了灌区用水管理自动控制系统,已在甘肃景泰灌区成功应用,并列入 2001 年国家农业科技成果转化资金项目、水利部推广项目。

节水高效灌溉制度是灌溉管理技术的基础,它是根据作物的需水规律,把有限的灌溉水量在灌区内及作物生育期内进行最优分配,达到高产、高效的目的。从 20 世纪 50 年代开始,我国在此方面研究比较深入,编制了全国主要农作物需水量等值线图,建立了全国灌溉试验资料数据库。近年来,我国又开始节水高效灌溉制度研究、非充分灌溉条件下的节水灌溉制度研究,取得了初步成果,一些模型的理论和实用性均较好。

目前我国节水灌溉管理应用技术研究与发达国家的差距尚大,具体表现在以下几个方面：①土壤墒情监测技术与设备研发；②土壤墒情预测技术；③非充分灌溉条件下的节水高效灌溉制度，特别是不同节水灌溉技术条件下的节水高效灌溉制度；④抗干扰能力强、水头损失小的实用量水技术与设备。

第四节　山东省农业节水发展现状

山东省地处黄河下游，多年平均降水量仅 660 mm，且时空分布不均，是水资源紧缺的省份之一。全省有效灌溉面积 476.1 万 hm^2，占耕地总面积的 70%。全省多年平均水资源总量 305.8 亿 m^3，人均占有量 344 m^3，不到全国人均的 1/6。主要客水来源为黄河，"九五"期间年均引用黄河水 67.54 亿 m^3。20 世纪 90 年代以来，全省水资源实际利用率已达到 58.2%。水资源总量不足及资源性缺水，是造成山东水资源供需矛盾突出的主要原因。基于对这一形势的理解与认识，山东省一直将农业节水作为一项战略措施来抓，近年来，全省各地靠树典型、给政策、搞服务、扶龙头四招联动，大力发展节水灌溉事业，初步建立起了政策、工程、管理三位一体的综合节水体系，为实施定额管理，建设节水型社会创造了条件。1998～2004 年，全省节水灌溉总投入 50 多亿元，其中国家投入 1.6 亿元。在水利部的大力支持下，烟台、威海等 6 市被列为国家节水示范市，建成 100 多个国家节水增效示范项目。

截至 2003 年底，山东省各类节水灌溉面积有 178.75 万 hm^2，其中渠道防渗面积 34.43 万 hm^2，低压管灌面积 76.39 万 hm^2，喷灌面积 15.83 万 hm^2，微灌面积 3.78 万 hm^2，其他工程节水面积 48.32 万 hm^2。

一、山东省农业节水典型

在大力发展农业节水建设中，山东省涌现出一大批节水典型，具有一定代表性和推广价值。

(一)整体推动型

烟台市结合节水示范市建设提出实施节水"6433"系统工程，即确定粮田管灌喷灌化、果园微灌管灌化、大棚微喷滴灌化、渠道浆砌防渗化、农田灌溉科学化、工程管理企业化的"六化目标"；突出粮田、果园、大棚、渠道"四个重点"；强调规划、规模、规范"三规要求"；做到领导力度、投入力度、管理力度"三个加强"。东营利津县建设集管灌、微灌、喷灌、渠道防渗为一体的综合型农业节水工程，实现水资源高效利用。肥城市结合节水增产重点县建设，按照"山丘果园微灌化、平原高值田喷灌化、大棚瓜菜滴灌化、粮食作物管灌化"的思路，大力发展节水灌溉。桓台县为实现节水高产，在示范区配套实施农业节水措施，采取的配套农业措施有：足墒播种、选用优良品种、增施磷肥、促根增穗，踏压划锄提墒，秸秆还田、覆盖保墒蓄水，增加基本苗，确保播种质量，田间深耕蓄水保墒，喷施旱地龙等。这一系列做法为周边地区发展农业节水模式提供了借鉴，促进了周边地区农业节水的发展。

(二)外资引进型

蓬莱市提出了打造"国际葡萄酒城"战略，外商投资搞节水工程建设的积极性大大提高。各大农字号龙头企业成为节水工程建设的投资主体，2004 年新建节水工程大部分位于各大农字号龙头企业的种植基地内,如中粮集团种植基地的葡萄滴灌、香格里拉和御任酒业集团种植基地的葡萄管灌,晟绮丝绸公司的桑园喷灌工程等。莱阳市引进外资,兴办高标准节水灌溉工程,该市灈村先后将 100 hm^2 梨园和 413 hm^2 泊地租赁给了外商,镇、村两级出资 44 万元负责水源工程(机井配套),外商出资 312 万元负责田间节水工程,引进以色列先进节水技术,发展补偿式葡萄滴灌 173 hm^2,工程建设使灌溉周期由原来的 20 天缩短到 5 天,节约用水 60%,增产 1 500 kg/hm^2,年增加收入 50 多万元。

(三)科技牵动型

山东省节水工程中,土工布防渗技术、IC 卡、射频卡控制灌溉技术、全自动渠道衬砌技术、变频恒压供水技术等已得到广泛应用。济南市长清区国家节水灌溉示范项目,2004 年实施节水灌溉面积 373 hm^2,其中推广使用射频卡控制灌溉技术 100 hm^2。蓬莱项目区为解决水源不足问题,采用井井联合的网络灌溉方式。为解决灌水时间不同步的问题,安装了变频调速恒压供水控制系统。为提高田间灌水质量,2001 年 9 月份,山东省水利厅组织引进了 2 台(套)激光控制平地装置,并在高唐县和邹平县井灌区进行试运行,经过整平后的农田田面高差在 1.5 cm 以内,大大降低了畦灌过程中由于横向畦面受水不均匀带来的灌水不均匀程度,节水 25% 以上。2003 年临淄区实施了千亩节水灌溉示范项目,集农业节水、观光农业和生态农业于一体,果树微灌工程是本项目重点,技术人员针对地片零散、高差大的实际,采用了以色列耐特菲姆具有抗堵塞性能和压力调节能力的"超越型"压力补偿微喷头,购置了微机控制变频调速控制设备,提高了工程灌溉均匀度和自动化水平。

(四)机制创新型

为加强项目的管理,各地在大力发展节水工程的同时,根据建管同步的原则,把节水工程管理放在同等重要位置,探索出了许多成功模式,通过建立用水户协会等多种形式的农业用水合作组织,让更多农民成为节水的"主人",使节水工程真正发挥了效益。较为典型的模式有节水灌溉协会、股份制公司、水利合作社、节水灌溉公司等。五莲县林泉村在搞好评估调查摸底基础上,制定出了《林泉村高标准节水工程股份合作章程》,临淄区将承包、租赁、合作社等管理形式引入灌区工程管理改革中,全区共发展喷、微灌工程 467 hm^2。武城县下发了《关于建立农村水利基层服务组织的通知》,项目单位建立了供(用)水协会。

(五)计量供水型

山东省把测水量水、按方收费作为推进灌区改革的重要举措,全面推进。东营市胜利灌区实现了干渠计量供水按方收费及预缴水费制度。市属四大灌区还进行将水费由行政性收费改为经营性收费的改革,改水费由财政代收为自收自支。滨州市无棣县成立了农村供水公司,对入境黄河水、入境河水及当地水源统一管理,实现计量供水到乡镇,通过计量供水、按方收费调动各级用水户节水的主动性、自觉性。莱芜市水利局自主研制的"射频卡节水计量自动化控制系统",具有对卡的识别、加钱、款额判断、启闭机泵、计量显示、递减耗值、统计累计的功能,农户交钱充卡,预缴水费,科学地解决了计量收费的难题。聊城市大力推行灌区测水量水设施建设,全市节水灌溉工作提高到一个新的水平。目前全市 8 个县(市、区)的 127 个乡(镇)已全部实现计量供水、按方收费到乡(镇),并签订了供用水协议,初步建立起了科学的引黄调水管理体系。测水量水到乡镇的实现,使计量供水、按量收费成为可能,为逐步实现计量到村到户奠定了基础,解决了在用水上的大锅饭,使经济杠杆发挥出应有的作用。

(六)基地带动型

蓬莱市结合省财政重点扶持节水项目区和国家节水示范项目区大部分为各农字号企业种植基地,企业成为项目区的投资主体及管理主体,形成了"龙头企业+基地车间+农民"的经营体制,已建成县、乡、村三级服务网络。随着各大企业高标准节水示范区的建成,周边群众也纷纷兴建高标准节水工程,潮水镇结合水库供水,安装变频恒压供水设备,地下水与地表水联合调度,实行井渠双灌,实现了水资源优化配置。

(七)生态改善型

山东省灌区内自然条件一般较差,经过续建配套和节水改造,减少了土渠冲刷,降低了渗水量及地下水埋深,改善了沿渠两边的农田灌溉条件,提高了环境效益。东营市属黄河冲积平原地,土壤瘠薄,生态环境较差,结合灌区改造,开拓性地提出了区域性条带式水利生态景观工程建设,投入8 000多万元绿化渠道300 km,骨干渠道林木覆盖率达70%以上,确保了"治理一条渠道,剔除一片风沙区,建设一条绿色风光带,构筑一条绿色通道"目标的实现,将渠域建设成为经济带、景观带,形成"水清、岸绿、景美、流畅"的水域景观,实现人与自然和谐共处。

(八)注重实效型

节水灌溉的目地是节水增效。近年各类节水面积中,喷灌、滴灌的增幅有所减小,管道灌溉的面积持续快速增长。威海市开发成功了经济实用、深受群众欢迎的小水源、小机泵、小系统"三小"机压管道输水灌溉技术。此项技术在胶东地区已有相当规模。龙口市北邢家水库支渠以下以管代渠,灌区实现了自压管灌。日照市莒县也集中连片发展水库灌区自压管灌,并落实了管护新体制。栖霞市创新了水利联合体发展节水灌溉工程,符合当前生产体制和经营机制。

二、山东省发展农业节水的基本经验

回顾山东省农业节水发展的历程,最重要的启示是,必须把追求综合效益最大化作为出发点和立足点,坚持"适用、方便、自愿"的原则,积极探索与生产关系相适应的节水途径和措施,走综合节水、系统节水的路子。

(一)适应生产力水平,找准政府与群众结合点,是发展农业节水的生命力

发展农业节水,政府关心的是全省水资源的合理利用和优化配置,农民关心的是实实在在的利益。必须找准政府与群众的结合点,解决农业节水技术推而不广的问题。山东省在这方面做法主要有以下几方面。

(1)结合农业结构调整和现代化农业建设发展节水灌溉。为应对入世要求,推行农业结构调整到哪里,节水工程就配套到哪里,以调整促节水,靠节水增效益。烟台市福山区在草莓大棚和樱桃大棚中应用微灌技术后,大樱桃可提前1~2个月上市,价格提高10~20倍,每季仅减少草莓烂果损失就可收回全部工程投资。蓬莱市以喷灌、微喷技术为依托,发展高效果品种植业,粮经作物种植比例由原来的6:4发展到现在的3:7。

(2)结合现行农村生产体制和落实土地延包政策发展节水灌溉,使农民投得放心、管得上心、用得省心。栖霞市在 40 000 hm² 苹果节水示范区建设中,以井为体系,以户为单元,联户安装,单户管理,并引进适合一家--户建设管理的喷灌带,仅 2004 年就推广喷灌带 120 万 m,增加喷灌面积近 6 667 hm²。寿光、肥城、青州等地采取变频恒压、一井多户、一户一表的做法,一家一户自己控制,高效节水,灵活方便。

(3)结合经济发展和改善生态环境发展节水灌溉。莱州市、龙口市等通过发展节水灌溉,使海水入侵区和地下水漏斗区面积得到有效控制。淄博市严重缺水,近年来,大力发展节水灌溉,目前已累计发展节水灌溉面积 10 多万 hm²,占有效灌溉面积的 80 % 以上,节约下来的水资源,合理分流到第二、第三产业,城镇居民以及生态环境使用,实现了水资源的优化配置。

(二)加强组织领导,营造节水良好氛围,是发展农业节水的关键

早在 1997 年 11 月,为推动农业节水快速发展,山东省政府下发了《关于全民动员,大力开展节水工作的通知》。为全面抓好节水工作,2001 年山东省政府出台了《关于加强计划用水节约用水工作的通知》。2003 年,以省政府令出台了《山东省节约用水办法》,同年,省委省政府出台了《关于加快水利发展与改革的决定》,并提出到 2010 年农业用水实现零增长或负增长的战略目标。政府层面的重视,为节水灌溉的发展营造了良好氛围,一系列政策法规的出台,促进了农业节水事业的蓬勃发展。2004 年,山东省水利厅以科学发展观为指导,组织了 21 世纪初期节水灌溉发展战略研究工作,提出了 21 世纪初期节水发展的目标和对策,科学预测了今后较长时间的节水发展趋势,具有较高的参考价值和理论价值,集前瞻性、创新性和可操作性于一体。

(三)因地制宜、分类指导,是发展农业节水的基本原则

经过多年的实践与探索,全省形成了各具特色的农业节水发展模式。胶东地区水资源十分紧缺,经济相对发达,优质、高产、高效农业比重大,以发展高标准喷灌、微灌、管灌工程为重点。鲁中南地区重点普及渠道防渗、管道输水、渠系配套等行之有效的综合节水灌溉技术。鲁西北引黄灌区全面推行"分级供水、用水计量、按方收费、节水扩浇"的办法,走"以井保丰,以河补源,以库调蓄,节水灌溉"的路子。

(四)发挥公共财政导向作用,是发展农业节水的催化剂

"九五"以来,中央及山东省财政加大了对农业节水的财政投入,每年安排约 1.5 亿元用于灌区节水改造和面上节水灌溉项目补助。烟台、淄博、威海等 11 个市,临淄、五莲等 50 个县(市、区)都制定了鼓励发展节水灌溉的优惠政策。招远市政府规定,凡发展 20 hm² 以上的果树微灌,每公顷补助 7 500 元。临淄区每建成 0.067 hm² 农田"三灌"工程,政府补助 200 元。由于财政投入起到了很好的引导作用,极大地调动了群众对节水灌溉投入的积极性,泰安市岱岳区化马湾乡采取股份合作制形式筹资 200 万元,建成了万亩节水工程,目前泰安市岱岳区已成立股份灌溉公司 18 个。新泰市规定:每发展 0.067 hm² 大田喷灌补助 80 元;果树、蔬菜微灌每公顷补助 1 500 元;低压管道每公顷补助 750 元;每建 100 m 高标准防渗渠道补助 150 元;新建 3 000 m³ 以上水池补助 100 t 水泥;连片面积在 133.33 hm² 以上的"三灌"工程,一次性给予 10 万元奖励。这些扶持政策极大地调动了广大农民兴建节水工程的积极性。

（五）科学规划，严格实施，是农业节水健康发展的基础

近几年，山东省先后组织编写了《山东省节水灌溉"九五"发展计划及 2015 年规划》、《山东省大型灌区节水改造规划》、《山东省 2001～2010 年集雨节灌工程规划》，为农业节水的发展提供了科学依据。国家和省投资的项目都根据总体规划，经过科学论证，精心设计才立项实施。在节水工程建设中，狠抓了资金管理、质量管理和工程管理，推行了以招标投标制、项目法人制、施工监理制为主要内容的三项制度改革，采取施工单位自检、县（市、区）初检、省市质检部门终检的"三检"质量控制制度。招远、莱州、肥城等 60 多个县（市、区）都组建了节水技术推广中心、喷灌公司等，对节水工程从规划设计、材料供应，到施工安装、运行调试和技术培训，实行一条龙服务，确保了工程建设的进度和质量。

（六）加强管理、严格程序，是发展农业节水的中心环节

根据投资来源、规模大小、灌溉形式等不同条件主要推行了三种管理模式。

一是对国家投资、地方扶持、集体群众筹资兴建的节水工程，一般由市区或镇统一组织实施，工程建成后交由项目村集体统一管理。项目村选派文化程度较高、事业心较强的人员在经过水利部门培训后上岗，对节水工程实行"统一供水，统一收费，统一维护"的"三统一"管理，有效地保证了节水工程的稳定运行和效益发挥。同时为使节水工程长期发挥效益，主要推广以用水户参与为主的管理模式，建立以各种形式农村用水合作组织为主的管理体制，采用承包、租赁、股份合作等灵活多样的经营方式和运行机制。如烟台市牟平区大窑镇西里山村发展大樱桃微灌 26.67 hm²，北大窑村发展果园微灌面积 66.67 hm²，都是一家一户经营，工程设施归集体所有，村里成立了工程管理小组，安排专人负责工程管理维护和水费征收，制定了严格的工程管理制度，统一收费标准，正常年份每公顷每次 180 元，旱年调水灌溉加倍收费。由于收费合理，管理严格，做到了适时适量灌溉，不仅群众满意，还解决了管理人员工资和工程维修费用。

二是以个人或以股份制兴建的工程，由投资人拥有工程的所有权，并实行自主管理。这种管理形式的工程规模一般较小，主要集中在果园、蔬菜等高效经济作物中。烟台市政府出台了"小型水利工程产权制度改革意见"，鼓励个体、联户采取竞买、承包、租赁和股份合作等形式发展私营水利，农民投资建微型节水工程 5 000 多处，还涌现出一批个体投资搞节水工程的大户，其中超过 200 万元的就有 3 户。

三是对社会企事业单位或外商投资兴建的节水灌溉工程，由于农业产业多元化发展的需要，社会企事业单位及外商从自身的经济利益出发，进行投资开发，兴建了部分标准较高、规模较大的农业节水工程，对农业节水灌溉的发展起到积极的作用。这些工程一般由公司按照企业化管理的要求实施严格管理，管理水平较高，效益发挥较好。这种管理形式正日益成为一种新型的、现代化的农业管理方式。

（七）重视节水技术及集成研究，是发展农业节水的动力

近年来，山东省农业节水工程中，土工布防渗技术、IC 卡、射频卡控制灌溉技术、全自动渠道衬砌技术、变频恒压供水技术等已得到广泛应用。目前，山东省 IC 卡控制机井数已达 13 万眼，比 IC 卡更加方便高效的射频（RF）卡投入批量生产，变频恒压设备应用达 12 万套，灌区已经推广应用国内外 10 种测水量水新设备。

为了提高农业节水的技术水平，山东省在作物的灌溉制度、灌溉技术和灌溉设备等方面加大研究和开发力度。山东省水利科学研究院承担的"水库灌区节水灌溉管理模式的研究与应用"项目,对水库水资源的优化配置、作物水分生产函数、节水灌溉制度、墒情监测自动化和灌溉预报等进行研究,成果达到国际先进水平,获山东省科技进步一等奖,并被评为山东省十大科技成果。山东省水利科学研究院承担的"九五"攻关项目"农业节水模式研究与示范"获国家科技进步二等奖,建立了以水资源高效利用优化配置和保护生态环境为目标的工程技术、农艺节水与运行管理为一体的完整的技术体系,在国内各省区尚属首次。

为推进节水灌溉设备水平的提高,尽快将科技成果转化为生产力,1998 年建成山东省节水灌溉设备开发中试基地,形成了节水灌溉设备的研制、中试、组装配套、展示、营销于一体的研究开发中心,推进了全省节水灌溉设备产业化进程。全省农业节水工作的科技含量进一步提高。2003 年山东省成立了山东省现代农业节水工程技术中心,标志着山东省农业节水研究又上了一个新台阶。

(八)大力宣传,加强培训是农业节水发展的重要内容

在搞好国家节水增效项目和省财政扶持重点节水项目同时,山东省还下大力气抓了节水宣传工作,把宣传的形式和效果的好坏列为对项目区评价的重要内容。除利用世界水日、中国水周等活动,加强宣传各地农业节水取得的成效、经验,进行社会性宣传外,不少项目区建成一批坚固、美观、富有宣传意义的标志、标牌。把国家节水标志用于节水灌溉,并进行了定型设计、批量生产。威海市仅 2001 年就组织举办了节水培训班 2 期,各市区水利技术推广中心举办了 6 期节水技术培训班,培训人员达 120 人次,印发了各类节水技术资料 1 000 余份,基本保证了该市有节水工程的村庄至少有一名节水工程技术管理人员负责节水工程的运行管理。

山东省的农业节水发展虽然取得了辉煌的成就,但与国外节水发达国家相比,在农业节水工程的投入、规模、标准,技术体系建设,现代化管理水平,工程设计的规范化,综合节水技术的推广应用等方面还有较大差距,还没有形成适合不同类型区、具有一定工程规模和示范辐射作用的农业综合节水技术体系。

第二章　地面灌溉节水技术

第一节　概　述

一、地面灌溉节水技术的发展

地面灌溉是最古老的,也是目前世界上采用最普遍的农田灌溉技术措施。据统计,全世界用地面灌水方法灌溉的面积占总灌溉面积的 95% 左右。我国现有灌溉面积的 98% 也是采用这类方法。几千年来,我国各族人民在农业生产过程中,积累了极为丰富的地面灌溉经验,对促进和发展我国农牧业生产起了很重要的作用。

地面灌溉的主体是各种地面灌水方法,地面灌水方法是使灌溉水通过田间渠沟或管道输入田间,水流在田面上呈连续薄水层或细小水流沿田面流动,主要借重力作用兼有毛细管作用下渗湿润土壤的灌水方法。

传统的地面灌水方法能充分满足作物的需水要求;对灌水技术要求不高,很容易为人们掌握运用,使用管理简便;不需要特殊的专门设备,投资省;由于水流是借重力和毛管作用下渗,故可以节省能源,运行费用低。但是,地面灌水方法也存在有许多问题,主要是:田间灌水有效利用率比喷灌、滴灌等灌水方法低,只适用于质地较密实的土壤,在砂性土壤上会产生大量深层渗漏损失;容易发生超量灌溉,导致地下水位上升、土壤渍害和盐碱化,或沿田面发生跑水现象,浪费水资源;对土地平整要求较高,地形复杂的地区平整土地的投资大。因此,地面灌水方法比喷灌和滴灌更要注意改善和提高其灌水技术,以达到节水、省工、稳产、高产和低成本的目的。

目前,地面灌溉在灌水技术方面存在的主要问题是管理粗放,沟、畦规格不合理,这种现象相当普遍,田间水的浪费十分严重。据河南省调查,豫东平原井灌区的畦田,畦长小于 50 m 的只占 9.1%,畦长超过 100 m 的占 45%,平均为 100 m,畦宽小于 4 m 的只占 14%,畦宽大于 6 m 的占 34%,平均田间水利用率只有 0.7 左右。我国西北不少地区则仍沿用大畦大水漫灌的旧习,水的浪费更为严重。改进沟、畦灌水技术,提高田间水利用率和灌水均匀度,减小灌水定额是一项投资小、操作简便、效果显著的农业节水增产措施。

改进传统的沟、畦灌溉技术主要是围绕提高灌水均匀度和提高田间水的利用率进行的,灌水均匀度低就难以减小灌水定额。多年来这方面的工作主要是探求沟、畦灌水技术要素在不同土质、不同田面坡度条件下的合理组合,并在试验研究和生产性试验的基础上,提出了用于指导生产的灌水技术要素,推广了小畦灌溉、长畦短灌、细流沟灌、膜上灌等田间节水灌溉技术,取得了显著的节水增产效果。进入 20 世纪 90 年代后,还开展了关于波涌灌的试验研究。

二、地面灌溉节水技术的优缺点

地面灌溉节水技术是在传统的地面灌溉方法的基础上,经过改进而形成的比较先进的灌水技术,与传统的地面灌溉相比较,具有以下优点:

(1)节水。传统的地面灌溉因灌水质量不高,造成水量浪费大;地面灌溉节水技术,通过在灌水技术上改进,田间灌溉用水量大大降低。以畦灌为例,大量试验资料表明,畦长越长,畦田水流的入渗时间越长,因而灌水量也越大。所以,通过缩短畦长,就可以达到减少灌水量的目的。

(2)灌水质量高。地面灌溉节水技术由于对灌水技术进行了改进,灌水质量明显提高。据测试,畦灌的畦长在 30~50 m 时,灌水均匀度可达 80% 以上;畦长大于 100 m 时,灌水均匀度则低于 80%。

(3)增产。由于地面灌溉节水技术比传统的地面灌溉灌水质量高,为作物生长创造了良好的条件,因此有利于作物生长,促进作物增产。据新疆有关单位试验,在同样条件下,棉花采用膜上灌技术比常规沟灌单产皮棉增产 5.12%。

(4)改善了作物生态环境。地面灌溉节水技术,改变了传统的耕作方式,改善了田间土壤水、肥、气、热等土壤肥力状况,可为作物生长创造良好的生态环境。

但是,地面灌溉节水技术与传统地面灌溉相比较,还存在投资相对较高、技术较复杂等不足。

地面灌溉节水技术与喷灌、滴灌等灌水方法相比较,还具有投资少、节约能源、管理运行费用低、操作简便等优点,因而经济实用,容易推广运用。但节水、增产、灌水质量等方面明显不如喷灌、滴灌等。

第二节　地面灌溉节水技术的分类及特点

根据灌溉水向田间输送的形式和湿润土壤的方式不同,地面灌溉节水技术可分为畦灌、沟灌和淹灌三类。

一、畦灌

畦灌是用临时修筑的土埂将灌溉土地分隔成一系列的长方形田块,即灌水畦,又称畦田。灌水时,灌溉水从输水垄沟或直接从田间毛渠引入畦田后,在畦田田面上形成很薄的水层,沿畦长坡度方向均匀流动,在流动的过程中主要借重力作用,以垂直下渗的方式逐渐湿润土壤的灌水方法。

畦灌有顺坡畦灌和横坡畦灌两种。地面坡度较小(小于 1/100),畦田长边方向沿最陡地面坡度方向,即垂直于等高线布置的,称顺坡畦灌。地面坡度较大,畦长方向与等高线斜交或平行布置的,称横坡畦灌。节水型畦灌技术主要包括小畦灌、长畦分段短灌灌水技术、宽浅式畦沟结合灌水技术、水平畦灌技术以及与畦灌相结合的膜上灌、波涌灌技术等。

通常,畦长小于 70 m 的称为短畦灌或小畦灌。试验证明,短畦灌较长畦灌可省水

30%以上,作物产量也较高。长畦分段短灌灌水技术是将一条长畦分成若干个没有横向畦埂的短畦,然后将灌溉水输送于畦田,逐段向短畦灌水的灌水技术。宽浅式畦沟结合灌水技术是畦田与灌水沟相间交替更换的一种灌水技术。水平畦灌是田块纵向和横向两个方向的田面坡度均为零时的畦田灌水方法。国外近年来由于一些新的灌水方法的出现,以及平整土地机械化程度的提高,畦田规格趋向于加大,畦长可达 300～500 m,畦宽增至 10～30 m,由于土地平整程度较好,田间灌水有效利用率较高。畦灌是目前世界上运用最广泛的灌水方法之一。

畦灌方法主要适用于灌溉窄行距密植作物或撒播作物。如小麦、谷子等粮食作物,花生、芝麻等油料作物以及牧草和速生密植蔬菜等。此外,在进行各种作物的播前储水灌溉时,有时也常用畦灌方法,以加大灌溉水向土壤中下渗的水量,使土壤中储存更多的水分。

二、沟灌

沟灌是在作物行间开挖灌水沟,灌溉水由输水沟或毛渠进入灌水沟后,在流动的过程中或在沟内建立一定水层,借重力和土壤毛细管作用从沟底和沟壁向周围渗透而湿润土壤的灌水方法。

沟灌依地形坡度也有顺坡沟灌和横坡沟灌两种。依灌水垄沟断面尺寸大小又可分为深沟灌和浅沟灌两种。深沟灌常用于灌溉多年生、深根行播作物;浅沟灌或细流沟灌一般适用于土壤渗水较缓慢的土质及密植作物。依灌水沟沟尾是否封闭,可将沟划分为封闭沟和流通沟。灌水沟沟尾用土埂封堵死的,称封闭沟。灌水沟的尾部不封闭的,称为流通沟。由于沟灌主要是借毛细管力湿润土壤,土壤入渗时间较长,故对于地面坡度较大或透水性较弱的地块,为了增加土壤入渗时间,常有意增加灌水垄沟长度,使垄沟内水流时间延长,形成多种多样的灌溉垄沟形式。由于沟灌沟中水流仅覆盖了 1/5～1/4 的地表面,因此与畦灌方法相比,可减弱土壤蒸发,土壤团粒结构的破坏较小,灌水量较省,灌水效果比较理想,田间灌水有效利用率可达 80% 以上。

节水型沟灌技术主要包括封闭式直形沟沟灌技术、方形沟沟灌技术、锁链沟沟灌技术、八字沟沟灌技术、细流沟灌技术、沟垄灌灌水技术等。

沟灌与畦灌相比较,具有明显的优点。沟灌的主要优点是:①灌水后不会破坏作物根部附近的土壤结构,可以保持根部土壤疏松,通气良好;②不会形成严重的土壤表面板结,能减少深层渗漏,防止地下水位升高和土壤养分流失;③在多雨季节还可以利用灌水沟汇集地面径流,并及时进行排水,起排水作用;④沟灌能减少植株间的土壤蒸发损失,有利于土壤保墒;⑤开灌水沟时还可对作物兼起培土作用,对防止作物倒伏效果显著。但是,沟灌需要开挖灌水沟,劳动强度较大,若能采用开沟机械,则可使开沟速度加快,开沟质量提高,劳动强度减弱。

沟灌适用于灌溉宽行距的中耕作物,如棉花、玉米和薯类等作物,某些宽行距的蔬菜也采用沟灌。窄行距作物一般不适合用沟灌。

适宜于沟灌的地面坡度一般在 5‰～20‰ 之间。地面坡度不宜过大,否则水流流速快,容易使土壤湿润不均匀,达不到预定的灌水定额。

三、淹灌

淹灌是在田间用较高的土埂筑成一块块方格格田，一般引入较大流量迅速在格田内建立起一定厚度的水层，水主要借重力作用渗入土壤而湿润土壤的灌水方法。

淹灌主要适用于水稻、水生植物及盐碱地冲洗灌溉。旱作物严禁使用淹灌方法，以避免产生深层渗漏，损失浪费大量灌溉水。

第三节　节水型畦灌技术

近十多年来，我国广大灌区为杜绝大水漫灌、大畦漫灌，以节约灌溉水、提高灌水质量、降低灌水成本，推广应用了许多项先进的节水型畦灌技术，取得了明显的节水和增产效果。

一、小畦灌水技术

小畦灌水技术主要是指畦田"三改"灌水技术，也就是"长畦改短畦，宽畦改窄畦，大畦改小畦"。

小畦灌水技术的畦田宽度，自流灌区一般为 $2\sim3$ m，机井提水灌区以 $1\sim2$ m 为宜。地面坡度为 $1/400\sim1/1\,000$ 时，单宽流量为 $2.0\sim4.5$ L/(s·m)，灌水定额为 $300\sim675$ m^3/hm^2；畦长，自流灌区以 $30\sim50$ m 为宜，最长不超过 70 m；机井和高扬程提水灌区以 30 m 左右为宜。畦埂高度一般为 $0.2\sim0.3$ m。

小畦灌主要优点如下：

(1)节水，易于实现小定额灌水。试验表明，灌水定额是随畦长的增加而增大，畦长越长，水流的入渗时间越长，灌水量也就越大。所以，减小畦长，就可减小灌水定额，达到节约水量的目的。

(2)灌水均匀，灌水质量高。由于畦田尺寸小，水流比较集中，水量易于控制，入渗比较均匀。

(3)减少深层渗漏，提高水的有效利用率。由于小畦灌灌水易于控制，因此深层渗漏量小，提高了田间水有效利用率；另一方面，可防止灌区地下水位抬高，防止土壤沼泽化和土壤盐碱化发生。

(4)减轻土壤冲刷和板结，减少土壤养分淋失。畦田大，则灌水量大，水流易冲刷土壤，易使土壤养分随深层渗漏而损失。小畦灌灌水量小，有利于保持土壤结构，保持和提高土壤肥力，促进作物生长，增加产量。

二、长畦分段短灌技术

长畦分段短灌技术是将一条长畦分成若干个没有横向畦埂的短畦，采用地面纵向输水沟或塑料软管，将灌溉水输送入畦田，然后自下而上或自上而下依次逐段向短畦内灌水，直至全部短畦灌完为止的灌水技术。

长畦分段短灌，若用输水沟输水和灌水，同一条输水沟第一次灌水时，应由长畦尾端短畦开始自下而上分段向各个短畦内灌水。第二次灌水时,应由长畦首端开始自上而下向各分段短畦内灌水,输水沟内一般仍可种植作物。长畦分段短灌,若用塑料软管输水、灌水,每次灌水时均可将软管直接铺设在长畦田面上,软管尾端出口放置在长畦的最末一个短畦的上端放水口处开始灌水,该短畦灌水结束后脱掉一节软管,自下而上逐段向短畦内灌水,直至全部短畦灌水结束为止。

长畦分段短灌技术的畦宽可达 5～10 m,畦长可达 200 m 以上,一般在 100～400 m,但其单宽流量并不增大。这种灌水技术的要求是,正确确定入畦灌水流量、短畦长度与间距,以及分段改水时间或改水成数。

根据水量平衡原理和水流运动基本规律,在满足灌水定额和十成改水的条件下,计算分段进水口间距的基本计算公式如下:

对于有坡畦灌

$$L_0 = \frac{40q}{1 + \beta_0} \left(\frac{1.5m}{K_0} \right)^{1/(1-\alpha)} \tag{2-1}$$

对于水平畦灌

$$L_0 = \frac{40q}{m} \left(\frac{1.5m}{K_0} \right)^{1/(1-\alpha)} \tag{2-2}$$

式中　L_0——分段进水口间距,m;

　　　β_0——地面水流消退历时与水流推进历时的比值,一般取 0.8～1.2;

　　　q——入畦单宽流量,L/(s·m);

　　　m——灌水定额,m^3/hm^2;

　　　K_0——第一个单位时间内的平均入渗速度,mm/min;

　　　α——入渗递减指数。

应用长畦分段短灌法,能达到省水、省地、省工、灌水均匀度高、灌水有效利用率高的目的。实践证明,长畦分段短灌技术是一种良好的节水型灌水方法,它具有以下优点:

(1)可以实现小定额灌水,灌水均匀度、田间灌水储存率和田间灌水有效利用率较高。试验表明,长畦分段短灌法灌水定额在 450 m^3/hm^2 左右,其灌水均匀度、田间灌水储存率和田间灌水有效利用率均大于 80%～85%,且随畦长而增大,与畦田长度相同的常规畦灌方法相比较,可省水 40%～60%,田间灌水有效利用率可提高 1 倍左右。

(2)灌溉设施占地少,可以省去一至二级田间输水渠沟。田间无横向畦埂或渠沟,方便机耕和采用其他先进的耕作方法,更有利于作物增产。

(3)与常规畦灌方法相比,可以灵活地适应地面坡度、糙率和种植作物的变化,可以采用较小的单宽流量,减少土壤冲刷。

(4)投资少,节约能源,管理费用低,技术操作简单,容易推广运用。

表 2-1 所示为长畦分段短灌技术要素,仅供参考。

表 2-1　长畦分段灌水技术要素

序号	输水沟流量(L/s)	灌水定额(m³/hm²)	畦长(m)	畦宽(m)	单宽流量(L/(s·m))	单畦灌水时间(min)	分段长度(m)×段数
1	15	400	200	3	5.00	40.0	50×4
			200	4	3.76	53.3	40×5
			200	5	3.00	66.7	35×6
2	17	400	200	3	5.67	35.0	65×3
			200	4	4.25	47.0	50×4
			200	5	3.40	58.8	40×5
3	20	400	200	3	3.67	30.0	65×3
			200	4	5.00	40.0	50×4
			200	5	4.00	50.0	40×5
4	23	400	200	3	7.67	26.1	70×3
			200	4	5.76	34.8	65×3
			200	5	4.60	43.5	50×4

三、宽浅式畦沟结合灌水技术

宽浅式畦沟结合灌水技术,是一种适应间作套种或立体栽培作物灌水畦与灌水沟相结合的灌水技术。通过近年来的试验和推广应用,已证明是一种高产、省水、低成本的较先进的灌水技术。

这种灌水技术的特点是:①畦田和灌水沟相间交替更换,畦田面宽为 40 cm,可以种植两行小麦,行距 10～20 cm。②小麦可以采用常规畦灌或长畦分段灌水技术灌溉,见图 2-1(a)。③小麦乳熟期,在每隔两行小麦之间开挖浅沟,套种一行玉米,套种的玉米行距为 90 cm,在此时期,如遇干旱,土壤水分不足,或遇有干热风时,可利用浅沟灌水,灌水后借浅沟湿润土壤,为玉米播种和发芽出苗提供良好的土壤水分条件,见图 2-1(b)。④小麦收获后,玉米已近拔节期,可在小麦收割后的空白畦田处开挖灌水沟,并结合玉米中耕培土,把从畦田田面上挖出的土壤覆在玉米根部,就形成了灌水沟沟埂,而原来的畦田田面则成为灌水沟沟底,见图 2-1(c)。其灌水沟的间距正好是玉米的行距,这种做法,既可使玉米根部牢固,防止倒伏,又能多蓄水分,增强耐旱能力。宽浅式畦沟结合灌水方法,最适宜于在遭遇干旱天气时,采用"未割先浇技术",以一水促两种作物。

宽浅式畦沟结合灌水技术的主要优点有:

(1)灌溉水流入浅沟后,由浅沟沟壁向畦田土壤侧渗湿润土壤,因此对土壤结构破坏小。

(2)蓄水保墒效果好,施肥集中,养分利用充分,通风透光好,培土厚,作物抗倒伏能力强,因此有利于两茬作物获得稳产、高产。

(3)灌水均匀度高,灌水量小,一般灌水定额 525 m³/hm² 左右,而且玉米全生育期灌

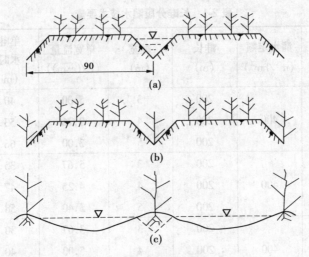

图 2-1　宽浅式畦沟结合灌溉示意图　（单位：cm）

水次数比传统地面灌溉可以减少 1~2 次，耐旱时间较长。

（4）能促使玉米适当早播，解决小麦、玉米两茬作物"争水、争时、争劳"的尖锐矛盾。

宽浅式畦沟结合灌水技术是我国北方广大旱作物灌区值得推广的节水灌溉新技术。但是，它也存在田间沟和畦多、沟和畦要轮番交替更换、劳动强度较大、费工较多等缺点。

第四节　节水型沟灌技术

目前，节水型沟灌技术主要有以下几种形式。

一、封闭式直形沟沟灌技术

封闭式直形沟沟灌（见图 2-2）主要适用于土壤透水性较强、地面坡度较小的地块。一般封闭沟沟距 0.6~0.7 m，沟深 0.15~0.25 m，沟长 30~50 m。当地面坡度为 1/400~1/1 000 时，单沟流量一般为 0.5~1.0 L/s，灌水定额为 300~600 m^3/hm^2，灌水时，将 3~5 灌水沟划为一组，进行轮灌。

二、方形沟沟灌技术

方形沟沟灌（见图 2-3）主要适用于地形较复杂，地面坡度较陡（1/50~1/200）的地段。沟长一般 2~10 m，地面坡陡时宜短，坡缓时宜长。每 5~10 条灌水沟为一组，组间留一条沟作为输水沟，就成为一个方形沟组。灌水时，从输水沟下段第一方形组开口，由下而上浇灌。第二次灌水时，仍利用原渠口由上而下浇灌。方形沟沟灌需要通过掌握沟内蓄水深度来控制灌水定额。一般沟中水深蓄到 10~13 cm 时，灌水定额可达 600 m^3/hm^2。

三、锁链沟沟灌技术

锁链沟沟灌（见图 2-4）主要适用于地面坡度为 1/200~1/600，土壤透水性较弱的地

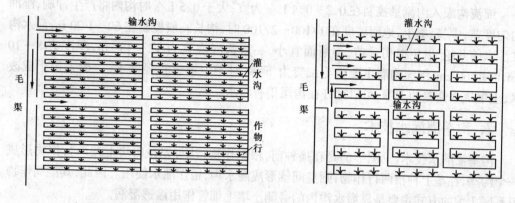

图 2-2　直形沟　　　　　　　　　　　图 2-3　方形沟

块。锁链沟可以延长水在沟中的入渗时间,提高灌水均匀度,适当加大灌水定额,以增强抗旱、防风、抗倒伏能力。

四、八字沟沟灌技术

八字沟沟灌(见图 2-5)由输水沟引水,经引水短沟(长 1.0～1.5 m),然后分水到灌水沟内。每一八字沟,可以控制 5～9 条灌水沟。八字沟向灌水沟灌水时应先远后近,待两侧灌水沟流到 1/3 沟长后,再向中间灌水沟灌水,这样就可以较好地控制入沟水量,克服各沟进水不均匀的缺点。八字沟适用于地形较复杂的地块。

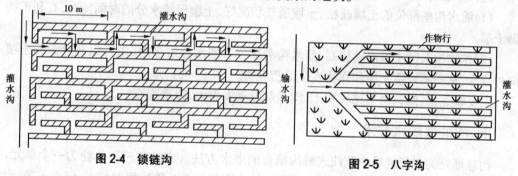

图 2-4　锁链沟　　　　　　　　　　　图 2-5　八字沟

五、细流沟灌技术

细流沟灌是用短管或从输水沟上开一小口引水。流量较小,入沟流量为 0.1～0.3 L/s。灌水沟内水深为 1/5～2/5 沟深。因此,细流沟灌在灌水过程中,水流在灌水沟内,边流动边下渗,直到全部灌溉水量均渗入土壤计划湿润层内为止,一般放水停止后在沟内不会形成积水,故属于在灌水沟内不存蓄水的封闭沟类型。

细流沟灌的优点是:

(1)由于沟内水浅,流动缓慢,主要借毛细管作用浸润土壤,水流受重力作用湿润土壤的范围小,所以对保持土壤结构有利。

(2)减少地面蒸发量,比灌水沟内存蓄水的封闭沟灌蒸发损失量减少 2/3～3/4。

(3)湿润土层均匀,而且深度大,保墒时间长。

细流沟灌入沟流量控制在 0.2~0.4 L/s 为宜；大于 0.5 L/s 时沟内将产生冲刷，湿润均匀度差；中、轻壤土，地面坡度在 1/100~2/100 时，沟长一般控制在 60~120 m；灌水沟在灌水前开挖，以免损伤禾苗，沟断面宜小，一般沟底底宽为 12~13 cm，深度为 8~10 cm，间距 60 cm；细流沟灌主要借毛细管力下渗，对于中壤土和轻壤土，一般采用十成改水，土壤透水性差的土壤，可以允许在沟尾稍有泄水。

六、沟垄灌灌水技术

沟垄灌灌水技术（见图 2-6）是在播种前，根据作物行距，先在田块上按两行作物形成一个沟垄，在垄上种植两行作物，则垄间就形成灌水沟，留作灌水使用。因此，其湿润作物根系区土壤的方式主要是靠灌水沟内的旁侧土壤毛细管作用渗透湿润。

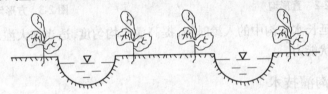

图 2-6　沟垄灌

沟垄灌一般多适用于棉花、马铃薯等作物或宽窄行相间种植作物，是一种既可以抗旱又能防渍涝的节水沟灌方法。

这种方法的主要优点是：

（1）灌水沟垄部位的土壤疏松，土壤通气状况好，土壤保持水分的时间持久，有利于抗御干旱。

（2）作物根系区土壤温度较高，灌水沟垄部位土壤水分过多时，尚可以通过沟侧土壤向外排水，从而不致使土壤和作物发生渍涝危害。

主要缺点是：修筑沟垄比较费工，沟垄部位蒸发面大，容易跑墒。

七、沟畦灌灌水技术

沟畦灌是类似于畦灌中宽浅式畦沟结合的灌水方法。它是以三行作物为一个单元，把每三行作物中的中行作物行间部位处的土壤向两侧的两行作物根部培土，形成土垄，而中行作物只对单株作物根部周围培土，行间就形成浅沟，留作灌水时使用。

沟畦灌大多用于灌溉玉米等作物。主要优点是，培土行间以旁侧入渗方式湿润作物根系区土壤，根部土壤疏松，湿润土壤均匀，土壤通气性好。

八、播种沟灌水技术

播种沟沟灌主要适用于沟播作物播种缺墒时灌水使用。当在作物播种期遭遇干旱时，为了抢时播种促使种子发芽，保证苗齐、苗壮，可采用播种沟沟灌。

播种沟沟灌的具体技术是，依据作物计划的行距要求，犁第一犁开沟时随即播种下籽；犁第二沟时作为灌水沟，并将第二犁翻起来的土正好覆盖住第一犁沟内播下的种子，同时立即向该沟内灌水；之后，依此类推，直至全部地块播种结束为止。

这种方法,种子所需要的水分是靠灌水沟内的水通过旁侧渗透浸润。因此,各播种种子沟土壤不会产生板结,土壤通气性良好,土壤疏松,非常有利于作物种子发芽和出苗。播种种子沟可以采取先播种,之后再灌水,或随播种随灌水等方式,以不延误播种期,并为争取适时早播提供方便条件。

九、沟浸灌田字形沟灌水技术

沟浸灌田字形沟灌(见图 2-7),是水稻田在水稻收割后种植旱作物的一种灌水方法。由于采用有水层长期淹灌的稻田,其耕作层下通常都形成有透水性较弱的密实土壤层(犁底层),这对旱作物生长期间排除因降雨或灌溉所产生的田面积水或过多的土壤水分是不利的。据经验和试验资料,采用这种沟灌可以同时起到旱灌、涝排的双重作用,小麦沟浸灌比格田淹灌可以节水 31.2%,增产 5.0%左右。

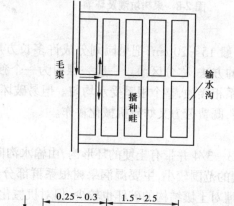

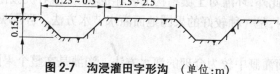

图 2-7 沟浸灌田字形沟 (单位:m)

十、隔沟灌技术

采用隔沟灌灌水,不是向所有灌水沟都放水,而是对灌水沟实施间隔放水,一般多采用间隔一条灌水沟,这种方法主要适用于作物需水少的生长阶段,或地下水位较高的地区,以及宽窄行作物,通常宽行间的灌水沟实施灌水,而窄行间的沟则不进行灌水。

近年来,为减少作物植株间的土壤蒸发和控制作物根系的生长,对宽行作物采取控制隔沟灌灌水。这种隔沟灌是在作物某个时期只对某些灌水沟实施灌水,而在另一个时期,则对其相邻的灌水沟灌水。这样,由于作物根系的向水性,可以用这种控制隔沟通水方法来控制作物根系的生长,同时也达到了节水的目的。

十一、果园节水型沟灌技术

目前我国绝大多数果园采用地面灌溉,其中沟灌是采用的主要形式,现将几种常见的果园节水型沟灌介绍如下。

(一)坑灌

在每棵果树周围用土埂围成圆形或方形坑,由输水沟或输水管道引水入坑的灌水方法,称坑灌。坑灌方法简单,但土壤水分仅分布在果树主根附近,根群部分水量较少,从而缩小了果树根系吸水的范围,并会影响机械耕作,土壤易板结,灌水效率低。见图 2-8(a)。

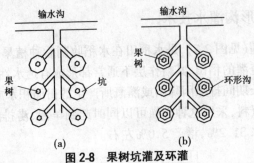

图 2-8　果树坑灌及环灌

(二)分区(格田)灌

在果树间筑土埂,埂高一般 15~20 cm,把果园划分成许多长方形或正方形的小区,由输水沟向各小区供水灌溉的方法,称分区灌。一般一棵树为一个独立的小区。这种方法能使灌溉水充分与果树根系相接触,整个根系受水均匀。但易破坏土壤结构,使土壤表面板结,需培筑许多纵横土埂,既费劳力又妨碍机械化耕作。

(三)环灌

修筑直径为树冠直径 2/3~3/4 并带有土埂的环形沟,由输水沟向环形沟供水灌溉的方法,称环灌。环灌湿润土壤的范围较小,主要湿润果树根系群部分的土壤,因此灌水量较小,用水较经济。此外,环灌对土壤结构的破坏也较少,但对机械化耕作仍有一定妨碍。环灌多用于幼龄果树,是一种较好的果园地面灌水节水方法。环灌见图 2-8(b)。

(四)沟灌

沟灌是果园地面灌溉中较为合理的灌水方法。沟灌是在整个果园的果树行间开灌水沟,由输水沟或输水管道供水灌溉。灌水沟的间距视土壤类型及其透水性而定。一般易透水的轻质土壤,沟距为 60~70 cm;中壤土和轻壤土,沟距为 80~90 cm;黏重土壤沟距为 100~120 cm。一般密植果园在每一果树行间开一条灌水沟即可。稀植果园,若为黏重土壤,可在每行果树间每隔 100~150 cm 开一条灌水沟;若为轻质土壤则每隔 75~100 cm 开一条灌水沟。灌溉结束,可以将灌水沟填平。灌水沟的深度取决于灌水沟距果树树干的远近,距离树干远的灌水沟应深些,离树干近的灌水沟应浅些。一般灌水沟深 20~25 cm,近树干的灌水沟深 12~15 cm。灌水沟的单沟流量通常为 0.5~1.0 L/s。沟的比降应不致使灌水沟遭受冲刷。在坡度较陡的地区,灌水沟可接近平行于等高线布置。灌水沟的长度,在土层厚、土质均匀的果园,可达 130~150 m;若土层浅、土质不均匀,沟长不宜大于 90 m。

灌水沟除在果树行间开挖封闭式纵向深沟外,也可由纵沟分出许多封闭式的横向短沟,以布满树根所分布的面积上。

沟灌的主要优点是,湿润土壤均匀,灌溉水量损失小,可以减少土壤板结和对土壤结构的破坏,土壤通气良好,并方便机械化耕作。因此,沟灌是果园较合理而又节水的一种地面灌水方法。

第五节　膜上灌灌水技术

膜上灌也称膜孔灌溉,是在膜侧灌溉的基础上,改垄背铺膜为沟(畦)中铺膜,使灌溉水流在膜上流动,通过作物放苗孔或专用灌水孔渗入到作物根部的土壤中。

一、膜上灌的类型

(一)开沟扶埂膜上灌

开沟扶埂膜上灌是膜上灌最早的应用形式之一,如图 2-9 所示。它是在铺好地膜的农田上,在膜床两侧用开沟器开沟,并在膜侧堆出小土埂,以避免水流流到地膜以外。一般畦长 80~120 m,入膜流量 0.6~1.0 L/s,埂高 10~15 cm,沟深 35~45 cm。这种方法因膜床土埂低矮,膜床上的水流容易穿透土埂或漫过土埂进入灌水沟内,既浪费灌溉水量又影响农机作业。

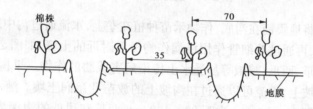

图 2-9　开沟扶埂膜上灌　(单位:cm)

(二)打埂膜上灌

打埂膜上灌技术是将原来使用的铺膜机前的平土板改装成打埂器,刮出地表 5~8 cm 厚的土层,在畦田侧向构筑成高 20~30 cm 的畦埂。其畦田宽 0.9~3.5 m,膜宽 0.7~1.8 m。根据作物栽培的需要,铺膜形式可分为单膜或双膜。对于双膜,其中间或膜两边各有 10 cm 宽的渗水带,如图 2-10 所示,这种膜上灌技术,畦面低于原田面,灌溉时水不易外溢和穿透畦埂,故入膜流量可加大到 5 L/s 以上。膜缝渗水带可以补充供水不足。目前这种形式应用较多,主要用于棉花和小麦。双膜的膜畦灌溉,要求田面平整程度较

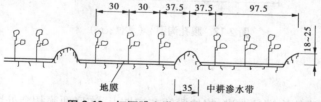

图 2-10　打埂膜上灌(单膜)　(单位:cm)

高,以增加横向和纵向的灌水均匀度。此外,还有一种浅沟膜上灌,它是在麦田套种棉花并铺膜的一种膜上灌形式。这种膜上灌技术在确定地膜宽度时,要根据麦棉套种所采用的种植方式和行距大小确定,同时还应加上两边膜侧各留出的 5 cm 宽度,以作为用土压膜之用。

(三)膜孔灌溉

膜孔灌溉分为膜孔沟灌和膜孔畦灌两种。膜孔灌溉也称膜孔渗灌,它是指灌溉水流在膜上流动,通过膜孔(作物放苗孔或专用灌水孔)渗入到作物根部土壤中的灌水方法。

膜孔畦灌无膜缝和膜侧旁渗,地膜两侧必须翘起 5 cm 高,并嵌入土埂中,如图 2-11 所示。膜畦宽度根据地膜和种植作物的要求确定,双行种植一般采用宽 70~90 cm 的地膜;三行或四行种植一般采用 180 cm 宽的地膜。作物需水完全依靠放苗孔和增加的渗水孔供给,入膜流量为 1~3 L/s。该灌水方法增加了灌水均匀度,节水效果好。膜孔畦灌一般适合棉花、玉米和高粱等条播作物。

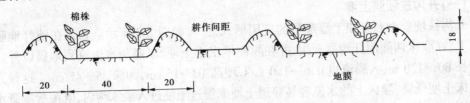

图 2-11　膜孔畦灌　(单位:cm)

膜孔沟灌是将地膜铺在沟底,作物禾苗种植在垄上,水流通过沟中地膜上的专门灌水孔渗入到土壤中,再通过毛细管作用浸润作物根系附近的土壤,如图 2-12 所示。膜孔沟灌特别适用于甜瓜、西瓜、辣椒等易受水土传染病害威胁的作物。果树、葡萄和葫芦等作物可以种植在沟坡上,水流可以通过在沟坡上的放苗孔浸润土壤。灌水沟规格依作物而异。蔬菜一般沟深 30~40 cm,沟距 80~120 cm;西瓜和甜瓜的沟深为 40~50 cm,沟距 350~400 cm。专用渗水孔可根据土质不同打单排孔或双排孔,对轻质土地膜打双排孔,对重质土地膜打单排孔。孔径和孔距根据作物灌水量等确定。根据试验,对轻壤土、壤土,孔径以 5 mm、孔距为 20 cm 的单排孔为宜。对蔬菜作物入沟流量以 1~1.5 L/s 为宜。

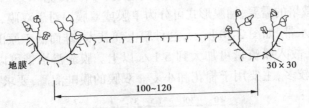

图 2-12　膜孔沟灌　(单位:cm)

(四)膜缝灌

1.膜缝沟灌

膜缝沟灌是对膜侧沟灌的改进,将地膜铺在沟坡上,沟底两膜相会处留有 2~4 cm 的窄缝,通过放苗孔和膜缝向作物供水,如图 2-13 所示。膜缝沟灌的沟长为 50 m 左右。这种方法减少了垄背杂草和土壤水分的蒸发,多用于蔬菜,其节水、增产效果都很好。

2.膜缝(孔)畦灌

膜缝(孔)畦灌是在畦田田面上铺两幅地膜,畦田宽度为稍大于 2 倍的地膜宽度,两幅

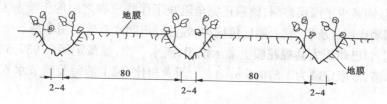

图 2-13　膜缝沟灌（单位:cm）

地膜间留有 2～4 cm 的窄缝。水流在膜上流动,通过膜缝和放苗孔向作物供水。入膜流量为 3～5 L/s,畦长以 30～50 m 为宜,要求土地平整。

3. 细流膜缝灌

细流膜缝灌是在普通地膜种植下,利用第一次灌水前追肥的机会,用机械将作物行间地膜轻轻划破,形成一条膜缝,并通过机械再将膜缝压成一条 U 形小沟。灌水时将水放入 U 形小沟内,水在沟中流动,同时渗入到土中,浸润作物,达到灌溉目的。它类似于膜缝沟灌,但入沟流量很小,一般流量控制在 0.5 L/s 为宜,所以它又类似细流沟灌。细流膜缝沟灌适用于 1% 以上的大坡度地形区。

(五)温室波涌膜孔沟灌

温室波涌膜孔沟灌系统是由蓄水池、倒虹吸控制装置、多孔分水软管和膜孔沟灌组成的半自动化温室灌溉系统。其原理是灌溉小水流由进水口流到蓄水池中,当蓄水池的水面超过倒虹吸管时,倒虹吸管自动将蓄水池的水流输送到多孔出流配水管中,水流再通过多孔出流软管均匀流到温室膜孔沟灌的每条灌水沟中。该系统不仅可以进行间歇灌溉,而且还可以结合施肥和用温水灌溉,以提高地温和减少温室的空气湿度,并提高作物产量和防治病害的发生。该系统主要用于温室条播作物和花卉的灌溉,还可以用于基质无土栽培的营养液灌溉上。

(六)格田膜上灌

格田膜上灌是将土地平整成网格式的格田,格田埂呈三角形(埂高 15～20 cm)。每块格田大者 1.3 hm²,小者 0.2～0.3 hm²,每块格田内要平整得特别水平,然后铺膜灌溉。它适用于稻田膜上灌。

二、膜上灌灌水技术的特点

(一)节水效果明显

根据对膜孔沟灌的试验研究和对其他膜上灌技术的调查分析,与传统的地面灌溉相比较,一般可节水 30%～50%,最高可达 70%,节水效果显著。

膜上灌之所以能节约灌溉水量,其主要原因如下:

(1)膜上灌的灌溉水是通过膜孔或膜缝渗入作物根系区土壤内的。因此,它的湿润范围仅局限在根系区域,其他部位仍处于原土壤水分状态。据测定,膜上灌的施水面积一般仅为传统沟(畦)灌灌水面积的 2%～3%,这样,灌溉水就被作物充分而有效地利用,所以水的利用率较高。

(2)由于膜上灌水流是在膜上流动,于是就降低了沟(畦)的糙率,促使膜上水流推进速度加快,从而减少了深层渗漏;铺膜还完全阻止了作物植株之间的土壤蒸发损失,增强了土壤的保墒作用。所以,膜上灌比传统沟(畦)灌,田间水有效利用率高。

例如,新疆巴州尉力县棉花膜上灌示范田,灌水 3 次,灌溉定额仅 937.5 m^3/hm^2,而采用常规沟灌,灌溉定额为 1 570.5 m^3/hm^2,两者相比,膜上灌每公顷节水 633 m^3,节水 40.8%。

(二)灌水质量较高

根据试验与调查研究,膜上灌与传统沟(畦)灌相比较,其灌水质量的提高主要表现在以下两个方面。

(1)灌水均匀度高。膜上灌不仅可以提高沿沟(畦)长度方向的灌水均匀度和湿润土壤的均匀度,同时也可以提高沟(畦)横断面上的灌水均匀度和湿润土壤的均匀度。这是因为膜上灌可以通过增开或封堵灌水孔来消除沟(畦)首尾或其他部位处进水量的大小,以调整和控制灌水孔数目对灌水均匀度的影响。

(2)不破坏土壤结构。由于膜上灌水流是在地膜上流动或存蓄,因此不会冲刷膜下土壤表面,也不会破坏土壤结构;而通过放苗孔和灌水孔向土壤内渗水,又可以保持土壤疏松,不致使土壤产生板结。据观测,膜上灌灌水 4 次后测得土壤干密度为 1.49 g/cm^3,而传统地面沟(畦)灌灌溉后土壤干密度达到 1.6 g/cm^3。

(三)改善作物生态环境

地膜覆盖栽培技术与膜上灌灌水技术相结合,改变了传统的农业栽培技术和耕作方式,也改善了田间土壤水、肥、气、热等土壤肥力状况的作物生态环境。

膜上灌对作物生态环境的影响主要表现在地膜的增湿热效应。由于作物生育期内田面均被地膜覆盖,膜下土壤白天积蓄热量,晚上则散热较少,而膜下的土壤水分又增大了土壤的热容量。因此,导致地温提高而且还相当稳定。据观测,采用膜上灌可以使作物苗期地温平均提高 1～1.5 ℃,作物全生育期的土壤积温也有增加,从而促进了作物根系对养分的吸收和作物的生长发育,并使作物提前成熟。一般粮棉等大田作物可提前 7～15 天成熟。

此外,膜上灌不会冲刷表土,又减少了深层渗漏,从而可以大大减少土壤肥料的流失。再加上土壤结构疏松,保持有良好的土壤通气性。因此,采用膜上灌水技术为提高土壤肥力创造了有利条件。

(四)增产效益显著

由于膜上灌是通过膜孔(缝)等适时适量地进行灌水,为土壤提供了适宜的水分条件,并改善了作物的水、肥、气、热的供应和生态环境,从而促使作物出苗率高,根系发育健壮,生长发育良好,达到增产增收。例如,新疆尉力县膜上灌棉花,在同样条件下单产皮棉为 1 691.7 kg/hm^2,常规沟灌单产皮棉则为 1 609.35 kg/hm^2,增产 5.12%,而且霜前花增加 15%。新疆昌吉市膜上灌玉米产量为 10 875 kg/hm^2,常规沟灌玉米为 6 712.5 kg/hm^2,增产 62.01%。

三、膜上灌灌溉技术要素的确定

目前地膜覆盖灌溉多采用膜孔沟(畦)灌的形式。膜孔沟(畦)灌属于局部浸润灌溉。

为保证作物根系区土层中具有足够的渗水量,以满足作物生长对水分的需要,就必须根据不同的地形坡度、各种土质的膜孔渗吸速度和田间持水量等因素来确定膜孔沟(畦)灌溉的技术要素,其技术要素主要有入膜流量、改水成数、开孔率、膜孔布置形式和灌水历时。

膜孔沟(畦)灌的入膜流量是指单位时间内进入膜沟或膜畦首端的水量。入膜流量的大小主要根据沟(畦)宽度、土壤质地、地面坡度和单位长度膜孔入渗强度的大小等确定。一般应根据田间不同入膜流量的水流行进过程实测资料,建立行进过程图解方程,并评价其灌水均匀度和田间水有效利用率等,来确定最佳入沟(畦)流量。无实测资料时,也可采用下式计算入膜流量:

$$q = 0.001Knv\omega \tag{2-3}$$

其中

$$\omega = \frac{nd^2}{4}SLN \tag{2-4}$$

式中　q——入膜流量,又称灌水强度,L/(h·m),即单位时间单位膜宽上的灌水量;

　　　K——旁侧入渗影响系数,它与膜上水深成正比,与膜畦长度成反比,对无旁渗的打埂膜上灌,一般取值为 1.46～3.86,平均为 2.66;

　　　n——每米膜长上的灌水孔数,包括放苗孔和增设的专用灌水孔;

　　　v——土壤的入渗速度,随灌水次数的增加而减小,依田间实测确定,cm/h;

　　　ω——放苗孔和专用灌水孔的平均面积,cm²;

　　　d——放苗孔或灌水孔孔径(直径),cm;

　　　S——孔距,cm;

　　　L——膜沟(畦)长度,cm;

　　　N——孔口排数,单排孔 $N=1$,双排孔 $N=2$。

对于坡度较平坦的膜孔沟(畦)灌改水成数为 1,对坡度较大的膜孔沟(畦)灌,改水成数可取 0.8～0.95。若有些膜孔沟(畦)灌溉达不到灌水定额,则要考虑允许尾部泄水以延长灌水历时。

沟(畦)宽度主要根据栽培作物的行距和薄膜宽度、耕作机具等要求确定。目前棉花和小麦的膜孔沟(畦)灌分单膜和双膜,地膜宽度一般为 120～180 cm。

经过对新疆部分地区不同土壤类型的膜孔沟(畦)灌溉调查,当地面坡度在 1‰时,对于黏土和壤土,毛渠间距(膜畦长度)应为 20～25 m。毛渠的流量应为 20～30 L/s,畦宽为 1 m 时,开 10～15 个灌水口,膜畦流量控制在 1.5 L/s,改水成数为 1。膜畦宽 2 m 时,膜畦流量控制在 2～3 L/s。根据不同土层厚度和土质情况,膜孔灌水定额在 675～825 m³/hm²,即可满足作物的正常需水要求。

膜孔沟(畦)灌的灌水质量主要用灌水均匀度和田间水有效利用率进行评价。由于膜孔沟(畦)灌的水流是通过膜孔渗入到作物根部的土壤中,与传统沟(畦)灌相比,降低了土壤的入渗强度和地面糙率,使水流的行进速度增大,减少了深层渗漏损失。试验研究表明,地面糙率系数随单位面积的孔口面积(开孔率)的减少而减少。在地面坡度和灌水流量一定的情况下,膜孔沟(畦)灌的灌水均匀度随开孔率的减小而增加。在地势平坦和无尾部泄水的情况下,其田间有效利用率可大大提高。孔口处覆土与不覆土对孔口入渗也有很大影响,因此在膜孔沟(畦)灌时要考虑膜孔的开孔率和膜孔覆土与不覆土对灌溉入渗的影响。

第六节　波涌灌溉技术

波涌灌溉是对地面沟、畦灌水方法的重大发展,又称涌流灌溉或间歇灌溉。波涌灌溉是把灌溉水断续地按一定周期向灌水沟(畦)供水,逐段湿润土壤,直到水流推进到灌水沟(畦)末端为止的一种节水型地面灌溉新技术。也就是说,波涌灌溉与传统的地面沟(畦)灌不同,它向灌水沟(畦)供水不是连续的,其灌溉水流也不是一次灌水就推进到灌水沟(畦)末端,而是灌溉水在第一次供水输入灌水沟(畦)达一定距离后,暂停供水,过一定时间后再继续供水,如此分几次间歇反复地向灌水沟(畦)供水的地面灌水技术。

波涌灌溉是 20 世纪 70 年代末期由美国犹他州大学提出,随后主要对波涌沟灌进行了大量的试验研究,美国从 1986 年开始推广应用这一灌溉新技术。我国从 1986 年开始对波涌灌理论与技术进行试验研究。

一、波涌灌溉的优缺点

根据美国近 10 年的实践和我国有关研究单位在河南商丘、人民胜利渠灌区,以及陕西泾、洛、渭等灌区的试验研究表明,波涌灌溉的灌水效果与节水效益主要与土壤质地、田面耕作状况、灌前土壤结构及灌水次数等有关。波涌灌溉与传统地面沟(畦)灌灌水方法相比具有以下优缺点。

(一)优点

波涌灌具有灌水均匀、灌水质量高、田面水流推进速度快、省水、节能和保肥等优点,另外还具有容易实行小定额灌溉和自动控制等特点。特别适宜在我国旱作物灌区农田地面灌溉推广应用。

(二)缺点

(1)波涌灌需要较高的管理水平,如操作者技术不熟练,可能会产生问题。

(2)波涌灌装置必须保养好才能正常运行。阀门发生故障会造成作物损害。不洁净的水会影响某些阀门的控制系统而使其失灵。

(3)波涌阀设置不当可能造成尾水过多。

(4)如果水井在灌溉期间突然关闭运行,则用户可能不知道在循环次序中灌溉系统处于哪一循环位置。

二、波涌灌溉的灌水方式

目前,波涌灌溉的田间灌水方式主要有以下三种。

(一)定时段—变流程方式

定时段—变流程方式也称时间灌水方式。这种田间灌水方式是在灌水的全过程中,每个灌水周期(一个供水时间和一个停水时间构成一个灌水周期)的放水流量和放水时间一定,而每个灌水周期的水流推进长度则不相同。这种方式对灌水沟(畦)长度小于 400 m 的情况很有效,需要的自动控制装置比较简单,操作方便,而且在灌水过程中也很容易控制。

因此,目前在实际灌溉中,波涌灌溉多采用此种方式。

(二)定流程—变时段方式

定流程—变时段方式也称距离灌水方式。这种田间灌水方式是每个灌水周期的水流新推进的长度和放水流量相同,而每个灌水周期的放水时间不相等。一般这种灌水方式比定时段—变流程方式的灌水效果要好,尤其是对灌水沟(畦)长度大于400 m的情况,灌水效果更佳。但是,这种灌水方式不容易控制,劳动强度大,灌水设备也相对比较复杂。

(三)定流程—变流量方式

定流程—变流量方式也称增量灌水方式。这种灌水方式是以调整控制灌水流量来达到较高灌水质量的一种方式。这种方式是在第一个灌水周期内增大流量,使水流快速推进到灌水沟(畦)总长度的3/4的位置处停止供水,然后在随后的几个灌水周期中,再按定时段—变流程方式或定流程—变时段方式,以较小的流量来满足计划灌水定额的要求。主要适用于土壤透水性能较强的地块。

三、波涌灌溉的田间灌水系统

波涌灌溉需要向灌水沟(畦)间歇性地交替放水和停水,这可以通过人工控制或自动控制来实现。但是,若用人工对灌水沟(畦)进行反复地封口、改口和开口,灌水工作人员的劳动强度是非常大的,而且很不容易按设计计划控制封口、改口和开口的时间及其流量,因此波涌灌溉应尽可能配备自动化程度较高的专用控制装置和带阀门的管道。

长期以来,在美国对于地面灌溉自动化一直认为是一个重要问题,并不断地进行试验研究和实践,而其中对于波涌灌溉灌水方式,则正是作为一种实现地面灌溉自动化管理方面的新方法、新技术提出来的。当前,美国商品化的波涌灌溉田间灌水系统基本上有两类。它们只局限应用于波涌沟灌。

(一)"双管"波涌灌溉田间灌水系统

"双管"田间灌水系统(见图2-14),一般通过埋于地下的暗管管道把水输送到田间,再通过竖管和阀门与地面上带有阀门的管道相连。这种阀门可以自动地在两组管道间开关水流,故称"双管"。通过交替控制两组间的水流就可以实现间歇供水。当这两组灌水沟结束灌水后,灌水工作人员可将全部水流引到另一放水竖管处,进行下一组波涌灌水沟的灌水。

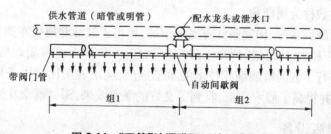

图2-14 "双管"波涌灌溉系统示意图

(二)"单管"波涌灌溉田间灌水系统

"单管"田间灌水系统(见图2-15)通常是由一条单独带阀门的管道与供水处相连接,

故称"单管"。管道上的各个出水口则通过低水压、低气压或电子阀控制,而这些阀门均以一字形排列,并由一个控制器控制整个系统。

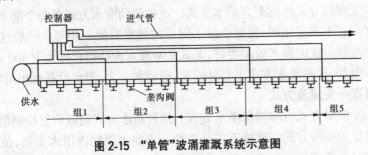

图 2-15　"单管"波涌灌溉系统示意图

四、波涌灌灌水技术

波涌灌溉可以划分为波涌沟灌和波涌畦灌两类。它们与传统的连续沟、畦灌的最主要区别就在于,在一次灌水过程中包含有几个供水和停水阶段。由于该项技术推广应用时间较短,应用范围较小,现将有关试验结果介绍如下。

(一)中国水利水电科学研究院试验结果

中国水利水电科学研究院根据田间灌溉试验数据和模拟计算,从土壤质地(土壤入渗性能)、田块规格、田面坡度、入畦(沟)流量、田间微地形条件等方面给出了壤类土质条件下,适宜于波涌畦灌应用的田间技术要素组合条件是:畦长 100~350 m,畦面坡度 0.000 05~0.005,入畦单宽流量 2~4 L/(s·m),畦田田面平整精度指标小于 3 cm;适宜于波涌沟灌应用的田间技术要素组合条件是:沟长 100~350 m,沟坡 0.000 1~0.01,入沟流量 1.5~3 L/s,沟面平整精度指标小于 4 cm。

(二)陕西省泾惠渠灌区试验结果

陕西省泾惠渠灌区以波涌灌节水率大、灌水质量高和灌水管理方便为原则,进行了大田间歇入渗和波涌畦灌灌水试验,认为影响涌流沟(畦)灌灌水质量的技术要素主要有四项:①单沟或单宽放水流量;②周期放水时间;③灌水周期数;④循环率。涌流沟、畦灌的一个放水和停水过程构成一个灌水周期。周期放水时间与停水时间之和称为周期时间,而放水时间与周期时间之比则称为循环率。完成涌流沟、畦灌灌水全过程所需的放水和停水过程的次数称为周期数。

结合泾惠渠灌区水源、田间条件等实际情况,给出了波涌畦灌技术要素的最佳组合实施方案,见表 2-2 和表 2-3。在 1992~1993 年两年中,依照上述波涌畦灌灌水实施方案,在泾惠渠灌区进行了波涌畦灌灌水技术的示范推广,应用表明比较同条件下的连续畦灌平均节水 21%,并提高了灌水质量,收到了良好的灌水效果,深受群众欢迎。

五、波涌灌溉设备

波涌灌溉系统一般由水源、波涌阀、控制器和田间输配水管道等组成,其中波涌阀和控制器是整个系统的核心,称为波涌灌溉设备。目前国内应用的波涌灌溉设备主要有美国 P&R 公司和中国水利水电科学研究院等单位研制生产的产品。

表 2-2　泾惠渠灌区波涌畦灌灌水实施方案(适宜作物头水灌溉)

畦长(m)	坡降(‰)	单宽流量 (L/(s·m))	周期数	循环率
160 左右	2 左右	10～12	2	1/2
	3～4	8～10	2	1/2 或 1/3
	5 左右	4～8	2	1/3
240 左右	2 左右	12～14	3	1/3
	3～4	10～13	3	1/2 或 1/3
	5 左右	6～10	3	1/2
320 左右	2 左右	12～14	3 或 4	1/3
	3～4	10～13	3	1/2 或 1/3
	5 左右	8～10	3	1/2

表 2-3　泾惠渠灌区波涌畦灌灌水实施方案(适宜作物非头水灌溉)

畦长(m)	坡降(‰)	单宽流量 (L/(s·m))	周期数	循环率
160 左右	2 左右	6～8	2	1/2
	3～4	4～6	2	1/2 或 1/3
	5 左右	3～5	2	1/2
240 左右	2 左右	8～10	3	1/3
	3～4	6～8	3	1/2 或 1/3
	5 左右	4～6	3	1/2
320 左右	2 左右	10～12	3 或 4	1/3
	3～4	8～10	3	1/2 或 1/3
	5 左右	6～8	3	1/2

(一)国外波涌灌溉设备

1. 主要类型

国外开发的波涌灌溉系列设备中,波涌阀的结构主要有两种类型:一类是气囊阀,以水力或气体驱动为动力;另一类是机械阀,以水力或电力驱动为动力。各类阀体的结构示意图见图 2-16。

水动型气囊阀靠供水管道中的水压运行,控制器改变阀门内每只气囊的水压。当一只气囊受到水的压力时,它便充气膨胀起来,关闭其所在一侧的水流,而对面的另一只气囊打开并连通大气,排气变小而使水流通过其所在一侧流出(见图 2-16(a))。

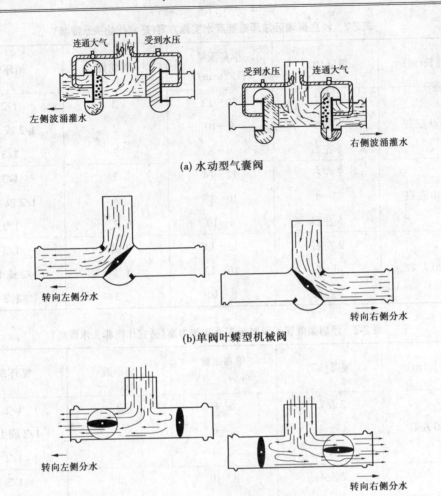

图 2-16 国外波涌阀结构类型

蝶型机械阀的构造各式各样,有向右或向左转动分水的单叶阀,也有交替开关向右或向左转动分水的双叶阀,这些阀门是以蓄电池、空气泵或带内部电池包的太阳能电池作为动力的(图 2-16(b)和图 2-16(c))。水动型气囊阀和蝶型机械阀目前在美国市场上都可看到,但后者的商品化程度较高,使用的数量也较多,尤以单阀叶的机械阀为主。欧洲一些国家,如葡萄牙生产的波涌阀为双阀叶系统,不同于美国的波涌灌水系列产品。它主要采用一台控制器和减速箱,通过联动机构,同时控制波涌阀的左右闸门运行,其工况只有两种状态,左开右关或右开左关,而且开关状态同时完成。P&R 公司是美国生产和销售波涌灌溉设备的主要厂商之一,蝶型单叶机械阀的系列产品见图 2-17,波涌阀和自动控制器组合的波涌灌溉设备见图 2-18。

2. 性能指标

美国 P&R 公司生产的波涌阀按阀体管径尺寸分为 5 种规格:4、6、8、10、12 英寸。整个阀体呈三通结构的 T 字形,铝合金材料铸造。当水流从进水口引入后,由位于中间位置的蝶阀确定向左或向右分水。蝶阀由位于自动控制器中的电动机驱动,具体技术参数见表2-4。

图 2-17　P&R 公司生产的波涌灌溉设备
系列产品

图 2-18　P&R 公司生产的波涌阀和
自动控制器

表 2-4　P&R 公司生产的波涌阀系列产品的技术参数

管道直径 （英寸）	最大流量 （L/s）	宽度 （英寸）	质量 （磅）	说　明
4	19	20	19	阀体尺寸指与阀相连的硬管外径；每种阀的过流能力随水压及阀体下游摩擦损失而变化；所有阀设计工况为低压，即不超过 103.42 kPa
6	44	20	23	
8	76	22	32	
10	126	24	38	

注：1 英寸 = 2.54 cm，1 磅 = 0.453 6 kg，下同。

自动控制器由微处理器、电动机、可充电电池及太阳能板组成，采用铝合金外罩保护。自动控制器用来实现波涌阀开关的转向，定时控制供水时间并自动完成阀叶间的切换过程，实现波涌灌水的自动化。自动控制器多采用程序控制的方式，其中的计算程序可自动设置蝶阀的开关时间间隔，控制器可由太阳能板自行充电维持运行。目前美国市场上的自动控制器产品主要有两种类型：STAR 控制器和 PROJR Ⅱ 控制器，其技术参数见表2-5。两类控制器均能与任意尺寸的波涌阀相连接。

表 2-5　STAR 和 PROJR Ⅱ 控制器性能参数

参数名称	指　标
质量（磅）	12
尺寸（英寸）	10（长）×8（宽）×5（高）
电动机	电压 12 V，驱动力矩 90（英寸×磅）
蓄电池	电压 12 V，使用寿命 3 年。完全充满可保持阀体工作 14 天
太阳能板	1 W，强烈阳光下充电 4 h 可维持阀体 24 h 运行

（二）国产波涌灌溉设备

中国水利水电科学研究院研制的波涌灌溉设备由波涌阀和自动控制器组成（见图 2-19）。整个阀体由铝合金铸造而成。采用双阀结构形式使波涌阀在具备水流换向功能的同时,当双阀关闭时又具有切断水流运动的控制功能。采用双阀结构形式不仅使设备可作为波涌灌溉的硬件设备使用,还可结合自动控制器的"时间耦合"方式,实现灌区田间输配水系统的自动化管理和地面灌溉过程的自动化。

图 2-19　国产波涌设备的构成

1. 波涌阀

波涌阀采用双阀叶结构形式。由于阀体自身具有自动切断水流的功能,故可实现无人值守和远距离遥控运行,避免因不能及时关闭水流造成过量灌溉浪费水。波涌阀的双阀叶可根据自动控制器的指令,左右交替地切换水流,实现水流的定向输水过程。灌水结束后可自动同时关闭左右两个阀门,切断水源。波涌阀的主要构件包括驱动器、减速箱、阀门、阀体和止水等。

2. 自动控制器

自动控制器(见图 2-20)是波涌阀工作的控制中心,它接受外界参数,通过运算,对波涌阀发出操作指令。其中,控制电路板及软件是控制器的核心部分,负责控制直流电动机,实现闸门的关闭与开启。主要由电源、微控制器、电机控制等部分组成。

(a)自控器　　　　　　　　　(b)参数输入面板

图 2-20　自动控制器及参数输入面板

3. 连接控制方式

对于波涌阀与自动控制器间的联结,为了实现一个控制器同时控制两个闸门,只需使用三芯电缆线将两个减速箱之间对插连接即可,连接操作过程简单、安全。也可根据实际需要设置单阀运行模式,即一台控制器只控制单个闸门的运行。

4.田间输配水管道

在井灌区,用于波涌灌溉的水源通常来自地下低压输水管道出水口,而在渠灌区则需对现有农渠的分水口进行改造,使之能够便利地与波涌灌溉设备的进水口相连。

目前一般采用 PE 软管将低压输水管道出水口或农渠分水口与波涌阀的进水口相连,在波涌阀出水口的两侧分别安装有输配水 PE 软管伸向田间,代替传统毛渠的输水功能与作用,通过安装在输配水软管上的闸孔完成出流灌溉(见图 2-21)。当水流经输水管道进入波涌阀后,在自动控制器定时分流调控作用下,通过波涌阀出水口两侧的输配水管道向田间间歇供水,经闸管出流实现间歇交替的波涌灌水过程。

图 2-21 波涌灌溉的田间输配水系统

5.国产波涌灌溉设备的主要性能参数

国产波涌灌溉设备的主要性能参数见表 2-6。

表 2-6 国产波涌灌溉设备的主要性能参数

参数名称	指 标
材料及质量	铝合金,直径 250 mm,18 kg
体积尺寸	820 mm×360 mm×460 mm
局部损失系数	2.5
自控时间误差	±10 s/24 h
启闭时间	1.9 s
连续工作次数	>150 次
等待功耗	0.5 mA
自动控制器工作温度	70 ℃下连续工作 8 h 无故障

(三)波涌灌溉设备安装使用注意问题

1.控制器和阀门的定位

水流换向阀门置于拟灌水的两组垄沟之间。如果用地埋管道沿着田头输水,则可将苜蓿阀置于两组垄沟之间。波涌阀与苜蓿阀的出水口用给水栓相连,水通过闸孔管从波涌阀的两侧分配到田间。如果采用移动管,则移动管可将水输送到拟灌水的两组垄沟之间的波涌阀。随着灌水户从一组灌水沟移向另一组灌水沟,移动管的管段可增加或减少。

如果配水点位于田块中心位置,则波涌阀可用于向其两侧分水。一组垄沟在田块中心的右侧灌水,而另一组则在左侧,其他闸孔关闭。灌水组的转换通过关闭和打开闸管上的闸孔进行。当开始灌水时,首先从阀门每侧离中心最远的那一行灌起。一个灌水组灌完,再逐步朝阀门方向换为另一灌水组。这样,在一开始就可检查闸管上是否有漏水的闸孔。漏水的闸孔可在阀门转向另一侧灌水时得到修理(如更换垫圈)。这样能大量节约用水,灌水效率也会提高。另外,随着灌水组临近阀门,便可拆除闸管外侧的管段用于农场其他地方。再者,当不用时将管段拆开而使管中的水排空并晾干,这大大减轻了电解作用对铝管的破坏。

如果闸管铺于有坡度的地面,则地势最低处打开的闸孔的流量最大。一次灌水所灌的行数或闸孔流量(打开的闸孔)可能需要改变,以使灌水尽可能均匀。当坡度超过1.5%时,这一点更为重要。

2. 水动型气囊阀可能会遇到的问题

流量小且地面管道较长的情况下完成一次水流转换(换边)运行需花费较长时间。横坡为1%或大于1%时,上坡一侧可能无法关闭。流量小的情况下也不可能用多个控制器。此外,采用多个阀门时,难以使灌水组的换向运行保持同步。这类问题有时可用以下办法解决:①增加控制器的运行压力水头;②进行养护,即清除供水管内到皮托阀的泥沙粒沉淀物;③用较新型的阀门更换较陈旧的皮托阀。

第七节　农田激光控制平地技术

田间地面的平整程度将影响地面灌溉条件下的供水利用率和水分分布的均匀度,直接影响灌水质量的优劣。土地平整能有效地提高水、劳力和能源的利用率,是改善地面灌溉方法的重要技术措施之一。土地平整方法有人工平地、半人工半机械平地、常规机械平地以及激光控制平地技术等多种方法。

常规机械平地技术是相对于激光控制平地技术而言的传统平地技术。常规机械平地中采用的主要设备有推土机、铲运机和刮平机等。这些设备具有土方运量大、平地费用相对较低的特点,适合于在地面起伏较大、原始平整度较差的田间完成粗平,主要用于改变田块的宏观地形。

激光控制平地技术是目前世界上最先进的土地平整技术。在国外已得到广泛的应用,我国正处于示范推广阶段。它是利用激光辐射在田面上方形成的水平激光面作为平整土地作业的控制标准,使用液压控制系统自动、敏捷地控制平地铲的升降,实施土地的平地作业。该法具有可自动化操作、平地精度高、作业效率高等突出的优点。激光控制平地作业适宜于采用常规机械平地设备完成粗平的基础上开展田面的平地,显著改善地面的微地形条件,实现高精度的土地平整。

一、激光控制平地设备

激光控制平地设备一般由激光发射装置、激光接收装置、控制器、平地铲运设备和牵引设备等四部分组成(见图2-22)。

图 2-22　激光平地设备示意图

(一)激光发射装置

激光发射装置是一个由电池驱动的激光发射器,被水平地安装在矗立于田间的三角支架上。该发生器高速旋转时,可在田面上方产生激光平面,作为平整土地作业的参照面,替代常规土地平整方法中利用地面高程测量得到的、由不连续网格点构成的平整作业基准面。由于这个参照面是由激光束构成的光学平面,故不受田间平整作业活动的影响和干扰。激光发射装置通常分为无坡度和有坡度两种类型。无坡度的激光发射装置是指其发出的激光控制参照面只能是水平面,在纵横两个方向上均无坡度,相应于这种设备下的田面平整模式为水平地面(见图 2-23(a)),类似于水稻田的地面状况。有坡度的激光发射装置是指其发出的激光控制参照面可根据田面坡度设计要求调整成坡面,包括单向单坡度和双向双坡度两种形式,相应的田面平整形式可分为单向水平而另一方向变坡面(见图 2-23(b))和双向变坡面(见图 2-23(c))等两种地面平整状况。

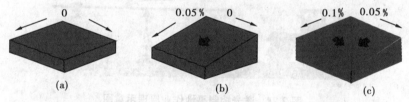

图 2-23　相应于不同激光发射装置类型下的田面平整状况

(二)激光接收装置

激光接收装置是垂直安装在平地铲运设备桅杆上的信号接收器,由具有中心控制点的一系列微感应检测器构成。在平地作业过程中,来自激光发射器的光束首先被接收器检测,确定此时激光参照面与接收器中心控制点间的相对距离,随后向控制器发出调整信号,由控制器指挥平地铲运刀口的升降,始终保持激光接收器的中心控制点与激光参照面在同一平面内。

(三)控制器

控制器安装在拖拉机内,其功能是根据激光接收器传递的位置调整信息,控制液压系统不断地上下调节行进中平地铲刀口的位置,完成对田面挖方和填方的操作。由于控制器具有自控灵敏度高的特点,可准确、快速地升降刀口,精确地确定刀口的相对位置,从而极大地提高了平地的精度。

(四)平地铲运设备和牵引设备

平地铲运设备由铲运机具和液压升降控制系统构成。牵引设备为各种类型的拖拉机,其功率应与铲运设备能力相匹配,以适应铲运机具频繁升降对液压系统的工作需求和铲运设备容量对牵引动力的要求。

二、激光控制平地作业原理

激光控制平地技术是利用激光作为非视觉控制手段代替常规机械平地设备中操作人员的目测判断能力,控制液压平地铲运机具的升降高度,达到精准平地的效果。如图 2-24 所示,激光控制平地作业时,一旦铲运机具刀口的初始位置根据平地设计高程确定后,无论田面的现状地形如何起伏,受激光发射与接收系统的影响,控制器始终令液压升降系统将铲运刀口与平地控制参照面(激光平面)间的距离保持在某一恒定值 β。平地过程中,当铲运刀口位置处的地面高程高于设计高程时,接收器感应到此时的刀口与控制参照面间的距离小于 β 值,则控制器通过液压系统迫使铲运刀口下降,直到激光平面与刀口间的距离恢复至 β 值,铲运刀口下降后挖掘的土方将被铲运机具装载,供填方之需;而当铲运刀口位置处的地面高程低于设计高程时,铲运刀口与控制参照面间的距离会大于 β 值,这时控制器经液压系统令铲运刀口抬升,卸载装运的土方,填埋田间洼地。只要根据初始位置点高程将激光接收器在铲运设备桅杆上的位置固定,由拖拉机牵引的铲运机具即可在田块内按一定行进规律做往复运动,逐步完成对整个地块的自动平整作业。激光控制平地作业的过程见图 2-25。

图 2-24　激光控制平地作业原理示意图

图 2-25　激光控制平地作业过程示意图

三、激光控制平地作业的步骤

(1)平地前使用水准仪按方形网格完成对待平地块的地面高程测量,得到田块内各测点处的地面相对高程。

（2）根据地面相对高程的测量结果进行平地设计,确定平地的设计高程,其原则是通过选择适当的平地设计高程,使平地作业中的挖方量与填方量基本相等。

（3）在田块适当位置处安装激光发射器,确保激光束平面高于田内任何障碍物,以便安装在平地设备桅杆上的激光感应装置能接收到来自发射器的光束。

（4）根据平地设计高程在田块内确定铲运机具刀口的起始位置点。刀口落地后,上下调节安装在铲运设备桅杆上的激光接收器的安装高度,当接收器中心控制点的位置与激光控制参照面同位时,即可固定接收器的位置。

（5）从平地起始位置点开始,由拖拉机牵引的铲运设备在田块内往复作业,挖高填低,搬运土方,自动完成土地的平整工作。

（6）平整作业完毕后,按平地前相同的网格形式进行地面高程点的复测,用来评价土地平整的效果。

四、土地平整效果控制指标

土地平整效果控制指标一般采用田面平整精度、田面平整状况的绝对改善度和相对改善度来表示。

采用田间地面高程的标准偏差值来定量评价田面的平整状况,称为田面平整精度 S_d：

$$S_d = \sqrt{\sum_{i=1}^{n} (h_i - \bar{h})^2 / (n-1)} \tag{2-5}$$

式中　h_i——田块内第 i 个测点的高程,cm;

　　　$\bar{h}$——平地设计高程,一般指田块内各测点的平均高程,cm;

　　　n——田块内所有测点的数量。

常规机械平地方法和激光控制平地技术能达到的田间地面最小 S_d 值,在美国分别为 $2\sim2.5$ cm 和小于 1.2 cm,葡萄牙则是 $3\sim4$ cm 和小于 1.7 cm。

在评价土地平整效果时,还可采用田面平整状况的绝对改善度 δ 和相对改善度 $\Delta\delta$ 作为定量指标,来评价田面平整状况改善的绝对程度和相对程度。

$$\delta = |S_{d2} - S_{d1}| \tag{2-6}$$

$$\Delta\delta = \delta / S_{d1} \tag{2-7}$$

式中　S_{d1}、S_{d2}——田面平整前和平整后的地面高程标准偏差值。

田间地面高程的标准偏差值 S_d 反映了田间地面平整精度的总体状况,但为了确切地反映整个田块内的地面平整度分布状况,需计算田块内所有测点高程与期望高程的绝对差值 ED_i,根据小于某一绝对差值的测点累计百分数评价地面形状的差异及其分布特征：

$$ED_i = |h_i - \bar{h}| \tag{2-8}$$

式中符号含义同前。

美国土地利用局的标准为:采用激光控制技术进行平地后,田块内地面高程绝对差值

ED_i 小于 1.5 cm 的测点累计百分数应在 80％以上。

据国内有关试验,综合考虑我国国情,建议现阶段我国农田激光控制平地所达到的平整精度指标应为:地面高程标准偏差值达到 2 cm 左右,田块内地面高程绝对差值小于 3 cm 的测点累计百分数接近 80％。

五、激光控制平地技术的应用

(一)激光控制平地技术的应用试验

近几年,北京、山东等省(市)引进国外激光控制平地设备进行示范试验,取得了比较明显的节水增产效果。中国水利水电科学研究院通过试验,综合考虑平地作业效率与成本费用的关系,以及应用常规机械平地方法和激光控制平地方法达到的平整精度间的相关关系,提出了两种平地方法的组合应用模式建议:在农田地面平整条件较差、土地平整状况需大力改善的渠灌区,应首先采用常规机械平地方法完成大规模的田间粗平工作,使田面平整精度 S_d 达到 5 cm 左右时,再利用激光控制平地技术实施土地的平整作业,完成预期达到的田面平整精度指标;对土地平整状况相对较好的井灌区,如果 S_d 值在 4～5 cm 的范围内,则可直接利用激光控制平地方法完成平地作业。

(二)激光控制平地方法经济可行性分析

应用激光控制平地方法可有效提高土地的平整精度,但由于激光控制平地设备的购置费用相对较高,土地精细平整的成本会相应增加。因此,在采用该项技术时有必要了解其经济可行性。现将中国水利水电科学研究院在北京昌平区和大兴县、河北雄县进行的试验结果介绍如下。

1.田面平整精度与节水增产效益

1)灌溉总用水量

昌平试验示范区冬小麦生长期内的总用水量 D_t(用平均灌水深度表示)是冬灌与春灌两次灌溉水量的总和。由田间实测资料得到的不同地面平整精度下的总用水量变化趋势见图 2-26。当田面平整精度指标 S_d 值由 6.4 cm 减小到 1.3 cm 时,总用水量 D_t 将从 475 mm 下降到 371 mm,减少近 22％。灌溉总用水量减少的原因在于通过应用激光控制平地技术对畦田地面进行的整平,明显消除了畦田内地面起伏的不平整状况,最大限度地改善了田间地面的微地形条件,使得水流顺利地推进到畦尾,减少了深层渗漏损失,降低了灌溉用水量。如图 2-26 所示,当 S_d 值大于 2 cm 后,灌溉用水量随地面不平整程度而增长的趋势开始变得较为明显,这表明建议我国农田激光控制平地所达到的田面平整精度指标选定在 2 cm 左右是适宜而合理的。

2)增产效果

改善田面平整精度对作物产量增长的作用见图 2-27。当 S_d 值从 6.4 cm 减小到 1.3 cm 时,冬小麦产量由 4 510 kg/hm² 增加到 5 975 kg/hm²,增幅达 33％,效果显著。当 S_d 在 2 cm 以内时,田面平整精度上的差异对作物产量的影响并不显著;但当 S_d 超过 2 cm 后,作物产量随地面平整状况下降而明显递减。作物产量降低的原因主要有:①田面不平整导致作物播种深浅不一,影响到出苗率,造成作物生长前期的先天不足;②畦田地面起伏使田块内出现供水不均的现象,在地势较低的区域,出现的积水会带来作物氧分胁迫,而在地势较高的区域,田面过水困难,实际入渗水深小于灌水定额,造成作物水分胁迫;③畦田供水不均产生的深层渗漏损失将导致肥料的流失,降低耕层的土壤肥力,影响到作物产量。

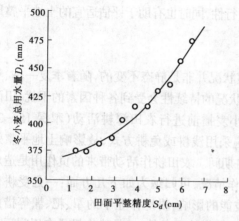

图 2-26　田面平整精度与小麦总用水量的关系

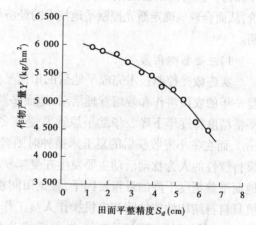

图 2-27　田面平整精度与小麦产量的关系

3)水分生产效率

根据不同田面平整精度下得到的作物产量和相应的灌溉总水量,可用来评价作物水分生产效率 P_i 随田面平整精度的变化趋势,其中 P_i 定义为由单位灌水量生产的作物产量。如图 2-28 所示,作物水分生产效率与田面平整精度间的关系呈单调减函数形式,对应于土地平整精度较高的条件($S_d = 1.3$ cm), P_i 值可达到 1.7 kg/m³;对应于常规机械平地条件($S_d = 6.4$ cm), P_i 值仅为 0.95 kg/m³。应用激光控制平地技术可使水分生产效率提高约 70%,充分显示出其具有的节水增产效果。

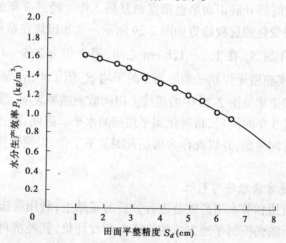

图 2-28　田面平整精度与水分生产效率的关系

2. 激光控制平地效果的持续性

激光控制平地技术可以实现高精度的土地平整,有效改进畦田的水流推进条件,使地面畦灌系统的性能得到显著提高。但受作物生长过程中各种因素的影响,土地平整效果在保持一段时间后会逐渐下降。为此,有必要对土地平整后的效果的持续性进行分析评价,从而合理地确定激光控制平地技术的经济可行性,同时也有助于评估适宜的土地平整周期。

1) 主要影响因素

实施激光控制技术完成平地后的田面平整状况并非是静态不变的,随着季复一季、年复一年的农田耕作和栽培管理活动,地面平整状况的持续性会受到各种因素的干扰,田面平整精度将逐年下降。华北平原通常是在冬小麦播前进行农田深耕活动(犁深 15～20 cm),而在冬小麦收获后的夏玉米播种时则普遍采用浅耕或免耕方式,故影响土地平整效果持续性的人为扰动活动主要发生在夏末秋耕期间。农田耕作活动带来的负作用是造成地面平整精度下降的最重要因子,根据田间耕作情况,可归纳为如下几方面:一是受耕作机具自身结构性能缺陷和农机操作人员工作技能的影响,耕地作业中的犁、耙、耱等措施会在田间留下较为明显的工作沟,严重扰动田面的微地形条件;二是耕作机具在田间运行过程中留下的通行道也会造成田面内出现凹凸不平的现象;三是农业生产中常采用秸秆还田的措施来提高土壤的有机质含量,但还田后的秸秆在畦田内分布不均,局部堆积的秸秆还夹带着土块,使耕作机械设备的运行受阻。为保障耕作机械的顺利运行,常将犁刀抬升,越过堆积的秸秆,残留的堆积物会影响到田面的平整程度。

2) 平地效果持续性评价

为了评价平地效果的持续性,在河北雄县、北京大兴县和昌平区等地选择了 7 个田块开展田面平地效果的长期监测和追踪评价,分析田面平整精度状况随时间变化的趋势。在应用激光控制平地技术进行土地平整之前,对各田块的田面平整精度进行测量,然后在每年冬小麦播种完成时即开展田面平整精度的复测工作。经过 3 年的长期观测,得到的田面平整精度随时间变化的过程趋势如图 2-29 所示。这些田块在精平前的平均 S_d 值为 5.1 cm,平整后第 1 年的 S_d 在 1.2～1.6 cm 之间,第 2 年为 2.5～4.0 cm,第 3 年达到 4.2～5.0 cm。若以实施激光控制平地后当年的平均 S_d 值 1.4 cm 为基准,则田面平整精度相对降低的趋势和速率见图 2-29 中的粗线。田间监测结果表明,激光控制平地产生的土地平整效果在经过 3 年时间后,将退化到平地前的水平。因此,激光控制土地平整的效果持续期应按 3 年时间考虑,并以此作为周期开展复平工作,以便保持田块具有较佳的地面微地形条件。

3. 激光控制平地方法经济可行性

在对平地成本费用和节水增产效益进行分析的基础上,利用静态和动态条件下的效益—成本分析法进行激光控制平地方法的经济可行性评价,其经济可行性的先决条件是效益费用比应大于 1。

1) 平地成本分析

图 2-30 给出了激光控制平地的作业效率 E_p、成本费用 C_p 与田面平整绝对改善度 δ

间的关系。其中 E_p 是单位小时内平整的土地面积, C_p 包括人工费、燃油费、设备日常维护费、大修费和折旧费等。激光控制精平下的作业效率与绝对改善度间呈非线性关系, δ 愈大意味着平地作业难度增大,作业效率明显下降;激光控制平地成本费用与绝对改善度间存在着非线性趋势, δ 愈大说明作业中需挖填的土方量愈大,投入的成本则愈高。

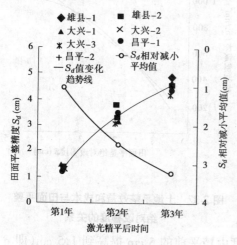

图 2-29　激光控制平地效果持续性

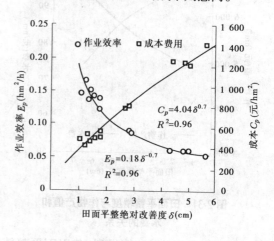

图 2-30　激光控制平地作业效率、成本与田间
平整改善程度的关系

2)节水增产效益分析

按北京市昌平区 1999 年的水费 0.02 元/m³ 和小麦价格 1.1 元/kg 计算,不同田面平整精度下对应的单位面积作物产值和水费的变化趋势反映在图 2-31 中。当 S_d 值由 6.4 cm 改善到 1.3 cm 时,相应的节水效益是 21 元/hm², 增产效益是 1 612 元/hm², 节水增产效益总计达 1 633 元/hm²。由此可见,节水增产效益中的增产效益占总效益的绝大部分,节水效益相对很小,这反映出现行的水价难以充分体现节水的经济利益。

3)效益成本分析

根据激光控制平地成本和地面平整状况改善后产生的节水增产效益分析,图 2-32 给出了以 $S_d = 5$ cm(粗平所达到的地面平整精度)为基准,田面平整状况的绝对改善度 δ 值在 0.5～4.5 cm 的变化范围内相应的节水增产效益与平地成本情况。由图 2-32 可见,节水增产效益曲线与平地成本曲线有两个交点,当 1.5 cm $< \delta <$ 3.5 cm 时,即田面平整精度 S_d 被提高到 1.5～3.5 cm 范围内,土地平整产生的节水增产效益略大于平地的成本,激光控制平地方法的应用在当年即可基本做到收支平衡;而当 $\delta <$ 1.5 cm 或 $\delta >$ 3.5 cm 时,即田面平整状况的改善力度很大($S_d <$ 1.5 cm)或很小($S_d =$ 3.5～5 cm)时,平整土地带来的节水增产效益在当年小于平地的成本。这个结果表明,改善程度太小无法产生明显的节水增产效益,而改善程度太大又将造成平地成本的显著增加。

根据土地平整的效果持续性分析,采用激光控制技术进行精平,其成本是一次性投入,但在 3 年间的收益却是连续的。华北地区的作物种植模式主要以冬小麦、夏玉米轮作方式为主,由于冬小麦生长期间适逢干旱少雨,作物必须进行补充灌溉,而夏玉米期间雨热同步的气候条件往往能满足作物生长发育对水分的需求,一般情况下无需灌溉。因此,激光控制平地带来的节水增产效益主要反映在冬小麦上,产生的节水增产效益按 3 年持续期予以考虑。

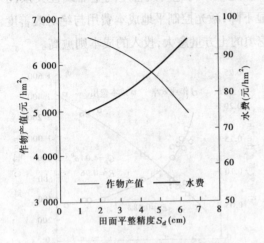

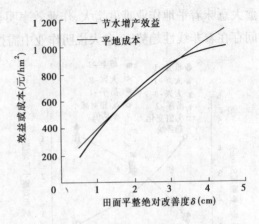

图 2-31　田面平整精度与作物产值和
水费的关系

图 2-32　土地平整效益和成本与田面平整
绝对改善度的关系

由图 2-32 可以计算得到,若田面平整精度由精平前的 5 cm 提高到 1.5 cm(即 $\delta = 3.5$ cm)时,一次性投入的激光控制平地费用为 957 元/hm²,平均每改善 1 cm 田面平整精度所需投入的平地费用是 273 元/hm²,当年获得的节水增产效益是 933 元/hm²,效益略低于成本,但基本持平;第 2 年的 S_d 值下降到 3.5 cm(相当 $\delta = 1.5$ cm 的状况),持续的效益是 527 元/hm²;接下来的第 3 年中,S_d 值又下降到 4.5 cm(相当 $\delta = 0.5$ cm 的状况),对应的效益为 196 元/hm²。在采用激光平整后的 3 年内,若按静态分析法计算,平地产生的节水增产毛效益为 1 656 元/hm²,成本为 957 元/hm²,净收益 699 元/hm²,效益成本比为 1.7(见表 2-7),平均每改善 1 cm 田面平整精度所获得的净收益是 206 元/hm²;若取资金报酬率为 7%,则动态分析法下计算的效益成本比为 1.6。

表 2-7　激光控制平地条件下的静态经济分析

项　目	第 1 年	第 2 年	第 3 年	合计
田面平整精度 S_d(cm)	1.5	3.5	4.5	
精平成本(元/hm²)	957			957
节水效益(元/hm²)	12	7	2	21
增产效益(元/hm²)	921	520	194	1 635
节水增产效益(元/hm²)	933	527	196	1 656
效益成本差(元/hm²)				699
效益成本比				1.7

由此可见,在考虑土地平整后的 3 年内,即使在粮食价格和水价较低的条件下,高精度的土地平整带来的节水增产效益可以超过土地平整的成本。

4）经济可行性评价

以上有关激光控制土地平整下的效益成本分析是根据昌平试验示范区内实测的资料做出的,得到的结论和结果与激光控制平地技术的应用条件密切相关。在美国西南部用于激光控制平地作业的设备是功率为 149 kW 的拖拉机和容积为 8～10 m³ 的平地铲运机,激光控制平地下的作业效率对首次施用精平措施的农田而言是 0.5 hm²/h,二次复平下的作业效率为 1 hm²/h;葡萄牙在激光控制平地作业中采用的拖拉机功率为 115 kW,铲运机容积为 3～4 m³,作业效率为 0.25 hm²/h 左右。与此相比,试验中采用的拖拉机功率仅有 49 kW,铲运机容积只有 2 m³,无论是从平地机具的牵引动力上,还是从土方铲运的能力上都明显低于美国、葡萄牙两国的水平,作业效率平均只能达到 0.1 hm²/h 的水平。因此,若在实际生产中引入规模和功率较大的激光控制平地设备,就可有效地提高土地精平的作业效率,显著降低平地成本,进一步加大这项技术应用的经济可行性。

激光控制平地的成本构成分析表明,较为昂贵的平地设备购置费用(约 25 万元)是导致折旧费和大修费相对较高的主要因素,其中用于购买进口的激光发生器、接收器和液压控制设备的费用约占总成本的 1/2 以上。如在实际平地过程中,采用一台激光发射装置控制多台铲运机作业的组合方式,就可达到提高设备利用率、降低设备资金投入、减少平地费用的目的。

对土地精平的效益分析表明,作物增产效益约占总效益的 98%。当小麦销售价格下跌到 0.6 元/kg 时,激光精平产生的净效益将等于零,效益成本比近似为 1,采用土地精平措施将入不敷出,无利可图。另一方面,总效益构成中明显偏低的节水效益是由较低的水价引起的,过低的水价是利用土地精平方法的一个制约因素。小麦的市场价格和合理的水价是决定激光控制平地技术是否具有经济可行性的一个关键要素。

同时,在以上土地精细平整产生的效益分析中,还有一些正效应尚未考虑。总之,在我国现有的农业生产力条件和生产体制下,引入实用的激光控制平地设备,采用激光控制精细平地技术是经济可行的。

第八节　地面灌溉的质量评价

一、影响地面灌水质量的主要因素

(一)影响畦灌灌溉特性的主要因素

1.入畦单宽流量

较大的入畦单宽流量能使水流推进速度加快,缩短推进历时,田间土壤入渗受水分布更均匀,提高灌溉均匀度。此外,随着入畦单宽流量增大,灌溉供水时间减小,灌溉效率提高。入畦流量的大小与供水量和畦田规格等有关,入畦单宽流量可用下式确定。

$$q = \frac{Q}{b} \frac{mL}{3\,600t} \tag{2-9}$$

式中　q——入畦单宽流量,m³/(s·m);

Q——供水流量，L/s；

b——畦田宽度，m；

L——畦长，m；

m——灌水定额，m³/hm²；

t——畦首处的畦口的供水时间，h。

2. 畦田长度

畦田长度是畦田规格的重要因素，畦田规格主要是指畦田的长度、畦田的宽度和畦埂的断面。畦田规格对灌水质量好坏、灌水效率的高低、土地平整工作量的多少，以及对田间渠网的布置形式和密度等影响很大。随着畦田长度的增大，地面灌溉特性有下降的趋势，使微地形条件带来的不利作用变得突出起来，从而影响到灌水质量。畦长可根据节水型畦灌技术不同形式的不同要求而确定。总之，畦田的长短，应要求畦田田面灌水均匀，筑畦省工，畦埂少占地，便于农业机具工作和田间管理。

3. 微地形条件

畦田正坡有助于缩短水流推进时间，取得较高的灌溉效率。反坡对灌溉均匀度的影响不显著，却对灌溉效率作用明显。畦田地面起伏程度指标与地面灌溉特性的关系较为密切。在畦田微地形条件下，较高的地面起伏程度指标会导致灌溉均匀度和灌溉效率下降。

4. 入渗参数

入渗参数对灌溉均匀度和灌溉效率的影响都比较明显。在具有较高入渗参数值的土壤上，灌溉供水时间较长会造成灌水均匀度和灌溉效率降低。由于入渗参数为土壤特性，其对地面灌溉特性的影响只能通过合理的畦灌系统设计来消除。

5. 灌溉供水时间

在较高的土壤入渗性能条件下，较长的灌溉供水时间易造成过量的田间灌水，致使灌溉效益下降。另一方面，供水时间过长会使田内入渗分布不均匀，灌溉均匀度减小。灌溉供水时间可用下式计算：

$$t = \left(\frac{m}{K_0}\right)^{1/(1-\alpha)} \tag{2-10}$$

式中　t——灌溉供水时间，h；

m——灌水定额，m³/hm²；

K_0——第一个单位时间内的平均入渗速度，mm/h；

α——土壤入渗速度递减指数。

K_0 和 α 需通过土壤入渗试验得到，若无实测资料也可以采用下述数值：弱透水性土壤，采用 $K_0 \leqslant 50$ mm/h；强透水性土壤，$K_0 \geqslant 150$ mm/h；中等透水性土壤，$K_0 = 50 \sim 150$ mm/h。K_0 还随作物生育阶段和灌水次数变化。例如，河南引黄灌区，实测小麦播前灌水时，$K_0 = 60 \sim 80$ mm/h；冬灌至返青灌水时，$K_0 = 40 \sim 60$ mm/h；灌浆灌水时，$K_0 = 30 \sim 40$ mm/h。α 一般可采用 $0.3 \sim 0.8$，轻质土壤采用小值，重质土壤采用大值。

(二)影响沟灌灌水质量的主要因素

沟灌湿润土壤的过程和原理基本上与畦灌相同。沟灌灌水技术主要是控制和掌握灌水沟长度与输入灌水沟的入沟流量。灌水沟长度与入沟流量都与土壤的透水性能、地形坡度，以及灌水定额和灌水沟的形状等因素有关，而且它们之间也是互相制约的。

封闭沟灌在灌水停止后，其灌水沟中的流动水流一般有两种情况：①沟中水流除在灌水期间渗入到土壤中的一部分水量外，还在沟中存蓄一部分水量；②沟中水流在灌水期间全部下渗到土壤计划湿润层深度内，灌水停止后，沟内不存蓄水量。

1. 灌水时间

对于第一种情况，封闭灌水沟灌水时间可按式(2-11)确定：

$$t = \left(\frac{ma - b_0 h}{P_0 \overline{K_t}} \right)^{1/(1-\alpha)} \tag{2-11}$$

对于第二种情况，封闭沟灌灌水时间可按式(2-12)确定：

$$t = \left(\frac{ma}{P_0 K_0} \right)^{1/(1-\alpha)} \tag{2-12}$$

式中　t——灌水时间(不考虑滞渗)，h；

　　　m——灌水定额，m^3/hm^2；

　　　a——灌水沟的间距，mm；

　　　b_0——灌水沟中的平均水面宽度，mm；

　　　h——灌水沟平均蓄水深度，mm；

　　　P_0——在 t 时间内灌水沟的平均有效湿周，mm；

　　　$\overline{K_t}$——t 时间内的平均入渗速度，mm/h；

　　　K_0——第一个单位时间内的平均入渗速度，mm/h；

　　　其余符号含义同前。

2. 灌水沟沟长

灌水沟的沟长可按下式计算：

$$L = \frac{h_2 - h_1}{i} \tag{2-13}$$

式中　h_1——灌水停止时封闭灌水沟的沟首水深，m；

　　　h_2——灌水停止时封闭灌水沟的沟尾水深，m；

　　　i——灌水沟的坡度。

3. 入沟流量

入沟流量可按式(2-14)计算：

$$q = \frac{maL}{3\ 600t} \times 10^{-3} \tag{2-14}$$

式中　q——灌水沟流量，L/s；

　　　L——沟长，m；

　　　其余符号含义同前。

由上述沟灌灌水技术要素之间的关系可以看出，在地面坡度小、土壤透水性能强、土地平整较差时，应使灌水沟长度短一些、入渗流量大一些，以便沿灌水沟均匀湿润土壤，沟首端不发生深层渗漏，沟尾端不产生泄水流失。当地面坡度大、土壤透水性弱、土地平整较好时,应使灌水沟长一些、入沟流量小一些,以保证有足够的湿润时间。根据目前我国各地封闭沟沟灌实践经验,不同土壤、灌水定额和地面坡度等条件下的灌水沟长度见表2-8。入沟流量一般为0.5~3.0 L/s。为使入沟流量适当,可根据田间毛渠或输水沟的流量大小,调整同时开口放水的灌水沟数目。

表 2-8　不同土壤、灌水定额和地面坡度等条件下的灌水沟长度　　　(单位:m)

土壤类型		黏壤土			中壤土			轻壤土		
灌水定额 (m³/hm²)		375	450	525	375	450	525	375	450	525
地面坡度	1‰	30	35	45	20	25	35	20	25	30
	1‰~3‰	35	40	60	30	40	55	30	45	50
	4‰	50	65	80	45	60	70	45	50	60

为保证沿灌水沟长度各点湿润土壤均匀,就必须控制其各点处的土壤入渗时间大致相等,也就是应严格控制沟灌的灌水时间。在沟灌生产实践中,灌水时间的控制方法与畦灌方法相同,即采用改水成数法。根据沟灌灌水定额、土壤透水性,以及灌水沟的纵坡、沟长和入沟流量等条件,改水成数可采用七成、八成或九成封沟改水,或满沟封口改水等方法。一般地面坡度大、入沟流量大或土壤透水能力小的地区,改水成数应取低值;地面坡度小、入沟流量小或土壤透水性强的地区,应选取较大的改水成数。

二、地面灌溉田间评价方法和指标

(一)地面灌溉的田间评价方法

在我国干旱和半干旱地区,通常采用的地面灌溉技术是畦灌和沟灌。由于田间灌溉工程设施不完善、畦(沟)规格和入地流量不合理、土地平整状况较差以及田间灌溉管理粗放等原因,田间水的浪费现象十分严重。较低的田间灌溉水利用效率意味着入地水量的渗漏损失严重,伴随而来的是土壤养分、肥料及农药淋洗流失对地下水产生的污染作用,另外,地下水位的抬升还会引起或加重土壤的渍涝盐碱,恶化农田生态环境。因此,正确评价地面灌溉的特性,分析各种地面灌水技术要素对地面灌溉性能的影响是改进地面灌溉方法的先决条件。

近几十年来,地面灌溉技术已得到了较大的发展,其中最重要的进展之一就是确定了地面灌溉的田间评价方法:通过对地面灌水全过程的不同阶段进行量化观测,找出影响地面灌溉效果的主要因素,为改进地面灌溉系统的性能提供科学依据。对地面灌溉系统特性进行田间评价就是从科学的角度出发,了解和分析现有系统中可能存在的问题和不足,改善影响灌溉系统合理运行的技术要素,使之达到高效运作所必备的田间尺度规格和技术管理措施。下面以畦灌为例介绍地面灌溉田间评价方法。

1.田间测量

1)畦田几何尺寸

畦田的几何尺寸包括畦田长度、宽度及畦田内微地形。

(1)畦田长度和宽度。畦田长度和宽度一般应根据农业生产和田间管理条件确定,如低压管道输水灌溉系统的出水口间距、田块整体地形以及机播宽度等。

(2)畦田微地形。畦田微地形条件反映出畦田内地面起伏的状况,它不仅要反映出畦田纵向坡度的情况,还应考虑横向田面的平整度。为此,在畦田微地形测量中,应沿畦长方向分左、中、右3条纵线来测定各测点的高程,测点间距5 m左右,线距根据畦宽实地确定。依据实测结果将畦田的微地形概化为两种典型情况:一种是畦田内总体地面纵坡呈顺坡状态,但地面高程有局部的高低起伏;另一种为畦田内的大部分地面可表述为顺坡,但在畦尾处出现反坡。

畦田微地形特征用地面平均坡度和反映地面起伏程度的指标来表达。对沿纵坡方向上的高程点进行回归分析可以用于确定地面平均坡度。

(3)典型畦田的几何尺寸。根据田间实测数据及统计分析结果,按低限值、中间值和高限值归纳出典型畦田的几何尺寸,中间值对应于平均值,而高限值和低限值则分别对应着平均值正、负标准偏差值。对于较复杂的畦田微地形,确定典型值不仅要考虑统计结果,还要根据实测值的分布特征对统计结果进行适当调整。

2)入畦流量

(1)流量的测定。入畦流量是影响地面灌溉系统特性的主要参数,也是灌溉系统设计和管理的基本依据。准确地测定入畦流量是完成地面灌溉系统田间评价的重要工作之一。田间入畦流量过程中存在着波动现象,入畦流量特征值可采用时间加权平均流量表示,即

$$Q = \frac{\sum_{i=1}^{n} \left[\frac{1}{2}(Q_i + Q_{i-1})(t_i - t_{i-1}) \right]}{t} \tag{2-15}$$

式中　Q——时间加权平均流量,L/s;

Q_i、Q_{i-1}——对 t_i 和 t_{i-1} 时的流量观测值,L/s;

t_i、t_{i-1}——连续两次流量观测的时间,s;

n——流量观测时段的个数;

t——畦田供水的历时,s。

考虑到入畦流量在畦田供水过程中的瞬变性,其变化程度可用实测流量与时间加权平均流量偏差的平方和表示。

(2)典型入畦流量。典型入畦流量可依据时间加权平均流量及其统计特征值来确定,入畦流量也可按低限值、中间值和高限值3个层次给出。

3)水流推进与消退时间

(1)典型的水流推进与消退曲线。畦田内的水流推进过程反映出水流从畦首运动到畦尾的动态特征,而水流消退则反映了水流在畦田内聚集、入渗,直到从地面消失的过程。同畦田微地形测量一样,对水流推进时间和消退时间的观测也是沿畦长方向,按左、中、右3条纵线进行测定,测点间距为5 m,线距根据畦田宽度确定。由于畦田内地面起伏,水流推进峰面不可能均匀,故判断水流推进到某位置处的标准应该以测点处大部分地面被水淹盖时为准。理论上消退时间应为地面积水完全消失的时间,但实际观测中某些低洼积水的消退需相当长的时间,实测中通常以水流在观测点处不再流动,且大部分积水业已消

失的状态下开始计算水流消退时间。一般地说,观测推进时间的精度较高,而消退时间的观测却可能有一定程度的误差。

(2)入渗受水时间。土壤入渗的受水时间是指畦田测点处从开始过水到入渗完毕所经历的时间,一般为水流消退时间与水流推进时间之差。

4)土壤含水量

在评价地面畦灌性能中,需要测定灌前土壤的先期含水量和灌后土壤的含水量。测定灌前土壤含水量的目的在于获悉当前土壤水分的现状并估算土壤水的数量,依据土壤墒情和田间持水量计算本次灌溉的净用水量;灌后土壤含水量的测定主要用于监测实际灌水的数量,并以此来评价本次灌溉的灌水效率及均匀度。

5)畦田水流深度

在畦田地面水流运动过程中,糙率(曼宁)系数 n 与畦田水面坡度、过水单宽流量以及水流深度有关,可用式(2-16)计算。

$$n = 60B^{1/2}q^{-1}h^{5/3} \tag{2-16}$$

式中　n——糙率系数;

　　　B——畦田水面宽度,m;

　　　q——过水单宽流量,m³/(min·m);

　　　h——水流深度,m。

畦田水深的观测点沿纵坡方向设置,测点位置间距 5 m。观测水深前需要先测定观测位置的地面高程,然后在水流通过观测位置时进行水深观测,直到水流从该位置消失。观测间隔在畦口断水之前为 5 min,断水后为 10 min。

6)土壤入渗性能

土壤入渗特性由 Kostiakov 公式描述如下:

$$Z = Kt^{\alpha} \tag{2-17}$$

式中　Z——累计入渗深度,mm;

　　　α、K——经验参数;

　　　t——入渗受水时间,h。

经验参数 α 和 K 可根据田间入渗试验数据由最小二乘法拟合求得。

2. 数据分析处理及模拟结果分析

田间测量提供了进行灌溉系统评价的基本数据,对其进行分析处理,可以对畦灌过程进行量化描述,完成对灌溉系统特性的评价。随着计算机技术的发展,在地面灌溉性能评价中应用数值模拟方法来分析处理田间数据已成为一种重要的手段。通过对畦灌水流过程进行水动力学的模拟,可以利用有限的田间观测数据获得较为精确的相关参数,以便更好地评价地面灌溉系统特性。近年来,各种地面灌溉模拟模型的相继开发,为观测数据的分析处理提供了有力的手段。利用基于田间实测资料假定的土壤入渗参数和地面糙率模拟地面灌水过程,将模拟的全过程与实测过程相对比,通过不断调整入渗参数和地面糙率,使模拟值与观测值间的误差最小或达到某一允许的误差范围。利用该法最终确定的土壤入渗参数和地面糙率系数,即可对地面灌溉系统特性进行分析评价。

对水流在田间地面流动进行数学描述时,通常存在着三类数学模型可供选择,即全水

动力模型、零惯量模型和动力波模型,其中零惯量模型的应用较为广泛,其控制方程可以表示为:

$$\frac{\partial A}{\partial t} + \frac{\partial Q}{\partial x} + I = 0 \tag{2-18}$$

$$\frac{\partial h}{\partial x} = S_0 - S_f \tag{2-19}$$

式中 A——过流断面面积,m^2;

       Q——流量,m^3/s;

       I——单位长度入渗率,$\mathrm{m}^3/(\mathrm{s}\cdot\mathrm{m})$;

       t——时间,s;

       x——水流推进距离,m;

       h——水深,m;

       S_0——地面坡度;

       S_f——摩阻坡度。

当灌溉系统的几何参数、管理参数和土壤参数全部确定后,即可利用模拟软件对灌溉过程进行模拟。模拟质量以水流推进和消退时间的平均绝对误差 AAE 和平均相对误差 ARE 来表示,即:

$$AAE = \frac{1}{n}\sum_{i=1}^{n} \mid t_0 - t_s \mid \tag{2-20}$$

$$ARE = \frac{100}{n}\sum_{i=1}^{n} \left| \frac{t_0 - t_s}{t_0} \right| \tag{2-21}$$

式中 t_0、t_s——水流推进和消退时间的观测值和模拟值,$\min$。

3. 畦灌性能的评价指标

地面灌溉系统评价就是对系统运行特性进行考核,检验其是否具有满足作物灌水量需求、获得较高灌水质量的能力。灌溉均匀度和灌溉效率是两个反映地面灌溉运行特性的重要指标,灌水均匀度确定见式(2-22)。

$$E_s = \frac{Z_l}{Z_d} \tag{2-22}$$

式中 E_s——灌水分布均匀性;

       Z_l——田块内部分区域入渗水深的平均值,该区域面积是整个田块面积的 $1/4$,且区域内的入渗水深最小,mm;

       Z_d——平均入渗水深,mm。

灌溉效率是指生长期内作物消耗的灌水量与来自水源进入农田的水量之比,通常用入渗并储存在耕作层土壤内的平均水深与畦田平均入渗水深的比值表示,即:

$$E_a = \frac{Z_s}{Z_d} \tag{2-23}$$

式中 E_a——灌溉效率;

       Z_s——入渗并储存在耕作层土壤内的平均水深,mm;

Z_d——平均入渗水深,mm。

Z_s 可根据灌溉前和灌溉后的土壤含水量差值来确定:

$$Z_s = (\theta_a - \theta_b)H \qquad (2\text{-}24)$$

式中 θ_a——耕层内土壤灌后平均体积含水量;

θ_b——耕层内土壤灌前平均体积含水量;

H——耕层深度,mm。

4. 畦灌性能的评价

完成对田间观测数据的分析处理后,即可根据评价指标对畦灌性能进行评估。评价灌溉均匀度需借助模型模拟的结果,对灌溉效率则根据模拟结果和土壤含水量的观测结果进行评价。评价可根据作物生长阶段分阶段进行评价,然后进行总体评价。表2-9为某试验区冬小麦冬灌期间灌溉性能评价表。

小麦冬灌期间在试验区内共完成13次畦灌的田间评价。表2-9中的模拟结果表明,灌溉均匀度普遍较高,变化范围在71.2%~95.8%之间,平均为84.4%,灌溉效率在某些畦田较低,变化范围在39.4%~82.6%之间,平均为64.7%,冬灌期间的灌水质量较高。

表2-9 小麦冬灌期间畦灌性能的评价结果

畦田编号	Z_a(mm)	Z_l(mm)	E_s(%)	E_a(%)
9410A	90	75	82.6	82.6
9410B	168	149	88.9	53.6
9410C	138	53	81.3	81.3
9410D	137	116	84.1	65.5
9410E	229	191	83.5	39.4
9512A	134	122	90.8	67.0
9512B	124	106	85.5	72.3
9612A	138	98	71.2	65.3
9612B	116	100	86.1	77.6
9612C	141	104	73.8	63.9
9612D	122	94	77.5	73.8
9612E	169	149	88.4	53.3
9612F	199	190	95.8	45.3
平均	141	119	84.4	64.7

(二)评价地面灌溉质量的指标

1. 评价地面灌溉节水技术的主要经济指标

1)节水增产率

节水增产率是指在同样气候等自然条件和农业技术条件下,旱作物采用地面灌溉节水技术与传统地面灌水方法,其平均单位面积产量所增加的百分数,即

$$F_y = \frac{Y_1 - Y_2}{Y_1} \times 100\% \qquad (2\text{-}25)$$

式中　　F_y——节水增产率(%)；

　　　　Y_1、Y_2——两种灌水方法或两项灌水技术的平均单位面积产量，kg/hm²。

节水增产率是评估地面灌水方法或灌水技术的一项综合性经济指标，它标志着某种地面灌水方法的增产效果及其产量水平。

2)田间灌水效率

田间灌水效率是指某次由最末一级固定渠道或管道(一般指毛渠、毛管)引入田间的灌溉水，平均一个流量(即 1.0 m³/s)一昼夜(自流灌区为 24 h，提水灌区一般以 22 h 计)实际灌溉的面积。

$$F_f = \frac{DA}{W} \tag{2-26}$$

式中　　F_f——田间灌溉效率，hm²/(m³·s⁻¹·d)；

　　　　A——一昼夜实灌面积，hm²/d；

　　　　D——系数，一昼夜按 24 h 计为 86 400 s，按 22 h 计为 79 200 s；

　　　　W——最末一级固定渠道或管道实际引入田间的流量，m³/s。

田间灌溉效率综合反映田间灌水管理工作的质量，是田间灌水管理的一项重要指标。

3)灌水劳动生产率

田间灌水劳动生产率是指实施地面灌溉，每个劳动力 1 班(通常 1 班为 8 h 或 12 h)可能灌溉的面积，或者每个劳动力灌溉 1 hm² 农田所需要的工日数。

$$F_w = \frac{A}{nN} \tag{2-27}$$

或

$$D_w = \frac{nN}{A} \tag{2-28}$$

式中　　F_w、D_w——灌水劳动生产率，hm²/(人·班)或工日/hm²；

　　　　A——一昼夜实际灌溉的面积，hm²；

　　　　n——灌水每班人数，人；

　　　　N——一昼夜的灌水分班数，班。

田间灌水劳动生产率的高低与田间工程的合理布局和完善程度、灌水劳动组织、灌水工具及设备、田面平整状况及灌水员的技术熟练程度等有密切关系。

4)田间灌水成本

田间灌水成本是指旱作物采用地面节水技术灌溉农田单位面积所需要的费用。

$$C = \frac{C_p + C_w + C_j + C_i}{A} \tag{2-29}$$

式中　　C——田间灌水成本，元/hm²；

　　　　C_p——管理人员的工资，元；

　　　　C_w——水费或水资源费，元；

　　　　C_j——灌水工具、灌水设备、机具、机电装置，以及田间工程设施和土地平整等的折旧费用，元；

　　　　C_i——燃料，包括机电用油或用电及照明等的费用，元；

A——实灌面积，hm^2。

5)节水率

节水率是反映灌水方法节水效益高低的重要指标。节水率指不同地面灌水方法单位面积灌溉用水量的比值，即

$$\eta_a = \frac{W_1 - W_2}{W_1} \times 100\% \tag{2-30}$$

式中　η_a——节水率(%)；

　　　W_1、W_2——两种灌水方法单位面积上的灌溉用水量，通常可用实际的灌水定额计算，m^3/hm^2。

2. 评价地面灌水方法的质量指标

正确设计和实施地面灌水方法，必须制定一套完整的质量指标体系。目前常用的有以下三个。

1)田间灌溉水有效利用率

田间灌溉水有效利用率是指应用某种地面灌水方法或某项灌水技术后，储存于计划湿润作物根系区内的水量与实际灌入田间的总水量的比值，即

$$\eta_t = \frac{V_s}{V} = (V_1 + V_4)/V = (V_1 + V_4)/(V_1 + V_2 + V_3 + V_4) \tag{2-31}$$

式中　η_t——田间灌溉水有效利用率(%)；

　　　V_s——灌溉后储存于计划湿润作物根系土壤区内的水量，mm；

　　　V——输入田间实施灌水的总水量，mm；

　　　V_1——作物有效利用的水量，即作物蒸腾量，mm；

　　　V_2——深层渗漏损失水量，mm；

　　　V_3——田间灌水径流流失水量，mm；

　　　V_4——对于地面灌水方法，主要指作物植株之间的土壤蒸发量，mm。

田间灌溉水有效利用率表征应用某种地面灌水方法或某项灌水技术后农田灌溉水充分利用的程度，是农田灌水质量优劣的一个重要评估指标。旱作物地面灌溉，《节水灌溉技术规范》要求田间灌溉水有效利用率 $\eta_t \geq 90\%$。

2)田间灌溉水储存率

田间灌溉水储存率是指应用某种地面灌水方法或某项灌水技术灌溉后，储存于计划湿润作物根系土壤区内的水量与灌溉前计划湿润作物根系土壤区所需要的总水量的比值，即

$$\eta_s = \frac{V_s}{V_n} = (V_1 + V_4)/(V_1 + V_4 + V_0) \tag{2-32}$$

式中　η_s——田间灌溉水储存率(%)；

　　　V_n——灌水前计划湿润作物根系土壤区内所需要的总水量，mm；

　　　V_0——灌水量不足区域所欠缺的水量，mm；

　　　其余符号含义同前。

　　田间灌溉水储存率表征某种地面灌水方法、某项灌水技术实施灌水后,能满足计划湿润作物根系土壤区所需要水量的程度。

　　3)田间灌水均匀度

　　田间灌水均匀度是指应用地面灌水方法实施灌水后,田间灌溉水湿润作物根系土壤区的均匀程度,或者田间灌溉水下渗湿润作物计划湿润土层深度的均匀程度,或者表征为田间灌溉水在田面上各点分布的均匀程度,通常用下式表示。

$$E_d = 1 - \Delta Z / Z_d \tag{2-33}$$

或
$$V_d = 1 - (\sum_{i=1}^{N} |X_i - M|)/(N \cdot M) \tag{2-34}$$

式中　V_d——灌水均匀度(%);

　　　　ΔZ——灌水后各测点的实际入渗水量与平均入渗水量离差绝对值的平均值,mm;

　　　　M——N 个测点的平均入渗水量,mm;

　　　　X_i——等面积测点的点入渗水量,mm;

　　　　N——测点数目。

　　田间灌水均匀度表征应用地面灌水方法、灌水技术实施灌水后,田面各点受水的均匀程度,以及湿润土壤计划层深度内的入渗水量的均匀程度。一般对地面灌水方法应要求 $E_d \geqslant 85\%$。

第三章　渠道防渗工程技术

第一节　概　述

我国各类灌区输水渠道总长度达 300 多万 km,80% 以上为土渠,水的渗漏损失很大。为了减少输水过程中的损失,采用建立不易透水的防护层,进行防渗处理,既可减少水的渗漏损失,又可加快输水速度,提高灌溉效率,是我国目前应用最广泛的节水技术之一。

一、渠道防渗的作用

渠道防渗是实现节水型农业的重要内容,具有以下几方面作用:

(1)减少渠道输水损失。采取渠道防渗措施可大大提高渠系水的利用系数。如陕西省的宝鸡峡灌区 98 km 总干渠,防渗前每公里输水损失为 0.25%,用混凝土防渗衬砌后,每公里输水损失降为 0.017%,减少输水损失 96%,每年减少渗漏水量达 2.4 亿~2.9 亿 m^3。

(2)节省投资及运行费用。采取渠道防渗措施对投资和运行费用的节省主要反映在以下几个方面:一是通过采取防渗措施,用节省下来的水灌溉,扩大了灌溉面积,降低了灌溉成本;二是在通过相同流量的情况下,防渗渠道所需要的过水断面小、建筑物尺寸小,故降低了工程投资;三是渠道防渗减少了管理费用,据国外资料,用刚性材料防渗后,可减少管理养护费用 70%;四是对于电灌站,渠道防渗后不仅可以省水,还可以节油、节电,据山西省调查,井灌区每平方米渠道防渗工程,每年可以节电 5.6 kW·h,或节油 3.0 kg。

(3)防止渠道冲刷、淤积及坍塌。渠道防渗工程除防渗作用外,还有防冲、防淤、防止坍塌、保持渠道稳定、保证输水安全的作用。渠道采取防渗措施后,第一,允许不冲流速大大提高,抗冲能力明显增强;第二,可提高渠道流速,减少淤积;第三,增强了渠道边坡的稳定性,从而避免了边坡的坍塌。

(4)防止土壤盐碱化及作物渍害。渠道采取防渗措施后,减少了灌溉水的渗漏对地下水的补给,避免了地下水位的抬高,防止了土壤盐碱化和作物渍害的产生。

二、渠道防渗技术的发展

(一)渠道防渗技术概况

目前,世界上有 80 多个国家面临水资源不足问题,这些国家在解决水资源匮乏的对策中,除兴建必要的蓄水、引调水工程外,更重要的是节约用水、提高水的利用率、防止水污染等。世界各国如美国、日本、印度、巴基斯坦等国,均非常重视并积极开展渠道防渗工程建设。以美国为例,早在 1946 年,美国就把渠道防渗作为水利工程挖潜措施之一进行研究。到 1990 年,美国垦务局共建防渗渠道 9 656 km。其建设的特点是:有统一的设计和施工技术标准,工程质量好;防渗效果要求高;注重就地取材;渠道防渗工程施工机械化程度高。

我国渠道防渗有悠久的历史,据《新疆图志》记载,早在 1880 年,新疆哈密在修建石城子渠时,就采用毛毡防渗。新中国成立以前,各地曾先后采用黏土、灰土、三合土夯实,砌砖、砌石等方法,修建了一些渠道防渗工程,但这些工程一般规模较小、标准较低。新中国成立后,20 世纪 50 年代在我国西北地区开始因地制宜修建卵石防渗渠道,并进行沥青混凝土防渗渠道试验。60 年代陕西、山西、河南、河北等地开展了混凝土防渗渠道试验研究和技术推广,使渠道防渗的范围及规模越来越大。80 年代以来,随着我国水资源的日趋紧张,国家把节约用水作为基本国策,在农业灌溉方面,全面推广节水灌溉,有力地促进了渠道防渗技术的发展,大大推动了防渗工程建设。截至 2003 年,我国各类防渗渠道控制灌溉面积达 807.15 万 hm^2,其中山东省 34.43 万 hm^2,占全国渠道防渗控制面积的 4.27%。

随着渠道防渗规模的不断扩大,防渗技术水平也在不断提高。在渠道防渗材料方面,除进一步加强对黏土、灰土、砌石等传统防渗材料的性能、设计和施工要求进行研究外,还成功地采用和推广了混凝土、沥青混凝土等强度高、防渗效果好的防渗材料以及膜料等新型防渗材料。在防渗渠道断面形式方面,对大中型渠道,研究提出了弧形坡脚梯形断面和弧形底梯形断面渠道,在小型渠道上,研究推广了 U 形断面刚性材料防渗渠道。在施工技术方面,改变了以人工施工为主的局面,施工机械化程度有了明显提高。为提高渠道防渗工程的设计、施工和管理水平,水利部颁布实施了《渠道防渗工程技术规范》、《渠系工程抗冻胀设计规范》等。

(二)渠道防渗技术发展趋势

1. 防渗新材料将进一步得到推广应用

随着防渗规模的不断扩大,膜料防渗由于防渗性能好、适应变形能力强、施工方便、造价低等优势,越来越受到人们的青睐。PE、PVC 及其改性塑膜、PVC 复合防渗布、沥青玻璃丝油毡等防渗材料的各种性能不断提高。沥青混凝土也因具有高抗渗性、低温柔性和裂缝自愈等突出优点,得到越来越广泛的运用。弹性人造橡胶、聚氯乙烯止水带、焦油塑料胶泥等新型止水材料以及各种新型防冻保温材料也将得到不断推广和应用。

随着防渗膜料的发展,复合材料防渗结构形式也将得到不断推广,单一的混凝土或砌石防渗材料很难达到预期的防渗效果,用膜料作防渗结构,在膜料防渗结构上,再用混凝土等刚性材料或土料作保护层,两种材料相互取长补短,显示了明显的技术经济性能,是渠道防渗发展的又一趋势。

2. 防渗渠道断面形式更趋合理

U 形渠道由于其防渗效果好、近似于水力最优断面、水流条件好、断面尺寸小、抗冻胀性能较高、投资少等特点,是小型渠道较理想的防渗断面形式。弧形坡脚梯形断面或弧形渠底梯形断面也以其近似于最佳水力断面、流速较快、边坡的稳定性较高等特点,成为大中型防渗渠道断面形式的发展方向。

3. 渠道防渗工程防冻害措施日趋完善

世界上经济较发达国家,如日本,在渠道防冻害方面主要采用抵抗冻害的方法,即增加防渗材料的抗冻强度、大量采用砂砾料换填层、使用先进的防冻害材料等来解决渠道冻胀问题。我国近年来采用了"允许一定的冻胀位移量"的工程设计标准和"适应、削减或消除冻胀"的防冻害原则和技术措施,效果很好,造价较低,是今后一个时期的发展方向。

4. 渠道防渗工程施工向机械化方向发展

为保证施工质量,提高施工进度,美、日等国已基本上实现了机械化施工。我国近年来也研制或引进了一系列渠道防渗施工机械,机械化程度不断提高。山东省水利科学研究院研制的大型渠道衬砌成套设备已在南水北调工程中推广应用,取得了良好的效果。该套设备包括清坡机、振动布料机、振动成型机、抹光机,可以联合作业,也可单机使用。最大施工速度可达 1 000~2 000 m²/台班。

第二节　渠道防渗工程措施

一、土料防渗

土料防渗一般是指以黏性土、黏砂混合土、灰土、三合土和四合土等为防渗材料的防渗措施。土料防渗具有防渗效果较好、能就地取材、技术简单、易为群众掌握、造价低、投资少等优点。但允许流速较低,防渗结构的抗冻性较差。土料防渗由于投资小、见效快,在今后一段时间内,仍是中小型渠道一种较简便可行的防渗措施。

土料防渗选用的土料一般为高、中、低液限的黏质土和黄土,土料中黏粒含量(粒径<0.005 mm)应大于 20%;土料中有机质含量,对素土和黏砂混合土防渗结构应控制其小于 3%,对于灰土、三合土防渗结构应控制其小于 1%。对于素土和黏砂混合土防渗结构,土料的塑性指数应大于 10。

石灰应采用煅烧适度、色白质纯的新鲜石灰或贝灰,其质量应符合二级生石灰的标准。砂一般选用天然级配的粗、中粒的河砂或山砂,河砂及人工砂的含泥量不大于 3%,山砂的含泥量不大于 15%。

(一)土料防渗配合比设计

有条件的情况下,土料防渗配合比可通过试验确定,即根据试验确定素土料和不同配合比下各种混合料的最大干密度和最优含水量,然后制备试样,进行强度和渗透试验,选用强度最高及渗透系数最小的配合比作为设计配合比。素土和黏砂混合土还应进行泡水试验。无条件进行试验或小型渠道可按如下方法进行设计。

1. 土料防渗最优含水率的确定

土料防渗中的水分是控制防渗结构密实度的主要指标。黏性土和黏砂混合土的最优含水率可参照表 3-1 选用,实际选用时,土质轻的宜选用小值,土质重的宜选用大值。灰土的最优含水量可以采用 20%~30%;三合土、四合土的最优含水量可以采用 15%~20%。

表 3-1　黏性土、黏砂混合土的最优含水量

土质	最优含水量(%)	土质	最优含水量(%)
低液限黏质土	12~15	高液限黏质土	23~28
中液限黏质土	15~25	黄土	15~19

2. 土料防渗配合比确定

(1)灰土的配合比应根据石灰的质量、土的性质和工程要求选定。一般可采用石灰:土 = 1:3~1:9。

(2)三合土的配合比一般采用石灰:土砂总重 = 1:4~1:9。其中土重一般为土砂总重的 30%~60%;高液限黏质土,土重不宜超过土砂总重的 50%。

(3)四合土可在三合土配合比的基础上加入 25%~35% 的卵石或碎石。

(4)黏砂混合土中,高液限黏质土与砂石总重之比一般为 1:1。

(二)土料防渗结构厚度设计

土料防渗结构的厚度应根据防渗要求通过试验确定。无试验条件或中小型渠道也可参照表 3-2 选用。

表 3-2　土料防渗结构厚度 （单位:cm)

土料种类	防渗结构厚度		
	渠底	渠坡	侧槽
高液限黏质土	24~40	20~40	—
中液限黏质土	30~40	30~60	—
灰土	10~20	10~20	—
三合土	10~20	10~20	20~30
四合土	15~20	15~25	20~40

(三)土料防渗工程施工

1. 施工前的准备

(1)安排好运输路线、取土场、堆料场、拌和场及劳力等,并准备好模具、模板和施工工具等。

(2)根据工程量和进度,计划好材料的进场和储备,并及时进行抽样检测。

(3)做好防渗工程施工前渠道基础的填挖及断面修整工作。

2. 施工

(1)配料与拌和。配料可采用重量法或体积法,应严格控制配合比,同时测定土料含水量和填筑干密度,其称量误差,土、石、砂不得超过 ±(3~5)%,石灰不得超过 ±3%,拌和水扣除原材料的含水量,其称重误差不得超过 ±2%。

拌和可采用人工或机械。黏砂混合土,应先将砂、石料洒水润湿,在与粉碎过筛的土料拌和均匀后,再加水拌至均匀。灰土应先将石灰消解过筛,并加水稀释成石灰浆,然后洒在粉碎过筛的土上,拌和至色泽均匀,并闷料 3 天。三合土和四合土应先拌石灰和土,然后加入砂、石料干拌,最后加水拌至均匀,并闷料 1~3 天。

(2)铺料和夯压。铺料前要求处理渠道基面,清除淤泥,削坡平整。铺筑时,灰土、三合土、四合土一般采用先渠坡后渠底的顺序施工;素土和黏砂混合土则一般采用先渠底后渠坡的施工顺序。各种土料防渗结构都应从上游向下游方向铺筑。当防渗结构厚度大于 15 cm 时,应分层夯实。夯压时,应边铺料边夯压,直到达到设计干密度。一般情况下,夯压后,素土、灰土干密度应达到 1.45~1.55 g/cm³,三合土和黏砂混合土应达到 1.55~

1.70 g/cm^3。

(3)施工养护。施工时要尽量避开雨季和寒冷季节,在铺筑完成后,应加强对防渗结构的养护工作。

二、水泥土防渗

水泥土为土料、水泥和水拌和而成的防渗材料,具有料源丰富、可就地取材、防渗效果较好、技术较简单、投资较少、造价较低等优点。但也存在早期强度及抗冻性较差等缺点。

在气候温和地区,水泥土的抗冻性能不宜低于 F12,抗压强度允许最小值应满足表 3-3 的要求,渗透系数不应大于 1×10^{-6} cm/s,其最小干密度应满足表 3-4 的要求。

表 3-3　水泥土抗压强度允许最小值　　　　　　　　(单位:MPa)

水泥土种类	含砾土	28 天抗压强度
干硬性水泥土	常年输水	2.5
	季节性输水	4.5
塑性水泥土	常年输水	2.0
	季节性输水	3.5

表 3-4　水泥土干密度允许的最小值　　　　　　　　(单位:g/cm³)

水泥土种类	含砾土	沙土	壤土	风化页岩渣
干硬性水泥土	1.9	1.8	1.7	1.8
塑性水泥土	1.7	1.5	1.4	1.5

为保证施工质量,设计水泥土配合比时,水泥土的强度按施工时的配制强度设计,配制强度为设计强度的 1.2~1.25 倍。

(一)水泥土配合比设计

水泥土配合比设计的任务是确定在满足技术要求的前提下,水泥土最少的水泥用量、最大的干密度和最优的含水量。可通过试验确定。小型工程或无条件进行试验时,也可根据经验确定。

1. 水泥土最优含水量确定

当土料为细粒土时,干硬性水泥土的含水量一般为 12%~16%,塑性水泥土的含水量一般为 25%~35%;当土料为微含细粒土砂或风化页岩渣时,塑性水泥土含水量一般为 20%~30%。

2. 水泥掺量的确定

水泥掺量通常随土料中粉粒($d = 0.05 \sim 0.005$ mm)和黏粒($d < 0.005$ mm)含量的增大而加大,表 3-5 提供的各种土料水泥掺量可供参考。

(二)水泥土防渗结构厚度及结构设计

水泥土防渗结构厚度一般采用 8~10 cm,小型渠道不应小于 5 cm。预制水泥板的尺寸应根据制板机、压实功能、运输条件和渠道断面尺寸等因素确定,每块预制板的质量不宜超过 50 kg。对于耐久性要求高的明渠水泥土防渗结构,一般用塑性水泥土铺筑,表面用水泥砂浆、混凝土预制板、石板等材料作保护层。水泥土的水泥用量可适当减少，但水泥土 28 天的抗压强度不应低于 1.5 MPa。

表 3-5　各种材料水泥掺量的平均值

材料	水泥掺量体积比（%）	水泥掺量质量比（%）	材料	水泥掺量体积比（%）	水泥掺量质量比（%）
泥灰石	8	7	火山岩渣（<4 号筛孔）	8	7
碎石	8	7	页岩或碎裂页岩	11	10
黑硅石	9	8	贝壳土	8	7
炉渣	8	8	矿渣（露天冷却）	9	7
石灰石筛屑	7	5	矿渣（水中冷却）	10	12
火山岩渣（>4 号筛孔）	12	11			

（三）水泥土防渗结构施工

1. 施工前的准备

(1)就近选定符合要求的取土场以及土料风干、粉碎、筛分、储料等场地。

(2)将施工材料分批运至现场，根据施工要求，准备好运输、粉碎、筛分、供水、称重、搅拌、夯实、排水、铺筑、养护等设备和模具。

(3)土料风干、粉碎，并过 5 mm 孔径的筛。

(4)做好水泥土防渗工程施工前渠道基础的填、挖及断面修整。

2. 现场铺筑施工

(1)按设计配合比配料，其称重允许偏差值，土料为 ±5.0%，水泥及水为 ±2.0%。水泥土拌料与铺筑或装模成型的时间不得超过 1 h。

(2)拌和水泥土时，应先干拌，再湿拌均匀。

(3)铺筑塑性水泥土前，应先洒水湿润渠基，安设伸缩缝模板，然后按先渠坡后渠底的顺序铺筑。应摊铺均匀，浇捣拍实。初步抹平后，一般在表面撒一层厚度为 1~2 mm 的水泥，随即揉压抹光。应连续铺筑，每次拌和料从加水至铺筑完应在 1.5 h 内完成。

(4)铺筑干硬性水泥土时，应先立模，后分层铺料夯实。每层铺料厚度一般为 10~15 cm，层面间应刨毛、洒水。

(5)铺设保护层的塑性水泥土，其保护层应在塑性水泥土初凝前铺设完毕。

3. 预制铺砌施工

(1)按现场铺筑施工方法拌制好水泥土。

(2)将水泥土料装入模具中，压实成型后拆模，放在阴凉处 24 h 后，洒水养护。

(3)将渠基修整后，按设计要求铺砌预制板。板间用水泥砂浆挤压、填平，并及时勾缝养护。

4. 水泥土防渗的养护

水泥土不论采用现场铺筑还是预制铺砌，均应盖湿草保湿养护 14~28 天。

三、砌石防渗

砌石防渗一般是指以料石、块石、卵石、石板等为防渗材料的防渗措施。砌石防渗能就地取材、抗冲流速大、耐磨损能力强、抗冻和防冻能力强、防渗效果较好、稳定渠道、施工技术简单等优点，但砌石防渗不容易采用机械化施工，需要劳动力多，施工质量较难控制，厚度大、方量多，劳动强度大，造价往往高于混凝土等材料的防渗措施。因此，就是在石料比较丰富的地区，也应以防渗效果好、耐久性强和造价较低为原则，通过技术经济论证后选用。

(一)砌石防渗结构厚度设计

(1)浆砌料石、浆砌块石挡土墙式防渗结构的厚度。护面式防渗结构的厚度，浆砌料石一般采用 15~25 cm，浆砌块石一般采用 20~30 cm。浆砌石板的厚度一般不小于 3 cm（寒冷地区浆砌石板厚度一般不小于 4 cm）。

为了提高防渗效果，浆砌石板防渗层下一般铺设一层厚度为 2~3 cm 的砂料，或低标号水泥砂浆作垫层。对防渗要求高的大、中型渠道，一般在砌石层下加铺黏土、三合土、塑性水泥土或塑膜层。

对于软基上的挡土墙式浆砌石防渗结构，一般需要设沉陷缝，缝距可采用 10~15 m。砌石防渗层与建筑物连接处，应按伸缩缝结构要求处理。

(2)浆砌卵石、干砌卵石挂淤护面式防渗结构的厚度。一般根据使用要求和当地料源情况确定，可采用 15~30 cm。为了防止渠基淘刷，提高防渗效果，干砌卵石挂淤渠道，一般在砌体下面设置砂砾石垫层，或铺设复合土工膜料层。

(二)砌石防渗工程施工

砌石防渗结构施工时，应先洒水润湿渠基，然后在渠基或垫层上铺一层厚度为 2~5 cm 的低标号混合砂浆，再铺砌石料。砌石砂浆应按设计配合比拌制均匀，随拌随用，自出料到用完，其允许间歇时间应不超过 1.5 h。

1.浆砌石防渗工程施工

(1)砌筑顺序。对于梯形明渠，应先砌渠底后砌渠坡。砌渠坡时，从坡脚开始，由下而上分层砌筑；U 形和弧形明渠、拱形暗渠，从渠底中线开始，向两边对称砌筑；矩形明渠，应先砌两边侧墙，后砌渠底；拱形和箱形暗渠，可先砌侧墙和渠底，后砌顶拱或加盖板。渠底和渠坡砌完后，应及时砌好封顶石。

(2)石料安放。浆砌块石花砌，大面朝外，错缝交接，并选择较大、较规整的块石砌在渠底和渠坡下部。浆砌料石和石板，在渠坡纵砌（料石或石板长边平行水流方向）；在渠底横砌（料石或石板长边垂直水流方向）。料石错缝距离一般为料石长的 1/2。浆砌卵石，相邻两排错开茬口，并选择较大的卵石砌于渠底和渠坡下部，大头朝下，挤紧靠实。浆砌块石挡土墙式防渗结构，先砌面石，后砌腹石，面石与腹石交错连接；浆砌料石挡土墙式防渗结构，面石中有足量的丁石与腹石相连。

(3)石料砌筑。砌筑前洒水润湿，石料冲洗干净。浆砌料石和块石，干摆试放分层砌筑，坐浆饱满。每层铺水泥砂浆厚度为，料石 2~3 cm，块石 3~5 cm。随铺浆随砌石。块石缝宽超过 5 cm 时，填塞小片石。卵石可采用挤浆砌筑，也可干砌后用水泥砂浆或细砾混凝土灌缝。浆砌石板保持砌缝密实平整，石板接缝间的不平整度不超过 1 cm。

（4）勾缝。浆砌料石、块石、卵石和石板，一般在砌筑砂浆初凝前勾缝。勾缝自上而下用砂浆充填、压实和抹光。浆砌料石、块石和石板一般勾平缝，浆砌卵石一般勾凹缝，缝面一般低于砌石面 1～2 cm。

2. 干砌卵石挂淤防渗施工

（1）砌筑顺序。按先渠底后渠坡的顺序砌筑。砌渠底时，平渠底一般从渠坡脚的一边砌向另一边；弧形渠底从渠中线开始向两边砌筑。渠坡从下而上逐排砌筑。如卵石下设膜料层，将过渡层土料铺在膜料上，边铺膜，边压土，边砌石。

（2）砌筑。卵石长边垂直于渠底或渠坡立砌，不前俯后仰、左右倾斜。卵石的较宽侧面垂直于水流方向。每排卵石厚薄相近，大头朝下，错开茬口，挤紧砌实。渠底两边和渠坡脚的第一排卵石，比其他卵石大 8～12 cm。卵石砌筑后，先用小石填缝至缝深的一半，再用片状石块卡缝。用较大的卵石水平砌筑封顶石。

四、混凝土防渗

混凝土防渗具有防渗效果好、耐久性好、糙率小、沿程水头损失小、减少土方工程量、强度高、便于管理、适应性强等优点，是目前广泛采用的一种渠道防渗技术措施。

（一）混凝土性能及配合比设计

混凝土配合比设计的基本原则为：最小单位用水量；最大石子粒径和最多石子用量；最佳骨料级配；经济合理地选择水泥品种和强度等级。

大、中型渠道防渗工程混凝土的配合比应满足强度、抗渗、抗冻和和易性的设计要求，应按《水工混凝土试验规程》（DL/5150—2001）进行试验确定。小型渠道防渗工程混凝土的配合比，可参照当地类似工程的经验采用。

1. 混凝土性能指标

防渗渠道混凝土性能指标不应低于表 3-6 中的值。严寒和寒冷地区的冬季过水渠道，抗冻性能比表内数值提高一级。渠道流速大于 3 m/s，或水流中挟带推移质泥沙时，混凝土强度不应低于 15 MPa。

表 3-6　混凝土性能的允许最小值

工程规模	混凝土性能	单位	严寒地区	寒冷地区	温和地区
小型	强度（C）	MPa	10	10	10
	抗冻（F）	冻融循环次数	50	50	—
	抗渗（W）	MPa	0.4	0.4	0.4
中型	强度（C）	MPa	15	15	10
	抗冻（F）	冻融循环次数	100	50	50
	抗渗（W）	MPa	0.6	0.6	0.6
大型	强度（C）	MPa	20	15	10
	抗冻（F）	冻融循环次数	200	150	50
	抗渗（W）	MPa	0.6	0.6	0.6

注：严寒地区为最冷月平均气温低于 -10℃；寒冷地区为最冷月平均气温不低于 -10℃但高于 -3℃；温和地区为最冷月平均气温高于 -3℃。

2.混凝土的水胶比

混凝土的水胶比,为砂石料在饱和面干状态下的单位用水量与胶凝材料的比值,其允许最大值可参照表3-7选用。

表3-7 混凝土水胶比的允许最大值

运用情况	严寒地区	寒冷地区	温和地区
一般情况	0.5	0.55	0.60
受水流冲刷部位	0.45	0.50	0.50

3.砂率和用水量的选择

用水量应根据石子最大粒径、坍落度外加剂以及砂率通过试拌确定。混凝土的坍落度、试拌用水量和砂率可分别参考表3-8、表3-9、表3-10选用。试拌过程中,根据混凝土拌和物的和易性和坍落度情况进行必要调整。试拌后,选取满足要求的最小用水量及对应的砂率。

表3-8 不同浇筑部位混凝土的坍落度 （单位:cm）

混凝土类别	部位		机械捣固	人工捣固
混凝土	渠底		1~3	3~5
	渠坡	有外模板	1~3	3~5
		无外模板	1~2	—
钢筋混凝土	渠底		2~4	3~5
	渠坡	有外模板	2~4	5~7
		无外模板	1~3	—

注:低温季节施工时,坍落度宜适当减小;高温季节施工时,坍落度宜适当增大。采用衬砌机施工时,坍落度不大于2 cm。

表3-9 混凝土试拌用水量 （单位:kg/m³）

坍落度(cm)	石料最大粒径(mm)		
	20	40	80
1~3	155~165	135~145	110~120
3~5	160~170	140~150	115~125
5~7	165~175	145~155	120~130

注:表中值适用于卵石、中砂和普通硅酸盐水泥拌制的混凝土。用火山灰水泥时,用水量一般增加15~20 kg/m³;用细砂时,用水量一般增加5~10 kg/m³;用碎石时,用水量一般增加10~20 kg/m³;用减水剂时,用水量一般减少10~20 kg/m³。

表3-10 混凝土的砂率

石料最大粒径 (mm)	水胶比	砂率(%)	
		碎石	卵石
40	0.40	26~32	24~30
40	0.50	30~35	28~33
40	0.60	33~38	31~36

注:石料常用两级配,即粒径5~20 mm的占40%~45%,粒径20~40 mm的占55%~60%。

大、中型渠道所用的混凝土,其胶凝材料的最小用量不宜小于 225 kg/m³,严寒地区不宜小于 275 kg/m³。上述数值,用人工捣固时应增加 25 kg/m³,当掺用外加剂时可减少 25 kg/m³。小型渠道可参照当地类似工程的经验采用。

大、中型渠道粉煤灰等掺合料及相应的外加剂掺量可按《水工混凝土掺用粉煤灰技术规范》(DL/T5055—1996)通过试验确定;小型渠道混凝土的粉煤灰掺量可按表 3-11 选定。

表 3-11　小型渠道混凝土的粉煤灰掺量

水泥等级	混凝土性能指标		粉煤灰掺量(%)
	强度	抗冻	
32.5	C10	F50	20~40
32.5	C15	F50	30
32.5	C20	F50	25

设计细砂、特细砂混凝土配合比时,水泥用量较中砂、粗砂混凝土一般增加 20~30 kg/m³,并宜掺加塑化剂,严格控制水胶比。砂率较中砂混凝土减小 15%～30%,允许含泥量应符合规范要求。采用低流态或半干硬性混凝土时,坍落度不大于 3 cm。

(二)防渗结构设计

混凝土防渗层的结构形式见图 3-1。防渗结构一般采用等厚板,当渠基有较大膨胀、沉陷等变形时,除采取必要的地基处理措施外,对大型渠道一般采用楔形板、肋梁板、中部加厚板或 Ⅱ 形板;小型渠道可采用整体式 U 形或矩形渠槽,槽长一般不小于 1.0 m;特种土基一般采用板膜复合式结构。

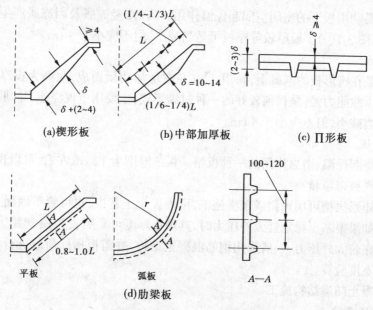

图 3-1　混凝土防渗层的结构形式 (单位:cm)

1. 等厚板

等厚板施工方便,质量易控制,是目前应用最广泛的一种,其厚度与工程环境及施工条件、渠道大小及重要性等有关。当渠道流速小于 3 m/s 时,梯形渠道混凝土等厚板的厚度应符合表 3-12 规定。流速为 3～4 m/s 时,最小厚度一般为 10 cm;流速为 4～5 cm 时,最小厚度一般为 12 cm;水流中含砾石类推移质时,渠底板的最小厚度一般为 12 cm。渠道超高部分的厚度可适当减小,但不应小于 4 cm。现场浇筑的混凝土板尺寸以 3～5 m/块为宜,预制混凝土板一般不宜超过 1 m。

表 3-12　混凝土防渗结构的最小厚度　　　　　(单位:cm)

工程规模	温和地区			寒冷地区		
	钢筋混凝土	混凝土	喷射混凝土	钢筋混凝土	混凝土	喷射混凝土
小型		4	4		6	5
中型	7	6	5	8	8	7
大型	7	8	7	9	10	8

2. 楔形板

楔形板主要用于现浇施工,其尺寸可按图 3-1(a)和表 3-12 选用。楔型板在坡脚处的厚度比中部一般增加 2～4 cm。

3. 中部加厚板

采用中部加厚是为了增强裂缝经常发生部位的承载能力,主要用于现浇施工的渠道阴坡,实践证明,其对防止冻胀破坏是有效的。一般加厚部位的厚度为 10～14 cm。

4. Π 形板

Π 形板是利用板下的密闭空间起保温作用,可以减轻冻胀及因冻胀产生的变形。其结构、尺寸见图 3-1(c)。板厚较等厚板可适当减小,但不应小于 4 cm。

5. 肋梁板

肋梁板是在楔形板的基础上,每隔 1 m 左右增加肋梁而成,肋高为板厚的 2～3 倍。其较楔形板承载能力强,是目前较好的一种衬砌形式,主要用于现浇施工。肋梁板厚度较等厚板可适当减小,但不应小于 4 cm。

6. 空心板

空心板是起保温、增强作用的一种板型。板的厚度为 12 cm 左右,可以预制或现浇。

7. U 形或矩形渠槽

U 形或矩形渠槽可用预制或现浇施工,可埋设于土基中,也可置于地面上,还可用架空式渠槽。如果渠基土稳定且无外压力时,其最小厚度可参照表 3-12 选用。如果渠基土不稳定或存在较大外压力,一般采用钢筋混凝土结构,并需根据外荷载进行结构强度、稳定性及裂缝宽度验算。

(三)混凝土防渗结构施工

1. 现场浇筑施工

(1)施工前的准备。施工前的准备工作包括模板制作、备料以及钢筋加工等。

（2）混凝土的拌制与运输。混凝土的拌和可采用拌和机或人工拌和，拌和站的位置一般在控制渠段的中部，控制渠段长度以 100～400 m 为宜。拌制混凝土的材料必须按规定的配合比分别称重，水泥、砂、石、掺合料应以质量计，水及外加剂可折算成体积加入。小型渠道可将砂、石折算成体积配料。

混凝土应采用机械拌和，拌和时间不小于 2 min，掺用掺合料、减水剂、引气剂的混凝土及细砂、特细砂混凝土用机械拌和的时间，应较中、粗砂延长 1～2 min。

混凝土应随拌、随运、随用，在运输过程中，不得使混凝土分离、漏浆和严重沁水。否则，应在浇筑地点重新拌和。若混凝土初凝，应按废料处理。

（3）混凝土的浇筑。浇筑时，一般先浇渠底，后浇渠坡，多按伸缩缝分块浇筑。渠底、渠坡一般都是调仓法浇筑，即先浇单数块，后浇双数块。

浇筑混凝土前，土渠基应先洒水浸润；在岩石渠基上浇筑混凝土，或需要与早期混凝土结合时，应将基岩或早期混凝土刷洗干净，铺一层厚度为 1～2 cm 的水泥砂浆。水泥砂浆的水胶比应较混凝土小 0.03～0.05。

混凝土应采用机械振捣。使用表面式振捣器时，振捣行距一般重叠 5～10 cm，振捣边坡应上行振动，下行不振动；使用小型插入式振捣器，或人工捣固边坡混凝土时，入仓厚度每层应不大于 25 cm，并插入下层 5 cm 左右；使用振捣器振捣时，边角部位及钢筋预埋件周围应辅以人工捣固。

U 形渠槽浇筑可采用衬砌机，常用的衬砌机有 D 系列衬砌机、柴油机动力衬砌机、轨道式液压自行衬砌机、QJ 型衬砌机等。衬砌机的振捣时间和行进速度可经过试验确定。

现场浇筑混凝土完毕，应及时收面。收面后，混凝土表面应密实、平整、光滑。

2．预制装配施工

（1）构件的预制。混凝土等厚板的预制，大都采用木模或钢模，以人工插捣或机械振捣的方法在夯实的土基上浇筑；Π 形板可用翻转模板预制；U 形渠槽通常采用分块预制或整体预制两种方法。混凝土预制板初凝后即可拆模，强度达到设计强度的 70% 以上时方可运输。

（2）构件的安装。预制混凝土板安装前，应整修基槽。沿渠每隔 10 m 测一横断面，打桩、挂线，然后对不平处进行修整。

铺砌时，务必将板下孔隙用中砂垫实，并控制规定的高程和接缝宽度。砌坡时，由上而下，横向结构缝或伸缩缝可砌成通缝，纵向结构缝一般应错开。结构缝应用抗压强度不低于 10 MPa 的水泥浆灌缝，并要捣实、压平、抹光；伸缩缝应灌入橡塑质填料，并要捣实、压平、抹光。灌缝前，均需将缝清理干净。

五、膜料防渗

膜料防渗是用不透水的土工织物来减小或防止渠道渗漏损失的技术措施，具有防渗性能好、适应变形能力强、质轻、用量小、施工简便、工期短、耐腐蚀性强、造价低等优点。但防渗膜料在运用中不可避免地要产生老化，因而耐久性成为普遍关注的问题。膜料防渗多用埋铺式，其结构一般包括防渗层、过渡层、保护层等。

(一)膜料防渗工程设计

1. 材料选用

膜料按材料可分为塑料类、合成橡胶类及沥青和环氧树脂类等。目前我国渠道防渗工程普遍采用聚乙烯和聚氯乙烯塑料薄膜,其次是沥青玻璃纤维布油毡,此外,复合土工膜等其他塑料近几年也在采用。

塑膜的变形性能好、质轻、运输量小,应优先选用。在芦苇等植物丛生地区,宜优先选用聚氯乙烯膜;在寒冷和严寒地区,可优先选用聚乙烯膜。选用塑膜厚度为0.18~0.22 mm较为经济适用;小型渠道也可选用厚度小于0.12 mm的塑膜。

沥青玻璃纤维布油毡,抗拉强度较塑膜大,伸长率较塑膜小,但一般能满足工程要求,选用厚度为0.60~0.65 mm。

复合土工膜抗拉强度高,抗穿透和抗老化等性能好,但价格较高,适用于地质和水文地质条件差、基土冻胀性较大或标准较高的渠道防渗工程。膜厚一般为1~3 mm。

用做过渡层的材料很多,在温暖地区可选用灰土或水泥土,在寒冷地区可选用砂浆。

保护层的材料可根据当地材料来源、工程条件和要求、流速大小等因素选用。土、水泥土、砂砾、石料、混凝土等都可用做膜料防渗的保护层。

2. 膜料防渗结构

(1)铺膜范围及基槽断面形式。膜料防渗按铺膜范围可分为全铺、半铺和底铺三种。全铺为渠坡、渠底全铺,渠坡铺膜高度与渠道正常水位齐平;半铺为渠底全铺,渠坡铺膜高度为渠道正常水位的1/2~2/3;底铺仅铺渠底。一般多采用全铺。

常用铺膜基槽断面形式有梯形、台阶形、锯齿形、五边形等,见图3-2。断面大、无芦苇生长的渠道可选用锯齿形、台阶形或梯形;芦苇及杂草丛生的渠道宜采用梯形或五边形;油毡防渗宜采用梯形或五边形。

(2)土保护层厚度及干密度。土保护层厚度应根据渠道流量大小和保护层土质情况,按表3-13选定。

表3-13 土保护层的厚度 （单位:cm）

保护层土质	渠道设计流量(m³/s)			
	<2	2~5	2~20	>20
沙壤土、轻壤土	45~50	50~60	60~70	70~75
中壤土	40~45	45~55	55~60	60~65
重壤土、黏土	35~40	40~50	50~55	55~60

土保护层的设计干密度应经过试验确定。无试验条件时,采用压实法施工,沙壤土和壤土的干密度应不小于1.50 g/cm³;沙壤土、轻壤土、中壤土采用浸水泡实法施工时,其干密度宜为1.40~1.45 g/cm³。

(3)膜层顶部铺设形式。膜层顶部可按图3-3铺设。

3. 砂砾料保护层膜料防渗

砂砾料保护层膜料防渗的设计与土保护层膜料防渗相同,不同之处是砂砾料保护层

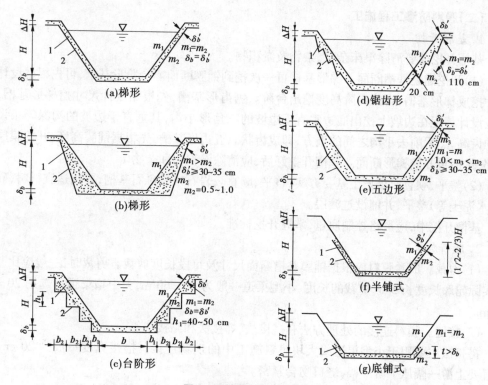

图 3-2 铺膜基槽断面形式

1—塑土保护层；2—膜料保护层

厚度较小，一般为 25～40 cm。砂砾料保护层膜料防渗必须设过渡层，过渡层一般设在膜面，若为岩石或砂砾石渠基，则膜面和膜下均应设过渡层。过渡层厚度可参照表 3-14 选用。

4．刚性材料保护层膜料防渗

刚性材料保护层包括水泥土、石料、混凝土保护层等。保护层的厚度小，需设过渡层，过渡层厚度见表 3-14。土渠基，过渡层设在膜面，岩石和砂砾石渠基，膜面和膜下均需设过渡层。保护层厚度见表 3-15。

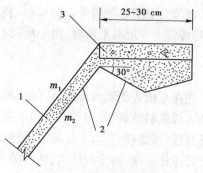

图 3-3 膜料顶部铺设形式

1—保护层；2—膜料防渗层；3—封顶板

表 3-14 过渡层厚度

过渡层材料	厚度(cm)
灰土、塑性水泥土、砂料	2～3
素土、砂	3～5

表 3-15 刚性材料保护层的厚度

保护层材料	水泥土	块石、卵石	砂砾石	石板	混凝土	
					现浇	预制
保护层厚度(cm)	4～6	20～30	25～40	≥3	4～10	4～8

(二)膜料防渗工程施工

1.基槽开挖

基槽开挖前要清除渠床杂草、杂物及淤积物。

(1)开挖铺膜基槽断面。梯形基槽可一次挖到铺膜断面。台阶形基槽,可先根据设计尺寸挖成梯形基槽,再按台阶高度挖出台阶。锯齿形基槽,先根据设计尺寸挖梯形基槽,再按设计齿距在边坡上挖出底边垂直于边坡的三角形小沟,其垂直于边坡的沟深等于设计的齿高,然后削去小沟之间的土方,即成齿状。五边形基槽,先根据铺膜高度,开挖膜层顶部,然后再开挖梯形断面。基槽开挖好后,应清除淤积物和杂物。

(2)整平、顺直。渠槽土基要夯实、整平、顺直。岩石或砂砾石基槽,要用适宜材料(砂浆、水泥土等)整平,并铺设过渡层。

基槽开挖中,应严格控制质量,掌握开挖标准。

2.膜料加工

(1)剪裁。成卷膜料应根据铺膜基槽断面尺寸及每段长度剪裁。剪裁时,一般应比基槽实际轮廓长度长5%,剪裁的长度,小型渠道一般为50~60 m,大中型渠道可选用20~40 m。

(2)接缝。膜料连接的处理方法有搭接法、焊接法和黏接法等。

搭接法主要用于小型渠道或大块膜料施工中的现场连接。搭接宽度一般为20 cm,而且要上游一幅压下游一幅,缝口吻合紧密。

焊接法用专用焊接机焊接,也可用电熨斗焊接。焊接缝宽一般为5~6 cm。

黏接法所用黏接剂配方:丙酮60%,环乙酮15%,二甲苯8%,过氯乙烯树脂15%及少量邻苯二甲酸二辛脂等。黏接时,将下层膜料先铺好,用配好的黏接剂沿接缝宽度涂匀,随即将上一层对准接缝,由一端向下一端均匀压下,使其黏接紧密。黏接宽度一般为15~20 cm。

3.膜料铺设

先在基槽表面洒水湿润,以保证膜料能紧密地贴在基床上。铺设时,将按设计尺寸加工的大幅膜料叠成"琴箱"式,横向放在下游基槽内,再将一端与先铺设好的膜料或建筑物现场焊接(或黏接)并填土压实后,再向下游拉展铺开,但不要拉得太紧。铺好后,随即用湿土先压住边缘,再全面压实,或者填筑过渡层。也可将成卷的铺料由渠一岸向另一岸铺设。当天铺膜,应当天填筑好过渡层和保护层。

4.保护层的填筑

(1)土保护层的施工。土保护层的施工一般采用压实法,若保护层土料为砂土或湿陷性黄土等不易压实的土类,可采用浸水泡实法。

采用压实法时,填土时应先清除杂物,第一层最好使用湿润松软的土料,从上游向下游填土。人工夯实,每次铺土厚约20 cm;履带式拖拉机碾压,每次铺土厚30 cm。层与层之间需洒水、扒松,以利于结合。边坡需宽出20~25 cm,以便于削坡。

浸水泡实法,需一次性填筑好保护层,填筑过程中,稍加拍实,填筑断面尺寸留10%~15%的沉陷量。先放小水后逐渐抬高水位,待保护层浸水沉陷稳定后,缓慢泄水,填筑裂缝,并拍实、修整成设计断面。

（2）砂砾料和刚性材料保护层施工。砂砾料保护层施工程序是：膜料铺好后，先铺膜面过渡层，再铺砂砾料保护层，并逐层插捣或振捣密实。

刚性材料保护层的施工与刚性材料防渗结构施工相同。

六、沥青混凝土防渗

沥青混凝土是以沥青为胶结剂，与矿粉、矿物骨料（碎石或砾石和砂）经过加热、拌和、压实而成的防渗材料。具有防渗效果好、柔性和黏附性好、适应变形能力强、老化不严重、造价较低、容易修补等优点，但也存在料源不足、施工工艺要求高、易被植物穿透等缺点。

（一）沥青混凝土防渗的技术要求及配合比设计

1．沥青混凝土防渗的技术要求

（1）防渗层沥青混凝土。防渗层沥青混凝土要求孔隙率不大于4%，渗透系数不大于$1×10^{-7}$ cm/s，水稳定系数大于0.9，斜坡流淌值小于0.80 cm，低温下不开裂。

（2）整平胶结层沥青混凝土。要求渗透系数不小于$1×10^{-3}$ cm/s，热稳定系数应小于4.5，结构稳定性、水稳定性等与防渗结构沥青混凝土相同。

2．沥青混凝土配合比设计

沥青混凝土配合比应根据技术要求，通过室内试验或现场试铺筑确定，也可参照《土石坝沥青混凝土面板和心墙设计准则》（SLJ01—88）选用。一般情况下，防渗层沥青用量为6%～9%，整平胶结层为4%～6%。防渗层石料的最大粒径不超过一次压实层厚度的1/3～1/2；整平胶结层石料的最大粒径不超过一次压实层厚度的1/2。

（二）防渗体的结构设计

1．防渗体的结构

沥青混凝土渠道防渗体结构形式见图3-4。无整平胶结层的多用于土质渠基，有整平胶结层的多用于岩石渠基。防渗层主要起防渗作用，要求结构密实、不透水性强。整平胶结层主要铺筑在岩石基面上，为防渗层提供一个较平整的浇筑基面。封闭层主要提高防渗层的防渗效果，防止防渗层老化，一般多用沥青玛琋脂涂刷。

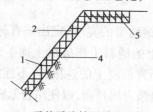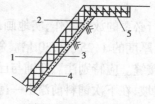

(a)无整平胶结层的防渗体　　　　　(b)有整平胶结层的防渗体

图3-4　沥青混凝土渠道防渗体的结构形式

1—封闭层；2—防渗层；3—整平胶结层；4—土石渠基；5—封顶板

2．防渗体的厚度

沥青混凝土一般为等厚断面，现浇施工时，其厚度一般为5～10 cm。有抗冻要求地区，渠坡防渗层也可采用上薄下厚的断面，一般坡顶厚度5～6 cm，坡底厚度为8～10 cm。预制安砌施工时，一般厚度为5～8 cm，预制板边长不宜大于1 m。

整平胶结层采用等厚断面,其厚度应按能填平岩石基面的原则确定。沥青玛琋脂封闭层厚度一般为 2~3 cm。

(三)沥青混凝土防渗工程施工

1. 施工前的准备

施工前,需按设计要求开挖好渠槽,并对渠床表面进行整平。在土基渠床上,防渗结构小于 6 cm 时,为防止杂草生长,可用 5% 的氯化钠溶液喷洒于土壤中,并进行压实;若不设垫层,每平方米可用稀释沥青 1 kg 喷洒一层,进行压实,使土壤固结。

施工前,还应备好料。沥青需加热脱水并配制合格,砂、石料应分别过筛并妥善保存。

2. 混合料的拌和

混合料在拌和时,先按设计的配合比进行配料,然后加热、烘干、拌和,加热、烘干、拌和温度的控制标准见表 3-16。沥青混合料的拌和可采用机械拌和和人工拌和两种方法。

表 3-16　沥青混合料加热和拌和的温度控制标准

施工项目	沥青脱水及加热	粗细骨料加热	混合料拌和
温度控制标准(℃)	160 ± 10	170~190	160~180

3. 现场浇筑施工

(1)沥青混合料的运输与施工。沥青混合料在运输过程中,应尽量不使温度降低,因此在低温季节施工时,运输工具应适当采取保温措施。防渗结构沥青混合料摊铺和压实的温度控制标准见表 3-17。整平胶结层压实温度可较防渗结构降低 20 ℃。

表 3-17　沥青混合料摊铺和压实的温度控制标准

施工项目	摊铺	开始压实	终止压实
温度控制标准(℃)	130~150	120~140	85~120

摊铺前,要进行必要的放样工作,实地画出摊铺地带的宽度,定出垂直标高。摊铺材料的厚度应为设计厚度的 1.25~1.30 倍。斜坡上的铺料工作应由上而下进行,每次到顶,避免造成水平接缝。应特别注意新铺与已铺沥青混凝土的连接,当不连续摊铺时,应将已铺好的修成斜坡,在下次铺料前涂上一薄层热沥青玛琋脂,以便结合紧密。分层铺筑时,两层之间应使用热沥青涂刷。

(2)摊铺层的压实。压实工作应在混合料摊铺后立即进行,并连续碾压,直到达到要求的密实度。压实时,摊铺层厚度一般不大于 8 cm,温度可参照表 3-17 进行控制。斜坡上压实机械最有效的是 0.5~2.0 t 的振动碾,也有用平碾的。合理的压实方法是先用轻碾压实后,再用重碾压实。振动碾压时,上行可振动,下行不能振动。

(3)涂刷封闭层。先将沥青加热脱水,然后按沥青玛琋脂的配合比,将沥青加热至 140~160 ℃,再将干燥矿粉加入沥青中,边加边搅拌,直至均匀,随即用拌和好的沥青玛琋脂由上而下涂刷在防渗结构上,厚度为 2~3 mm。

4．预制安砌施工

(1)预制板尺寸。考虑安装方便,一般以 100 cm×50 cm×5 cm 为宜,每块重 60 kg 左右。

(2)预制板安砌。一般在土基上安砌预制板,板与板之间预留砌筑缝,不留伸缩缝。砌筑缝要互相错开,在有冻害的地区,应在垂直水流方向留通缝,以提高抗冻胀能力。预制板下设砂砾垫层的渠道需先做好垫层。

(3)砌筑缝的处理。填缝时,应用红外线灯或电炉丝烘烤的方法对缝的接触面加热,然后用细粒沥青混凝土、沥青砂浆、沥青玛琋脂等填缝材料填缝,应填筑密实压平。

(4)涂刷封闭层。方法同现场浇筑施工。

第三节　渠道防渗工程的防冻胀措施

一、渠道防渗工程的冻害及原因

(一)渠道防渗工程冻害类型

我国绝大部分地区冬季的气温在 0 ℃以下,由于 0 ℃以下的低温对渠道防渗工程所造成的破坏统称为渠道防渗工程冻害。根据冻害产生的原因,可将其分为以下三种类型。

1．防渗材料自身的冻融破坏

渠道防渗材料均具有一定的吸水性,当其处在有水的环境中,其体内水分在 0 ℃以下时,就会冻结成冰,体积发生膨胀。当膨胀作用引起的应力超过材料强度时,防渗材料就会产生裂缝,增加吸水量,膨胀破坏的作用会进一步加剧。如此经过多个冻结—融化循环和应力的反复作用,最终导致防渗结构的冻融破坏。

2．因水体结冰造成防渗工程的破坏

在 0 ℃以下渠道内的水体将发生冻结,开始形成岸冰,随着温度下降,岸冰逐渐扩大,渠道表面封冻,冰层逐渐加厚,对两岸衬砌体产生冰压力,造成衬砌体的破坏,或者在冰推力的作用下,发生破坏性变形。当渠水面封冻时,上游流来的浮冰,在某个断面的冰面下积累,减小过水断面,逐渐演变到断面的完全封堵,形成冰坝,抬高水位,造成漫溢,或水从衬砌体背后流入地下,带走基土中的细粒,造成渠床土壤中的空洞,使衬砌塌陷破坏。

3．因基土冻融造成防渗工程的破坏

由于渠道水的渗漏,或者地下水位过高,使渠道基土中含水量较高。当温度降到 0 ℃以下时,土壤中的水分发生冻结而造成土体膨胀,使混凝土衬砌开裂、隆起而截断。

(二)冻害产生的原因

冻害产生的原因是多方面的,归纳起来有以下几个方面。

1．渠道的断面形式及走向

渠道的断面形式和走向不同,造成了断面上各部位的日照、风情和表面温度状况有很大差别,从而决定了断面上各部位的冻结和冻胀很不均匀。南北走向的渠道,阴阳两坡受日照和风作用的条件差别不是很大,两坡的冻结规律大致相同。但由于坡顶为二向冻结,受风的作用较大,故表现为渠坡上部冻深较大,渠底冻深较小。东西走向的渠道,阴阳两坡的冻深和冻结情况则差别较大。阴坡开始冻结较早,冻结深度也较大,阳坡开始冻结较晚,冻结深度较小。

2. 渠道的防渗材料

渠道所采用的防渗材料不同,冻胀破坏的形式和程度也不同。混凝土防渗属于刚性衬砌材料,较薄,抗压强度较高,抗拉强度较低,适应拉伸变形或不均匀变形的能力较差。在冻胀力或热应力的作用下,容易破坏。其破坏形式主要有鼓胀及裂缝、隆起架空、滑塌、整体上抬等。

砌石防渗也属于刚性衬砌,其冻害破坏形式与混凝土衬砌相似,也表现为裂缝、隆起架空、滑塌等形式。此外,浆砌石防渗渠道,往往还由于勾缝砂浆受冻融作用而开裂。

沥青混凝土具有一定的柔性,能适应一定变形,但在低温下基土冻胀大时,仍可能破坏,且沥青混凝土在低温下易产生收缩裂缝,给渠水入渗造成通道。拌和不均匀或碾压不密实的地方,还会出现冻融剥落等破坏现象。

埋藏式膜料防渗的冻害主要表现在膜料的保护层上。土料保护层常因逐年冻融剥蚀变薄,甚至膜料外露而遭到破坏。混凝土等刚性保护层,效果一般较好,但也可能出现裂缝、隆起、滑塌等破坏形式。

3. 渠床的水分特征

渠床土含水量的大小一般与衬砌的防水性能、地表排水、沿渠的水文地质条件、渠道的放水情况及渠床的排水等条件有关,渠床土的含水量一般由渠顶向渠底逐渐增加。渠道防渗工程的冻害直接与渠床土的含水量有关。当地下水位较低时,在临界埋深以下,渠内冬季无积水,不行水,渠床土中含水量一般底部较大,因此渠底和坡下部发生轻微冻胀。地下水位在渠底以下,但小于临界深度,渠道内不行水,不积水,此时渠底将有较大的冻胀,并沿渠坡向上,冻胀量由大到小。地下水位高于渠底,渠内有积水,或渠道行水,渠内有一定水深时,由于渠内水的保温作用,渠底冻胀较小,甚至渠底无冻胀现象,两坡由于土的含水量较高和水分迁移的补给水源充足,在水面以上的范围内冻胀量最大。

4. 渠道的变形条件

地下水位在渠底以下,渠内不行水,不积水,渠底和坡脚的冻胀量大于渠坡上部,并且渠底衬砌板的冻胀变形受边坡的约束,冻胀变形一般中部大于两端,由此造成沿渠底中心线裂缝,隆起破坏,如图 3-5 中的 o 点。渠坡冻胀变形线稍呈弯曲,且弯曲线的拐点位于距坡脚不远处,在这种情况下,如果衬砌板与土间不存在冻结力,上部板将上抬翘起,如图 3-5 中的 a 板,若衬砌板与土间存在冻结力,衬砌板受约束不能翘起,衬砌板的抗弯强度小于悬臂端的弯矩时,将在冻胀变形量最大处发生折断,如图 3-5 中的 b 板。若渠道衬砌为预制板,则将在此处出现裂缝。实际观测表明,坡脚两端点(图 3-5 中 c、d 点)的冻胀变形,基本呈垂直向上方向。

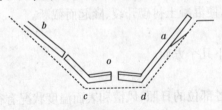

**图 3-5　渠底衬砌板的冻胀
变形受边坡的约束情况**

5. 渠床的土质条件

当渠床为粗砂、砾石时,一般冻胀量很小,如果衬砌适应不均匀冻胀变形能力较强,则不会出现冻害。当渠床为细颗粒泥沙,特别是粉质土时,在渠床土含水量较大,且有地下水补给时,就会产生很大的冻胀量。如果采用混凝土或浆砌石等刚性衬砌,往往会产生冻胀破坏。

冻结过程中的水分积聚和冻胀与土质密切相关,通常可认为与土的粉黏颗粒含量成正相关。应当注意的是,当沿渠土质为非均质而由许多土壤层次组成时,由于渠道断面不同部位的土壤性质各异,将增大渠道冻胀的不均匀性。

6. 人为因素

渠道防渗工程会由于施工和管理不善而加重冻害破坏。如在施工过程中抗冻胀换基材料不符合质量要求或铺设过程中掺混了冻胀性材料;施工质量不好引起沉陷裂缝或收缩裂缝,加大了渗漏;防渗结构施工质量差,防渗效果不好;排水设施堵塞失效;渠道停水后余水不能及时排走;渠道产生裂缝、防渗设施破坏不能及时维修等,均容易加重冻胀破坏。

二、防治冻害的措施

防渗渠道采取防治冻害措施,应以适应、消除、削减渠基冻胀的措施为主,辅之以经济实用的加强结构等抵抗冻胀的措施。

(一)防渗结构措施

(1)对冻胀性地基的防渗渠道,一般采用膜料和沥青混凝土等有一定柔性的材料修建渠道防渗工程。设计时,应加大渠道纵坡,缩小断面尺寸,并应适当加大渠道内边坡系数。

(2)对小型渠道可采用暗渠,暗渠埋深应使顶部低于 2/3 设计冻深。当渠道横断面上的最大设计冻胀量不大于允许冻胀量的 2 倍时,对小型砌石和混凝土防渗渠道,可采用 U 形、弧形等整体防渗结构形式;对大、中型砌石和混凝土防渗渠道,可采用弧形底梯形断面,渠底较宽时,可采用弧形坡脚梯形断面,并采用性能良好的填缝材料填筑。可采用现浇的混凝土肋梁板、楔形板、中部加厚板等防渗结构形式。

(3)在强烈冻胀地区,当渠道最大设计冻胀量大于允许冻胀量的 2 倍时,大、中型渠道的边坡一般采用挡土墙式结构,渠底采用反拱形结构。流速较小的渠道,渠底可采用埋铺式膜料防渗。小型渠道可采用座槽式结构,也可采用矮墩式架空渠槽。

(二)渠基换填措施

渠基换填是在冻结深度内将衬砌板下的冻胀性土换成非冻胀性材料的一种方法。对混凝土、沥青混凝土和砌石防渗渠道,换填材料可采用砂、砾石、碎石、矿渣等。对渠道断面上不同部位,一般采用不同的换填厚度,其厚度可根据《渠系工程抗冻胀设计规范》(SL23—91)确定。

换填料应置换到封顶板边界以外 10 cm,渠道边坡顶部的换填厚度不应小于 10 cm。

当采用中、细砂作换填层,且渠道流速较大时,需防止水流通过防渗结构缝隙淘刷砂子,或者渠道水流含泥量较大,需防止泥沙通过防渗结构缝隙侵入换填材料时,一般在换填料表面铺一层膜料或复合土工膜料。

换填层应进行压实。砂料干密度不应小于 1.8 g/cm^3,砂砾石干密度不应小于 2.0 g/cm^3。

(三)渠基保温措施

将隔热保温材料布设在衬砌体背后及地表,以减轻或消除寒冷因素,并可减小置换深度,隔断下层土的水分补给,从而减轻或消除渠床的冻深和冻胀。常用的隔热保温材料有炉渣、沥青草、泡沫水泥、玻璃纤维、聚苯乙烯泡沫板等。其中聚苯乙烯泡沫板是近年来兴起的新型保温材料,这种保温材料具有质量小、强度高、吸水性低、隔热性好、运输和施工方便等优点,但其材料价格较高。根据有关部门的经验,1 cm厚的泡沫塑料保温层相当于14 cm厚填土的保温效果,6 cm厚的隔热层可使冻结深度减小50%以上。

作为永久性的隔热保温材料,要求具有耐久性、较小的吸水性及不易变质等特性,当隔热材料承受荷载作用时,还要求隔热材料不产生大的变形并具有足够的抗压强度。多数保温材料的保温效果随着潮湿及吸水率的增大而降低。

隔热保温层的厚度可根据基土土质、含水情况、设计冻深,通过热工计算加以确定。对中、小型渠道,聚苯乙烯泡沫板的厚度可按设计置换深度的1/10~1/15取用。冻胀量大的部位取大值。

(四)压实措施

压实可使土的干密度增加,孔隙率降低,透水性减弱。密度较高的压实土冻结时,具有阻碍水分迁移、聚集,从而削减甚至消除冻胀的能力,因此可以通过渠床的压实处理来达到防止冻害的目的。压实处理有渠床原状土压实和翻松土压实两种。前者所能达到的深度较浅,一般在0.3 m以内,不宜在严寒地区应用;后者可分层回填,逐层压实,可达较大压实厚度。

压实时,应先清除渠床淤泥杂草。翻松土压实,还需根据土料含水情况,进行晾干或洒水补充,使其接近最优含水量,每次碾压不宜过厚,可根据碾压机械的压实功能和土料性质确定。

(五)防渗排水措施

1.防止渠水及地面径流入渗

防止渠水渗漏不仅是进行渠道衬砌的主要目的,也是防治冻害的重要措施。保证施工质量的关键是防止衬砌体伸缩缝或结构缝漏水。因此,要采用黏结性、低温塑性和热稳定性良好的填缝材料,填筑好伸缩缝和结构缝。目前实际工程中采用的填料,聚氯乙烯胶泥的性能较好,基本上能满足工程需要,但造价较高。

为防止地面径流入渗,需修好封顶板;压实渠堤顶面,并做成由内向外的斜坡;修好渠顶排水沟及排洪设施。

2.隔断水分对冻结层的补给

采用塑料薄膜、油毡等膜料,设置隔水层,隔断渠道渗水、大气降水和地下水等对冻结层的补给,使渠基土的湿度低于起始冻胀含水量,从而削减或消除冻胀。一般是设置两层封闭隔水膜,中间填当地夯实土,填土厚度应等于设计冻深。

3.排除地下水

通过排除地下水来降低地下水位,截断地下水对冻结层的补给。

三、冻胀深度的确定

1. 标准冻深确定

工程地点的标准冻深可采用气温相近的临近气象站的多年平均冻深值,但冻深资料不宜短于 10 年,若无 10 年以上的资料,可按下式计算:

$$H_0 = \alpha \sqrt{I_0} \tag{3-1}$$

式中　H_0——工程地点的标准冻深,cm;

　　　　I_0——冻结指数的多年平均值,℃·d;

　　　　α——系数(见表 3-18)。

表 3-18　α 值

I_0 (℃·d)	100	300	500	800	1 000	1 200	1 500	1 800	2 000	2 200	2 400	2 600	2 800
α	2.90	3.01	3.13	3.31	3.44	3.58	3.79	4.01	4.17	4.33	4.50	4.68	4.86

2. 设计冻深确定

设计冻深是指工程地点自冻结后地面算起的冻结深度,可按下式计算。

$$H_d = K_p K_d K_z H_0 \tag{3-2}$$

式中　H_d——工程设计冻深,cm;

　　　　K_p——频率模比系数;

　　　　K_d——考虑日照及遮阴程度的修正系数;

　　　　K_z——地下水影响系数。

1)频率模比系数 K_p

《渠系工程抗冻胀设计规范》规定,冻胀破坏频率对Ⅳ级、Ⅴ级渠道按 10%(10 年一遇)设计;对Ⅲ级及以上的渠道,则按 5%(20 年一遇)设计。根据吉林省水利科学研究所的成果,冻深年际频率分布曲线以皮尔逊Ⅲ型正态分布($C_s = 0$)曲线适线较好。可以根据频率分析得出 C_v 值,再按下式计算频率模比系数。

$$K_p = 1 + C_v \Phi \tag{3-3}$$

式中　C_v——变差系数;

　　　　Φ——离均系数,可由一般频率手册查得。

据有关气象站资料分析,C_v 值随冻深减小而加大,详见表 3-19。根据这些资料绘制了在保证率分别为 5% 及 10% 下的 $K_p \sim H_0$ 曲线(见图 3-6)。

2)考虑日照及遮阴程度的修正系数 K_d

此项修正主要是考虑坡面指向不同、受到日照条件不同、接受太阳辐射能不同使土壤冻结深度发生变化的修正系数。《渠系工程抗冻胀设计规范》在考虑了安全因素后,规定日照和遮阴程度的冻胀修正系数值为:向阳面 $K_d = 0.65 \sim 1.0$,底面 $K_d = 1.0 \sim 1.2$,遮阴面 $K_d = 1.2 \sim 1.5$。上述数值,当建筑物轴线接近南北方向时,向阳面取大值,其他情况取小值;当建筑物轴线接近东西方向时,向阳面取小值,其他情况取大值。同一轴线方向下,纬度以北纬 35°~50° 为界限,纬度高的,向阳面取大值,其他情况取小值。

表 3-19　冻深年际变差系数 C_v 与冻深关系

冻深 H_0 (cm)	>200	171~200	151~170	121~150	101~120	71~100	51~70	30~50
统计站数	21	17	18	34	18	14	6	
各站冻深平均值	230.4	182.5	160.3	134.5	109.9	86.9	61.7	35.3
各站冻深年际 C_v 平均	0.11	0.11	0.113	0.121	0.126	0.166	0.178	0.297
要求观测年限	6	6	7	7	8	10	12	27
观测年限为 10 年时冻深置信误差	<0.1	<0.1	<0.1	<0.1	<0.1	<0.1	<0.103	<0.195

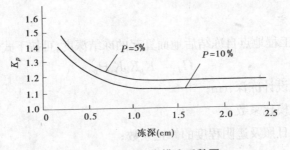

图 3-6　冻深频率模比系数图

《水工建筑物抗冰冻设计规范》(SL211—98)根据西北水利科学研究所、山东省水利科学研究院及宁夏水利科学研究所对不同坡面上太阳辐射强度及其对冻深影响的分析计算成果,规定了不同纬度、不同走向渠道、不同边坡系数和不同宽深比渠道边坡上冻深值的修正系数,并制定了表格可供查算。

3)地下水影响系数 K_z

当地下水埋深小于某临界值时,地下水位的影响变得十分显著。《渠系工程抗冻胀设计规范》给出的 K_z 值见表 3-20。

表 3-20　K_z 值

z(m)	高、中液限的黏质土和粉质土	低液限的黏质土和粉质土	沙
$z \geqslant 2.0$	1.0~0.95	1.0	1.0
$2.0 > z \geqslant 1.5$	0.95~0.90	1.0~0.95	1.0
$1.5 > z \geqslant 1.0$	0.90~0.84	0.95~0.90	1.0~0.97
$1.0 > z \geqslant 0.5$	0.84~0.75	0.90~0.80	0.97~0.94
$0.5 > z \geqslant 0$	0.75~0.62	0.80~0.70	0.94~0.85

注:1. z 为地下水埋深,可取当地日平均气温稳定降至 0 ℃日前或后 5 天的 10 年平均值。

2. 可根据 z 值用内插法取 K_z 值。

4)其他影响冻深的因素

(1)积雪的影响。相当于在土面上有一保温层,因此积雪对冻深的影响较大。但考虑影响积雪厚度的因素很多,同时降雪及雪覆盖的时间对冻深均有影响,因此从偏安全计,《渠系工程抗冻胀设计规范》未考虑积雪对冻深的影响。

(2)土壤含水量的影响。根据吉林省水科所的研究,冻深与含水量平方根成正比。由于含水量受地下水位影响很大,因此认为在地下水位影响因素中已包含了含水量的影响,可不再另行考虑。

(3)土壤质地的影响。现有试验资料尚不足以定量分析此项修正,且其影响不很大,在目前可不予考虑。

四、冻胀量的确定

《渠系工程抗冻胀设计规范》中规定,对Ⅰ、Ⅱ、Ⅲ级建筑物,其冻胀量应尽量在现场按照工程建成后的土质、水分、温度以及运行条件,进行原型模拟试验测定。当各种条件的冻胀量全部实测存在困难时,可根据已取得的计算参数和公式适用范围,用以下介绍的两种方法进行计算,并选用计算结果的大值作为各种条件下的冻胀量。

对于Ⅳ、Ⅴ级建筑物,可根据已取得的计算参数和公式适用范围,选用以下两种计算方法之一计算确定冻胀量。

(1)已知工程地点的设计冻深 H_d 或冻结指数的多年平均值 I_0 时,按式(3-4)和式(3-5)计算确定冻胀量。

$$h = 45\alpha_p\alpha_\rho e^{-0.64(0.017H_d-2.3)^2-0.7z} \tag{3-4}$$

$$h = \alpha_p\alpha_\rho[22.5e^{-0.16(I_0/265-4.53)^2} - 10.7z] \tag{3-5}$$

式中　h——冻胀量,cm;

　　　α_p——荷载修正系数,按式(3-6)计算;

　　　α_ρ——土体密度修正系数,按式(3-7)或式(3-8)计算;

　　　z——地下水埋深,m,取当地日平均气温稳定降至 0 ℃日前或后 5 天的 10 年平均值;

　　　其余符号含义同前。

式(3-4)适用于 50 cm≤H_d≤220 cm,高、中液限的黏质土和粉质土。式(3-5)适用于 I_0≤2 200 ℃·d 的沙类土。

荷载修正系数 α_p:

$$\alpha_p = e^{-\beta p_i} \tag{3-6}$$

式中　p_i——计算地点上地基的荷载强度,kPa;

　　　β——与土的干密度 ρ_d 有关的系数,按表 3-21 选用,若计算地点土的干密度小于 1 350 kg/m³,取 $\rho_d = 1 350$ kg/m³。

土体密度修正系数 α_ρ:

当地下水影响系数 $K_z = 1$ 时,

$$\alpha_\rho = 4.78 - 0.0027\rho_d \tag{3-7}$$

表 3-21 β 值

$\rho_d(\text{kg/m}^3)$	1 350	1 400	1 450	1 500	1 550	1 600	1 650	1 700	1 750
β	0.034	0.025	0.018	0.014	0.010	0.007	0.005	0.004	0.003

注:本表允许内插取值。

当地下水影响系数 $K_z < 1$ 时,

$$\alpha_\rho = e^{-0.005(\rho_d - 1350)} \tag{3-8}$$

式(3-8)适用范围为 $\rho_d \geqslant 1\,350\ \text{kg/m}^3$。

(2)已知工程地点冻结期内地下水位动态时,按式(3-9)计算冻胀量。

$$h = \frac{\alpha_p f H_d}{100} \tag{3-9}$$

式中　α_p——荷载修正系数,按式(3-6)计算;

　　f——土的平均冻胀强度(%),其值与冻结期内地下水位至冻结层下限的平均距离 z_p 值大小有关。

当 $z_p \leqslant z_0$(表 3-22 给出了 z_0 值)时,

$$f = \alpha_1 e^{-\beta_1 z_p} \tag{3-10}$$

式中　α_1、β_1——系数,按表 3-23 选用;

　　其余符号含义同前。

表 3-22　z_0 值

土类	高液限黏质土和粉质土	中液限黏质土和粉质土	低液限黏质土和粉质土	沙
$z_0(\text{m})$	2.0	1.5	1.0	0.5

表 3-23　α_1、β_1 值

土质	$z_p(\text{m})$	α_1	β_1
高液限黏质土和粉质土	$0 \leqslant z_p \leqslant 1.0$	30~40	1.25
	$1.0 < z_p \leqslant 2.5$	21~27	0.85
中液限黏质土和粉质土	$0 \leqslant z_p \leqslant 2.5$	19~30	1.1
低液限黏质土和粉质土	$0 \leqslant z_p \leqslant 1.5$	14~19	1.2

注:当土的塑性指数大时,取大值。

当 $z_p > z_0 + 0.5$ 时,

$$f = \alpha_2(\omega - \beta_2 \omega_p) \tag{3-11}$$

式中　α_2——系数,当土中黏粒含量由 10% 变化到 30% 时,α_2 值范围为 0.4~0.5;

　　β_2——系数,取值范围为 0.7~0.9,根据土质,含粉粒高的土取小值;

　　ω——日平均气温稳定通过 0 ℃前或后 5 天内,工程设计冻深范围内土的平均质量含水量(%);

　　ω_p——土的塑限含水量(%)。

当 $z_0 < z_p \leqslant z_0 + 0.5$ 时,f 应分别按式(3-10)和式(3-11)计算,取用大值。

第四节 渠道防渗工程规划设计

一、渠道防渗工程规划设计原则

(1)渠道防渗工程规划设计,应根据灌区的水土平衡、水资源可持续利用的要求,并结合当地的地形、土壤、气候、水文地质、建筑材料、施工条件等情况,在充分论证的基础上,确定渠道防渗的形式、规模、范围等。

(2)渠道防渗工程规划设计,应按照渠道工程级别或规模(见表3-24),不同设计阶段的要求,严格按照设计规范和国家有关规定进行,一般与渠道其他工程项目同时规划设计。

表 3-24 防渗渠道工程级别和规模划分标准

工程级别	1	2	3	4	5	
规模	特大型	大型		中型		小型
渠道设计流量 $Q(\text{m}^3/\text{s})$	$Q>300$	$300 \geqslant Q>100$	$100 \geqslant Q>20$	$20 \geqslant Q>5$	$5 \geqslant Q>2$	$Q \leqslant 2$

(3)渠道防渗工程规划设计,应符合防渗和渠基稳定的要求,并对防渗、防冻胀、防冲刷、防淤积、防盐胀、防扬压力、防腐蚀、防侵蚀和防止渠道附近盐渍化等进行综合分析研究。新建渠道选线时,应避开不良地段。

(4)渠道防渗工程规划设计,应力求技术先进、经济合理、经久耐用、运用安全、管理方便。

(5)渠道防渗工程规划设计,应贯彻因地制宜、就地取材的原则。

二、选择防渗技术措施应考虑的因素

表3-25是《渠道防渗工程技术规范》规定的各种渠道防渗材料的技术特点、防渗效果、适用条件等,可根据拟建渠道的基本资料,选择适宜的防渗技术措施。设计时应综合考虑下列影响因素。

(一)气候条件

气候是渠道防渗工程设计应考虑的基本因素。其对防渗结构的耐久性和施工方法具有决定性作用,也是工程防冻胀设计的决定性因素。

(二)地形条件

地形是影响渠道防渗工程形式和造价的重要因素。压力管道对地形的适应性最强,但造价较高,输水槽、混凝土、浆砌石等防渗渠,对地形的适应性较强,而土料、埋铺式膜料只适用于较平坦地区。

(三)沿渠土质

沿渠土壤的渗透性是决定防渗与否以及采用哪种防渗措施的关键。对黄土类、黏土类等基础好、渠床稳定的地区,一般采用混凝土、砌石等防渗措施,但在含膨胀性黏土以及孔状灰岩的渠基上,一般不宜采用刚性材料,应采用土料、埋铺式膜料等柔性防渗措施。

表 3-25　各种渠道防渗结构的允许最大渗漏量及适用条件

防渗衬砌结构类别		主要原材料	允许最大渗漏量 $(m^3/(m^2 \cdot d))$	使用年限 (a)	适用条件
土料	黏性土、黏砂混合土	黏质土、砂、石、石灰等	0.07~0.17	5~15	就地取材,施工简便,造价低,但抗冻性、耐久性较差,工程量大,质量不易保证。可用于气候温和地区的中、小型渠道防渗衬砌
	灰土、三合土、四合土			10~25	
土料	干硬性水泥土、塑性水泥土	壤土、沙壤土、水泥等	0.06~0.17	8~30	就地取材,施工较简单,造价较低,但抗冻性较差。可用于气候温和地区,附近有壤土或沙壤土的渠道衬砌
石料	干砌卵石(挂淤)	块石、卵石、料石、石板、水泥、砂等	0.20~0.40	25~40	抗冻、抗冲、抗磨和耐久性好,施工简便,但防渗效果一般不易保证。可用于石料来源丰富,有抗冻、抗冲、抗磨要求的渠道衬砌
	浆砌块石、浆砌卵石、浆砌料石、浆砌石板		0.09~0.25		
埋铺式膜料	土料保护层、刚性保护层	膜料、土料、砂、石、水泥等	0.04~0.08	20~30	防渗效果好,质量小,运输量小,当采用土料保护层时,造价较低,但占地多,允许流速小。可用于中、小型渠道衬砌;采用刚性保护层时,造价较高,可用于各级渠道衬砌
沥青混凝土	现场浇筑、预制铺砌	沥青、砂、矿粉等	0.04~0.14	20~30	防渗效果好,适应地基变形能力较强,造价与混凝土防渗衬砌结构相近。可用于有冻害地区且沥青料来源有保证的各级渠道衬砌
混凝土	现场浇筑	砂、石、水泥、速凝剂等	0.04~0.14	30~50	防渗效果、抗冲性和耐久性好。可用于各类地区和各种运用条件下的各级渠道衬砌;喷射法施工宜用于岩基、风化岩基以及深挖方或高填方渠道衬砌
	预制铺砌		0.06~0.17	20~30	
	喷射法施工		0.05~0.16	25~35	

（四）地下水位

当地下水位高于渠底时,防渗结构会承受水的扬压力,这时应在防渗结构下设排水设施。寒冷地区,在进行防渗工程防冻胀设计时,必须考虑地下水位的高低。

（五）土地利用

不同防渗措施占有土地不同,为减少占地,应尽可能采用暗管、输水槽和边坡较陡的U形、矩形断面等刚性材料防渗渠道。

（六）防渗标准

在水资源缺乏、节水要求高、水价高的地区,或渗漏水可能引起渠基失稳,影响正常运行的渠道,防渗标准应适当提高。建议采用下铺膜料、上部用混凝土板作保护层的措施。据国外有关经验,厚 10 cm 混凝土防渗渠道,平均渗漏量 21 L/(m²·d),如在混凝土层下加铺聚氯乙烯薄膜,可减少渗漏量 95%。

（七）使用年限

不同的防渗措施其使用年限不同,埋设混凝土管道使用年限为 50 年,而素土防渗使用年限只有 5～15 年。使用年限对计算工程的经济效益影响很大,设计时应慎重考虑。

（八）材料、设备、劳动力等情况

应本着因地制宜、就地取材的原则选用防渗措施。山丘区石料充足,可采用浆砌石防渗。沥青材料充足的地区,可采用沥青混凝土防渗。

在劳动力较多、工资较低的地区,可采用施工用劳动力较多的防渗措施,否则,应采用使用劳动力较少的防渗措施。在具备条件情况下,应尽可能采用机械化施工,以保证施工质量,加快施工进度。

（九）管理维护

渠道用水频繁,用水过程中水位变幅较大,应尽量采用刚性材料防渗。为防止杂草丛生及渠道淤积,应尽可能采用混凝土、砌石、沥青混凝土等防渗措施。

（十）工程费用

渠道防渗措施是否经济,应以效益的大小来衡量。在资金允许的情况下,应尽量选用标准较高的防渗方案。在资金缺乏的地区,应尽可能采用投资费用小的方案。

三、防渗渠道断面形式的选择

常用的防渗渠道断面形式如图 3-7 所示。明渠可选用矩形、梯形、U形和复合型;无压暗渠可选用城门洞形、箱形、正反拱形和圆形。

梯形断面施工简便,边坡稳定,在地形、地质无特殊问题的地区,可普遍采用。弧形底梯形、弧形坡脚梯形、U形渠道等,由于适应冻胀变形的能力强,能在一定程度上减轻冻胀变形的不均匀性,在北方地区得到了推广应用。U形渠由于具有水力条件好、挖填方量和衬砌工程量少、输沙能力强、节省土地、整体性强、防渗效果好、便于机械化施工等优点,目前在中、小型渠道上得到较广泛的应用。暗管具有占地少、水流不易污染、冻土地区可避免冻胀破坏等优点,在土地资源紧缺以及冻胀地区应用也较多。

选择防渗渠道断面形式还应结合防渗结构选择一并进行。不同防渗结构适用的断面形式可按表 3-26 选定。

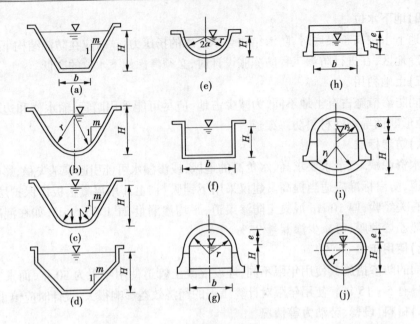

图 3-7　防渗渠道断面形式

(a)梯形断面;(b)弧形底梯形断面;(c)弧形坡脚梯形断面;(d)复合型断面;(e)U形断面;
(f)矩形断面;(g)城门洞形断面;(h)箱形暗渠;(i)正反拱形暗渠;(j)圆形暗渠

表 3-26　不同防渗结构适用的断面形式

防渗结构类别	明渠					暗渠				
	梯形	矩形	复合型	弧形底梯形	弧形坡脚梯形	U形	城门洞形	箱形	正反拱形	圆形
黏性土	√			√	√					
灰土	√	√	√		√		√		√	
黏砂混合土	√			√	√					
膨润混合土	√				√				√	
三合土	√	√	√	√	√				√	
四合土	√	√	√	√	√		√		√	
塑性水泥土	√	√	√	√	√		√		√	
干硬性水泥土	√	√	√	√	√	√	√	√	√	
料石	√	√	√	√	√	√	√	√	√	√
块石	√	√	√	√	√	√	√	√	√	√
卵石	√	√	√	√	√	√	√	√	√	√
石板	√	√	√	√	√	√	√	√	√	
土保护层膜料	√			√	√					
沥青混凝土	√	√	√	√	√				√	
混凝土	√	√	√	√	√	√	√	√	√	√
刚性保护层膜料	√	√	√	√	√		√	√	√	√

四、设计参数的确定

(一)渠底比降

在坡度均一的渠段内,两端渠底高差与渠段长度的比值称为渠底比降。比降选择是否合理关系到渠床稳定、工程造价和控制面积等,应根据渠道沿线的地面坡度、下级渠道进水口的水位要求、渠床土质、水源含沙情况、渠道设计流量大小等因素,参考当地灌区管理运用经验,选择适宜的渠底比降。为了减少工程量,应尽可能选用与地面坡度相近的渠底比降。一般随着设计流量的逐级减小,渠底比降应逐级增大。一般地区,干渠比降选用 1/2 000~1/5 000,支渠比降选用 1/1 000~1/3 000,斗农渠比降选用 1/200~1/1 000。地形十分平坦的平原地区,灌溉渠道有时采用平底渠道,即渠底比降 $i=0$。干渠及较大支渠的上、下游流量相差很大时,可采用不同的比降,上游平缓、下游较陡。清水渠道易发生冲刷,比降宜缓;浑水渠道容易淤积,比降应适当加大;抽水灌区的渠道应在满足泥沙不淤的条件下尽量选择平缓的比降,以减小提水扬程和灌溉成本。表 3-27 所列数值,可供山丘、丘陵地区在选择渠道比降时参考。在我国北方盐土地区引用多泥沙河流的浑水进行灌溉时,渠道允许最大挟沙量为 165~200 kg/m^3,其不同流量的不淤比降如表 3-28 所示,或参考陕西省水利科学研究所的经验公式确定,即

$$i = 0.275n^2(\rho_0\omega)^{3/5}/Q^{1/4} \tag{3-12}$$

式中　n——渠床糙率系数;

　　　ρ_0——水流的饱和挟沙能力,kg/m^3;

　　　ω——泥沙平均沉速,mm/s;

　　　Q——渠道设计流量,m^3/s。

表 3-27　山丘区渠底比降参考值

流量范围(m³/s)	>10	1~10	<1
比降 i	1/5 000~1/10 000	1/2 000~1/5 000	1/1 000~1/2 000

表 3-28　黄土地区渠道不淤比降

流量(m³/s)	0.5	1.0	2.0	3.0	5.0
比降 i	1/500~1/1 000	1/1 500	1/2 000	1/2 500	1/3 000

在设计工作中,可参考地面坡度和下级渠道的水位要求先初选一个比降,计算渠道的过水断面尺寸,再按不冲流速、不淤流速进行校核,如不满足要求,再修改比降,重新计算。

(二)边坡系数

边坡系数是关系到防渗渠道边坡稳定和安全运行的重要参数,影响边坡系数确定的因素有防渗结构、渠道断面大小、基础情况等,可通过计算或根据经验确定。

1. 土料防渗渠道边坡系数的确定

堤高超过 3 m 或地质条件复杂的填方渠道、堤岸为高边坡的深挖方渠道、大型的素土、黏砂混合土防渗渠道的最小边坡系数,应通过边坡稳定性分析计算确定。其他挖、填

方塑土防渗渠道的最小边坡系数可按表 3-29 及表 3-30 选用。

表 3-29　挖方渠道的边坡系数

土质	灌溉渠道设计水深(m)			退水渠道
	<1	1~2	2~3	
稍胶结的卵石	1.00	1.00	1.00	1.00
夹砂的卵石和砂石	1.25	1.50	1.50	1.00
黏土、重壤土、中壤土	1.00	1.25	1.50	1.00
轻壤土	1.00	1.25	1.50	1.25
沙壤土	1.50	1.50	1.75	1.50
沙土	1.75	2.00	2.25	1.75

表 3-30　填方渠道的边坡系数

土质	渠道设计流量(m³/s)							
	>10		2~10		0.5~2		<0.5	
	内边坡	外边坡	内边坡	外边坡	内边坡	外边坡	内边坡	外边坡
黏土、重壤土、中壤土	1.25	1.00	1.00	1.00	1.00	1.00	1.00	1.00
轻壤土	1.50	1.25	1.00	1.00	1.00	1.00	1.00	1.00
沙壤土	1.75	1.50	1.50	1.25	1.50	1.25	1.25	1.25
沙土	2.25	2.00	2.00	1.75	1.75	1.50	1.50	1.50

2.膜料防渗渠道边坡系数的确定

大、中型渠道的土保护层膜料防渗渠道的最小边坡系数采用简化简布法(也称圆弧普遍分条法)计算确定,具体计算方法见《渠道防渗工程技术规范》。不具备进行分析计算的条件时,其最小边坡系数可参照表 3-31 选用。

表 3-31　土保护层膜料防渗渠道的最小边坡系数

保护层土质类别	渠道设计流量(m³/s)			
	<2	2~5	5~20	>20
黏土、重壤土、中壤土	1.50	1.50~1.75	1.75~2.00	2.25
轻壤土	1.50	1.75~2.00	2.00~2.25	2.50
沙壤土	1.75	2.00~2.25	2.25~2.50	2.75

3.刚性材料防渗渠道边坡系数的确定

水泥土、砌石、混凝土、沥青混凝土等刚性防渗结构防渗渠道,以及用这些材料作保护层的膜料防渗渠道的最小边坡系数,可参照表 3-32 选用。

表 3-32　刚性材料防渗渠道的最小边坡系数

防渗结构类别	渠基土质类别	渠道设计水深(m)										
		<1			1~2			2~3			>3		
		挖方	填方		挖方	填方		挖方	填方		挖方	填方	
		内坡	内坡	外坡	内坡	内坡	外坡	内坡	内坡	外坡	内坡	内坡	外坡
混凝土、砌石、水泥土、灰土、三合土、四合土以及上述材料作为保护层的膜料防渗	稍胶结的卵石	0.75	—	—	1.00	—	—	1.25	—	—	1.50	—	—
	夹砂的卵石或砂石	1.00	—	—	1.25	—	—	1.50	—	—	1.75	—	—
	黏土、重壤土、中壤土	1.00	1.00	1.00	1.00	1.00	1.00	1.25	1.25	1.00	1.50	1.50	1.25
	轻壤土	1.00	1.00	1.00	1.00	1.00	1.00	1.25	1.25	1.25	1.50	1.50	1.50
	沙壤土	1.25	1.25	1.25	1.50	1.50	1.50	1.50	1.50	1.50	1.75	1.75	1.50

(三)糙率

防渗渠道的糙率可参照表 3-33 选定。砂砾石保护层膜料防渗渠道的糙率可按式(3-13)计算确定。渠道护面采用几种不同材料的综合糙率,当最大糙率与最小糙率的比值小于 1.5 时,可按湿周加权平均计算。

$$n = 0.028 d_{50}^{0.166\,7}$$

(3-13)

式中　n——砂砾石保护层的糙率;

　　　d_{50}——通过 50% 砂砾石重筛孔直径,mm。

表 3-33　不同材料防渗渠道糙率

防渗结构类别	防渗渠道表面特征	糙率
黏性土、黏砂混合土	平整顺直,养护良好	0.022 5
	平整顺直,养护一般	0.025 0
	平整顺直,养护较差	0.027 5
灰土、三合土、四合土	平整,表面光滑	0.015 0~0.017 0
	平整,表面较粗糙	0.018 0~0.020 0
水泥土	平整,表面光滑	0.014 0~0.016 0
	平整,表面粗糙	0.016 0~0.018 0
砌石	浆砌料石、石板	0.015 0~0.023 0
	浆砌块石	0.020 0~0.030 0
	干砌块石	0.030 0~0.033 0
	浆砌卵石	0.025 0~0.027 5
	干砌卵石、砌工良好	0.027 5~0.032 5
	干砌卵石、砌工一般	0.032 5~0.037 5
	干砌卵石、砌工粗糙	0.037 5~0.042 5

续表 3-33

防渗结构类别	防渗渠道表面特征	糙率
混凝土	抹光的水泥砂浆面	0.012 0～0.013 0
	金属模板浇筑,平整顺直,表面光滑	0.012 0～0.014 0
	刨光木模板浇筑,表面一般	0.015 0
	表面粗糙,缝口不齐	0.017 0
	修整及养护较差	0.018 0
	预制板砌筑	0.016 0～0.018 0
	预制渠槽	0.012 0～0.016 0
	平整的喷浆面	0.015 0～0.016 0
	不平整的喷浆面	0.017 0～0.018 0
	波状断面的喷浆面	0.018 0～0.025 0
沥青混凝土	机械现场浇筑,表面光滑	0.012 0～0.014 0
	机械现场浇筑,表面粗糙	0.015 0～0.017 0
	预制板砌筑	0.016 0～0.018 0

(四)渠道断面的宽深比

渠道断面的宽深比 α 是渠道底宽 b 和水深 h 的比值,对渠道工程量和渠床稳定有较大影响。渠道宽深比的选择要考虑以下要求。

1. 工程量小

在渠道比降和渠床糙率一定的条件下,通过设计流量所需要的最小过水断面称为水力最优断面,采用水力最优断面的宽深比可使渠道工程量最小。梯形渠道水力最优断面的宽深比按下式计算:

$$\alpha_0 = 2(\sqrt{1 + m^2} - m) \tag{3-14}$$

式中　　α_0——梯形渠道水力最优断面的宽深比;

　　　　m——梯形渠道的边坡系数。

水力最优断面具有工程量最小的优点,小型渠道和石方渠道可以采用。对大型渠道来说,因为水力最优断面比较窄深,开挖深度大,可能受地下水影响,施工困难,劳动效率较低,而且渠道流速可能超过允许不冲流速,影响渠床稳定。所以,大型渠道常采用宽浅断面。可见,水力最优断面仅仅指输水能力最大的断面,不一定是最经济的断面,渠道设计断面的最佳形式还要根据渠床稳定要求、施工难易等因素确定。

2. 断面稳定

渠道断面过于窄深,容易产生冲刷;过于宽浅,又容易淤积,都会使渠床变形。稳定断面的宽深比应满足渠道不冲不淤要求,它与渠道流量、水流含沙情况、渠道比降等因素有关,应在总结当地已建渠道运行经验的基础上研究确定。比降小的渠道应选较小的宽深比,以增大水力半径,加快水流速度;比降大的渠道应选较大的宽深比,以减小流速,防止渠床冲刷。

国内外很多学者对灌溉渠道稳定断面的宽深比做了大量的研究工作,提出了许多经验公式,这里介绍几个常用的公式,供参考使用。

(1)陕西省水科所对从多泥沙河道引水的灌溉渠道进行了研究,提出了以下公式:

当 $Q < 1.5\ \mathrm{m^3/s}$ 时,

$$\alpha = NQ^{0.1} - m \tag{3-15}$$

式中 $N = 2.35 \sim 3.25$,一般采用 2.8。

当 $Q = 1.5 \sim 50\ \mathrm{m^3/s}$ 时,

$$\alpha = NQ^{0.25} - m \tag{3-16}$$

式中 $N = 1.8 \sim 3.4$,一般采用 2.6。

(2)苏联 C·A·吉尔什康公式:

$$\alpha = 3Q^{0.25} - m \tag{3-17}$$

(3)美国垦务局公式:

$$\alpha = 3 - m \tag{3-18}$$

由于影响渠床稳定的因素很多,也很复杂,每个经验公式都是在一定地区的特定条件下产生的,都有一定的局限性。这些经验公式的计算结果只能作为设计的参考。

3. 有利于通航

有通航要求的渠道,应根据船舶吃水深度、错船所需的水面宽度以及通航的流速要求等确定渠道的断面尺寸。渠道水面宽度应大于船舶宽度的 2.6 倍,船底以下水深应不小于 15 ~ 30 cm。

(五)不冲不淤流速

在稳定渠道中,允许的最大平均流速称为临界不冲流速,简称不冲流速,用 v_{cs} 表示;允许的最小平均流速称为临界不淤流速,简称不淤流速,用 v_{cd} 表示。为了维持渠床稳定,渠道通过设计流量时的平均流速(设计流速) v_d 应满足以下条件:

$$v_{cd} < v_d < v_{cs} \tag{3-19}$$

1. 不冲流速

水在渠道中流动时,具有一定的能量,这种能量随水流速度的增加而增加,当流速增加到一定程度时,渠床上的土粒就会随水流移动,土粒将要移动而尚未移动的水流速度就是临界不冲流速。渠道不冲流速和渠床土壤性质、水流含沙情况、渠道断面水力要素等因素有关,具体数值应通过试验研究或总结实践经验而定。《渠道防渗工程技术规范》规定的防渗渠道的不冲流速见表 3-34。

表 3-34　防渗渠道的允许不冲流速　　　　　　　　　(单位:m/s)

防渗结构类别	防渗材料名称及施工情况	允许不冲流速
土料	轻壤土	0.06 ~ 0.08
	中壤土	0.65 ~ 0.85
	重壤土	0.70 ~ 1.00
	黏土、黏砂混合土	0.75 ~ 0.95
	灰土、三合土、四合土	< 1.00
土保护层膜料	沙壤土、轻壤土	< 0.45
	中壤土	< 0.60
	重壤土	< 0.65
	黏土	< 0.70
	砂砾料	< 0.90

续表 3-34

防渗结构类别	防渗材料名称及施工情况	允许不冲流速
水泥土	现场浇筑施工	<2.50
	预制铺砌施工	<2.00
沥青混凝土	现场浇筑施工	<3.00
	预制铺砌施工	<2.00
砌石	浆砌料石	4.00~6.00
	浆砌块石	3.00~5.00
	浆砌卵石	3.00~5.00
	干砌卵石挂淤	2.50~4.00
	浆砌石板	<2.50
混凝土	现场浇筑施工	3.00~5.00
	预制铺砌施工	<2.50

注:表中土料防渗及土保护层膜料防渗的允许不冲流速为水力半径 $R=1$ m 时的情况。当 $R\neq1$ m 时,表中的数值应乘以 R^{α}。砂砾石、卵石、疏松的沙壤土和黏土,$\alpha=1/3\sim1/4$;中等密实的沙壤土、壤土和黏土,$\alpha=1/4\sim1/5$。

2.不淤流速

渠道水流的挟沙能力随流速的减小而减小,当流速小到一定程度时,部分泥沙就开始在渠道内淤积。泥沙将要沉积而尚未沉积时的流速就是临界不淤流速。渠道不淤流速主要取决于渠道含沙情况和断面水力要素,应通过试验研究或总结实践经验而定。在缺乏实际研究成果时,可选用有关经验公式进行计算。对于黄河流域含沙量为 $1.32\sim83.8$ kg/m³、加权平均泥沙沉降速度为 $0.008\,5\sim0.32$ m/s 的渠道的不淤流速,可按黄河水利委员会水利科学研究院公式计算:

$$v_{cd} = C_0 Q^{0.5} \tag{3-20}$$

式中　C_0——不淤流速系数,随渠道流量和宽深比而变(见表 3-35);

其余符号含义同前。

表 3-35　不淤流速系数 C_0 值

渠道流量和宽深比		C_0
$Q>10$ m³/s		0.2
$Q=5\sim10$ m³/s	$b/h>20$	0.2
	$b/h<20$	0.4
$Q<5$ m³/s		0.4

对于黄河中下游地区浑水渠道水流挟沙能力可按下述经验公式计算。

(1)黄河下游地区衬砌渠道可按山东省水利科学研究院公式计算:

$$\rho = 0.117(v^2/gR)^{0.381}(v/\omega)^{0.91} \tag{3-21}$$

式中　ρ——浑水渠道水流挟沙能力,kg/m³;

v——断面平均流速,m/s;

g——重力加速度，m/s^2；

R——水力半径，m；

ω——泥沙沉降速度，mm/s；

其余符号含义同前。

(2)黄河中下游地区可按黄河水利委员会水利科学研究院公式计算：

$$\rho = 77[v^3/(gR\overline{\omega})](H/B)^{1/2} \tag{3-22}$$

式中　H——断面平均水深，m；

B——水面宽度，m；

$\overline{\omega}$——泥沙沉降速度的加权平均值，cm/s；

其余符号含义同前。

含沙量很小的清水渠道虽然没有泥沙淤积威胁，但是为了防止渠道长草而影响输水能力，对渠道的最小流速仍有一定限制，通常要求大型渠道的平均流速不小于 0.5 m/s，小型渠道的平均流速不小于 0.3 m/s。

(六)超高

除埋铺式膜料防渗渠道可不设防渗层超高外，其他材料防渗层超高和渠堤超高与一般渠道相同，通常用经验公式计算，也可按照表 3-36 选用。《灌溉与排水工程设计规范》规定的一般渠道岸顶超高计算公式为：

$$\Delta h = (1/4)h_j + 0.2 \tag{3-23}$$

式中　Δh——渠道岸顶超高，m；

h_j——渠道通过加大流量时的水深，m。

表 3-36　防渗渠道的防渗层超高

渠道设计流量(m³/s)	<1	1~5	5~30	>30
防渗结构超高(m)	0.15~0.20	0.20~0.30	0.30~0.60	0.60~0.65

(七)伸缩缝间距及填缝材料

为适应气温变化和地基变形而引起的防渗结构变形要求，刚性材料防渗结构和膜料防渗的刚性材料保护层均应设置伸缩缝。不同材料防渗结构伸缩缝的间距可参照表 3-37 选用。伸缩缝一般用黏结力强、变形性能大、耐老化的材料，目前应用效果较好的有焦油塑料胶泥和聚氯乙烯胶泥等。伸缩缝的形式可参考图 3-8。

(八)砌筑缝及填缝材料

水泥土、混凝土、沥青混凝土预制板防渗和浆砌石防渗均有砌筑缝，砌筑缝处理的如何，将直接影响防渗效果。砌筑缝一般用梯形和矩形缝，缝宽 1.5~2.5 cm。一般水泥土、混凝土预制板和浆砌石，应用水泥砂浆或水泥混合砂浆砌筑，沥青混凝土预制板一般采用沥青砂浆、沥青玛琦脂、焦油塑料胶泥等砌筑。

(九)堤顶宽度

防渗渠道的堤顶宽度可参照表 3-38 选用。渠堤兼作公路时，按道路要求确定。U 形渠道和矩形渠道，公路边缘距渠口边缘不小于 0.5~1.0 m，堤顶应做成向外倾斜 1/100~

2/100 的斜坡。堤岸为高斜坡时,应在坡脚设置排水沟。

表 3-37　不同材料防渗渠道的伸缩缝间距

防渗结构	防渗材料和施工方式	纵向伸缩缝间距(m)	横向伸缩缝间距(m)
土料	灰土,现场填筑	4~5	3~5
	三合土和四合土,现场填筑	6~8	4~6
水泥土	塑性水泥土,现场填筑	3~4	2~4
	干硬性水泥土,现场填筑	3~5	3~5
砌石	浆砌石	只设置沉陷缝	
沥青混凝土	沥青混凝土,现场浇筑	6~8	4~6
混凝土	钢筋混凝土,现场浇筑	4~8	4~8
	混凝土,现场浇筑	3~5	3~5
	混凝土,预制铺砌	4~8	6~8

注:1. 膜料防渗不同材料保护层的伸缩缝间距同本表;

　　2. 当渠道为软基或地基承载力明显变化时,浆砌石防渗结构宜设置沉降缝。

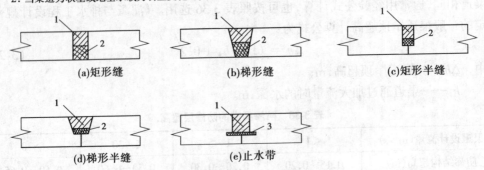

(a)矩形缝　　　(b)梯形缝　　　(c)矩形半缝

(d)梯形半缝　　　(e)止水带

图 3-8　刚性材料防渗层伸缩缝形式

1—封盖材料;2—弹塑性胶泥;3—止水带

表 3-38　防渗渠道的堤顶宽度

渠道设计流量(m³/s)	<2	2~5	5~20	>20
堤顶宽度(m)	0.5~1.0	1.0~2.0	2.0~2.5	2.5~4.0

(十)封顶板

防渗渠道在边坡防渗结构顶部应设置水平封顶板,其宽度为 15~30 cm。当防渗结构下有砂砾石换填层时,封顶板宽度应大于二者之和 10 cm;当防渗结构高度小于渠深时,应将封顶板嵌入渠堤。

五、渠道水力计算

渠道水力计算的任务是根据上述设计参数,按照式(3-24)进行计算,确定渠道过水断

面的水深 h 和底宽 b,然后校核其平均流速,满足不冲不淤要求。

$$Q = A \frac{1}{n} R^{2/3} j^{1/2} \qquad (3\text{-}24)$$

式中 A——过水断面面积,m^2;

其余符号含义同前。

(一)一般断面的水力计算

这是广泛使用的渠道设计方法。下面以梯形断面渠道为例介绍一下水力计算的方法步骤。

根据式(3-24)用试算法求解渠道的断面尺寸,具体步骤如下:

(1)假设 b、h 值。为了施工方便,底宽 b 应取整数。因此,一般先假设一个整数的 b 值,再选择适当的宽深比 α,用公式 $h = b/\alpha$ 计算相应的水深值。

(2)计算渠道过水断面的水力要素。根据假设的 b、h 值计算相应的过水断面面积 A、湿周 χ、水力半径 R 和谢才系数 C,计算公式如下:

$$A = (b + mh)h \qquad (3\text{-}25)$$

$$\chi = b + 2h \sqrt{1 + m^2} \qquad (3\text{-}26)$$

$$R = A / \chi \qquad (3\text{-}27)$$

$$C = \frac{1}{n} R^{1/6} \qquad (3\text{-}28)$$

(3)用式(3-24)计算渠道流量。

(4)校核渠道输水能力。上面计算出来的渠道流量($Q_{计算}$)是假设的 b、h 值相应的输水能力,一般不等于渠道的设计流量(Q)。通过试算,反复修改 b、h 值,直至渠道计算流量等于或接近渠道设计流量为止。要求误差不超过 5%,即设计渠道断面应满足的校核条件是:

$$\left| \frac{Q - Q_{计算}}{Q} \right| \leqslant 0.05 \qquad (3\text{-}29)$$

在试算过程中,如果计算流量和设计流量相差不大,只需修改 h 值,再进行计算;如二者相差很大,就要修改 b、h 值,再进行计算。为了减少重复次数,常用图解法配合:在底宽不变的条件下,用 3 次以上的试算结果绘制 $h \sim Q_{计算}$ 关系曲线,在曲线图上查出渠道设计流量 Q 相应的设计水深 h_d,如图 3-9 所示。

(5)校核渠道流速。

$$v_{cd} \leqslant v_d = Q / A \leqslant v_{cs} \qquad (3\text{-}30)$$

如不满足上述流速校核条件,就要改变渠道的底宽 b 值和渠道断面的宽深比,重复以上计算步骤,直到既满足流量校核条件又满足流速校核条件为止。

(二)梯形、矩形断面设计

在渠底比降和糙率已定的情况下,通过某

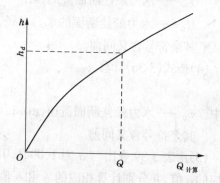

图 3-9 渠道的 $h \sim Q_{计算}$ 关系曲线

一规定流量所需的最小断面,称为水力最佳断面。但在实际设计中,一般渠道断面都在大于水力最佳断面的情况下选择。大型输水渠段,为了节省土石方,少占地,需要考虑较窄深的断面;而负有配水任务的渠道,则须选择较宽浅的断面。因此,实用中的渠道断面较水力最佳断面面积增加4%,仍认为基本符合最佳水力条件,在这些范围的断面称为实用经济断面。这种断面的渠道设计流速比水力最佳断面的流速减小40%,其水深是水力最佳断面水深的68%,相应的渠底宽为290%。

梯形、矩形断面渠道可按《灌溉与排水工程设计规范》选择实用经济断面。防渗渠道断面尺寸应通过水力计算确定。当地下水位较高时,应采用宽浅式渠道断面形式。一般混凝土等刚性材料防渗渠道的宽深比为1~2;素土夯实防渗渠道和素土保护层膜料防渗渠道的宽深比为1~4。

对于梯形渠道实用经济断面的计算,可按以下方法、步骤求解:

(1)已知渠道流量 Q、渠道比降 i、糙率 n、渠道内边坡系数 m,按式(3-31)计算水力最佳断面的水深 h_0。

$$h_0 = 1.189 \times \{nQ / [2(\sqrt{1+m^2} - m)\sqrt{i}]\}^{3/8} \tag{3-31}$$

式中　h_0——水力最佳断面的水深,m;

其余符号含义同前。

(2)按式(3-32)计算 b_0 值。

$$b_0 = 2(\sqrt{1+m^2} - m)h_0 \tag{3-32}$$

式中　b_0——水力最佳断面的底宽,m;

其余符号含义同前。

(3)按式(3-33)~式(3-35)分别计算 A_0、χ_0、R_0。

$$A_0 = b_0 h_0 + mh_0^2 \tag{3-33}$$

$$\chi_0 = b_0 + 2h_0\sqrt{1+m^2} \tag{3-34}$$

$$R_0 = A_0 / \chi_0 \tag{3-35}$$

式中　A_0——水力最佳断面的过水断面面积,m²;

χ_0——水力最佳断面湿周,m;

R_0——水力最佳断面的水力半径,m;

其余符号含义同前。

(4)按式(3-36)计算 v_0。

$$v_0 = Q / A_0 \tag{3-36}$$

式中　v_0——水力最佳断面流速,m/s;

其余符号含义同前。

(5)由表3-39查出与 α 为1.00、1.01、1.02、1.03、1.04时相应的 h/h_0,以及与 α、m 相应的 β 值,并分别计算相应的 h 和 b 值。

$$\beta = b/h = [\alpha/(h/h_0)^2][2(\sqrt{1+m^2} - m)] - m \tag{3-37}$$

式中　β——实用经济断面底宽与水深的比值；

　　　b——实用经济断面底宽，m；

　　　h——实用经济断面水深，m；

　　　α——水力最佳断面流速(或过水断面面积)与实用经济断面流速(或过水断面面积)的比值；

　　其余符号含义同前。

$$\alpha = v_0/v = A/A_0 = (R_0/R)^{2/3} = (A_0\chi/A\chi_0)^{2/3} \tag{3-38}$$

$$(h/h_0)^2 - 2\alpha^{2.5}(h/h_0) + \alpha = 0 \tag{3-39}$$

式中　v——实用经济断面流速，m/s；

　　　A——实用经济断面的过水断面面积，m^2；

　　　R——实用经济断面水力半径，m；

　　其余符号含义同前。

表 3-39　α、β 和 m、h/h_0 关系

α	1.00	1.01	1.02	1.03	1.04
h/h_0	1.000	0.823	0.761	0.717	0.683
m			β		
0	2.000	2.985	3.525	4.005	4.453
0.25	1.562	2.453	2.942	3.378	3.792
0.50	1.236	2.091	2.559	2.997	3.374
0.75	1.000	1.862	2.334	2.755	3.155
1.00	0.829	1.729	2.222	2.662	3.080
1.25	1.702	1.662	2.189	2.658	3.104
1.50	0.606	1.642	2.211	2.717	3.198
1.75	0.532	1.654	2.270	2.818	3.340
2.00	0.472	1.689	2.357	2.951	3.516
2.25	0.425	1.741	2.463	3.106	3.717
2.50	0.386	1.806	2.584	3.278	3.938
2.75	0.353	1.880	2.717	3.463	4.172
3.00	0.325	1.961	2.859	3.658	4.418
3.25	0.301	2.049	3.007	3.861	4.673
3.50	0.281	2.141	3.162	4.070	4.934
3.75	0.263	2.232	3.320	4.285	5.202
4.00	0.247	2.337	3.483	4.504	5.474

(6)按式(3-38)分别计算与 α 为 1.00、1.01、1.02、1.03、1.04 时相应的 v、A、R 值。

(7)将以上 5 组 α、h/h_0、β、h、b、v、A、R 值列入下表：

参数值	α	h/h_0	β	h	b	v	A	R
序号	①	②	③	④	⑤	⑥	⑦	⑧

(8)根据表列数据绘制 $b=f(h)$ 和 $v=f(h)$ 渠道特性曲线。

(9)根据渠段地形、地质等条件,在渠道特性曲线图上选定设计所需的 h、b、v 值。

(10)计算与设计选定的 h、b 值相应的 A、χ、R 值。

(三)U 形、弧形底梯形断面的设计

1.U 形、弧形底梯形断面 $K_r = r/H$ 的确定

U 形、弧形底梯形断面常选用实用经济断面,断面形式如图 3-10、图 3-11 所示。U 形渠道实用经济断面渠底圆弧半径与断面水深之比 K_r,当渠顶以上挖深不超过 1.5 m、边坡系数不大于 0.3 时,可参照表 3-40 确定。填方断面或渠顶以上挖深很小(接近 0)以及土质差时,K_r 取 0.8~1.0。

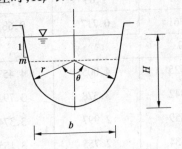

图 3-10　U 形断面

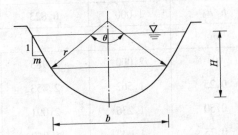

图 3-11　弧形底梯形断面

表 3-40　U 形渠的 K_r 值

m	0	0.1	0.2	0.3	0.4
$\theta(°)$	180	168.6	157.4	146.6	136.4
K_r	0.65~0.72	0.62~0.68	0.56~0.63	0.49~0.56	0.39~0.47

注:挖深大、土质好、土地价值高时取小值。

2.U 形、弧形底梯形断面尺寸的确定

U 形、弧形底梯形断面尺寸可按表 3-41 给出的公式计算和设计。

表 3-41　U 形、弧形底梯形断面尺寸的计算公式

名称	符号	计算公式
渠底圆弧半径与水深之比	K_r	r/H
水面宽(弧形底弦长)(m)	b	$2r/\sqrt{1+m^2}$
渠道上部直线段边坡系数	m	$\cot(\theta/2)$
过水断面面积(m²)	A	$(\theta/2+2m-2\sqrt{1+m^2})K_r^2H^2+2(\sqrt{1+m^2}-m)K_rH^2+mH^2$
湿周(m)	χ	$2(\theta/2+m-\sqrt{1+m^2})K_rH+2H\sqrt{1+m^2}$

注:θ 为圆弧的圆心角,rad。

对于弧形底梯形渠道实用经济断面的计算,可按以下方法、步骤求解:

(1)在已知渠道流量 Q、渠道比降 i、糙率 n 的条件下,选定渠道边坡系数 m,按式(3-40)~式(3-42)分别计算水力最佳断面的水深 H_0、过水断面面积 A_0、湿周 χ_0。

$$H_0 = 1.542\{Qn/[\sqrt{i}(\theta + 2m)]\}^{3/8} \tag{3-40}$$

$$A_0 = (\theta/2 + m)H_0^2 \tag{3-41}$$

$$\chi_0 = (\theta + 2m)H_0 \tag{3-42}$$

式中 H_0——水力最佳断面水深,m;

    A_0——过水断面面积,m^2;

    χ_0——水力最佳断面湿周,m;

    其余符号含义同前。

(2)选择几种拟采用进行比较的实用经济断面与水力最佳断面的过水断面面积之比 α 值。

(3)针对每种 α 值按式(3-43)~式(3-46)计算出相应的渠底圆弧半径与水深之比值 $K_r = r/H$。

$$AK_r^2 + BK_r + C = 0 \tag{3-43}$$

$$A = (2m - 2\sqrt{1 + m^2} + \theta)^2 - 2\alpha^4(2m + \theta)(\theta/2 + 2m - \sqrt{1 + m^2}) \tag{3-44}$$

$$B = 4\sqrt{1 + m^2}(2m - 2\sqrt{1 + m^2} + \theta) - 4\alpha^4(2m + \theta)(\sqrt{1 + m^2} - m) \tag{3-45}$$

$$C = 4(1 + m^2) - 2\alpha^4(2m + \theta)m \tag{3-46}$$

式中 α——实用经济断面与水力最佳断面的过水断面面积之比;

    其余符号含义同前。

(4)按式(3-47)~式(3-51)计算出对应于不同 α 值的各项实用经济断面指标。

$$H = (2m + \theta)\alpha^{5/2}H_0/[(2m - 2\sqrt{1 + m^2} + \theta)K_r + 2\sqrt{1 + m^2}] \tag{3-47}$$

$$r = K_r/H \tag{3-48}$$

$$b = 2r/\sqrt{1 + m^2} \tag{3-49}$$

$$A = \alpha A_0 \tag{3-50}$$

$$\chi = \alpha^{5/2}\chi_0 \tag{3-51}$$

式中 H——实用经济断面水深,m;

    r——实用经济断面渠底圆弧半径,m;

    b——实用经济断面弧形底的弦长,m;

    其余符号含义同前。

(5)对不同 α 值的实用经济断面指标进行综合比较后确定选用方案。

各种不同 α 值相应的 K_r、H_0/H、b/H、χ/χ_0 也可由表 3-42~表 3-45 查得。

表 3-42　实用经济断面 K_r 值

α	边坡系数 m					
	0.50	1.00	1.25	1.50	1.75	2.00
1.01	1.555	1.904	2.146	2.436	2.776	3.166
1.02	1.832	2.365	2.734	3.176	3.693	4.287
1.03	2.063	2.757	3.235	3.809	4.479	5.248
1.04	2.271	3.114	3.694	4.388	5.200	6.132

表 3-43　水力最佳断面与实用经济断面水深比值 H_0/H

α	边坡系数 m					
	0.50	1.00	1.25	1.50	1.75	2.00
1.01	1.140	1.159	1.164	1.167	1.169	1.171
1.02	1.193	1.222	1.229	1.235	1.238	1.241
1.03	1.229	1.268	1.278	1.285	1.290	1.293
1.04	1.257	1.305	1.318	1.326	1.332	1.336

表 3-44　实用经济断面的 b/H 值

α	边坡系数 m					
	0.50	1.00	1.25	1.50	1.75	2.00
1.00	1.789	1.414	1.249	1.109	0.992	0.894
1.01	2.782	2.693	2.681	2.703	2.754	2.832
1.02	3.227	3.345	3.416	3.523	3.665	3.834
1.03	3.691	3.889	4.042	4.225	4.444	4.694
1.04	4.063	4.404	4.615	4.868	5.160	5.488

表 3-45　实用经济断面与水力最佳断面湿周比值 χ/χ_0

α	1.00	1.01	1.02	1.03	1.04
χ/χ_0	1.000	1.025	1.050	1.077	1.103

(四)弧形坡脚梯形渠断面设计

　　弧形坡脚梯形渠断面形式见图 3-12。其宽深比可参照梯形渠道的宽深比经过比较后确定。其断面尺寸同样可按表 3-46 给出的公式计算和设计。

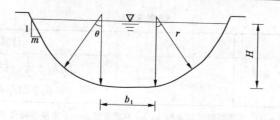

图 3-12　弧形坡脚梯形渠断面

表 3-46　弧形坡脚梯形渠断面尺寸的计算公式

名称	符号	计算公式
渠道上部直线段边坡系数	m	$\cot\theta$
水面宽(m)	B	$2m(H-r)+2r/\sqrt{1+m^2}+b_1$
渠底圆弧半径与水深之比	K_r	r/H
过水断面面积(m²)	A	$(\theta+2m-2\sqrt{1+m^2})K_r^2H^2+2(\sqrt{1+m^2}-m)K_rH^2+mH^2+b_1H$
湿周(m)	χ	$2(\theta+m-\sqrt{1+m^2})K_rH+2H\sqrt{1+m^2}+b_1$

注：θ 为弧形坡脚的圆心角，rad；b_1 为渠底水平段宽，m。

(五)箱形、城门洞形和正反拱形暗渠断面设计

暗渠防渗断面中的箱形、城门洞形和正反拱形暗渠断面形式如图 3-13 所示，其宽深比应按施工要求通过经济比较选定，宜用窄深式。水面以上的净空高度 e_0 为：城门洞形及正反拱形可用 $e_0\geq\dfrac{1}{4}H_g$（H_g 为暗渠断面总高度），箱形可采用 $e_0\geq\dfrac{1}{6}H_g$，城门洞形和正反拱形暗渠断面尺寸可按表 3-47 及表 3-48 的公式进行计算。

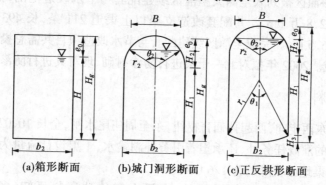

(a)箱形断面　　(b)城门洞形断面　　(c)正反拱形断面

图 3-13　箱形、城门洞及正反拱形暗渠断面

表 3-47　城门洞形断面尺寸的计算公式

名称	符号	计算公式
水面宽(m)	B	$2\sqrt{r_2^2-H_2^2}$
水面宽圆弧圆心角(rad)	θ_2	$2\arctan\left(\dfrac{\sqrt{r_2^2-H_2^2}}{H_2}\right)$

续表 3-47

名称	符号	计算公式
过水断面面积(m²)	A	$H_1 b_2 + \dfrac{1}{2}\left[r_2^2(\pi - \theta_2) + BH_2\right]$
湿周(m)	χ	$b_2 + 2H_1 + r_2(\pi - \theta_2)$

注： H_1 为暗渠直墙段高，m；H_2 为顶部圆弧段水深，m；b_2 为暗渠宽，m；r_2 为顶部圆弧半径，m。

表 3-48　正反拱形断面尺寸的计算公式

名　称	符号	计算公式
水面宽(m)	B	$2\sqrt{r_2^2 - H_2^2}$
底部圆弧圆心角(rad)	θ_1	$2\arctan\left[\sqrt{r_1^2 - (r_1 - H_3)^2}\,/(r_1 - H_3)\right]$
水面宽圆弧圆心角(rad)	θ_2	$2\arctan\left(\dfrac{\sqrt{r_2^2 - H_2^2}}{H_2}\right)$
过水断面面积(m²)	A	$b_2 H_1 + \dfrac{1}{2}\left[r_1^2\theta_1 - b_2(r_1 - H_3) + r_2^2(\pi - \theta_2) + BH_2\right]$
湿周(m)	χ	$2H_1 + r_1\theta_1 + r_2(\pi - \theta_2)$

注： H_3 为底部圆弧矢高，m；r_1 为底部圆弧半径，m。

第五节　渠道防渗工程设计示例

陈垓引黄灌区位于山东省梁山县境内，西北濒临黄河，灌区始建于 1959 年。灌区由于工程标准低、配套差，老化失修严重，造成水资源浪费严重，严重制约灌区社会经济发展。2000 年，陈垓灌区被列入全国大型灌区续建配套与节水改造范围，批准续建配套与节水改造面积为 2.8 万 hm²。共配套改造支渠以上渠道 211 条，长 493.47 km；斗农渠 3 127 条，长 1 516.5 km。完成全灌区续建配套与节水改造项目共需总投资 20 033 万元，计划分 15 年完成。2002 年拟对北一干渠进行防渗衬砌，现对其进行防渗工程设计。

一、基本资料

北一干渠呈东西走向，西起孙佃言枢纽，东至周庄尾水闸，全长 10.02 km。本干渠除承担 966.7 hm² 的灌溉任务外，还承担着引黄补湖输水，干渠设计流量为 7 m³/s，加大流量为 10 m³/s，沿渠地面坡降约为 1/6 000。

灌区冬季气温低，负温持续时间长，由梁山气象站资料可知，多年平均气温为 13.5 ℃，最低气温达 -18.3 ℃，多年平均最大负气温指数为 260.8 ℃·d，冻结期出现在 1~2 月。历年平均无霜期为 200 天，最大冻土深度为 35 cm。灌区多年平均降水量 606 mm，多年平均蒸发量 1 038.4 mm。

根据地质勘测资料，灌区多为亚黏土、亚沙土和粉沙土，地基承载力一般在 80~110 kN/m²，土的干密度为 1 550 kg/m³，地下水多年平均埋深 2.5 m。

灌溉水入渠泥沙平均粒径 0.06 mm，平均水温 14.5 ℃，灌溉期间水中平均含沙量 8.31 kg/m³。

二、渠道衬砌结构形式的确定

渠道衬砌主要是为了减少渠道渗漏,提高渠道水的利用系数,同时,还应考虑渠道防冲、边坡稳定以及减小糙率等。经分析比较,渠道衬砌结构形式采用全铺现浇混凝土衬砌。

三、渠道断面设计

(一)设计参数的确定

渠道横断面采用梯形断面,由于沿渠土质多为粉沙土,稳定性较差,因此渠道内外边坡系数分别确定为2和1.5,按照现浇混凝土施工条件,糙率为0.016。渠道按式(3-37)进行实用经济断面宽深比设计,α取1.01,$h/h_0=0.823$,得$\beta=1.689$。

(二)水力计算

1. 过水能力校核

按照实用经济断面宽深比计算得$h=1.6$ m,则$b=\beta h=2.7$ m,$A=9.44$ m²,$\chi=10.75$ m,$R=0.878$ m,则$Q=A\frac{1}{n}R^{2/3}i^{1/2}=6.98$ m³/s$\approx Q_{设}$,满足输水要求。

2. 断面稳定校核

$v_{设}=Q/A=0.74$ m/s,查表3-34,$v_{设}<v_{cs}=3.0$ m/s,因此渠道不会被冲刷。

由式(3-21)计算,渠道水流的挟沙能力为8.5 kg/m³,大于灌溉期平均含沙量8.31 kg/m³,满足输沙要求。

3. 渠道加大水深

通过水力计算得渠道加大水深为1.9 m。

四、衬砌结构设计

由表3-36、表3-38,渠道衬砌超高取0.6 m,堤顶宽度取2.5 m。北一干渠衬砌高度为2.2 m,采用全断面混凝土现浇衬砌。沿渠道底脚处设两道横向伸缩缝,纵向每5 m设一道伸缩缝,用闭孔泡沫塑料填充。衬砌渠顶采用C20现浇混凝土板封顶,封顶板宽度采用25 cm。渠坡内侧铺3 cm厚聚苯乙烯保温板以防渠道冻胀破坏。由表3-12、表3-6,确定现浇混凝土厚度为8 cm,强度性能采用C15,抗冻性能采用F50,抗渗性能采用W0.6。

五、防冻胀设计

(一)设计冻深的计算

1. 渠道沿线的标准冻深计算

按式(3-1)计算标准冻深。已知多年平均冻结指数为260.8 ℃·d,根据表3-18内插得$\alpha=2.99$,则标准冻深$H_0=48.3$ cm。

2. 设计冻深计算

按式(3-2)计算设计冻深。根据《渠系工程抗冻胀设计规范》,确定$P=5\%$时,K_p为

1.3;北一干渠为东西走向,阳面 $K_d = 0.65$,阴面 $K_d = 1.2$;渠道沿线均为高、中液限的黏质土和粉质土,地下水埋深 2.5 m,取 $K_z = 1.0$。则计算得渠道阳面、阴面 H_d 分别为 40.8 cm、75.3 cm。

(二)冻胀量计算

由于渠道沿线均为高、中液限的黏质土和粉质土,故冻胀量采用式(3-4)计算,$\alpha_p = e^{-\beta p_i}$,$p_i$ 为计算地点地基的荷载强度,取 100 kPa,根据土的干密度 $\rho_d = 1\,550$ kg/m³,由表3-21 查得 $\beta = 0.010$,由式(3-6)计算得 $\alpha_p = 0.368$;由式(3-8)计算得 $\alpha_\rho = 0.368$;地下水深度 $z = 2.5$ m。由式(3-4)计算得渠道阳面、阴面冻胀量分别为 0.203 cm、0.544 cm,均小于 2 cm,因此不需要采取防冻胀措施。

第四章　管道输水工程技术

第一节　概　述

一、管道输水灌溉的特点

管道输水灌溉是以管道代替明渠输水灌溉的一种工程形式,通过一定的压力,将灌溉水由分水设施输送到田间。直接由管道分水口分水进入田间沟、畦或分水口连接地面移动软管输水进入沟、畦,仍属地面灌溉技术。其特点是出水口流量较大,出水口所需压力较低,管道不会发生堵塞。

管道输水灌溉比土渠输水灌溉有着明显的优点。管道输水减少了输水过程中的渗漏与蒸发损失,井灌区管道系统水利用系数在 0.95 以上,比土渠输水节水 30%左右,比土渠输水灌溉节能 20%～30%。渠灌区采用管道输水后,比土渠节水 40%左右。

井灌区土渠一般占耕地 1%左右,管道埋入地下代替土渠之后可增加 1%的耕地面积。渠灌区输水流量大,渠道占用耕地面积更大,所以在渠灌区实现管道灌溉后,减少渠道占用耕地的优点尤为突出。对于我国土地资源紧缺、人均耕地面积不足 $0.1\ hm^2$ 的现实来说,具有显著的社会效益和经济效益。

管道输水灌溉比土渠输水快、供水及时,可缩短轮灌周期,改善田间灌水条件,有利于适时适量灌溉,从而及时有效地满足作物生长期的需水要求。特别是在作物需水关键期,土渠灌溉往往因为轮灌周期长,灌水不及时,而影响作物生长,造成减产,管道输水灌溉较好地克服了这一缺点,从而起到了增产增收的效果。管道代替土渠之后,避免了跑水漏水,节省管理用工,在渠灌区,省工的优点将更加明显。

由于管道输水灌溉是有压供水,可适应各种地形,使原来土渠灌溉难以达到的耕地实现灌溉,扩大了灌溉面积。

二、管道输水灌溉技术的发展

管道输水灌溉技术已成为世界上农业节水灌溉的一项关键技术。在国外这项技术发展较早,普及面比较广,发展面积比较大;在国内主要是在井灌区大面积推广应用,取得了显著的经济效益和社会效益;在渠灌区,这项技术正在研究发展中。

(一)国外发展概况

灌溉渠系管道化已成为许多国家的共同发展趋势。据有关资料介绍,美国早在 20 世纪 20 年代就开始应用管道系统取代渠道系统,目前约有一半大型灌区实行了管道输水,据 12 个州的统计,1984 年管道输水灌溉面积已达 640 万 hm^2。美国的管网系统地下部分采用素混凝土管,地面部分采用柔性聚乙烯软管或铝管闸管系统,并采用快速接头与固定管道的出水口连接,移动使用。闸管一侧开有与灌水沟相对应的孔口,装有可控制流量的小阀门。混凝土管几乎全部采用现场浇筑,最大直径达 450 mm。

苏联用地下管道代替明渠的发展速度已超过防渗渠道。到 1984 年,地埋管道系统已占总灌溉渠系统的 63%,管道总长 21.8 万 km,管道输水灌溉面积 1 100 万 hm²。1985 年以后,明确规定新灌区都要实现管道化,渠系水利用系数要达到 0.90。地埋管材主要有钢筋混凝土管、石棉水泥管、塑料管及涂塑薄壁钢管。发展趋势是尽量采用地下固定式管道代替移动式软管。灌水沟用尼龙布涂橡胶软管,软管上按沟距设放水孔,用橡胶活塞控制。

澳大利亚南部的伦马克灌区 1975 年已改明渠为地下管道,干、支管采用直径 1.88 m 和 0.68 m 的钢筋混凝土管,其他各级管道采用直径 200~600 mm 的石棉水泥管。灌溉面积 0.412 万 hm²,节水 33%,减少年运行费用 22%。

以色列为干旱半干旱地区,有 20 万 hm² 灌溉土地,90% 以上实现了管道输水,全国输水系统 1957 年开工,1964 年完工。每年从北部太巴列湖抽水 3.2 亿 m³,通过 2.7 m 的大直径压力管道,以 20 m³/s 的流量输送到以色列南部,并把各种地表水、地下水和回收水互相连通,实现了综合调节用水,自动化程度较高。

罗马尼亚的管道灌溉一般分为三级。第一级一般从架空的 U 形渠槽的斗渠引水,进入埋入地下的石棉水泥管,管径 250~400 mm;第二级为移动式地面输水软管,采用化纤布涂橡胶软管;第三级为地面灌水闸管系统,采用薄壁铝管或橡胶管,薄壁铝管直径 150 mm,每节长 9 m,下装一对小轮便于移动,管壁每 0.8 m 开一放水小孔,装有可控制流量的阀门。橡胶管直径 210 mm,每节长 15~30 m。目前,罗马尼亚的灌溉系统中,农渠以下全部采用管道输水技术。

日本土地有限,为减少渠道占地,非常重视推广管道输水。20 世纪 60 年代初,先在旱作物灌溉系统中用管道取代斗、农渠;70 年代末又开始用大口径管道取代输水干渠;80 年代中期,全日本新建灌溉渠系的一半以上都实现了管道化。日本已经由部分管道输水向多级组合的完整的管道输水系统发展。分为干管、支管、灌水管三级管道。干管采用树脂纤维管,或用钢、球墨铸铁、预应力混凝土、石棉水泥等材料。支管常用强化 PVC 管和承插式石棉水泥管。灌水管采用铝管和 PVC 管。管网的自动半自动给水控制设备较完善,自动化程度高。日本管道输水灌溉系统规模大,管径大,管线长,地形复杂。一个系统的灌溉面积达数千至上万公顷。干管长度往往达几十公里,且地形起伏,高差变化很大。并由专业工厂生产供应各类管材。材料设备的工业化生产水平很高。日本十分重视管灌的设计和科研工作,有一套完整的技术标准和定型设计,工程很规范。科研方面重点研究水泵与管网的合理匹配、复杂大型管网水量调配优化、大面积管网合理布局、施工运行中的检测技术、管道灌溉的自动化管理等。

(二)国内发展概况

1. 国内发展现状

我国的管道输水灌溉应用时间很早,但集中连片应用是在 20 世纪 50 年代以后。如江苏无锡的三暗工程(暗灌、暗降、暗排);河南温县在 70 年代全县有近 6 700 hm² 井灌区实现了输水管道灌溉。1979 年,我国从国外引进软管输水灌溉技术,在黑龙江和山东等地先后试验应用。

20 世纪 80 年代以来,低压管道输水灌溉技术在我国北方平原井灌区得到了迅速发展,到 2003 年,全国各种类型的管道输水灌溉面积已达 447.6 万 hm^2,取得了显著的节水增产效果。在渠灌区,管道输水灌溉技术也在不断发展当中。山东省的一些中小型水库灌区,如章丘市的垛庄水库灌区还实现了输水管道化,

我国的管道输水灌溉一开始就显示出了它强大的生命力,这种技术首先在平原井灌区应用,管道工作压力较低,节水效果明显,易推广。"七五"期间,许多地方研制了制管机,利用当地材料生产管材,在节水灌溉中发挥了一定作用。内衬软管,外护坯工的管道输水技术造价较低,在一个时期发展较快,但长期应用易破损,出现空洞、坍塌等问题。近年来,随着塑料工业的发展,薄壁塑料管、双壁波纹塑料管,尤其公称直径小于 200 mm 的 PVC 塑料管材,由于价格低、施工安装方便,在管道输水灌溉中得到了迅速推广。

尽管近 20 年来我国管道输水灌溉发展较快,但还远不适应农田灌溉对节水的要求。我国北方井灌区现有井灌面积 1 133 万 hm^2,其中管道输水灌溉面积还不到1/3。为了进一步推广低压管道输水灌溉技术,最近水利部又以原《低压管道输水灌溉工程技术规范(井灌区部分)》(SL/T154—95)为基础,编制新的国家标准《农田低压管道输水灌溉工程技术规范》,以适应该项技术在扬水站灌区和自流灌区的推广应用。因此,这项节水技术在我国将大有发展前途。

2.存在的问题

(1)大口径管材价格太高,有待进一步开发。我国还没有专门生产适合发展管道输水灌溉技术的大口径管材,目前主要是利用城市排水系列的现场 PVC 缠绕管、钢管、球墨铸铁管、预应力混凝土管、玻璃钢管等。但由于价格太高,在农田灌溉中推广应用比较困难。因此,输水流量较大的灌溉系统干管所用管材还需进一步研究开发。

(2)配套附属设备标准低。管道输水灌溉系统配套管件包括给水栓(出水口)、进排气阀、安全阀、专用控制阀门等,目前,专业化生产的厂家还比较少,主要依靠用户自己研制生产,还没有形成系列化、规格化、标准化和产业化生产。这一现状直接影响了管道输水灌溉技术的发展和工程质量。

(3)工程规划设计水平有待提高。管网系统投资在整个管道输水系统中占的比重最大,特别是在大型灌区,对管网进行总体优化设计将会明显降低工程投资。

(4)对田间工程标准化重视不够。由于管道输水灌溉只是解决了输水过程中的水量损失,其田间灌水仍属地面灌水范畴,应当重视田间工程配套水平,提高畦田平整度和灌水均匀度,减少灌水定额,以达到节水的目的。

(5)节水灌溉的管理工作亟待加强。重建轻管的现象依然存在,使节水灌溉工程不能发挥应有的作用。

总之,我国的管道输水灌溉技术正处在发展阶段,还存在一些问题,应认真进行总结,使这一技术更加成熟和完善,在今后的农田节水灌溉中发挥更大作用。

第二节　管道输水灌溉系统的类型与组成

一、输配水管道系统的类型

输配水管道系统按其输配水方式、管网形式、固定方式、输水压力和结构形式可分为以下类型。

（一）按输配水方式分类

按输配水方式可分为水泵提水输水系统和自压输水系统,水泵提水又可分为水泵直送式和蓄水池式。

(1)水泵提水输水系统。水源水位不能满足自压输水,需要利用水泵加压将水输送到所需要的高度,方可进行灌溉。一种形式是水泵直接将水送入管道系统,然后通过分水口进入田间。另一种形式是水泵通过管道将水输送到某一高位蓄水池,然后由蓄水池通过管道自压向田间供水。目前,平原井灌区管道系统大部分为水泵直送式,而山丘区多为蓄水池式。

(2)自压输水系统。利用地形自然落差所提供的水头满足管道系统在运行时所需的工作压力。在渠道位置较高的自流灌区多采用这种形式。

（二）按管网形式分类

管道输水灌溉系统按管网形式可分为树状网、环状网(见图4-1)。

(1)树状网。管网为树枝状,水流从“树干”流向“树枝”,即在干管、支管、分支管中从上游流向末端,只有分流而无汇流。

(2)环状网。管网通过节点将各管道联结成闭合环状网。根据给水栓位置和控制阀启闭情况,水流可作正、逆方向流动。

目前国内管道灌溉系统多采用树状网,环状网在一些地区也有所应用。

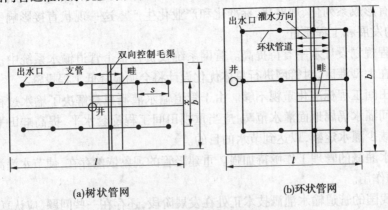

(a)树状管网　　　　　　　　　(b)环状管网

图4-1　管网系统示意图

（三）按固定方式分类

管网系统按固定方式可分为移动式、半固定式和固定式。

(1)移动式。除水源外,管道及分水设备都可移动,机泵有的固定,有的也可移动,管道多采用软管,简便易行,一次性投资低,多在井灌区临时抗旱时应用。但劳动强度大,管道易破损。

(2)半固定式。其管灌系统的一部分固定,另一部分移动。一般是干管或干、支管为固定地埋管,由分水口连接移动软管输水入田间。这种形式介于移动式和固定式之间,比移动式劳动强度低,但比固定式管理难度大。

(3)固定式。管灌系统中的各级管道及分水设施均埋入地下,固定不动。给水栓或分水口直接分水进入田间沟、畦,没有软管连接。田间毛渠较短,固定管道密度大、标准高。这类系统一次性投资大,但运行管理方便,灌水均匀。

(四)按管道输水压力分类

按管道输水压力分类,可分为低压管道系统和非低压管道系统。

(1)低压管道系统。其最大工作压力一般不超过 0.4 MPa,最远出口的水头一般在0.002~0.003 MPa。我国大部分平原井灌区管道输水灌溉系统采用这种形式。

(2)非低压管道系统。工作压力超过 0.4 MPa 时为非低压管道输水灌溉系统,该形式对管材质量要求较高,一般应采用塑料管、钢筋混凝土管、钢管等,管道系统中的分水、调压等附属设备要求配套齐全,多在输水量较大或地形高差较大的灌区应用。

(五)按结构形式分类

按结构形式可分为开敞式、半封闭式和封闭式系统,见图 4-2。

(1)开敞式。是指在管道上下游高差不太大的一些部位设有自由水面调节井的管道系统形式。调节井除具有调压作用外,一般还兼有分水或泄水功能。调节井之间根据需要可设置直接配水设施,当进行配水时,要调节配水设施下面调节井的水位以确保所需要的水头。

(2)半封闭式。是指在输水过程中,管道系统不完全封闭,在适宜的位置保持自由水面或使用浮球阀控制阀门启闭的一种输水形式。这种形式只要下游闸阀不开启,就不会引起上游水的流动,也不会像开敞式那样产生无效放水。

(3)封闭式。是指水流在全封闭的管道中从上游管端流向下游管道末端。输水过程中管道系统不出现自由水面。这种形式适合于输水需要一定压力的情形,在平原井灌区应用较多。

二、管道输水灌溉系统的组成

管道输水灌溉系统由水源与取水工程部分、输水配水管网系统和田间灌水系统三部分组成。

(一)水源与取水工程

管道输水灌溉系统的水源有井、泉、沟、渠道、塘坝、河湖和水库等。水质应符合农田灌溉用水标准,且不含有大量杂草、泥沙等杂物。

井灌区取水部分除选择适宜机泵外,还应安装压力表及水表,并建有管理房。而在自压灌区或大中型提水灌区的取水工程还应设置进水阀、分水阀、拦污栅、沉淀池和水质净化处理设施及量水建筑物。

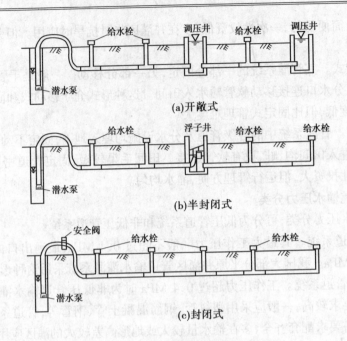

图 4-2　管道系统示意图

(二)输水配水管网系统

　　输水配水管网系统是指管道输水灌溉系统中的各级管道、分水设施、保护装置和其他附属设施。在面积较大的灌区,管网可由干管、分干管、支管、分支管等多级管道组成。

(三)田间灌水系统

　　田间灌水系统是指分水口以下的田间部分。作为整个管道输水灌溉系统,田间灌水系统是节水灌溉的重要组成部分。田间灌水解决不好,灌水浪费现象将依然存在。灌溉田块应进行平整,畦田长宽应适宜。为达到灌水均匀、减少灌水定额的目的,通常将长畦改为短畦或给水栓接移动软管。其中,利用闸管系统是减少向畦中灌水水量损失的有效措施之一。

第三节　管道输水灌溉系统管材及其连接件

一、管材种类及其选择

(一)管材的种类

　　可用于管道输水灌溉的管材较多,按管道材质可分为塑料类管材、金属类管材、水泥类管材和其他材质的管材四类。

(二)管材选择

1. 技术要求

　　(1)能承受设计要求的工作压力。管材允许工作压力应为管道最大正常工作压力的1.4倍。当管道可能产生较大水锤压力时,管材的允许工作压力应不小于水锤时的最大压力。

(2)管壁要均匀一致,壁厚误差应不大于5%。

(3)地埋暗管在农业机具和车辆等外荷载的作用下径向变形率(即径向变形量与外径的比值)不得大于5%。

(4)满足运输和施工的要求,能承受一定的局部沉陷应力。

(5)管材内壁光滑,内外壁无可见裂缝,耐土壤化学侵蚀,耐老化,使用寿命满足设计年限要求。

(6)管材与管材、管材与管件连接方便。连接处应满足工作压力、抗弯折、抗渗漏、强度、刚度及安全等方面的要求。

(7)移动管道要轻便、易快速拆卸、耐碰撞、耐磨擦、不易被扎破及抗老化性能好等。

(8)当输送的水流有特殊要求时,还应考虑对管材的特殊需要。如对于灌溉与饮水结合的管道,要符合输送饮用水的要求。

2.选择方法

在满足设计要求的前提下综合考虑以下经济因素:①管材管件价格;②施工费用,包括运输费用、当地劳动力价值、施工辅助材料及施工设备费用;③工程的使用年限;④工程维修费用等。

在经济条件较好的地区,固定管可选择价格相对较高,但运输、施工、安装方便及运行可靠的硬PVC管;移动管可选择涂塑软管。在经济条件较差的地区,可选择价格低廉的管材。如固定管可选素混凝土管等地方管材,移动管可选塑料薄膜软管。

在水泥、砂石料可就地取材的地方,选择就地生产的素水泥混凝土管较经济。在缺乏或远离砂石料的地方,选择塑料管则可能是经济的。

另外,选择管材还要考虑应用条件及施工环境的特殊要求。在管道有可能出现较大不均匀沉陷的地方,不宜选择刚性连接的素水泥管,可选柔性较好的塑料硬管;在丘陵和砾石较多的山前平原,管沟开挖回填较难控制,可选择外刚度较高的双壁波纹PVC管,不宜选择薄壁PVC管。在跨沟、过路的地方,可选择钢管、铸铁管。在矿渣、炉渣堆积的工矿区附近,可利用矿渣、炉渣就地生产的水泥预制管,这样,既发展了节水灌溉,又有利于环境保护。对将来可能发展喷灌的地区,应选择承压能力较高的管材,便于发展喷灌时利用。对于山区果园灌溉,将来可能发展微灌的地方,可部分选择PE管材。

总之,管材选择要遵循经济实用、因地制宜、就地取材、减少运输、方便施工的原则。同时还应考虑生产厂家的生产能力和信誉,以避免不必要的纠纷。

二、塑料硬管

塑料硬管具有质量小、易搬运、内壁光滑、输水阻力小、耐腐蚀和施工安装方便等优点,在管道输水灌溉工程中得到广泛应用。塑料管材抗紫外线性能差,故多埋于地下,以减缓老化速度。在地埋条件下,使用寿命均在20年以上,并能适应一定的不均匀沉陷。

在管灌系统中常用的硬塑料管材主要是聚氯乙烯管、聚乙烯管和聚丙烯管、双壁波纹管和加筋PVC管等。

(一)硬聚氯乙烯管材

硬聚氯乙烯管材是按一定的配方比例将聚氯乙烯树脂、各种添加剂均匀混合,加热熔融、塑化后,经挤出、冷却定型而成的。根据外观可分为光滑管和波纹管。目前,按国家标准生产的、可用于管道输水灌溉系统的硬聚氯乙烯管材主要有低压输水灌溉用系列和给用水系列等。

1.灌溉用硬聚氯乙烯管

综合国家和水利部标准,将管道输水灌溉工程中常用的管材规格列于表4-1。系统设计时,可根据工作压力要求选取相应公称压力的管材。

表 4-1　硬聚氯乙烯管材的公称直径、壁厚及公差　　　（单位:mm）

公称压力（MPa）

公称外径	平均外径极限偏差	0.20 壁厚	0.20 极限偏差	0.25 壁厚	0.25 极限偏差	0.32 壁厚	0.32 极限偏差	0.63 壁厚	0.63 极限偏差	1.00 壁厚	1.00 极限偏差	1.25 壁厚	1.25 极限偏差
20	+0.30							1.6	+0.40	1.9	+0.40		
25	+0.30							1.6	+0.40	1.9	+0.40		
32	+0.30							1.6	+0.40	1.9	+0.40		
40	+0.30							1.6	+0.40	1.9	+0.40	2.4	+0.50
50	+0.30							1.6	+0.40	2.4	+0.50	3.0	+0.50
63	+0.30					2.0	+0.40	3.0	+0.50	3.8	+0.60		
75	+0.30			1.5		2.3	+0.40	3.6	+0.50	4.5	+0.70		
90	+0.30			1.8		2.8	+0.40	4.3	+0.50	5.4	+0.80		
110	+0.40			1.8	+0.40	2.2	+0.40	3.4	+0.60	5.3	+0.80	6.6	+0.90
125	+0.40			2.0		2.5	+0.40	3.9	+0.60	6.0	+0.80	7.4	+1.00
140	+0.50			2.2		2.8	+0.40	4.3	+0.50	6.7	+0.70	8.3	+1.10
160	+0.50	2.0	+0.40	2.5		3.2	+0.40	4.9	+0.50	7.7	+0.70	9.5	+1.20
180	+0.60	2.3	+0.50	2.8	+0.50	3.6	+0.50	5.5	+0.50	8.6	+0.80		+1.10

续表 4-1

公称外径	平均外径极限偏差	公称压力（MPa）										
		0.20		0.25		0.32		0.63		1.00		1.25	
		壁厚	极限偏差	壁厚	极限偏差	壁厚	极限偏差	壁厚	极限偏差	壁厚	极限偏差	壁厚	极限偏差
200	+0.60	2.5	+0.50	3.2	+0.60	3.9	+0.60	6.2	+0.90	9.6	+1.20		
225	+0.70					4.4	+0.70	6.9	+0.90	10.8	+1.30		
250	+0.80					4.9	+0.70	7.7	+1.00	11.9	+1.40		
280	+0.90					5.5	+0.80	8.6	+1.10	13.4	+1.60		
315	+1.00					6.2	+0.90	9.7	+1.20	15.0	+1.70		

注：1.公称压力是管材在 20 ℃下输送水的工作压力。

2.0.20～0.32 MPa 系列主要为 GB/T 13664—92《低压输水灌溉用薄壁硬聚氯乙烯（PVC－U）管材》；0.63～1.00 MPa 系列为 GB 10002.1—88《给水用硬聚氯乙烯管材》。1.25 MPa 系列为 SL/T 96.1—1994《喷灌用硬聚氯乙烯管》。

3.管材长度一般为 4～6 m 一节。

2.硬聚氯乙烯（PVC－U）双壁波纹管材

硬聚氯乙烯双壁波纹管材按压力等级分为无压、0.20 MPa、0.40 MPa 三个级别，在管道输水灌溉系统中主要采用 0.20 MPa 和 0.40 MPa 两个系列，QB/T 1916 标准规格见表 4-2。

表 4-2　硬聚氯乙烯（PVC－U）双壁波纹管材的规格　　　（单位：mm）

公称外径	外径极限偏差		最小平均	最大承口	最小承口	长度	长度极限偏差
	上偏差	下偏差					
63	+0.3	−0.4	54	63.3	40		
75	+0.3	−0.5	65	75.4	52		
90	+0.3	−0.6	77	90.4	63		
110	+0.4	−0.7	97	110.5	75		
125	+0.4	−0.8	107	125.5	78	4 000 或	
160	+0.5	−1.0	135	160.6	95	6 000 或	±30
200	+0.6	−1.2	172	200.7	110	8 000	
250	+0.8	−1.5	216	250.9	130		
315	+1.0	−1.9	270	316.1	180		
400	+1.2	−2.4	340	401.3	240		
500	+1.5	−3.0	432	501.6	300		

注：1.硬聚氯乙烯双壁波纹管材的连接方式为密封圈承插式连接。

2.目前生产硬聚氯乙烯双壁波纹管材的厂家较少，规格不齐全。

3. 其他硬聚氯乙烯管材

近年来,随着管道输水灌溉的发展,通过改变生产工艺和配方,生产出一些新型的硬聚氯乙烯管材,如:通过添加赤泥生产的赤泥硬聚氯乙烯管材,改善了管材的抗老化性能,提高了强度;通过加入环向钢筋生产的加筋硬聚氯乙烯管材,提高了大口径管材的强度,减小了壁厚,降低了造价。

目前国内生产的可用于管道输水灌溉的 PVC 管材种类较多,应根据当地条件选用。使用压力和口径较大时,选用加筋 PVC 管通常比普通 PVC 管更经济。当压力较低时,导致管道破坏的因素往往不是内水压力,而是外刚度不足,此时选用双壁波纹管较适宜。当施工条件较好,管沟挖填能严格控制时,亦可选用薄壁 PVC 管。在地形复杂、施工条件较差的丘陵区,应选用压力稍高、外刚度较大的管材。

(二)聚乙烯管材

聚乙烯(PE)管材由于不含有毒的氯,更适于输送饮用水,因而在与饮水相结合的管灌工程中,可选用 PE 管材。另外,由于 PE 管较 PVC 硬管柔软、质量小,可用于管沟开挖难以控制的山丘区,并可作为移动管。目前微灌系统多采用 PE 管,若考虑今后可能改建成微灌工程,管灌系统亦可部分采用 PE 管。

根据所采用的聚乙烯材料密度的不同,PE 管材可分为高密度聚乙烯(HDPE)管材和低密度聚乙烯(LDPE、LLDPE)管材两种。低密度聚乙烯又称为高压聚乙烯,相应的管材又称为高压聚乙烯管材。

1. 高密度聚乙烯(HDPE)管材

高密度聚乙烯管材施工方便、运行可靠、耐久性好,但价格较高,因此在管道输水灌溉工程中使用较少。其规格见表4-3。

表4-3 高密度聚乙烯(HDPE)管材规格 (单位:mm)

公称外径	用管件连接管的平均外径极限偏差	热承插连接管的平均外径极限偏差	公称压力(MPa)							
			0.25		0.40		0.60		1.00	
			壁厚	极限偏差	壁厚	极限偏差	壁厚	极限偏差	壁厚	极限偏差
16	+0.3 0	±0.2							2.0	+0.4 0
20	+0.3 0	±0.3							2.0	+0.4 0
25	+0.3 0	±0.3					2.0	+0.4 0	2.3	+0.5 0
32	+0.3 0	±0.3					2.0	+0.4 0	2.9	+0.5 0
40	+0.4 0	±0.4			2.0	+0.4 0	2.4	+0.5 0	3.7	+0.6 0
50	+0.5 0	±0.4			2.0	+0.4 0	3.0	+0.5 0	4.6	+0.7 0

续表 4-3

公称外径	用管件连接管的平均外径极限偏差	热承插连接管的平均外径极限偏差	公称压力(MPa)							
			0.25		0.40		0.60		1.00	
			壁厚	极限偏差	壁厚	极限偏差	壁厚	极限偏差	壁厚	极限偏差
63	+0.6 0	±0.5	2.0	+0.4 0	2.4	+0.5 0	3.8	+0.5 0	5.8	+0.8 0
75	+0.7 0	±0.5	2.0	+0.4 0	2.9	+0.6 0	4.5	+0.6 0	6.8	+0.9 0
90	+0.9 0	±0.7	2.2	+0.5 0	3.5	+0.6 0	5.4	+0.7 0	8.2	+1.1 0
110	+1.0 0	±0.8	2.7	+0.5 0	4.2	+0.7 0	6.6	+0.8 0	10.0	+1.2 0
125	+1.2 0	±1.0	3.1	+0.5 0	4.8	+0.7 0	7.4	+0.9 0	11.4	+1.3 0
140	+1.3 0	±1.0	3.5	+0.6 0	5.4	+0.8 0	8.3	+1.0 0	12.7	+1.5 0
160	+1.5 0	±1.2	4.0	+0.6 0	6.2	+0.9 0	9.5	+1.1 0	14.6	+1.7 0
180	+1.7 0		4.4	+0.7 0	6.9	+0.9 0	10.7	+1.2 0	16.4	+1.9 0
200	+1.8 0		4.9	+0.7 0	7.7	+1.0 0	11.9	+1.3 0	18.2	+2.1 0
225	+2.1 0		5.5	+0.8 0	8.6	+1.1 0	13.4	+1.4 0	20.5	+2.3 0
250	+2.3 0		6.2	+0.9 0	9.6	+1.2 0	14.8	+1.6 0	22.7	+2.4 0
315	+2.9 0		7.7	+1.0 0	12.1	+1.5 0	18.7	+1.7 0	28.6	+3.1 0

注:1.公称压力是管材在 20℃下输送水的工作压力。

　2.管材长度每节不小于 4 m。

　3.本表摘自 GB/T13664—92。

2. 低密度聚乙烯管材

低密度聚乙烯(LDPE、LLDPE)管材较柔软,抗冲击性强,适宜地形较复杂的地区。这类管材多用于微灌工程,对于输水流量较小的山丘区果树管灌也可采用这种管材。其规格见表4-4。

表 4-4　低密度聚乙烯管材规格　　　　　　(单位:mm)

公称外径	平均外径极限偏差	公称压力(MPa)							
		0.25		0.40		0.60		1.00	
		壁厚	极限偏差	壁厚	极限偏差	壁厚	极限偏差	壁厚	极限偏差
6	+0.30			0.5	+0.30				
8	+0.30			0.6	+0.30				
10	+0.30	0.5	+0.30	0.8	+0.30				
12	+0.30	0.6	+0.30	0.9	+0.30				
16	+0.30	0.8	+0.30	1.2	+0.30	2.3	+0.50	2.7	+0.50
20	+0.30	1.0	+0.30	1.5	+0.40	2.3	+0.50	3.4	+0.60
25	+0.30	1.2	+0.30	1.9	+0.40	2.8	+0.50	4.2	+0.70
32	+0.30	1.6	+0.40	2.4	+0.50	3.6	+0.60	5.4	+0.80
40	+0.40	1.9	+0.40	3.0	+0.50	4.5	+0.70	6.7	+0.90
50	+0.50	2.4	+0.50	3.7	+0.60	5.6	+0.80	8.3	+1.10
63	+0.60	3.0	+0.50	4.7	+0.70	7.1	+1.00	10.5	+1.30
75	+0.70	3.6	+0.60	5.5	+0.80	8.4	+1.10	12.5	+1.50
90	+0.90	4.3	+0.70	6.6	+0.90	10.1	+1.30	15.0	+1.70
110	+1.00					12.3	+1.50	18.3	+2.10

注:1.公称压力是管材在 20℃下输送水的工作压力。
　　　2.0.25 MPa、0.40 MPa 系列为 SL/T96.2—1994 标准;0.60 MPa、1.00 MPa 系列为 GB1930—93 标准。

(三)聚丙烯管材

聚丙烯管材是以聚丙烯树脂为基料,加入其他材料,经挤出成型而制成的性能良好的共聚改性管材。这种管材的性能、适用条件与 HDPE 管类似,其规格见表 4-5。

表 4-5　聚丙烯管材的规格

（单位：mm）

公称外径	外径偏差	公称压力(MPa)											
		0.25		0.40		0.60		1.00		1.60		2.00	
		壁厚	极限偏差	壁厚	极限偏差	壁厚	极限偏差	壁厚	极限偏差	壁厚	极限偏差	壁厚	极限偏差
16	+0.3/0							1.8	+0.4/0	2.2	+0.5/0	2.7	+0.5/0
20	+0.3/0					1.8	+0.4/0	1.9	+0.4/0	2.8	+0.5/0	3.4	+0.6/0
25	+0.3/0					1.8	+0.4/0	2.3	+0.5/0	3.5	+0.6/0	4.2	+0.7/0
32	+0.3/0					1.9	+0.4/0	2.9	+0.5/0	4.4	+0.7/0	5.4	+0.8/0
40	+0.4/0			1.8	+0.4/0	2.4	+0.5/0	3.7	+0.6/0	5.5	+0.8/0	6.7	+0.9/0
50	+0.5/0	1.8	+0.4/0	2.0	+0.4/0	3.0	+0.5/0	4.6	+0.7/0	6.9	+0.9/0	8.3	+1.1/0
63	+0.6/0	1.8	+0.4/0	2.4	+0.5/0	3.8	+0.6/0	5.8	+0.8/0	8.6	+1.1/0	10.5	+1.3/0
75	+0.7/0	1.9	+0.4/0	2.9	+0.5/0	4.5	+0.7/0	6.8	+0.9/0	10.3	+1.3/0	12.5	+1.5/0
90	+0.9/0	2.2	+0.5/0	3.5	+0.6/0	5.4	+0.8/0	8.2	+1.1/0	12.3	+1.5/0	15.0	+1.7/0
110	+1.0/0	2.7	+0.5/0	4.2	+0.7/0	6.6	+0.9/0	10.0	+1.2/0	15.1	+1.8/0	18.3	+2.1/0
125	+1.2/0	3.1	+0.6/0	4.8	+0.7/0	7.4	+1.0/0	11.4	+1.4/0	17.1	+2.0/0	20.8	+2.3/0
140	+1.3/0	3.5	+0.6/0	5.4	+0.8/0	8.3	+1.1/0	12.7	+1.5/0	19.2	+2.2/0	23.3	+2.6/0
160	+1.5/0	4.0	+0.6/0	6.2	+0.9/0	9.5	+1.2/0	14.6	+1.7/0	21.9	+2.4/0	26.6	+2.9/0
180	+1.70	4.4	+0.7/0	6.9	+0.9/0	10.7	+1.3/0	16.4	+1.9/0	24.6	+2.7/0	29.9	+3.2/0
200	+1.8/0	4.9	+0.7/0	7.7	+1.0/0	11.9	+1.4/0	18.2	+2.1/0	27.3	+3.0/0		
225	+2.1/0	5.5	+0.8/0	8.6	+1.1/0	13.4	+1.6/0	20.5	+2.3/0				
250	+2.3/0	6.2	+0.9/0	9.6	+1.2/0	14.8	+1.7/0	22.7	+2.5/0				
280	+2.6/0	6.9	+0.9/0	10.7	+1.3/0	16.6	+1.9/0	25.4	+2.8/0				
315	+2.9/0	7.7	+1.0/0	12.1	+1.5/0	18.7	+2.1/0	28.6	+3.1/0				
355	+3.2/0	8.7	+1.1/0	13.6	+1.6/0	21.1	+2.4/0						
400	+3.6/0	9.8	+1.7/0	15.3	+2.5/0	23.7	+3.8/0						
450	+4.1/0	11.0	+1.9/0	17.2	+2.8/0	26.7	+4.3/0						
500	+4.5/0	12.3	+2.1/0	19.1	+3.1/0	29.6	+4.7/0						
560	+5.1/0	13.7	+2.3/0	21.4	+3.4/0								
630	+5.7/0	15.4	+2.6/0	24.1	+3.9/0								

注：1. 公称压力为管材在 20 ℃时的工作压力，建议设计应力 5.0 MPa。
　　2. 管材长度为每节 4～6 m。
　　3. 本表摘自 GB1929—93。

(四)硬塑料管材的配套管件

目前灌溉工程使用的塑料管件主要是给排水系列的一次成型塑料管件,包括溶剂黏接型、弹性密封圈连接型聚氯乙烯塑料管件。市场上供应的管件型号规格详见附录 D,在此不再赘述。

(五)硬塑料管材的连接

硬塑料管的连接形式有扩口承插式、套管式、锁紧接头式、螺纹式、法兰式、热熔焊接式等形式。同一连接形式中又有多种连接方法,不同的连接方法其适用条件、适用范围及选用的连接件亦不同。因此,在选择连接形式、连接方法时,应根据被连接管材的种类、规格、管道系统设计压力、施工环境、连接方法的适用范围、操作人员技术水平等进行综合考虑。

1．扩口承插式连接

扩口承插式连接是目前管道灌溉系统中应用最广泛的一种形式。其连接方法有热软化扩口承插连接、扩口加密封圈承插连接和溶剂黏合式承插连接三种。相同管径之间的连接一般不需要连接件,只是在分流、转弯、变径等情况时才使用管件。塑料管件一般带有承口,采用溶剂黏合或加密封圈承插连接即可,如图 4-3、图 4-4 所示。

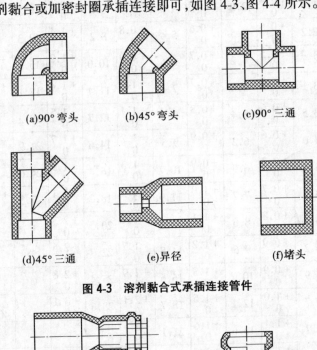

(a)90°弯头　　　　(b)45°弯头　　　　(c)90°三通

(d)45°三通　　　　(e)异径　　　　(f)堵头

图 4-3　溶剂黏合式承插连接管件

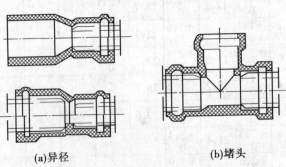

(a)异径　　　　　　　　　(b)堵头

图 4-4　加密封圈承插连接管件

对于双壁波纹管,可选用溶剂黏合式承插管件,连接时可用专用橡胶圈密封,亦可加胶黏合。

2. 套管式连接

对于无扩口直管的连接,除了在施工现场扩口连接之外,还可采用套管连接。套管连接就是用一专用接头将两节管子连接在一起,如图4-5所示。图4-5(a)为固定式套管,接头与管子连接后成为一整体,不能拆卸,接头成本较低;图4-5(b)为活接头,接头与管子连接后也成为一整体,但管子与管子之间可通过松紧螺帽来拆卸,接头成本较高,一般多用于系统中需要经常拆卸之处。

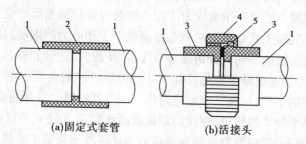

(a)固定式套管　　　(b)活接头

图4-5　套管式连接

1—塑料管;2—PVC固定套管;3—承口端;4—PVC螺帽;5—平密封胶垫

3. 组合式锁紧连接件连接

组合式锁紧连接件如图4-6所示,通过紧锁箍将管子连接在一起,能承受较高的压力。图4-6(a)所示的锁紧接头主要用于塑料管与塑料管之间的连接,图4-6(b)所示的锁紧接头则用于塑料管与金属管之间的连接。组合式锁紧连接多用于黏合剂连接不方便的聚乙烯、聚丙烯等管材以及系统设计压力较高的聚氯乙烯管材的连接。

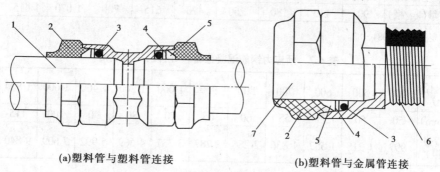

(a)塑料管与塑料管连接　　　(b)塑料管与金属管连接

图4-6　组合式锁紧连接形式

1—塑料管;2—铸铁紧固螺栓;3—O形橡胶密封圈;4—铸铁压力环;

5—铸铁夹环;6—与金属管丝连接端;7—与塑料管连接端

除图4-6所示的形式外,还有相应管径的三通、变径、弯管等,这类管件适用于管径不大于63 mm的管材。连接较软的管材可用注塑管件,如LDPE管;连接较硬的管材可用金属管件,如HDPE管。对于管径大于63 mm的管件,其锁紧螺母改为法兰盘,一般均采用金属加工制成。

三、水泥类预制管

水泥类预制管类型很多,有自应力钢筋混凝土管、预应力钢筋混凝土管、石棉水泥管、素混凝土管等。其共同优点是耐腐蚀、使用寿命长。但这类管材性脆易断裂、管壁厚、质量大,运输安装不便。水泥混凝土管一般用于流量较大的灌区,压力大的采用钢筋混凝土管,压力小的采用素混凝土管。

(一)自应力钢筋混凝土管和预应力钢筋混凝土管

自应力钢筋混凝土管是利用自应力水泥的膨胀力张拉钢筋而产生预应力的钢筋混凝土管。预应力钢筋混凝土管是通过机械张拉钢筋产生预应力的钢筋混凝土管。预应力钢筋混凝土管按制造工艺的不同又分为震动挤压(一阶段)工艺管和管芯绕丝(三阶段)工艺管。自应力、预应力钢筋混凝土管均具有良好的抗渗性和耐久性。由于均做成采用橡胶圈密封的承插连接的子母口,施工安装较简单。因受其材料力学和制造工艺的限制,自应力钢筋混凝土管适于较小的管径,预应力钢筋混凝土管适于较大的管径。表4-6~表4-9列出了国家标准自应力钢筋混凝土管和预应力钢筋混凝土管的主要规格及其工作压力和出厂检验压力。

表4-6　自应力钢筋混凝土管主要规格

公称内径(mm)	100	150	200	250	300	350	400	500	600	800
外径(mm)	150	200	260	320	380	440	490	610	720	960
壁厚(mm)	25	25	30	35	40	45	45	55	60	80
有效长度(mm)	3 000	3 000	3 000	3 000	4 000	4 000	4 000	4 000	4 000	4 000
管体长度(mm)	3 080	3 080	3 080	3 080	4 088	4 088	4 107	4 107	4 117	4 140
参考质量(kg/根)	90	115	180	260	470	615	700	1 070	1 415	2 536

注:本表摘自 GB4084—83。

表4-7　预应力钢筋混凝土管(一阶段)主要规格

公称内径 (mm)	400	500	600	700	800	900	1 000	1 200	1 400	1 600	1 800	2 000
壁厚(mm)	50	50	55	55	60	65	70	80	90	100	115	130
参考质量 (kg/根)	997	1 218	1 587	1 836	2 286	2 787	3 337	4 569	5 992	7 609	9 840	12 356

注:本表摘自 GB5695—85。管体长度 5 160 m;有效长度 5 000 m。

表4-8　预应力钢筋混凝土管(三阶段)主要规格

公称内径 (mm)	400	500	600	700	800	900	1 000	1 200	1 400	1 600	1 800	2 000
有效长度 (mm)	5 000	5 000	5 000	5 000	5 000	5 000	5 000	5 000	5 000	5 000	4 000	4 000
管体长度 (mm)	5 160	5 160	5 160	5 160	5 160	5 160	5 160	5 160	5 160	5 160	4 170	4 170
参考质量 (kg/根)	1 182	1 464	1 890	2 228	2 720	3 289	3 835	5 250	5 847	9 859	9 608	11 893

注:本表摘自 GB5696—85。

表 4-9　钢筋混凝土管工作压力和出厂检验压力

	管子级别	工压-4	工压-5	工压-6	工压-8	工压-10	工压-12
自应力管	工作压力(MPa)	0.4	0.5	0.6	0.8	1.0	1.2
	出厂检验压力(MPa)	0.8	1.0	1.2	1.4	1.7	2.0
	管子级别	Ⅰ		Ⅱ	Ⅲ	Ⅳ	Ⅴ
预应力管	工作压力(MPa)	0.4		0.6	0.8	1.0	1.2
	抗渗检验压力(MPa)	0.6		0.9	1.2	1.5	1.8

注:本表摘自 GB5659—85。

(二)石棉水泥管

石棉水泥管以石棉和水泥为原料经制管机制成。与其他水泥混凝土管相比,石棉水泥管具有质量小、耐腐蚀、承压能力高、便于搬运和铺设、内外壁光滑、切削钻孔加工容易及施工简单等优点。但其抗冲击、碰撞能力差,价格稍高。

石棉水泥管有平口和承插口两种,接头也有刚性接头和柔性接头两类。刚性接头常用石棉水泥填缝或素混凝土浇筑而成,或采用环氧树脂和玻璃布缠结成为刚性接头。柔性接头,平口管对接常用管箍带橡胶圈止水,承插口则直接采用橡胶圈止水。我国目前生产的石棉水泥管承压能力均较高,主要用于喷灌系统。GB3039—82 石棉水泥输水管的试验水压和破坏水压见表 4-10,规格见表 4-11。

表 4-10　石棉水泥输水管的试验水压和破坏水压

级　别	试验水压(MPa)	公称内径(mm)						
		75	100	150	200	250	300	350
		破坏水压(MPa)						
水 3	0.6	2.74	2.05	1.56	1.37	1.27	1.27	1.27
水 5	1.0	3.72	2.64	2.15	1.76	1.76	1.66	1.56
水 7.5	1.5	4.02	3.13	2.64	2.35	2.25	2.25	2.25
水 9	1.8	5.49	4.31	4.31	4.11	3.62	3.43	3.43
水 12	2.4	5.98	4.60	4.60	4.80	4.21	3.92	3.82

(三)素混凝土预制管

素混凝土管的主要特点是价格低廉。虽然素混凝土不能承受很大的拉应力,但制成的管材仍可以承受一定的低压水压力,因此仍可应用于管灌系统中作为地埋暗管管材。素混凝土预制管一般采用离心、悬辊、立式震动或立式挤压等工艺制成,一般 1～2 m 一节,采用平口(Ⅰ型)、企口(Ⅱ型)或子母口(Ⅲ型)承插连接。水利部标准《灌溉用低压输水混凝土管技术条件》(SL/T98—1994)中规定的混凝土管尺寸、工作压力和检验压力见图 4-7 和表 4-12、表 4-13。

(四)混凝土预制管管件

钢筋混凝土管件的制作工艺较复杂,多根据需要现场浇筑。素混凝土管件各地曾有

表 4-11　石棉水泥输水管规格

公称内径(mm)	标准长度(m)	水3 车削端 厚度	水3 车削端 外径 (mm)	水3 参考质量 (kg/m)	水5 车削端 厚度	水5 车削端 外径 (mm)	水5 参考质量 (kg/m)	水7.5 车削端 厚度	水7.5 车削端 外径 (mm)	水7.5 参考质量 (kg/m)	水9 车削端 厚度	水9 车削端 外径 (mm)	水9 参考质量 (kg/m)	水12 车削端 厚度	水12 车削端 外径 (mm)	水12 参考质量 (kg/m)
75	2,3	9	93	5.5	10	95	6.1	11	97	6.6	11	97	6.6	12	99	7.2
100	2,3,4	9	118	7.1	10	120	7.8	11	122	8.5	11	122	8.5	12	124	9.3
150	2,3,4,5	10	170	11.3	11	172	12.3	14	178	15.4	16	182	17.5	18	186	19.8
200	3,4,5	11	222	16.1	12	224	17.4	16	232	22.8	21	242	29.8	25	250	35.6
250	3,4,5	13	276	23.1	15	280	26.4	19	288	33.1	23	296	40.0	27	304	47.0
300	3,4,5	16	332	23.3	17	334	35.2	23	346	47.2	26	352	57.5	30	360	61.7
350	4,5	18	386	43.0	19	388	45.3	27	404	63.6	30	410	71.0	34	418	80.8
400	4,5	21	442	56.5	22	444	59.1	30	460	80.3	35	470	94.0	40	480	110.7
450	4,5	24	496	69.0	28	506	83.7	33	516	98.6	39	525	117.0	45	540	135.8
500	4,5	27	554	89.2	31	562	102.2	38	576	125.5	48	586	142.0	50	600	166.8

注：管子未车削外径比车削外径约大2 mm。

研制,但形成系列产品并批量生产的不多。由于目前没有混凝土管件制作方面的标准可依,制作时可参考有关灌溉用混凝土管国家或行业技术标准要求进行,制作出的管件各项性能指标应不低于配套管材的技术要求。

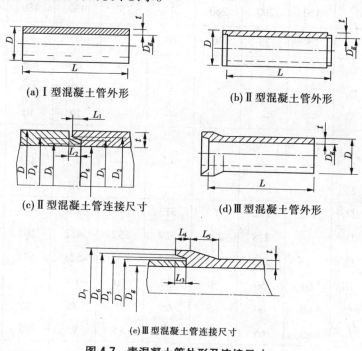

(a) I 型混凝土管外形　　　　　　　　　(b) II 型混凝土管外形

(c) II 型混凝土管连接尺寸　　　　　　　(d) III 型混凝土管外形

(e) III 型混凝土管连接尺寸

图 4-7　素混凝土管外形及连接尺寸

四、金属管

(一)钢管

在管道输水灌溉工程中,钢管常用于水泵的进出水管,阀件连接段等。钢管可分为焊接型钢管和无缝钢管。

1.焊接型钢管

焊接型钢管由卷成管形的钢板以对缝或螺旋缝焊接而成,根据制造条件不同,常分为低压流体输送用焊接钢管、螺旋缝电焊钢管、直缝卷焊钢管、电焊管等。

焊接钢管是输送低压流体的管道工程中常用的一种小直径的管材,管材长度一般为 4～10 m,管件配套齐全、连接方便,其中普通管的工作压力为 1.0 MPa,规格尺寸见表 4-14。螺旋缝电焊钢管材管径较大,部分规格见表 4-15。

2.无缝钢管

普通无缝钢管分为冷轧(拔)无缝钢管和热轧无缝钢管。在管道工程中,公称直径不小于 50 mm 时一般采用热轧无缝钢管;公称直径小于 50 mm 时一般采用冷轧(拔)无缝钢管。无缝钢管的规格较多,为便于连接,一般选用接近低压流体输送用钢管外径规格的管材。

表 4-12　混凝土管尺寸及参考质量

内径 D_g(mm)			100	150	200	250	300	350	400	500	600
外径 D(mm)			150	200	260	310	370	430	480	590	700
壁厚 t(mm)			25	25	30	30	35	40	40	45	50
Ⅱ型 (mm)	母口	D_1	—	—	—	—	—	385	435	540	645
		D_2	—	—	—	—	—	388	438	544	649
		L_1	—	—	—	—	—	10	10	15	15
	子口	D_3	—	—	—	—	—	381	431	536	640
		D_4	—	—	—	—	—	383	433	539	643
		L_2	—	—	—	—	—	18	18	24	24
Ⅲ型 (mm)	承口	D_5	152	202	263	313	374	434	484	594	705
		D_6	168	218	279	329	392	452	504	616	729
		D_7	215	265	335	385	455	525	575	695	815
		L_3	50	50	50	50	60	60	70	80	90
		L_4	60	60	65	65	75	75	85	100	120
		L_5	65	65	75	75	85	95	95	105	115
有效长度 L (mm)			1 000	1 000	1 000	1 000	1 000	1 000	1 000	1 000	1 000
			1 500	1 500	1 500	1 500	1 500	1 500	—	—	—
参考质量 (kg/根)	Ⅰ型		26	36	57	69	98	130	147	204	271
			39	55	86	105	147	195	—	—	—
	Ⅱ型		—	—	—	—	—	130	147	204	271
			—	—	—	—	—	195	—	—	—
	Ⅲ型		28	39	62	76	106	142	161	227	303
			41	58	91	111	155	207	—	—	—

表 4-13　混凝土管压力等级代号及主要参数

压力等级代号	0.5	1.0	1.5	2.0
工作压力(MPa)	0.05	0.10	0.15	0.20
检验压力(MPa)	0.1	0.2	0.3	0.4
对应最大管径(mm)	600	600	600	350

表 4-14　低压流体输送用焊接、镀锌焊接钢管规格

公称直径		外径		普通钢管			加厚钢管		
				壁厚		理论质量	壁厚		理论质量
(mm)	(英寸)	公称尺寸 (mm)	允许偏差	公称尺寸 (mm)	允许偏差	(kg/m)	公称尺寸 (mm)	允许偏差	(kg/m)
8	1/4	13.5		2.25		0.62	2.75		0.73
10	3/8	17.0		2.25		0.82	2.75		0.97
15	1/2	21.3		2.75		1.26	3.25		1.45
20	3/4	26.8	+0.5% −0.5%	2.75	+12% −15%	1.63	3.50	+12% −15%	2.01
25	1	33.5		3.25		2.42	4.00		2.91
32	11/4	42.3		3.25		3.13	4.00		3.78
40	11/2	48.0		3.50		3.84	4.25		4.58
50	2	60.0		3.50		4.88	4.50		6.16
65	21/2	75.5		3.75		6.64	4.50		7.88
80	3	88.5	+1.0% −1.0%	4.00	+12% −15%	8.34	4.75	+12% −15%	9.81
100	4	114.0		4.00		10.85	5.00		13.44
125	5	140.0		4.50		15.04	5.50		18.24
150	6	165.0		4.50		17.81	5.50		21.63

注：1. 本表摘自 GB3092—82、GB3091—82。

2. 理论质量均按比重 7.85 计算，表列理论质量为焊接钢管(未镀锌前)的数值，镀锌后的理论质量增加 3%～6%。理论质量计算公式如下：焊接钢管，$P = 0.024\,66S(D - S)$；镀锌焊接钢管，$P = C[0.024\,66S(D - S)]$。式中：P 为理论质量，kg/m；D 为外径，mm；S 为公称壁厚，mm；C 为镀锌钢管比焊接钢管增加的质量系数，取 1.03～1.06。

表 4-15　螺旋缝自动埋弧焊接钢管直径与壁厚

公称直径(mm)	200	225	250	300	350	400	500
外径(mm)	219	245	273	325	377	426	529
壁厚(mm)	6～9	6～9	6～9	6～9	6～10	6～13	6～13

注：本表摘自 SY500—80。

(二)铸铁管

铸铁管由于比钢管耐锈蚀，比普通塑料管外刚度大，承压能力强，在输水灌溉工程中经常用于流量、压力较大，外刚度要求高的场合。铸铁管按其制造方法不同分为砂型离心铸铁直管、连续铸铁直管和砂型铸铁直管。按其材质不同可分为灰口铸铁管、球墨铸铁管和高硅铸铁管。铸铁管商品规格比较齐全，选择余地较大。

(三)钢管及铸铁管的连接件

钢管可采用焊接、法兰连接和螺纹连接。一般公称直径小于 50 mm 的可采用螺纹连

接,有相应的连接管件可供选用;对公称直径不小于 50 mm 的,为了与水表、闸阀等管件连接,可采用法兰连接。

铸铁管一般均为承插式接头,可采用承插连接,用橡胶圈密封止水(柔性连接)或用石棉水泥填塞接缝止水(刚性连接)。分水、转弯、变径等均有相应管件可供选择。

五、软质管

在半固定式或移动式管道输水灌溉系统中,需要用移动管道。移动管道通常采用轻便柔软易于盘卷的软质管,也有采用薄壁铝管、薄壁钢管等轻便硬质管材的。在此仅介绍常用的软质管。

软管按其生产材料可分为薄膜塑料软管、涂塑软管、双壁加线塑料软管、涂胶软管、橡胶管、橡塑管等,管道灌溉系统中用的最多的是聚乙烯薄膜塑料软管和涂塑软管。

(一)聚乙烯塑料软管

聚乙烯塑料软管也称聚乙烯薄膜塑料软管,现在低压管道输水灌溉系统中应用的聚乙烯塑料软管主要是线性低密度聚乙烯塑料软管(LLDPE 塑料软管)。它是以 LLDPE 树脂为主体,加入适量的其他高分子材料经吹塑成型制得的。LLDPE 塑料软管不仅用于地面移动输水灌溉,而且可作为地埋外护圬工管的防渗内衬材料。

LLDPE 塑料软管的物理力学性能指标一般要求:拉伸强度(纵、横向)不小于 20 MPa;断裂伸长率不小于 600%;直角撕裂强度(纵、横向)不小于 10 MPa;折边横拉强度不小于 20 MPa。

目前市场上常见的 LLDPE 塑料软管规格如表 4-16 所示。

表 4-16　LLDPE 塑料软管的规格

折径 (mm)	直径 (mm)	壁厚 (mm)		质量 (kg/m)		长度(m/kg)	
		轻型	重型	轻型	重型	轻型	重型
80	51	0.20	0.30	0.029	0.044	34.0	22.0
100	64	0.25	0.35	0.046	0.064	21.0	25.6
120	76	0.30	0.40	0.066	0.088	15.0	11.4
140	89	0.30	0.40	0.077	0.105	13.0	9.5
160	102	0.30	0.45	0.088	0.118	11.4	8.5
180	115	0.35	0.45	0.116	0.149	8.6	6.7
200	127	0.35	0.45	0.128	0.165	7.8	6.1
240	153	0.40	0.50	0.176	0.220	5.7	4.5
280	178		0.50		0.258		3.9
300	191		0.50		0.276		3.6
320	204		0.50		0.293		3.4
400	255		0.60		0.412		2.4
500	318		0.70		1.280		0.8
600	382		0.70		1.420		0.7

注:表中壁厚供参考,不同厂家生产的同一折径的管材壁厚不尽一致。

(二)涂塑软管

涂塑软管是用锦纶纱、维纶纱或其他强度较高的材料织成管坯,内外壁或内壁涂敷聚氯乙烯(PVC)或其他塑料制成。根据管坯材料的不同涂塑软管分为锦纶塑料软管、维纶塑料软管等种类。涂塑软管将锦(维)纶管坯的耐压强度高和塑料内外壁的不透水性及水力性能好的特点结合在一起,大大提高了管材的工作压力,使用寿命可达3~4年。涂塑软管规格见表4-17,应用时,可根据设计工作压力从表中选择。选择时要求表面光滑平整,没有断线、抽筋、松筋、内外槽、脱胶、气孔和涂层夹杂质等缺陷。壁厚应均匀,其厚薄比不得超过4:3。必要时应根据表4-18耐压试验要求进行压力试验。

表4-17　涂塑软管的规格

内径(mm)		工作压力（MPa）				长度（m）
基本尺寸	极限偏差					
25		0.8	0.6			
40	±1.0	0.8	0.6	0.4		
50		0.8	0.6	0.4	0.3	
65		0.8	0.6	0.4	0.3	
75		0.8	0.6	0.4	0.3	
80	±1.5	0.8	0.6	0.4	0.3	200±0.20
90			0.6	0.4	0.3	
100			0.6	0.4	0.3	
125	±2.0			0.4	0.3	
150				0.4	0.3	

注:本表摘自 GB9476—88。

表4-18　涂塑软管的耐压试验压力

工作压力（MPa）	0.3	0.4	0.6	0.8
耐压试验压力（MPa）	0.9	1.3	1.8	2.5

第四节　管道附属设施

　　管道附属设施是管道输水灌溉系统的重要组成部分,其种类比较多,制作材料比较复杂,作用也各不相同。它们主要包括给水装置(给水栓、出水口)、安全保护装置、分(取)水控制装置、量测装置等。其作用主要是:①向地面灌溉系统输配水;②防止管道真空破坏;③超压保护;④防止管内水回流引起水泵高速反转而损坏;⑤排空管道内的水;⑥量测管道的流量、流速、水流总量;⑦测量管道水流压力;⑧截断或接通水流,分配水量;⑨调节水流压力;⑩分配水量等。它们的制作材料主要是铸铁、钢、塑料、混凝土等。

　　本节重点介绍已定型生产且使用效果良好的管道附属设施。

一、给水装置

(一)给水装置的类型

给水装置一般是指给水栓(出水口)。出水口是指把地下管道系统的水引出地面进行灌溉的放水口,它一般不能连接地面移动软管。能与地面移动软管连接的出水口称给水栓。

给水装置按阀体结构形式一般分为移动式、半固定式、固定式三大类型。

(二)选用给水装置的原则

(1)首先选择经过专家鉴定并定型生产的给水装置。

(2)根据设计出水量和工作压力,选用的规格应在适宜流量范围内,局部水头损失小且密封压力满足系统设计要求。

(3)在低压管道输水灌溉系统中,给水装置用量大、使用频率高,有时需要长期置于田间,因此在选用时还要考虑耐锈蚀、操作灵活、运行管理方便等因素。

(4)根据是否与地面软管连接来选择给水栓或出水口;根据保护难易程度选择移动式或固定式。

(三)移动式给水装置

移动式给水装置也称分体移动式给水装置,由上、下栓体两大部分组成。其特点是密封部分在下栓体内,下栓体固定在地下管道的立管上并配有保护盖,出露在地表面或地下保护池内。系统运行时不需停机就能启闭给水栓、更换灌水点。上栓体移动式使用,同一管道系统只需配2~3个上栓体,投资较省。上栓体的作用是控制给水、出水方向。

图4-8所示的给水栓即是常用的一种定型产品,由山东省水利科学研究院研制生产,其主要性能参数见表4-19。

图4-8　G1Y4-H/L(LSG)型系列给水栓

G1Y4-H/L(LSG)型系列给水栓除具有移动式给水装置的上述特点外,还具有以下优点:上下栓体通过挂钩自动连接;上体材料为铸铝,质量小,360°给水,移动使用方便,可与软管连接;下体材料为铸铁,坚固耐用,设有防盗保护功能。

(四)半固定式给水装置

半固定式给水装置的特点是集密封、控制给水于一体,有时密封面也设在立管上栓体与立管螺纹连接或法兰连接处,非灌溉期可以卸下,在室内保存;同一灌溉系统计划同时工作的出水口必须在开机运行前安装好栓体,否则更换灌水点时需停机;同一灌溉系统也可按轮灌组配备,通过停机而轮换使用,不需每个出水口配一套。

如图4-9所示的G3B1-H型平板阀半固定式给水栓,由灰铸铁栓壳和顶盖组合而成。结构简单,整体性好,质量小,造价低;外力止水,密封效果好;启闭灵活,操作方便,可以通过螺杆调控出水流量;水力性能好;易损件少,坚固耐用;易于拆卸,维修方便。

进出口内径为 53 mm 的给水栓,阀门开启最大、分流比为 1 时的局部阻力系数为 1.595(含立管三通),适宜流量为 10～20 m³/h。

表 4-19　G1Y4-H/L(LSG)型系列给水栓主要性能参数

型号		设计工作压力 (MPa)	适宜流量 (m³/h)	连接尺寸 (mm)
下栓体	LSG-50(X)	0.25(用于管灌); 0.45(用于喷灌)	<10	50
	LSG-63(X)		<20	63
	LSG-75(X)		<30	75
	LSG-90(X)		<50	90
	LSG-110(X)		<80	110
	LSG-160(X)		<120	160
上栓体	LSG-50×50(S)	0.25(用于管灌); 0.45(用于喷灌)	<10	50
	LSG-75(63)×65(S)		<20	65
	LSG-75(63)×76(S)		<30	80
	LSG-90×90(S)		<50	100
	LSG-110×102(S)		<80	100
	LSG-160×125(S)		<100	125

注:1.连接尺寸,下栓体为与地下管道承插连接的内径(塑料管材的外径);上栓体为出水口与地面移动管连接的软管尺寸。

2.与地下管道可承插式连接或法兰式连接。

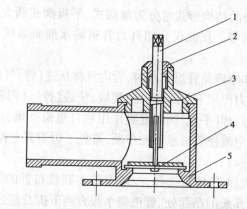

图 4-9　G3B1-H型平板阀半固定式给水栓

1—螺杆;2—填料压盖;4—顶盖;4—阀瓣;5—栓壳

(五)固定式给水装置

固定式给水装置也称整体固定式给水装置,其特点是集密封、控制给水于一体;栓体一般通过立管与地下管道系统牢固地结合在一起,不能拆卸;同一系统的每一个出水口必须安装一套给水装置,投资相对较大。如图 4-10 所示的 C7G7-N 型丝盖固定式出水口有内丝盖和外丝盖两种形式。主要与混凝土预制管道配合使用,结构简单,取材方便,制作容易,造价低;适宜于压力、流量较小的灌溉系统,可接软管;Φ100 mm 出水口的局部阻力系数为 0.40;质量较大,移动运输不方便。

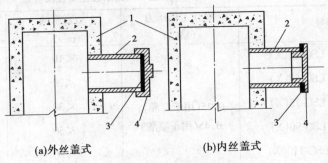

(a)外丝盖式　　　　　　　　(b)内丝盖式

图 4-10　C7G7-N 型丝盖固定式出水口

1—混凝土立管;2—出水横管;4—密封胶垫;4—止水盖

二、安全保护装置

管道输水灌溉系统的安全保护装置主要有进(排)气阀、安全阀、调压装置、止回阀、泄水阀等。主要作用分别是破坏管道真空、排除管内空气,减小输水阻力,超压保护,调节压力,防止管道内的水回流入水源而引起水泵高速反转等。

在此主要介绍管道输水灌溉系统常用的进(排)气阀、安全阀等安全保护装置的结构和特点。对于调压阀、止回阀和泄水阀,目前主要选购市场上工业用定型产品,在此不多赘述。

(一)进(排)气阀

进(排)气阀按阀瓣的结构形式可分为球阀式、平板阀式两大类。按材料分可分为铸铁、钢、塑料进(排)气阀等。在此仅介绍针对管道输水灌溉系统而研制生产的进(排)气阀。

进(排)气阀的工作原理是管道充水时,管内气体从进(排)气口排出,球(平板)阀靠水的浮力上升,在内水压力作用下封闭进(排)气口,使进(排)气阀密封而不渗漏,排气过程完毕。管道停止供水时,球(平板)阀因虹吸作用和自重而下落,离开进(排)气口,空气进入管道,破坏了管道真空或使管道水回流中断,避免了管道真空破坏或因管内水回流引起的机泵高速反转。

进(排)气阀可按式(4-1)计算选择,一般安装在顺坡布置的管道系统首部、逆坡布置的管道系统尾部、管道系统的凸起处、管道朝水流方向下折及超过 10°的变坡处。

$$d_c = 1.05D\sqrt{v/v_a} \tag{4-1}$$

式中　d_c——进(排)气阀通气孔直径,mm;

　　　D——被保护管道直径,mm;

　　　v——被保护管道内水流速度,m/s;

　　　v_a——进(排)气阀排出空气流速,m/s,计算时可取 $v_a = 45$ m/s。

1.JP3Q-H/G 型球阀式进(排)气阀

JP3Q-H/G 型球阀式进(排)气阀结构简单,制作、安装方便,造价低,规格齐全,灵敏度高,密封性能好,适用于顺坡布置的管道系统,泵与主管道的连接处,起进气止回水作用。性能参数和结构形式见表 4-20 和图 4-11。

表 4-20　JP3Q-H/G 型和 JP1Q-H/G 型球阀式进(排)气阀主要性能参数

公称直径(mm)		20	25	32	40	50
对应被保护管道公称直径(mm)	塑料管	≤90	110,125	140,160	160,200	200,250
	混凝土管	≤180	200,225	250,280	350	450

注:进(排)气阀公称压力 0.05 MPa,最大工作压力 0.25 MPa,最小密封压力 0.05 MPa,适用温度 −10~60 ℃。

2.JP1Q-H/G 型球阀式进(排)气阀

JP1Q-H/G 型球阀式进(排)气阀特点和性能参数基本同 JP3Q-H/G 型球阀式进(排)气阀,多用于逆坡布置的管道系统和管路中凸起处。结构形式见图 4-12。

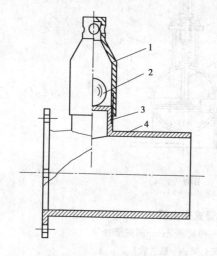

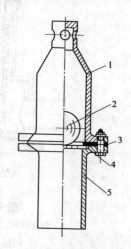

图 4-11　JP3Q-H/G 型球阀式进(排)气阀
1—阀室;2—球阀;3—球算;4—法兰管

图 4-12　JP1Q-H/G 型球阀式进(排)气阀
1—阀室;2—球阀;3—密封胶垫;
4—球算;5—阀座管

(二)安全阀

安全阀是一种压力释放装置,安装在管路较低处,起超压保护作用。低压管道输水灌溉系统中常用的安全阀按其结构形式可分为弹簧式、杠杆重锤式两大类。

弹簧式、杠杆重锤式安全阀的工作原理是将弹簧力或重锤的重量加载于阀瓣上来控制、调节开启压力(即整定压力)。在管道系统压力小于整定压力之前,安全阀密封可靠,无渗漏现象;当管道系统压力升高超过整定压力时,阀门则自动开启排水,使压力下降;当管道系统压力降低到整定压力以下时,阀门则及时关闭并密封如初。

安全阀的特点是结构比较简单,制造、维修方便,造价较高;启闭迅速及时,关闭后无渗漏,工作平稳,灵敏度高;使用寿命长。

　　弹簧式安全阀可通过更换弹簧来改变其工作压力级,同一压力级范围内可通过调压螺栓来调节开启压力。其载荷随阀门开启高度的增大而增大。

　　杠杆重锤式安全阀也可通过更换重锤来改变其工作压力级,但在同一压力级范围内的开启压力是不变的。其载荷不随阀门开启高度变化。

　　选用安全阀时,应根据所保护管路的设计工作压力确定安全阀的公称压力。由计算出的安全阀的定压值决定其调压范围,根据管道最大流量计算出安全阀的排水口直径,并在安装前校定好阀门的开启压力。弹簧式、杠杆重锤式安全阀均适用于低压管道输水灌溉系统。但弹簧式安全阀灵敏度更高一些。

　　安全阀一般铅垂安装在管道系统的首部,操作者容易观察到并便于检查、维修的地方,但也可安装在管道系统中任何需要保护的位置。

　　常用的 A3T-G 型弹簧式安全阀的结构形式和性能参数见图 4-13 和表 4-21。

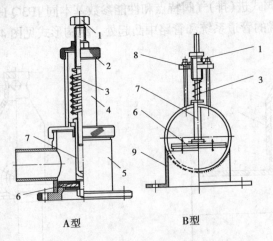

A型　　　　　　　　B型

图 4-13　A3T-G 型弹簧式安全阀

1—调压螺栓;2—压盖;3—弹簧;4—弹簧室壳;5—阀室壳;
6—阀瓣;7—导向套;8—弹簧支架;9—法兰管

表 4-21　A3T-G 型弹簧式安全阀性能参数

公称直径(mm)	50,63,75,90,110,125,140,160
公称压力(MPa)	0.3～0.6
阀体强度试验压力(MPa)	1.2 倍的公称压力
工作压力级(MPa)	0.06～0.1,0.1～0.13,0.13～0.16,0.16～0.2,0.2～0.25, 0.25～0.3,0.3～0.4,0.4～0.5,0.5～0.6
密封压力(MPa)	0.06～0.6
适用介质	水
适用温度(℃)	-15～60

三、分(取)水控制装置

管道输水灌溉系统中常用的分(取)水控制装置主要有闸阀、截止阀以及结合低压管道输水灌溉系统特点研制的一些专用控制装置等。闸阀和截止阀都是工业通用产品,在此重点介绍一下各地结合管道输水灌溉的特点研制的一些结构比较简单、实用、造价较低、功能较多的水流、水量控制装置。

(一)常用的工业阀门

管道输水灌溉系统中常用的工业阀门主要是公称压力不大于 1.6 MPa 的闸阀和截止阀,主要作用是接通或截断管道中的水流。

1. 普通闸阀的主要结构、特点

闸板呈圆盘状,在垂直于阀座通道中心线的平面内作升降运动,局部阻力系数小,结构长度小,启闭较省力,介质流动方向不受限制。高度尺寸大,启闭时间长。结构较复杂,制造维修困难,成本较高。对水质要求不是很高,可用于含泥沙的水流。

2. 普通截止阀的主要结构、特点

阀瓣呈圆盘状,沿阀座通道中心线作升降运动。局部阻力系数大。启闭时阀瓣行程小、高度尺寸小,但结构长度较大。启闭较费力。介质需从阀瓣下方向上流过阀座,流动方向受限制。结构比较简单,制造比较方便。密封面不易擦伤和磨损,密封性可靠,寿命长。

也有适用于水平管道上的截止阀。对水质要求较高,不宜用于含泥沙的水流。

设计时,应根据使用目的,阀件的公称压力、操作及安装方式、水流阻力系数大小、维修难易、价格等情况来选择阀门。

(二)管道输水灌溉系统用典型控制装置

1. 箱式控水阀

箱式控水阀是针对混凝土低压管道输水灌溉系统特点研制的一种集控制、调节、汇水、分水于一体的控制装置。其结构形式见图 4-14。JN 型箱式控水阀一般用于公称直径不大于 200 mm 的管道系统;SQ 型箱式控水阀一般用于公称直径不小于 110 mm 的管道系统。箱式控水阀有两通、三通、四通等形式,即分别有两个、三个、四个进出水口。

主要特点及性能:阀瓣呈圆盘状,沿阀座通道中心线作升降运动;结构简单,制作容易;体积小、质量小、安装操作方便;水力性能较好。两通式控水阀主要安装在直段管道上起接通、截断水流的作用;三通式控水阀主要安装在管道系统的分支处,起接通、截断、分流、汇流及三通等作用;四通式控水阀主要安装在管道系统的分支处,起接通、截断、分流、汇流及四通等作用;箱式控水阀与同样功能的工业闸阀相比,可降低投资 30% ~60%。其性能参数见表 4-22、表 4-23。

2. 分水闸门

图 4-15 所示的分水闸门适用于混凝土管道系统,用来控制主管道向支管道输配水。其特点是:可因地制宜修建,结构简单,安装、操作方便;设有保护井、检修井,维修方便,且易于保护。

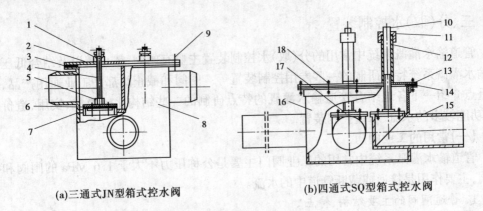

(a)三通式JN型箱式控水阀　　　　(b)四通式SQ型箱式控水阀

图 4-14　箱式控水阀

1—填料函;2—阀顶盖板;3—密封胶垫;4—螺杆;5—活节套;6—阀瓣;

7—阀座;8—箱体;9—螺栓;10—螺杆;11—填料压盖;12—螺杆套;

13—阀顶盖;14—密封胶垫;15—进(出)水管;16—箱体;17—阀瓣;18—螺栓

表 4-22　JN 型箱式控水阀的规格及性能参数

型式	规格(mm)	密封压力 (MPa)	耐久性能	局部阻力系数
两通式 三通式 四通式	Φ90,Φ110, Φ125,Φ160	≥0.50	启闭 300 次性能良好	3.73

表 4-23　SQ 型箱式控水阀的规格及性能参数

型式	进/出口直径 (mm)	质量 (kg)	密封压力 (MPa)	耐久性能	局部阻力系数	
					直流	侧流
两通式	250/90,250/110, 250/125,250/160	25.0	≥0.25	启闭 300 次性 能良好	3.77	3.78
三通式		34.5			3.73	
四通式		36.5			3.83	4.09

3.简易分流闸

图 4-16 所示的简易分流闸适用于混凝土管道系统,用来控制上级管道系统向下级管道系统输配水。输配水时,用操作杆提出锥塞,则水流进入下级管道系统;停水时,塞入锥塞即可。其特点是:结构简单,施工方便;可就地取材,造价低;易操作,易管理。

四、测量计费装置

管道灌溉系统中常用的量测计费装置主要有压力、流量及 IC 卡、射频卡测量计费装置等。压力测量装置是用来量测管道系统的水流压力,了解、检查管道工作压力状况的;

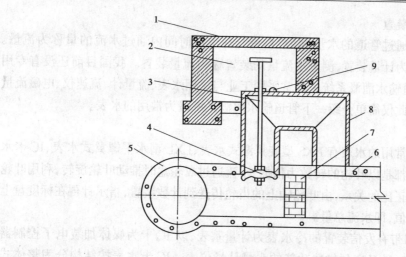

图 4-15　分水闸门及其安装示意图

1—盖板；2—保护井；3—操作杆；4—阀瓣；5—干管；6—支管；7—截流板；8—铸铁弯管；9—挂环

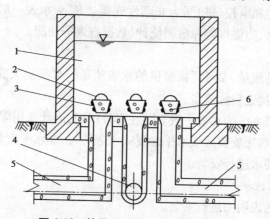

图 4-16　简易分流闸及其安装示意图

1—水池；2—提环；3—橡胶止水；4—输水干管；5—输水支管；6—混凝土锥塞

流量测量装置主要用来测量管道水流总量和单位时间内通过的水量；IC 卡、射频卡测量计费装置是近几年推广应用的一种用水计费装置。

（一）压力测量装置

管道灌溉系统中常用的压力测量装置主要是弹簧管压力表。有 Y 型弹簧管压力表、YX-150 型电节点压力表、Z 型弹簧管真空表等。

选用压力表时应考虑以下因素：

（1）压力测量的范围和所需要的精度。

（2）静负荷下，工作值不应超过刻度值的 2/3；在波动负荷下，工作值不应超过刻度值的 1/2；最低工作值不应低于刻度值的 1/3。

设计时，可查有关手册，选择适宜的型号、规格。安装和维护应严格按照说明书要求进行。

(二)流量测量装置

在一段时间内通过管道的水量称为"总量",在单位时间内通过水流的量称为流量。测量总量的装置称为计量装置,测量水流量的装置称为流量装置。我国目前还没有专用的农用水表,在管道输水灌溉系统中通常采用工业与民用水表、流量计、流速仪、电磁流量计等进行量水。在此仅简单介绍一下管道输水灌溉系统最为常用的水表。

1. 水表的种类

管道灌溉系统常用的水表有 LXS 型旋翼湿式水表、LXL 型水平螺翼式水表、IC 卡水表等。前两种水表都是以叶轮的转数为依据,水流通过翼轮盒时推动叶轮旋转,利用叶轮转速与水流速度成正比的关系,由叶轮轴上的齿轮传送到计数装置,指示针再在标度盘上指示出流量的累计值,即水流总量。

IC 卡水表是以带有发信装置的冷水表为计量基表,以 IC 卡为媒体加装电子控制器和电控阀所组成的一种具有预付费功能的水量计量仪表。IC 卡水表按结构分为整体式和分体式两大类,整体式 IC 卡水表的控制器、基表和电控(磁)阀为刚性连接,分体式 IC 卡水表的控制器、基表和电控(磁)阀为非刚性连接。IC 卡水表一般都具有预收水费、自动计量、无费关阀断水、防盗报警和数据统计、数据查询等功能。

2. 水表的选用

(1)应根据管道的流量,参考厂家提供的水表流量—水头损失曲线进行选择,尽可能使水表经常使用流量接近公称流量。

(2)用于管道灌溉系统的水表一般安装在野外田间,因此选用湿式水表较好。

(3)水平安装时,选用旋翼式或水平螺翼式水表均可;非水平安装时,宜选用水平螺翼式水表,并根据厂家要求进行安装。

3. 水表的安装与维护

(1)按厂家提供的说明书进行安装。

(2)固定安装的水表应设表井,以便于拆装、操作、保护,防止暴晒、冰冻、水淹等。

(3)螺翼式水表前应保证有 8~10 倍公称直径的直管段,其他类型的水表前后,应有不小于 300 mm 的直管段,以确保计量准确。

(4)应使水流方向与水表外壳标记的箭头方向一致。

(5)水流杂物较多时,水表前应设过滤网,滤水网通水面积应大于水表公称直径的截面面积,并应经常检查和清洗。

(6)如水表前设有闸阀,运行时应使阀门开启度达到最大。

(7)新装管道应首先冲洗后再安装水表,以防止管道内可能有的杂物损坏水表。

(8)搬运水表时,应避免碰撞。

(9)水表应定期检修,检修周期按使用情况的不同,一般为 2~3 年。

(三)IC 卡、射频卡测量计费装置

IC 卡、射频卡测量计费装置是近几年来针对农田灌溉中用水计量不准、收费管理困难等问题研制开发出的一种灌溉计费控制系统。具有自动计量(费)、显示和控制用水(电)量、无费自动断电(停水)等功能。IC 卡为接触式,射频卡为非接触式。

1.IC卡、射频卡测量计费装置的组成

IC卡、射频卡测量计费装置一般由计费控制器、系统管理器、IC卡或射频卡组成（图 4-17），有室内型和野外型两种。

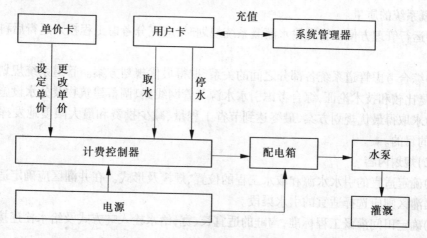

图 4-17 IC 卡、射频卡计费系统示意图

2.IC卡、射频卡测量计费装置的主要功能及工作原理

计费控制器安装在供水设备上，其功能是对供水设备进行保护和启闭控制；系统管理器的功能是对 IC 卡、射频卡传递有关操作数据，包括缴费充值、余额查询等；IC 卡、射频卡是存储计费控制器正常工作有关数据的磁卡。

用水时，将卡插入或贴近控制器的感应区，相关数据就可以读入控制器内，供水设备供水，同时开始计时计量、递减卡中的预缴费用；灌溉完毕或暂停供水可再将卡插入或贴近控制器的感应区，则剩余费用等有关数据重新写入卡内，供水设备停止供水；在用水过程中，如卡内费用不足也会自动停止供水。

第五节 管道输水灌溉工程规划设计

一、管道输水灌溉工程规划原则与内容

（一）规划原则

（1）管道输水灌溉系统规划属农田基本建设规划范畴。因此，必须与当地农业区划、农业发展计划、水利规划及农田基本建设规划相适应。在原有农业区划和水利规划的基础上，综合考虑与规划区内沟、渠、路、林、输电线路、引水水源等布置的关系，统筹安排、全面规划，充分发挥已有水利工程的作用。

（2）近期需要与远景发展规划相结合。根据当前的经济状况和今后农业现代化发展的需要，特别是节水灌溉技术的发展要求。如果管道系统有可能改建为喷灌或微灌系统，规划时，干支管应采用符合改建后系统压力要求的管材。这样，既能满足当前的需要，又可避免今后发展喷灌或微灌系统重新更换管材而造成巨大浪费。

(3)系统运行可靠。管道输水灌溉系统能否长期发挥效益,关键在于能否保证系统运行的可靠性。因此,从规划一开始就要对水源、管网布置、管材、管件和施工组织等进行反复比较。不可匆匆施工,不能采用劣质产品。做到对每一个环节严格把关,确保整个管道输水灌溉系统的质量。

(4)运行管理方便。管道输水灌溉系统规划时,应充分考虑工程投入运行后科学的运行管理。

(5)综合考虑管道系统各部分之间的关系,取得最优规划方案。管道系统规划方案要进行反复比较和技术论证,综合考虑引水水源与管网线路、调蓄建筑物及分水设施之间的关系,力求取得最优规划方案,最终达到节省工程量、减少投资和最大限度地发挥管道系统效益的目的。

(二)规划内容

(1)确定适宜的引水水源和取水工程的位置、规模及形式。在井灌区应确定适宜的井位,在渠灌区则应选择适宜的引水渠段。

(2)确定田间灌溉工程标准,沟畦的适宜长、宽,给水栓入畦方式及给水栓连接软管时软管的适宜长度。

(3)论证管网类型,研究管网中管道线路的走向与布置方案,确定线路中各控制阀门、保护装置、给水栓及附属建筑物的位置。

(4)拟定可供选择的管材、管件、给水栓、保护装置、控制阀门等设施的系列范围。

(三)规划步骤

(1)调查收集规划前所需要的基本资料以及当地农村区划、农业发展计划、水利规划和农田基本建设规划等基本情况,并应进行核实和分析。

(2)进行水量平衡分析,确定管道输水灌溉区规模。

(3)实地勘测并绘制规划区平面图,在图中标明沟、渠、路、林及水源的位置和高程。

(4)确定取水工程位置、范围和形式。

(5)进行田间工程布置,确定管网形式和畦田规格。

(6)根据管网类型、给水装置位置,选择适宜的管网线路,确定保护设施及其他附属建筑物位置。

(7)汇总管网各级管道长度以及给水装置、保护设施、连接管件及其他附属建筑物的数量。

(8)选择适宜的管材、给水分水装置及保护设施,对没有性能指标说明的材料和设备应通过试验确定其性能。

综上所述,管网系统规划步骤可概括为图4-18所示的框图。

二、主要技术参数的确定

(1)灌溉设计保证率。根据当地自然条件和经济条件确定,不宜低于75%。

(2)管网水利用系数。应不低于0.95。

(3)田间水利用系数。低压管道输水灌溉区,应做到田间工程配套齐全、灌水方法合理、灌水定额适当,田间水利用系数应不低于0.85。

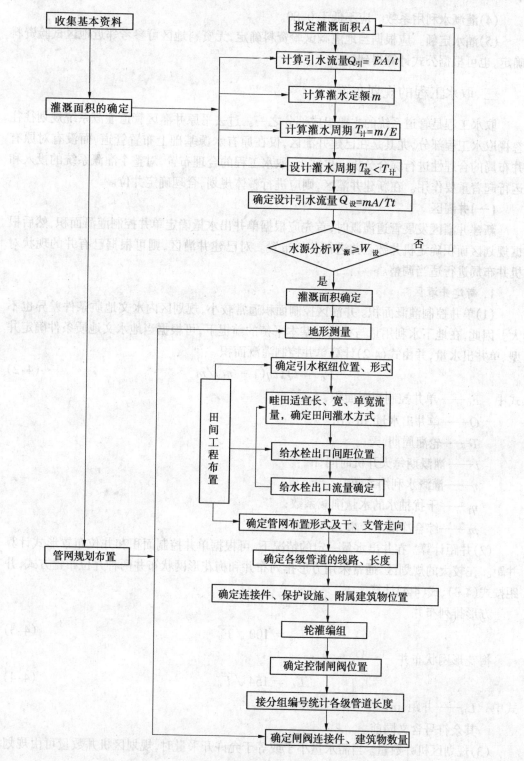

图 4-18　管灌系统规划流程

(4)灌溉水利用系数。应不低于 0.80。

(5)灌水定额。应根据当地灌溉试验资料确定,无资料地区可参考邻近地区试验资料确定,也可根据公式计算得到。

三、取水工程的规划布置

取水工程是管道系统的主要组成部分之一。过去平原井灌区管道灌溉系统规划往往忽视取水工程部分,尤其是在已建井灌区,仅在原有水源基础上布置管道,而没有对原有井布局的合理性进行综合分析。事实上,取水工程的合理布置,对整个灌溉系统的投入和运行起着重要作用。在新建井灌区,则应进行整体规划,合理确定井位。

(一)井灌区

新建井灌区发展管道灌溉时,首先应根据单井出水量确定单井控制灌溉面积,然后根据规划区面积确定机井数量并进行井位布置。对已建井灌区,则可根据已有井的现状对机井布局进行适当调整。

1. 新建井灌区

(1)单井控制灌溉面积。井灌区控制面积通常较小,规划区内水文地质条件差异也不大。因此,在地下水利用量与补给量基本平衡的前提下,可根据当地水文地质条件确定井型、单井出水量,并由式(4-2)计算单井控制灌溉面积。

$$F_0 = QTt\eta(1 - \eta_1)/m \tag{4-2}$$

式中　F_0——单井控制灌溉面积,hm^2;

Q——单井出水量,m^3/h;

T——轮灌周期,天;

t——灌溉期每天开机时间,h;

η——灌溉水利用系数;

η_1——干扰抽水的水量削减系数;

m——综合净灌水定额,m^3/hm^2。

(2)井距计算。在井出水量一定的情况下,可根据单井控制面积和井位布置形式计算井距。在较大的规划区,通常采用方形排列布井和梅花形网状布井两种井位布置方式,井距按式(4-3)、式(4-4)计算。

方形排列布井

$$L_0 = 100\sqrt{F_0} \tag{4-3}$$

梅花形网状布井

$$L_0 = 154\sqrt{F_0} \tag{4-4}$$

式中　L_0——井距,m;

其余符号含义同前。

(3)规划区机井数量。当需水量小于或等于允许开采量时,规划区机井数量可由规划区灌溉面积和单井控制面积确定,即按式(4-5)计算。

$$N = F/F_0 \tag{4-5}$$

式中　　N——规划区内机井眼数；

　　　　F——规划区内灌溉面积，hm^2；

　　　　其余符号含义同前。

（4）井群布置。水力坡度较大的地区，应沿等水位线交错布井；水力坡度较小的地区，应采用梅花形或方形网格布井。地面坡度大或起伏不平的地区，井应布置于高处，以便于输水和控制最大的灌溉面积；地面坡度较小的地区，井应布置在控制区中央。沿河地带，井行应平行于河流布置。此外，还要充分考虑井位与输变电线路、道路、井带、排灌渠道等的合理结合。

2. 已建井灌区

已建井灌区的成井时间较长，机井质量已发生变化。一些因淤积或地下水位下降而使出水量减少；另一些则由于过多地增打新井造成了机井密度过大、单井出水量过小而形成了不合理的机井布局。因此，在管网规划时应对规划区内现有机井状况进行普查，必要时对井位进行调整，以便进行合理的管网规划布置。

（1）机井布局的调整。已建井灌区属于下列任一情况时应当调整机井布局：①机井密度过大，同时抽水时相互影响，以致单井出水量减少，能耗增大，效益降低；②单井控制面积过大，轮灌周期过长，部分地块不能及时灌溉；③机井质量不好，无修复价值，需更新或新打机井；④在水力坡度较大的地区，上、下游机井相互影响。

（2）机井布局调整的方法与步骤。首先确定规划区内不同水文地质单元各类机井的井距、井数。其次按已确定的井距，结合地下水流向、单井控制灌溉面积、地形、道路等条件，将各类机井布置在规划图上。初步确定井位之后，再对原有机井实地鉴别分类。若原有井位符合规划要求且机井质量符合规范标准，则予以保留；否则，对原有机井进行修复或改造，若原有机井无法修复或改造，则可在原井位附近补打新井。改建规划的井位无机井时，则需增打新井。若原有机井质量符合标准，而井位不符合要求，则可暂时封存以保留备用。

（二）渠灌区

渠灌区管道输水灌溉系统，目前多从支、斗渠取水。支、斗渠高程满足自流灌溉要求时，将水引入进水池连接管道或从支渠直接连接管道。当支、斗渠高程不满足自流灌溉要求时，将水引入进水池后采用水泵提水进入管道。引水时应在支、斗渠引水岸边建分水闸，分水闸前建拦污栅拦截渠道中的杂草，支、斗渠上建节制闸调节支渠水位、流量。分水闸分水后可通过渠道或涵管引水进入水池，然后进入管道。

四、管网规划布置

管网规划布置是管灌系统规划中关键的一部分。一般管网工程投资占管灌系统总投资的70％以上。管网布置的合理与否对管网造价、运行状况和管理维护有很大影响。因此，对管网规划布置方案应反复比较，最终确定合理方案，以减小工程投资和保证可靠运行。

（一）规划布置的原则

（1）井灌区的管网宜以单井控制灌溉面积作为一个完整系统。渠灌区应根据作物布局、地形条件、地块形状等分区布置,尽量将压力接近的地块划分在同一分区。

(2)规划时应首先确定分水口或给水栓的位置。给水栓的位置应当考虑到灌水均匀。若不采用连接软管灌溉,向一侧灌溉时,给水栓纵向间距可在40~50 m之间;横向间距一般按80~100 m布置。在山丘区梯田中,应考虑在每个台地中设置分水口以便于灌溉管理。

(3)在已确定的分水口或给水栓位置的前提下,力求管道总长度最短。

(4)管线尽量平顺,减少起伏和折点。

(5)最末一级固定管道的走向应与作物种植方向一致,移动软管或田间垄沟垂直于作物种植行。在山丘区,干管应尽量平行于等高线,支管垂直于等高线布置。

(6)管网布置要尽量平行于沟、渠、路、林带,顺田间生产路和地边布置,以利于耕作和管理。

(7)充分利用已有的水利工程,如穿路倒虹吸和涵管等。

(8)充分考虑管路中量水、控制和保护等装置的适宜位置。

(9)尽量利用地形落差实施重力输水。

(10)各级管道尽可能采用双向分水。

(11)避免干扰输油、输气管道及电讯线路等。

(二)规划布置的步骤

根据管网布置原则,按以下步骤进行管网规划布置。

(1)根据地形条件分析确定管网类型。

(2)确定分水口或给水栓的适宜位置。

(3)按管道总长度最短原则,确定管网中各级管道的走向与长度。

(4)在纵断图上标注各级管道桩号、高程,分水口或给水栓、保护设施、连接管件及附属建筑物的位置。

(5)对各级管道、管件、出水口等,列表分类统计。

(三)管网布置

管网布置之前,首先根据适宜的畦田长度和给水栓供水方式确定给水栓间距,然后根据经济分析结果将给水栓连接而形成管网。

1. 井灌区典型管网布置形式

当给水栓位置确定时,不同的管道布置形式管道总长度差别较大。因此,工程投资差别也较大。在井灌区管道输水灌溉的发展过程中,总结出如图4-19~图4-25所示的几种常见布置形式。

机井位于地块一侧,控制面积较大且地块近似成方形,可布置成图4-19、图4-20所示的形式。这些布置形式适合于机井出水量60~100 m³/h,控制面积10~20 hm²,地块长宽比基本相同的情况。

机井位于地块一侧,地块呈长条形,可布置成一字形、L形、T形,如图4-21~图4-23所示。这些布置形式适合于井出水量20~40 m³/h,控制面积3~6 hm²,地块长宽比大于3的情况。

机井位于地块中心时,常采用图4-24所示的H形布置形式。这种布置形式适合于井出水量 40~60 m³/h,控制面积 6~10 hm²,地块长宽比小于 2 的情况。当地块长宽比大于 2 时,宜采用图 4-25 所示的长一字形布置形式。

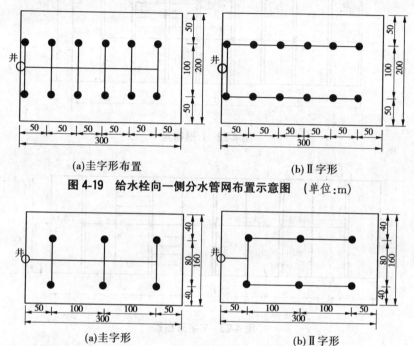

(a)圭字形布置   (b)Ⅱ字形

图 4-19 给水栓向一侧分水管网布置示意图 (单位:m)

(a)圭字形   (b)Ⅱ字形

图 4-20 给水栓向两侧分水管网布置示意图 (单位:m)

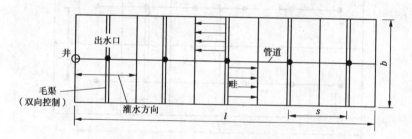

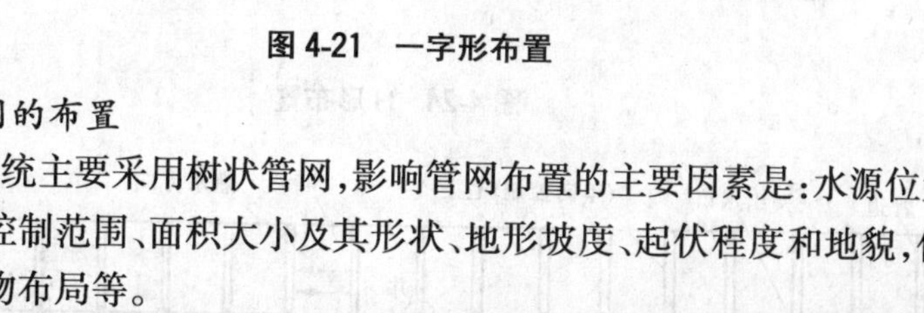

图 4-21 一字形布置

2. 渠灌区管网的布置

渠灌区管网系统主要采用树状管网,影响管网布置的主要因素是:水源位置及其与管灌区的相对位置,控制范围、面积大小及其形状、地形坡度、起伏程度和地貌,作物种植方式、耕作方向与作物布局等。

(1)提水灌溉区。管网一般按树状网布置为固定式和半固定式。根据面积大小可分为干、支、斗三级管道或干、支两级管道。末级管道的最末端应布置在田块的最高处,以便使周围的地块得到灌溉。根据灌溉管理的要求不同,末级管道也可平行于作物种植行布置。分水口分水进入连接末级管道的土垄沟。当末级管道平行于作物种植行时,一般应将管道布置在路边。支管、斗管条数主要由地块的长、宽决定。支管、斗管间距结合现有

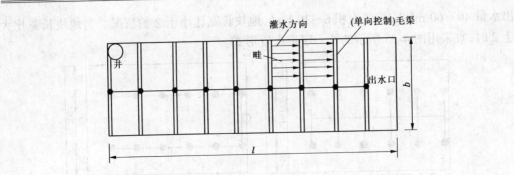

图 4-22　L 形布置

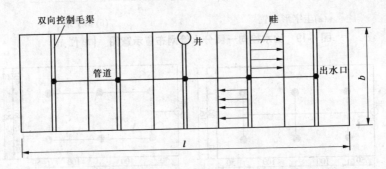

图 4-23　T 字形布置

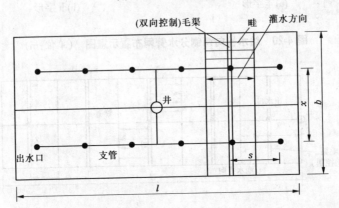

图 4-24　H 形布置

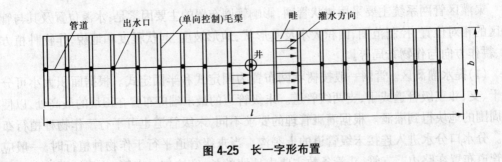

图 4-25　长一字形布置

田间路和排水沟确定,不一定相等。一般来说,大型灌区的管网布置形式没有一定规则。

当地形高低不平时,应分区布置,轮流灌溉。也可向高压分区设置加压泵二次加压提水。

山丘区提水灌溉时,管网呈辐射树枝状。对于较多的台阶式梯田,为了减小施工难度,应减少垂直等高线布置的管道条数,因为垂直等高线的管线无论是开挖沟槽还是管件连接安装难度都比较大。可由垂直等高线管道上的出水口连接移动软管,以减少垂直等高线的管道条数。为了方便灌溉管理,还可在山坡或山顶不同高程的地方设调蓄池,然后由调蓄池再向周围田块自流灌溉。

(2)自流灌溉区。当灌溉田块为窄长式时,可将取水水源引出的干管沿垂直等高线的田间路或田块中间布置,然后向两侧或一侧分水,沿每一台阶的较高位置平行等高线布置支管。分水口位置可根据地形状况因地制宜确定。若田块中有沟壑或低洼地带需要灌溉,可在干管或支管的适宜处引出分干管或分支管进入低洼地带,然后在低洼处布置树状网。

当灌溉田块较宽时,干管应沿平行等高线的最高处布置,然后根据地块宽度划分不同分区,布置垂直等高线的支管,从支管向一侧或两侧再平行等高线布置斗管,沿各条斗管布置分水口。或由支管分水口连接移动软管代替斗管。

总之,在渠灌区应当尽量减少垂直等高线布置的管道条数。只要是条件许可,尽量延长平行等高线布置的管道长度,以减少管件连接、降低施工难度。对于山丘区台阶式梯田,可直接由分水口进入田间土垄沟,或由分水口连接软管移动灌溉以适应地形起伏变化。

五、附属建筑物的布置

(1)闸阀控制室。在干管与支管连接处应设闸阀进行控制,以便轮灌或检修管道时其他管道可正常工作。闸阀均应设闸阀室进行保护。

(2)调蓄池。一般布置在不同分片田块中的较高处,由调蓄池再向周围布置管道,并设控制闸阀,以便向周围田块自流灌溉。

(3)田间蓄水池。在高低起伏不平的山区,特别是有经济作物的地方,由管道直接供水进入田间蓄水池是非常必要的,可及时解决点播、施肥、喷药时用水。

(4)进排气阀。为了及时排除管内气体和避免产生负压向管内补气,要在线路凸起部位设置进排气阀,以供管路充水时及时排气,在止水阀下游低压部位中应及时进气,避免产生负压。即使在没有起伏的直管道中,线路很长时也应每隔 400~500 m 设置一处进排气阀。

(5)减压阀。自流灌区由于地形变化较大,应在坡度变化较大的地方设置减压阀以减小下游工作压力,使下游管道正常运行。

(6)安全阀。为避免因水泵或分水闸门已开启而分水阀门没有打开时造成的管道压力急剧上升而使管道产生破坏,或者运行中阀门突然关闭,水锤压力增大造成管道破坏,应在管路的首端(提水灌溉区)或末端(自流灌溉区)设置安全阀。

(7)量水设施。应普及计量收费,宜在管道控制闸阀前安装量水表以记录灌溉水量。

(8)放水井。为避免管道中泥沙沉积和冬天管内存水引起冻胀,在管路的最低处设置放水阀,并修建放水井,以便将管道存水及时放空。

(9)调压塔。自流灌溉时,为防止因下游侧阀门控制不当而发生水锤或防止管道产生负压,应设置调压塔。一般布设在管路中的凸起部分,断面要保证塔内水面变动尽可能小。

(10)拦污栅。为避免杂质进入管道,应在分水口前设拦污栅,以防管道堵塞。

(11)镇墩。在管道出现起伏的地方,为了防止管道振动破坏,应设置镇墩进行加固连接。

六、田间灌水系统布置

田间灌水系统是指给水栓以下的田间沟渠或配水闸管,以及灌水畦田规格等。输水损失大是造成灌水利用率低的主要原因,但田间灌水工程标准低也是造成灌溉水浪费的重要原因之一。因此,提高田间灌水工程标准是实现作物合理需水要求、提高整个灌溉系统灌水利用率的一项重要措施。

(一)沟畦灌水规格

田间水利用系数、灌水均匀度是评价灌水质量的主要技术指标。在生产实践中,这些技术往往难以形成最佳组合。因此,必须根据当地条件合理确定灌水要素。在灌溉系统中,田间灌水工程首先要满足以下标准:

田间水利用系数

$$\eta_田 = W_田 / W_净 \geqslant 0.95 \tag{4-6}$$

灌水均匀度

$$C_u = 1 - \sum (\Delta Z / Z) \geqslant 0.95 \tag{4-7}$$

式中　$\eta_田$——田间水利用系数;

　　　$W_田$——灌入田间的水量;

　　　$W_净$——田间计划湿润层所需要的水量;

　　　C_u——灌水均匀度;

　　　ΔZ——沟畦各点实际深度与平均蓄水深度的离差;

　　　Z——灌后土壤中的平均蓄水深度。

1. 畦灌灌水要素

畦灌是水在田面上沿畦田纵坡方向流动,均匀湿润土壤。畦田灌水要素应根据灌水定额并结合给水栓出口流量、作物布局和土壤质地等因素通过田间试验确定,或查表4-24给出的参考数据。

2. 沟灌灌水要素

对于棉花、玉米、薯类及某些蔬菜的灌水多采用沟灌。沟灌是在作物行间开沟引水,水从输水垄沟或闸管系统进入灌水沟后,借毛管作用力湿润两侧土壤,以重力作用浸润沟底土壤的灌水方法。为了保证沟灌质量,应合理地确定沟灌的灌水要素,即灌水沟的沟距、长度、入沟流量和放水时间。沟灌适宜的地面坡度为3‰～8‰,坡度过大,水流速度快,不易达到预定的灌水定额。灌水沟的沟距应结合作物行距确定,长度应根据地面坡度大小、土壤透水性及地面平整情况确定。灌水沟长度一般为 30~50 m,最长可达 100 m,入沟流量以 0.5~3 L/s 为宜。沟灌技术要素选择可参考表 4-25。

表 4-24　畦田灌水技术要素

土壤透水性	地面纵坡					
	≤0.002		0.002~0.005		0.005~0.01	
	畦长 (m)	单宽流量 (L/(s·m))	畦长 (m)	单宽流量 (L/(s·m))	畦长 (m)	单宽流量 (L/(s·m))
强	25~50	5~6	30~60	5~6	50~70	4~5
中	30~60	5~6	40~70	4~5	60~80	4~5
弱	40~70	4~5	50~80	3~4	80~100	3~4

表 4-25　灌水沟适宜规格参数

土壤透水性	地面纵坡					
	≤0.002		0.002~0.005		0.005~0.01	
	沟长(m)	流量(L/s)	沟长(m)	流量(L/s)	沟长(m)	流量(L/s)
强	30~40	1.0~1.5	40~60	0.7~1.0	60~80	0.6~0.9
中	40~60	0.7~1.0	70~90	0.5~0.6	80~100	0.4~0.6
弱	50~60	0.5~0.6	80~100	0.4~0.5	90~120	0.2~0.4

(二)入沟(畦)输水方式

1.输水垄沟

输水垄沟仍是当前田间灌溉入畦的主要方式,属于末级输水毛渠。田间支管间距一般在 100 m 左右,故分水口向一侧分水的输水垄沟长度在 50 m 左右。这种输水垄沟是农民长期使用的输水方法,就地挖沟培土,施工简单,开口入畦方便。垄沟底与畦田面保持齐平或稍高于田面,两边培土夯实且高于垄沟内水面。由于输水距离和时间均较短,故产生的输水渗漏损失比较少。

2.闸管系统

闸管系统是代替输水垄沟的一种先进的节水灌溉措施,是管道系统较理想的配套形式。这种方法是将闸管系统与给水栓连接,水通过闸管直接进入畦田,避免了输水垄沟的部分渗漏。闸管系统在国外使用较早,材质多为橡胶管、尼龙管和铝管,每隔 0.8 m 开一小孔,橡胶管和铝管较短、较重且较贵,尼龙管长度在 120 m 左右,管径 145~400 mm,用小轮拖拉机牵引,使用不很方便。近年来,国内已开始研究应用这一技术,我国自行研制的闸管每根长 50 m 左右,管径 90~160 mm,每隔 4 m 开一小放水孔,质量约 3 kg,人工卷起移动方便,抗渗水、抗撕裂性能较强。

闸管一般与末级输水管道垂直布置,这样可控制较多的畦田。闸管也可与管道平行布置,实行退管灌水。特殊情况时,可将数根闸管连接使用,实现远距离输水。

七、管网水力计算

(一)管网设计流量的计算

管网设计流量是水力计算的依据,由灌溉设计流量决定。灌溉规模确定后,根据水源条件、作物灌溉制度和灌溉工作制度计算灌溉设计流量。然后以灌溉期间的最大流量作为管网设计流量,以最小流量作为系统校核流量。

1．灌溉制度

1)设计灌水定额

通常采用作物生育期内各次灌水量中最大的一次作为设计灌水定额,按式(4-8)计算。

$$m = 1\,000\gamma_s h(\beta_1 - \beta_2) \tag{4-8}$$

式中　m——设计灌水定额,m^3/hm^2;

　　　γ_s——计划湿润层土壤干容重,kN/m^3;

　　　h——土壤计划湿润层深度,m;

　　　β_1——适宜土壤含水量(占干土重百分数)上限(%),可取田间持水量的85%～95%;

　　　β_2——适宜土壤含水量(占干土重百分数)下限(%),可取田间持水量的60%～65%。

2)设计灌水周期

根据灌水临界期内的作物最大日需水量值,按式(4-9)计算理论灌水周期,因为实际灌水中可能出现停水,故设计灌水周期应小于理论灌水周期。

$$T_理 = m/E_a,\ T < T_理 \tag{4-9}$$

式中　$T_理$——理论灌水周期,d;

　　　T——设计灌水周期,d;

　　　E_a——控制区内作物的最大日需水量,mm/d;

　　　其余符号含义同前。

控制区内种植作物不同时,过去多采用不同作物灌水周期中的最短周期作为设计灌水周期,这样容易造成管网系统流量过大。因此,种植作物不同时,建议按式(4-10)计算理论灌水周期。

$$T_理 = mA / \sum_{i=1}^{n}(E_{ai}A_i) \tag{4-10}$$

式中　A——系统设计灌溉总面积,hm^2;

　　　E_{ai}——设计时段内不同作物的最大日需水量,mm;

　　　A_i——设计时段内不同作物的灌溉面积,hm^2;

　　　n——作物种类;

　　　其余符号含义同前。

2．灌溉设计流量

灌溉系统的设计流量,要满足需水高峰期多种作物同时灌水要求;应由灌水率图确定,也可按式(4-11)计算确定。

$$Q = \sum_{i=1}^{n} (\alpha_i m_i / T_i) A / (t\eta)$$　　　　　　(4-11)

式中　Q——灌溉系统设计流量,m^3/h;

　　　　α_i——灌水高峰期第 i 种作物的种植比例;

　　　　m_i——灌水高峰期第 i 种作物的灌水定额,m^3/hm^2;

　　　　T_i——灌水高峰期第 i 种作物的设计灌水周期,d;

　　　　t——系统每天工作时间,h;

　　　　η——灌溉水利用系数;

　　　　其余符号含义同前。

当水源或已有水泵流量不能满足灌溉系统设计流量要求时,应取水源或水泵流量作为系统设计流量,并相应减少灌溉面积或调整作物种植比例。

3. 灌溉工作制度

灌溉工作制度是指管网输配水及田间灌水的运行方式和时间,是根据系统的引水流量、灌溉制度、畦田形状及地块平整程度等因素制定的。有续灌、轮灌和随机灌溉三种方式。

1)续灌方式

灌水期间,整个管网系统的出水口同时出流的灌水方式称为续灌。在地形平坦且引水流量和系统容量足够大时,可采用续灌方式。

2)轮灌方式

在灌水期间,灌溉系统内不是所有管道同时通水,而是将输配水管分组,以轮灌组为单元轮流灌溉。系统同时只有一个出水口出流时称为集中轮灌;有两个或两个以上的出水口同时出流时称为分组轮灌。井灌区管网系统通常采用这种灌水方式。

系统轮灌组数目是根据管网系统灌溉设计引水流量、每个出水口的设计出水量以及整个系统的出水口个数按式(4-12)计算的。

$$N = \text{INT}\left[\left(\sum_{i=1}^{n} q_i\right)/Q\right]$$　　　　　　(4-12)

当整个系统各个出水口流量接近时,式(4-12)可简化为式(4-13)。

$$N = \text{INT}(nq/Q)$$　　　　　　(4-13)

式中　N——系统轮灌组数目;

　　　　q_i——第 i 个出水口设计流量,m^3/h;

　　　　n——系统出水口总数;

　　　　INT——取整符号;

　　　　其余符号含义同前。

然后根据轮灌组数编制轮灌组,编组时应综合考虑以下几点:①每个轮灌组内工作的管道应尽量集中,以便于控制和管理;②各个轮灌组的总流量尽量接近,离水源较远的轮灌组总流量可小些,但变动幅度不能太大;③地形地貌变化较大时,可将高程相近地块的管道分在同一轮灌组,同组内压力应大致相同,偏差不宜超过20%;④各个轮灌组灌水时间总和不能大于灌水周期;⑤同一轮灌组内作物种类和种植方式应力求相同,以方便灌溉和田间管理;⑥轮灌组的编组运行方式要有一定规律,以利于提高管道利用率并减少运行费用;⑦同时工作的各出水口的流量差值不应大于30%。

3)随机方式

随机方式用水是指管网系统各个出水口的启闭在时间和顺序上不受其他出水口工作状态的约束,管网系统可随时取水灌溉。这种运行方式多在用水单位较多、作物种植结构复杂及取水随意性大的灌区中采用,在此不作详细介绍。

4.树状管网各级管道流量计算

树状管网各级管道流量按式(4-14)计算。

$$Q_i = nQ/N \qquad (4\text{-}14)$$

式中　Q_i——管段的设计流量,m^3/h;

　　　　n——i管段控制范围内同时开启的出水口个数;

　　　　N——全系统同时开启的出水口个数。

5.环状管网管道流量计算

环状管网管道各管段的流量与各节点的流量均有联系,流向任何一节点的流量不只一条管段。在管径未确定的情况下,到任一节点的水流方向有多种组合,不可能像树状管网一样得到每一管段惟一的流量值。因此,应根据质量守恒定律进行流量分配,即流向任一节点的流量必须等于流出该节点的流量。

$$Q_i + \sum q_{ij} = 0 \qquad (4\text{-}15)$$

式中　Q_i——节点i的节点流量,m^3/h;

　　　　q_{ij}——连接节点i的第j管段流量(流入节点的流量为正,流出为负)。

对于开启1个出水口的单环网管道的设计流量可按式(4-16)计算。

$$Q = Q_d/2 \qquad (4\text{-}16)$$

式中　Q_d——1个出水口的出水流量,m^3/h。

(二)水头损失计算

1.沿程水头损失计算

管道的水头损失计算按式(4-17)计算。

$$h_f = fLQ^m/d^b \qquad (4\text{-}17)$$

式中　h_f——管道沿程水头损失,m;

　　　　f——管材摩阻系数;

　　　　L——计算管段长度,m;

　　　　d——计算管段内径,mm;

　　　　m、b——流量和管径指数;

　　　　其余符号含义同前。

f、m、n值可查表4-26。

表 4-26 *f*、*m*、*b* 值

管材类别	f(Q 以 m^3/s,d 以 m 计)	m	b
混凝土管、钢筋混凝土管			
糙率值　　0.013	1.312×10^6		
0.014	1.516×10^6	2.0	5.33
0.015	1.749×10^6		
0.017	2.240×10^6		
旧钢管、旧铸铁管	6.250×10^5	1.90	5.10
石棉水泥管	1.455×10^5	1.85	4.89
硬塑料管	0.948×10^5	1.77	4.77
铝管、铝合金管	0.861×10^5	1.74	4.74

2. 管道局部水头损失计算

管道局部水头损失按式(4-18)计算。

$$h_j = \zeta v^2/(2g) \tag{4-18}$$

式中　h_j——局部水头损失,m;

　　　ζ——局部水头损失系数(见附录 C);

　　　v——管内流速,m/s;

　　　g——重力加速度,m/s^2。

(三)管径确定

管径确定的方法有计算简便的经济流速法和界限设计流量法,还有借助于计算机进行管网优化的计算方法。

无论采用哪种方法确定管径,都应考虑以下几点:①管网任意处工作压力的最大值应不大于该处材料的公称压力;②管道流速应不小于不淤流速(一般取 0.5 m/s),不大于最大允许流速(通常限制在 2.5~3.0 m/s);③设计管径必须是已有生产的管径规格;④树状管网各级管道管径应由上到下逐级逐段变小;⑤在设计运行工况下,不同运行方式时的水泵工作点应尽可能在高效区内。

在此仅介绍常用的经济流速法。在井灌区和其他一些非重点的管道工程设计中,多采用计算工作量较小的经济流速法。该法根据不同的管材确定适宜流速,然后由式(4-19)计算比较经济的管径,最后根据商品管径进行标准化修正。

$$d = 18.8 \sqrt{Q/v} \tag{4-19}$$

式中　d——计算理论管径,mm;

　　　Q——设计流量,m^3/h;

　　　v——经济流速,m/s。

经济流速受当地管材价格、使用年限、施工费用及动力价格等因素的影响较大。若当地管材价格较低,而动力价格较高,经济流速应选取较小值,反之则选取较大值。因此,在

选取经济流速时应充分考虑当地的实际情况。表 4-27 列出了不同管材经济流速的参考值。

表 4-27　不同管材的经济流速

管材	钢筋混凝土管	混凝土管	石棉水泥管	水泥土管	硬塑料管
v(m/s)	0.8~1.5	0.8~1.4	0.7~1.3	0.5~1.0	1.0~1.5

(四)树状管网水力计算

树状管网水力计算是在管网布置和各级管道流量已确定的前提和满足约束条件下,计算各级管道的经济管径。当管道首端水压未知时,根据管径、流量、长度计算水头损失,确定首端工作压力,从而选择适宜机泵。当管道首端水压已知时,则是在满足首端水压条件下,确定管网各级管道的管径。

1.确定管网水力计算的控制点

管网水力计算的控制点是指管网运行时所需最大扬程的出流点,即最不利灌水点。一般应选取离管网首端较远且地面高程较高的地点。在管网中这两个条件不可能同时具备,因此应在符合以上条件的地点中综合考虑,选出一个最不利灌水点为设计控制点。在轮灌方式中,不同的轮灌组应选择各自的设计控制点。

2.确定管网水力计算的线路

管网水力计算线路是自设计控制点到管网首端的一条管线。对于不同的轮灌组,水力计算的线路长度和走向不同,应确定各轮灌组的水力计算线路。对于续灌方式则只需选择一条计算线路。

3.确定管段流量

在已确定的计算线路中,首先分别计算各级管道的流量。将给水栓作为节点,根据各节点出流量及各管段流量,自控制点沿计算线路向上游逐级推算各管段设计流量。不同轮灌组的计算线路的管段流量可列表计算。同时,还应计算出各配水支管中各管段的流量。

4.各管段管径及水头损失计算

1)给水栓工作水头

在采用移动软管的系统中,一般采用管径为 50~100 mm 的软管,长度一般不超过100 m。给水栓工作水头按式(4-20)计算。

$$H_g = h_{yf} + h_{gi} + \Delta H_{gy} + (0.2 \sim 0.3) \tag{4-20}$$

式中　　H_g——给水栓工作水头,m;

　　　　h_{yf}——移动软管沿程水头损失,m;

　　　　h_{gi}——给水栓局部水头损失,m;

　　　　ΔH_{gy}——移动管道出口与给水栓出口高差,m。

当出水口直接配水入畦时,式(4-20)中 $h_{yf} = 0$,$\Delta H_{gy} = 0$。

2)干管各管段管径确定

对于需配置机泵的管网,首先根据各管段流量和管材确定经济流速,然后根据管段流量和经济流速确定管径。在工程运行中,通常上级管道累计通过的水量大于下级管道,故上级管道的水头损失在运行费用中所占的比例也大于下级管道。因此,确定经济流速时,累计通过水量大的管段应选较小值,累计通过水量小的管段应选较大值。不同管材所选流速范围参考表4-27。

对于已有水泵或自压管网系统,由于管网首端水压已定,首先应根据各出水口高程及所需水头计算线路中各级管道的水力坡度,然后根据各管段设计流量计算管径,最后选择与计算管径值接近的商品管径。

选择管径时,下游管径不应大于上游管径。选择完毕后,还应根据不淤流速和最大允许流速校核各级管道的流速。

3)水头损失计算

根据选用的管材和各管段管径,计算各管段沿程水头损失和局部水头损失。不同轮灌组各管段管径和水头损失应分别计算。在各轮灌组共用的干管管段中应当选取相同的管径,最后选取管网首端压力最高的轮灌组压力为系统设计压力。计算时,局部水头损失可按沿程水头损失的一定比例简化计算,一般为沿程水头损失的10%～15%。控制线路的水力计算可采用表4-28的格式进行。

表 4-28 控制线路的水力计算表

管段	长度	流量	经济流速	管径	校核流速	沿程水头损失	局部水头损失	总水头损失
1～2								
2～3								
…								
$(n-1)～n$								
合计								

5. 控制线路各节点水头推算

输水干管线路中,各节点水压是根据各管段水头损失和节点地面高程自下而上推算得出的。

$$H_0 = H_2 + \sum h_i - H_1 \qquad (4-21)$$

式中 H_0——上游节点自由水头,m;

H_1——上游节点高程,m;

H_2——下游节点高程,m;

$\sum h_i$——上、下游节点间总水头损失,m。

管网各节点及沿线不得出现负压,节点自由水头应满足支管配水要求,且不得大于管材的允许工作压力。管网入口节点的水压确定之后,可根据净扬程计算水泵所需总扬程,以便选择适宜的机泵。

6. 配水支管的管径确定

干管各节点水压确定后,各支管起点水压即可确定。首先根据各支管首末端水头计算各支管平均水力坡度,然后计算各条支管管径。支管之间如有出流,可先确定出流处的水压。由此确定出流处上下管段的平均水力坡度,再分别计算出管段的管径。其中,平均水力坡度为计算管段上下游节点水头差与计算管段管长的比值。

与干管管径的确定方法不同,支管按水力坡度确定管径,以便充分利用干管中各节点的水头。对于自压式和机泵已配置的输配水管网系统,选出各支管最不利灌水点作为控制点计算各支管平均水力坡度,然后根据各管段设计流量和平均水力坡度按式(4-22)计算并确定管径。计算时可按表4-29的格式进行。

$$d = (fQ^m/i)^{1/b} \tag{4-22}$$

式中　i——平均水力坡度,为管段上游节点与下游节点水头差除以管段长度;

　　　其余符号含义同前。

表 4-29　配水支管水力计算表

支管编号	管段	流量	管长	平均水力坡度	计算管径	确定管径	水头损失
支 1	1~2						
	2~3						
支 2	1~2						
	2~3						

(五)环状管网水力计算

树状网和树环混合网均是环状网的特例。目前,国内外环状网水力计算方法的思路基本相同,即简化水头损失计算公式,然后根据连续方程和能量方程建立节点方程,其次是将非线性方程组线性化,最后选择合适的计算方法求解线性方程组。通常,环状网水力计算程序或软件均可用于树状网和树环混合网水力计算。

1. 水头损失公式简化

将式(4-17)和式(4-18)水头损失计算公式简化为下列形式。

$$h = h_f + h_j = [fL/d^b + \zeta/(2gA^2Q^{m-1})]Q^m = cpQ^m \tag{4-23}$$

式中　h——总水头损失,m;

　　　A——管道过流断面面积,m^2;

　　　cp——简化系数;

　　　其余符号含义同前。

2. 节点方程建立

将管网上所有给水栓都看做节点,每个节点可有上游节点集合、下游节点集合和出流量三部分。对于管网的所有节点,规定流入节点的流量取正值,流出节点的流量取负值。

对如图 4-26 所示的任一节点 i,可建立节点的连续方程和能量方程如下。

$$\left.\begin{aligned}
Q_{i-1,i} - Q_{i,i+1} - q_i &= 0 \\
E_{i-1,i} - E_i &= cp_{i-1,i}Q_{i-1,i}^m \\
E_i - E_{i+1} &= cp_{i,i+1}Q_{i,i+1}^m \\
E_i - \dot{Z}_i &= cg_i q^{\beta}
\end{aligned}\right\} \tag{4-24}$$

式中　$Q_{i-1,i}$——上游节点流入节点 i 的流量,$\mathrm{m^3/s}$;

　　　　$Q_{i,i+1}$——i 节点流入下游节点的流量,$\mathrm{m^3/s}$;

　　　　q_i——流出节点 i 的流量,$\mathrm{m^3/s}$;

　　　　$E_{i-1,i}$——i 节点的上游节点能量(水头),m;

　　　　E_i——i 节点的能量(水头),m;

　　　　E_{i+1}——i 节点下游节点能量(水头),m;

　　　　$cp_{i-1,i}$——节点 $i-1$ 与节点 i 间管段流量系数;

　　　　$cp_{i,i+1}$——节点 i 与节点 $i+1$ 间管段流量系数;

　　　　Z_i——给水栓(或出水口)高程,m;

　　　　cg_i——给水栓局部水头损失系数;

　　　　q——给水栓(或出水口)出水量,$\mathrm{m^3/s}$;

　　　　β——给水栓流量指数;

　　　　其余符号含义同前。

cg_i 和 β 根据用户输入的给水栓出水量和工作水头计算。

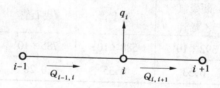

图 4-26　管网节点示意图

由式(4-24)方程组变换后可得下列任一节点的非线性方程组。

$$f_i(E) = \left[(E_{i-1} - E_i)/cp_{i-1,i}\right]^{1/m} - \left[(E_i - E_{i+1})/cp_{i,i+1}\right]^{1/m} - \left[(E_i - Z_i)/cg_i\right]^{1/\beta} \tag{4-25}$$

3. 非线性方程组线性化

管网水力学基本方程式(4-25)是一个大型非线性方程组,该方程组的求解方法很多,但因计算复杂,通常借助于计算机来完成计算工作。

(六)水锤压力计算与防护

有压管道中,由于管内流速突然变化而引起管道中水流压力急剧上升或下降的现象,称为水锤。在水锤情况下,管道有时会因内压力超过管材公称压力或管内出现负压而损坏。

在低压管道系统中,由于压力较小,管内流速不大,一般情况下水锤压力不会过高。

因此,在低压管道中,只要严格按照操作规程并配齐安全保护装置,可不进行水锤压力计算。但对于规模较大的低压管道输水灌溉工程,应进行水锤压力验算。事实上,有些低压管道输水工程管道破裂就是由水锤压力造成的。

1. 水锤压力计算用参数

(1)水锤波传播速度。

对于匀质圆形薄壁管($b/d < 1/20$):

$$C = 1\ 435/\sqrt{1 + Kd/(Eb)} = 1\ 435/\sqrt{1 + \alpha d/b} \tag{4-26}$$

式中　C——均质圆形管($b/d < 1/20$)水锤波传播速度,m/s;

　　　d——管径,m;

　　　b——管壁厚度,m;

　　　K——水的体积弹性系数,kN/m,随水温和水压的增加而增大,25个大气压以下水温10 ℃时 $K = 206$ 万 kN/m^2;

　　　E——管材纵向弹性系数,kN/m^2;

　　　α——水的体积弹性系数与管材纵向弹性系数比值,即 $\alpha = K/E$。

不同管材的 α、E 值见表 4-30。

表 4-30　水的弹性系数和管材弹性系数之比 α 值

管材	钢管	铸铁管	混凝土管	钢筋混凝土管	钢丝网水泥管	石棉水泥管
$E(kN/m^2)$	206×10^4	88×10^6	206×10^5	206×10^5	206×10^5	324×10^5
α	0.01	0.02	0.10	0.10	0.10	0.06

管材	陶土管	硬聚氯乙烯管	灰土管	砌石管	砌砖管
$E(kN/m^2)$	490×10^4	392×10^4	588×10^4	785×10^4	294×10^4
α	0.42	0.53	0.35	0.26	0.70

对于钢筋混凝土管:

$$C = 1\ 435/\sqrt{1 + Kd/[Eb(1 + 9.5a_0)]} \tag{4-27}$$

式中　a_0——管壁内环向含钢系数,$a_0 = f/b = 0.015 \sim 0.05$,$f$ 为每米长度管壁内环向钢筋断面面积;

　　　其余符号含义同前。

(2)水锤相时。其计算公式如下:

$$T_t = 2L/C \tag{4-28}$$

式中　T_t——水锤相时,表示水锤波在管道中来回传播一次所需的时间,s;

　　　L——管道长度,m;

　　　其余符号含义同前。

(3)管道中水柱惯性时间常数。其计算公式如下:

$$T_b = Lv_0/(gH_0) \tag{4-29}$$

式中　T_b——水柱惯性时间常数,s;

　　　v_0——管内为恒定流时(即正常工作时)的水流速度,m/s;

　　　H_0——管内为恒定流时(即正常工作时)的系统正常压力水头,m;

　　　其余符号含义同前。

　　(4)水泵机组转子的惰性时间常数。其计算公式如下:

$$T_a = 26.85GD^2 n_0^2/N_0 \tag{4-30}$$

式中　T_a——水泵机组转子的惰性时间常数,s;

　　　GD^2——机组转子的飞轮惯量,Nm^2,电机转子惯量可从电机样本中查出,水泵转子惯量约为电机转子惯量的20%;

　　　n_0——正常工作时的转速,r/min;

　　　N_0——正常工作时的轴功率,kW。

　　2. 水锤类型判别

　　为了计算水锤压力,首先要判别是直接水锤还是间接水锤,不同类型的水锤计算方法不同。根据阀门关闭历时与水锤相时之间的关系可把水锤压力划分为两种。

　　(1)直接水锤。当阀门关闭历时等于或小于一个水锤相时时,称为瞬时关闭。瞬时关闭阀门所产生的水锤压力称直接水锤,即第一个突然关闭阀门所产生的水锤波尚未反射到阀门前时,阀门已全部关闭。

　　(2)间接水锤。当阀门关闭历时大于一个水锤相时时,称为缓慢历时,此时产生的水锤压力称为间接水锤,即第一个水锤波反射回到阀门时,阀门尚未全部关闭。间接水锤压力小于直接水锤压力。

　　3. 关阀水锤压力计算

　　(1)瞬时完全关闭管道末端(下游)阀门时,在阀前产生的最高压力水头为:

$$H_{max} = H_e + Cv_0/g \tag{4-31}$$

式中　H_e——阀门前的静水头或初始压力水头,m;

　　　其余符号含义同前。

　　(2)瞬时部分关闭管道末端(下游)阀门时,在阀前产生的最高压力水头为:

$$H_{max} = H_e + C(v_0 - v_1)/g \tag{4-32}$$

式中　v_1——瞬时部分关闭阀门后管内产生的流速,m/s;

　　　其余符号含义同前。

　　(3)缓慢关闭自压或恒压灌溉系统末端(下游)阀门时,在阀前产生的最高压力水头为:

$$H_{max} = H_e + H_e T_b(T_b/T_s + \sqrt{4 + (T_b/T_s)^2})/(2T_s) \tag{4-33}$$

式中　T_s——阀门关闭历时,s;

　　　其余符号含义同前。

　　(4)瞬时关闭机压灌溉系统中水泵出口(即管道始端)处的闸阀时,阀后产生的压力水头为:

　　最小值

$$H_{\min} = H_0 - Cv_0/g \tag{4-34}$$

最大值

当 $H_{\min} > -10 \text{ m}$ 时，

$$H_{\max} = H_0 + Cv_0/g \tag{4-35}$$

当 $H_{\min} < -10 \text{ m}$ 时，

$$H_{\max} = 2H_0 + 10 + Cv_1/(g\sqrt{1 + h_w(v_1/v_0)^2/(H_0 + 10)}) \tag{4-36}$$

$$v_1 = v_0 - g(H_0 + h_w + 10)/C \tag{4-37}$$

式中　h_w——管道水头损失，m；

其余符号含义同前。

(5)缓慢关闭机压灌溉系统中水泵出口(即管道始端)处的闸阀时，阀后产生的压力水头为：

$$H_{\min} = H_0 - H_0 T_b(T_b/T_s + \sqrt{4 + (T_b/T_s)^2})/(2T_s) \tag{4-38}$$

式中符号含义同前。

4.事故停泵过程中的水锤计算

在设有单向阀的机压灌溉系统中，最高与最低水锤压力通常在事故停泵过程中出现，故应以此作为验算管道强度的依据。

未设单向阀的机压灌溉系统的最高水锤压力，一般远小于设有单向阀的情况。当系统中未设单向阀门事故停泵时，水泵反转，应以水泵机组允许的最高反转转速作为验算水锤压力的依据，从而合理确定管道设计压力，选配管道阀门和水锤防护措施。

下面介绍事故停泵过程中各主要参数的计算方法。

(1)水泵处出现的最低压力。

$$H_{\min} = K_1(1 - p_1)H_0 - Z \tag{4-39}$$

$$K_1 = H_p/(H_e - h_w) \tag{4-40}$$

式中　$H_{\min}$——水泵处出现的最低压力，m；

　　　Z——泵轴线与正常前池水位的高差，m；

　　　K_1——扬程修正系数；

　　　H_p——水泵的额定扬程，m；

　　　H_e——静扬程，m；

　　　p_1——根据 T_b/T_a 从图 4-27 中曲线 p_1 查得的水泵处最大降压率(相当于工作扬程的百分数)；

其余符号含义同前。

(2)管道中点处出现的最低压力。

$$H'_{\min} = K_1(1 - p_2)H_0 - Z' \tag{4-41}$$

式中　$H'_{\min}$——管道中点处出现的最低压力水头，m；

　　　Z'——管道中点与前池水位的高差，m；

　　　p_2——根据 T_b/T_a 从图 4-27 中曲线 p_2 查得的管道中点处最大降压率；

其余符号含义同前。

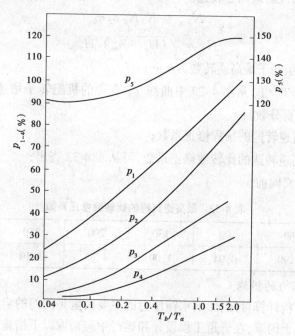

图 4-27 水泵处降压率曲线

若求得的 H_{min} 或 H'_{min} 值低于该处的汽化压力,说明管道中的水柱将产生分离现象,应当采取相应的防护措施。

(3)水泵处出现的最高压力。

$$H_{max} = H_e - Z + K_2 K_4 p_3 H_0 \qquad (4-42)$$

$$K_2 = (H_e - h_w)/H_p \qquad (4-43)$$

式中 H_{max}——水泵处出现的最高压力水头,m;

K_2——最高增压时的扬程修正参数;

K_4——最高增压时的比转数修正系数,可由表 4-31 查得;

p_3——根据 T_b/T_a 从图 4-27 中曲线 p_3 查得的最大降压率;

其余符号含义同前。

表 4-31 最高增压时的比转数修正系数

比转数 n_s	60	90	100	130	190	220	280
K_4	1.06	1.04	1.03	1.00	0.75	0.70	0.65

(4)管道中点处出现的最高压力。

$$H'_{max} = H_e + Z' + K_2 K_4 p_3 H_0 \qquad (4-44)$$

式中 H'_{max}——管道中点处出现的最高压力,m;

p_4——根据 T_b/T_a 从图 4-27 中曲线 p_4 查得的最大降压率;

其余符号含义同前。

(5)机组转子出现的最高逆转速。

$$N_{max} = K_3 K_5 p_5 n_0 \tag{4-45}$$

$$K_3 = \sqrt{(H_e - h_w)/H_p} \tag{4-46}$$

式中　N_{max}——机组转子最高逆转数,r/min;

　　　　p_5——根据 T_b/T_a 从图4-27中曲线 p_5 查得的机组转子增速率(相当于正常转速的百分数);

　　　　K_3——最高逆转速的扬程修正系数;

　　　　K_5——最高逆转速的比转数修正系数,可从表4-32查出;

　　　　其余符号含义同前。

表 4-32　最高逆转速的比转数修正系数

比转数 n_s	60	90	130	200	250	300	350
K_5	0.90	0.94	1.00	1.03	1.10	1.14	1.20

5. 防止水锤压力的措施

由水锤压力分析计算可知,影响水锤压力的主要因素是阀门的启闭时间、管道长度和管内流速。针对以上因素,在管道工程设计和运行中应采取以下措施。

(1)由于间接水锤压力显著小于直接水锤压力,因此在运行时应当延长阀门开关时间,防止急开急关,使开关时间大于水锤相时,而不至于产生直接水锤。

(2)由于水锤压力与管内流速成正比,因此在设计中应控制流速,适当增大管径,不应超过最大流速限制范围。

(3)由于水锤压力与管道长度成正比,应当缩短管道长度,实际上是隔一段距离设置具有自由水面的调压井以削减水锤压力或者设置安全阀。当管道超过一定压力时,阀门自动打开,削减水锤压力。

对于事故停泵过程中产生的水锤,也是通过计算可能出现的最高压力来选取适宜的管道来解决。

总之,只要设计和运行中充分考虑到水锤压力的各种因素就可避免发生直接水锤,产生管道破裂。

第六节　管道输水灌溉工程设计示例

一、基本资料

某项目区位于山东省某县汀水河东岸的艾家白崖村东。项目区南窄北宽,平均东西宽570 m,南北长750 m,面积42.7 hm²。西边界紧靠良沂公路,东边界为排水支沟,南边界是村间公路。东西向有2条田间路和排水农沟贯穿其中,将项目区一分为三,其中A区南北长200 m,东西宽619 m,面积12.4 hm²;B区南北长275 m,东西宽570 m,面积15.7 hm²;C区南北长275 m,东西宽522 m,面积14.3 hm²。

项目区由西北向东南方向倾斜,地形高差约 3.5 m。区内土壤为中壤土,容重 13.73 kN/m³,田间持水率 28.5%(占干土重百分数),最大冻土层深为 0.55 m。种植作物以小麦、玉米为主,一年两季,东西向种植。灌溉水源是汀水河,由艾白崖北电灌站供水。汀水河河底高程为 81.5 m,为了便于提水,在泵站下游设节制闸一处。

二、作物需水量的确定

根据小麦、玉米的需水规律,其需水高峰在小麦灌浆期间,平均日需水强度 E_a = 5.8 mm/d。

三、设计灌水定额及灌水周期

(1)设计灌水定额。

$$m = 1\,000\gamma_s h(\beta_1 - \beta_2)$$

式中　　m——设计灌水定额,m³/hm²;

　　　　h——计划湿润层深度,m,取 0.4 m;

　　　　γ_s——土壤容重,kN/m³;

　　　　β_1、β_2——适宜土壤含水量(占干土重百分数)上、下限(%),分别取田间持水率 95%、65%。

经计算,$m = 469$ m³/hm²。

(2)灌水周期。

$$T = m/E_a$$

式中　　T——设计灌水周期,d;

　　　　其余符号含义同前。

经计算,$T = 8.1$ d,取 $T = 8$ d。

四、工程总体布置

(一)水源工程

灌溉水源为汀水河地表水。汀水河流域面积 102.2 km²,多年平均来水量 3 220 万 m³,75%保证率年来水量 1 933 万 m³。为了充分拦蓄利用地表水,确定在汀水河内新建拦河闸 8 处,改建 6 处,全河闸坝一次性拦蓄水量可达 482 万 m³,可完全满足沿河两岸农业灌溉用水的需要。经化验分析,汀水河水质符合农田灌溉用水水质标准。

汀水河河底高程 81.5 m,泵站设在艾家百崖村北,通过长 115 m 引水管,自汀水河东岸的进水池引水。

(二)管网系统布置

依据项目区水源、地形特点及地块分布情况,项目区供水管网共布置 1 条干管、2 条分干管、3 条支管、24 条斗管,在每条支管进口处设闸阀,支管末端设排水阀(见图 4-28)。

供水干管(*OA* 段 60 m)由泵站引出,沿东西向布置至项目区西边界,再沿项目区西边界南北向布置分干管 2 条,其中北分干(*AB* 段)长 123 m,南分干(*AD* 段)长 397.5 m。

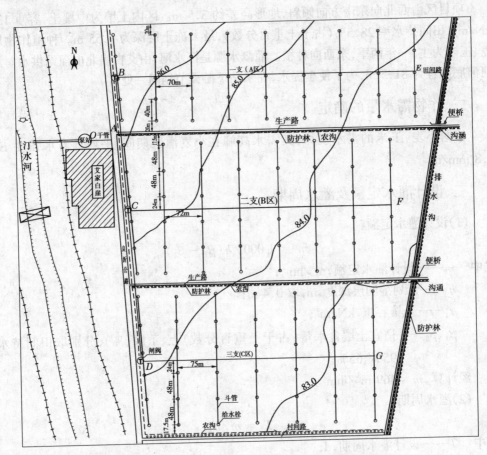

图 4-28　艾家白崖引河泵站管道输水灌溉工程管网布置

北分干控制一条支管(一支管),东西长560 m,南北向垂直作物种植行布置9条斗管,斗管间距为70 m,每条斗管布置5个给水栓,给水栓间距40 m;南分干控制2条支管(二支管和三支管),二支管东西长为504 m,南北向布置8条斗管,斗管间距为72 m,每条斗管布置6个给水栓,给水栓间距48 m;三支管长450 m,南北向布置7条斗管,斗管间距为75 m,每条斗管布置6个给水栓,给水栓间距48 m。给水栓配套地面软管单向供水。

沿地块南边缘修村间路一条,沿A区与B区、B区与C区之间修建生产路和排水农沟各1条。田间积水排向毛沟,再由毛沟排入斗沟。

在生产路与毛沟之间、斗沟两侧植树,树间距4 m。

五、灌溉设计流量的确定

灌溉设计流量按下式计算:

$$Q_{设} = \alpha m A / (\eta T t)$$

式中　$Q_{设}$——管道灌溉系统的设计流量,m³/h;

　　　α——控制性的作物种植比例,冬小麦100%;

　　　m——设计灌水定额,取480 m³/hm²;

A——灌溉系统设计灌溉面积，hm^2；

η——灌溉水利用系数，取 0.8；

t——日工作小时数，h，取 15 h；

其余符号含义同前。

经计算，$Q_{设} = 213.7 \ m^3/h$。

六、管道灌溉系统工作制度确定

为了减小输水管道直径、节省投资，灌溉系统采取干、支管续灌，斗管轮灌方式。每条支管同时运行 1 条斗管，为了便于管理，每条斗管上的给水栓同时开启灌水。

七、管网水力计算

(一)各级管道流量计算

按下式计算各级管道设计流量：

$$Q = (n/N)Q_{设}$$

式中 Q——某一级管道设计流量，m^3/h；

n——该级管道控制范围内同时开启的给水栓个数；

N——全系统同时开启的给水栓个数。

一支管设计流量：一支管一次同时开启 5 个给水栓，则 $Q_{一支} = 62.85 \ m^3/h$。

同理，计算求出二支、三支管道的设计流量为 75.42 m^3/h。

各级管道(段)的设计流量计算结果见表 4-33。

表 4-33　管网系统各级管道(段)设计流量计算结果

管道(段)	设计流量 (m^3/h)	水力计算长度(m)		管道(段)直径(mm)			备注
		最短	最长	计算内径	实际采用管道		
					外径	壁厚	
地面软管	12.57	0	50	60.8	65	0.3	锦塑软管
一支之斗管	31.43	80	80	96.2	110	2.2	
二、三支之斗管	37.71	120	120	105.4	110	2.2	
一支	62.85	0	560	136.1	160	3.2	
二支	75.42	0	504	149.0	160	3.2	
三支	75.42	0	450	149.0	160	3.2	PVC管材
AB 段	62.85	123	123	136.1	160	3.2	
AC 段	150.84	122.5	122.5	210.8	160	3.2	
CD 段	75.42	275	275	149.0	160	3.2	
OA 段	213.7	60	60	250.9	250	4.9	
引水管	213.7	115	115	289.7	309	4.5	钢管

(二)管材及管径选择

考虑施工方便、运行管理费用低等因素,项目区管灌系统设计管材除引水管用钢管外,其余管材全部采用 PVC 管。

按经济流速法确定各级管道的管径:

$$d = 18.8 \sqrt{Q/v}$$

式中　d——管道内径,mm;

　　　Q——管道设计流量,m³/h;

　　　v——管内适宜经济流速,PVC 管材取 1.2~1.3 m/s,钢管取 1.5 m/s。

按各级管道(段)设计流量,计算出各级管道(段)的理论管径及实际采用的管道直径,见表 4-33。

(三)管网系统进口设计压力计算

按照管网系统工作制度,管网系统进口压力在各支管第一条斗管工作时的压力为最小(H_{min});在各支管最后一组斗管工作时的压力为最大(H_{max})。管网系统进口设计压力(H_0)一般按最大和最小压力的平均值近似取用。

(1)管网系统进口最大、最小压力以及设计压力按下式计算:

$$H_{min} = Z_1 - Z_0 + \Delta Z_1 + \sum h_{f1} + \sum h_{j1} + 0.15$$

$$H_{max} = Z_2 - Z_0 + \Delta Z_2 + \sum h_{f2} + \sum h_{j2} + 0.15$$

$$H_0 = (H_{max} + H_{min})/2$$

式中　H_{max}、H_{min}——管网系统进口最大、最小压力,m;

　　　Z_0——管网系统进口高程,m;

　　　Z_1——B、C、D 点的高程,m;

　　　Z_2——E、F、G 点的高程,m;

　　　ΔZ_1、ΔZ_2——B、C、D 点和 E、F、G 点给水栓出口中心线与地面高差,m;

　　　$\sum h_{f1}$、$\sum h_{j1}$——管网系统进口至 B、C、D 点的管路及地面软管沿程水头损失与局部水头损失,m;

　　　$\sum h_{f2}$、$\sum h_{j2}$——管网系统进口至 E、F、G 点的管路及地面软管沿程水头损失与局部水头损失,m。

(2)沿程水头损失按下式计算:

$$h_f = fQ^m L/d^b$$

式中　h_f——管道沿程水头损失,m;

　　　f——摩阻系数,PVC 管材为 0.948×10^5,钢管为 6.25×10^5;

　　　L——计算管道长度,m;

　　　Q——管道设计流量,m³/h;

　　　d——管道内径,mm;

　　　m——流量指数,PVC 管材为 1.77,钢管为 1.9;

　　　b——管径指数,PVC 管材为 4.77,钢管为 5.1。

地面塑料软管的沿程水头损失按 PVC 管材公式及参数计算后，根据软管铺设顺直程度及地面平整情况乘以系数 1.2。

管网水力计算结果见表 4-34。

（3）局部水头损失按总沿程水头损失的 10% 计。管网系统进口设计压力计算结果见表 4-34。

表 4-34　管网系统进口设计压力计算结果

项目		序号	管道长度（m）	流量 $Q(\mathrm{m^3/h})$	管内径（mm）	h_f（m）	h_j（m）	ΣH（m）	备注
泵站首部		(1)					5.00	5.0	
OA 管段		(2)	60	213.7	240.2	0.33	0.05	1.9	含高差1.5 m
地面软管		(3)	50	13	80	0.35	0.05	0.6	含 0.15m
一支 BE 管段（最短）		(4)	0	0	0	1.07	0.16	1.2	含斗管
一支 BE 管段（最长）		(5)	560	62.85	153.6	3.76	0.56	4.3	含斗管
AB 管段		(6)	123	62.85	153.6	0.66	0.10	0.8	
二支 CF 管段（最短）		(7)	0	0	0	0.74	0.11	0.9	含斗管
二支 CF 管段（最长）		(8)	504	75.42	153.6	4.49	0.67	5.2	含斗管
AC 管段		(9)	122.5	150.84	153.6	3.10	0.47	3.6	
三支 DG 管段（最短）		(10)	0	0	0	0.74	0.11	0.9	含斗管
三支 DG 管段（最长）		(11)	450	75.42	153.6	4.09	0.61	4.7	含斗管
CD 管段		(12)	275	75.42	153.6	2.04	0.31	2.3	
引水管段		(13)	115	213.7	300	0.43	0.02	0.5	
水力计算组合	A1=(2)+(3)+(6)+(4)+(13)	(14)						4.9	
	A2=(2)+(3)+(6)+(5)+(13)	(15)						8.0	
	(A1+A2)/2	(16)						6.4	
	B1=(2)+(3)+(9)+(7)+(13)	(17)						7.3	
	B2=(2)+(3)+(9)+(8)+(13)	(18)						11.6	
	(B1+B2)/2	(19)						9.5	
	C1=(2)+(3)+(9)+(10)+(12)+(13)	(20)						9.7	
	C2=(2)+(3)+(9)+(11)+(12)+(13)	(21)						13.5	
	(C1+C2)/2	(22)						11.6	
最不利组合 H_0	引水管—泵站—OA 段—AD 段—DG 段—地面软管	(23)						11.6	

由表 4-34 可知,最不利组合管路为"引水管—泵站—OA 段—AD 段—DG 段—地面软管",此时 $H_0 = 11.6$ m。

八、水泵选型

(1)灌溉系统总扬程。灌溉系统设计扬程按下式计算:

$$H_P = H_0 + \Delta Z + \sum h_{f0} + \sum h_{j0}$$

式中　H_P——灌溉系统设计扬程,m;

　　　　ΔZ——O 点至引水管稳定动水位的距离,m,为 4.0 m;

　　　　$\sum h_{f0}$、$\sum h_{j0}$——水泵吸水管进口至 O 点之间的管道沿程水头损失和局部水头损失,m,由表 4-34 知分别为 0.43 m 和 0.02 m。

可求得 $H_P = 21.05$ m。

(2)水泵及动力设备选型。根据系统设计扬程和系统流量,选用 IS150-125-315A 型水泵,配套电机型号为 180L-4,配套功率 22 kW,轴功率 19.4 kW,效率 79%,叶轮直径 315 mm,泵质量 140 kg,水泵额定流量 224 m³/h,额定扬程 25.2 m,必需汽蚀余量 2.7 m。

九、首部枢纽及管网安全保护设施设计

系统管网首部包括进排气阀、闸阀、逆止阀、水表等设施。另外,在管网系统最高点的 A 点设进排气阀一套。

十、材料设备及投资概算

(略)

第五章　喷灌工程技术

第一节　概　述

一、喷灌的优缺点

喷灌是将灌溉水通过由喷灌设备组成的喷灌系统(或喷灌机具)形成具有一定压力的水,由喷头喷射到空中,形成水滴状态洒落在土壤表面,为作物生长提供必要的水分。

(一)喷灌的优点

(1)提高农作物产量。喷灌时灌溉水以水滴的形式像降雨一样湿润土壤,不破坏土壤结构,为作物生长创造良好的水分状况;由于灌溉水通过各种喷灌设备输送、分配到田间,都是在有控制的状态下工作的,可以根据供水条件和作物需水规律进行精确供水。此外,喷灌还能够调节田间小气候,在干热风季节用喷灌增加空气湿度,降低气温,可以收到良好效果;在早春可以用喷灌防霜。实践表明,喷灌比地面灌可提高产量15%～25%。

(2)节约用水量。因为喷灌系统输水损失极小,能够很好地控制灌水强度和灌水量,灌水均匀,水的利用率高。喷灌的灌水均匀度一般可达到80%～85%,水的有效利用率为80%以上,用水量比地面灌溉节省30%～50%。

(3)具有很强的适应性。喷灌一个突出的优点是可用于各种类型的土壤和作物,受地形条件的限制小。例如,在砂土地或地形坡度达到5%、地面灌溉有困难的地方都可采用喷灌。在地下水位高的地区,地面灌溉使土壤过湿,易引起土壤盐碱化,用喷灌来调节上层土壤的水分状况,可避免盐碱化的发生。由于喷灌对地形要求低,可以节省大量农田地面平整的工程量。

(4)节省劳动力。由于喷灌系统的机械化程度高,可以大大降低灌水劳动强度,节省大量的劳动力。例如各种喷灌机组可以提高工效20～30倍。

(5)提高耕地利用率。采用喷灌可以大大减少田间内部沟渠、田埂的占地,增加了实际播种面积,可提高耕地利用率7%～15%。

(二)喷灌的主要缺点

(1)受风的影响大。喷灌时刮风会吹走大量水滴,增加水量损失。风力还会改变水舌的形状和喷射距离,降低喷灌均匀度,故一般在3～4级风时应停止喷灌。

(2)蒸发损失大。由于水喷洒到空中,比地面灌的蒸发量大。尤其在干旱季节,空气相对湿度较小,蒸发更大,水滴降落到地面之前可以蒸发掉10%。因此,可以在夜间风力小时进行喷灌,减少蒸发损失。

(3)可能出现土壤底层湿润不足的问题。在喷灌强度过大、土壤入渗能力低的情况,会出现土壤表层很湿润而底层湿润不足的问题。采用低强度喷灌,使喷灌强度低于土壤入渗速度,并延长喷灌时间,可使灌溉水充分渗入到下层土壤,且不产生地面积水和径流。

二、喷灌技术的发展

(一)我国喷灌的发展概况

喷灌在我国的发展大致经历了四个阶段:第一个阶段是 20 世纪 50 年代中期到 70 年代中期的科学研究和试验尝试阶段,这一个阶段以研究示范为主,喷灌发展规模小,设备品种少;第二个阶段是 20 世纪 70 年代中期到 80 年代中期的技术发展和设备研制的高潮阶段,这一阶段国家投入喷灌的经费最多,研制开发的喷灌设备最多,喷灌技术发展最快,1985 年全国喷灌面积达到 66 万 hm^2;第三个阶段是 20 世纪 80 年代中期到 90 年代中期徘徊和低潮阶段,这一阶段因农村生产体制的变革以及对节水灌溉的认识比较肤浅,喷灌面积发展不快,各地区的发展也很不平衡,加之国家投资减少,喷灌发展缓慢,喷灌面积一直徘徊在 80 万～93 万 hm^2;第四个阶段是 20 世纪 90 年代中期到 21 世纪初期的恢复和稳步发展阶段,这一阶段国家把发展节水灌溉作为一项基本国策,把发展节水农业列入了工作重点,喷灌作为农业节水灌溉的内容列入了发展计划,资金投入力度加大,喷灌技术和设备研制生产都得到了很大发展,到 2003 年,全国喷灌面积已达到 263.37 万 hm^2,比 1998 年的 151 万 hm^2 翻了近一番。

喷灌不同于传统的地面灌溉,它需要各种专用材料和设备,为此我国研制了轻小型喷灌机、中心支轴式喷灌机、平移式喷灌机、软管牵引绞盘式喷灌机、滚移式喷灌机等设备,其中轻小型喷灌机已形成几十万台的年生产能力,电动中心支轴式喷灌机和滚移式喷灌机也已定型并批量生产。自行开发了塑料管等多种地埋管材和配套管件,开发了薄壁铝管、镀锌薄壁钢管等移动管材,并已形成批量生产能力。喷头以水平摇臂式喷头为主体,先后开发了 PY_1、PY_2 及 ZY_1、ZY_2 四个系列的金属摇臂式喷头以及 PYS 系列塑料摇臂式喷头,此外,还有我国独创的步进式全射流喷头。这些喷头规格比较齐全,均已定型生产。我国原有水泵规格型号中适合轻小型喷灌机组的并不多,且效率偏低,体积及质量偏大。为此研制了喷灌专用系列水泵,具有结构紧凑、体积小、"三化"程度高、配套合理等优点,已普遍推广应用。尽管我国喷灌专用设备的生产还存在质量不稳、综合配套水平不高、专用材质有待开发等问题,但已形成一定的生产能力和供应规模,基本可以满足当前建设节水灌溉工程的需要。

我国在发展喷灌的过程中,结合国情已形成了一套较为完整的技术体系,对世界上绝大多数的喷灌形式都进行了深入细致的研究和示范,包括技术比较复杂的恒压喷灌系统和大型机组式喷灌系统。在管网优化设计、喷头合理组合、自压喷灌、喷头和喷灌自吸泵设计、施工技术等方面均达到了较高的水平。从技术上看,我国的喷灌技术内容丰富、体系完整、集成度和成熟度较高。为了保证喷灌事业的健康发展,我国于 1985 年颁布了国家标准《喷灌工程技术规范》(GBJ85—85)和部标准《喷灌工程技术管理规程》(SD148—85),2003 年和 2004 年又先后颁布了《卷管牵引绞盘式喷灌机使用技术规范》(SL280—2003)和《滚移式喷灌机使用技术规范》(SL295—2004),对规划设计的标准化和规范化发挥了重要作用。针对喷灌使用专用设备多的特点,我国对主要的喷灌设备颁布了国家标准或行业标准,如喷头、管材、自吸泵等,这些标准是喷灌设备生产制造必须遵守的准则和依据。

(二)我国喷灌设备生产现状

我国目前生产的喷灌设备主要是大、中、小、轻型喷灌机,喷灌用水泵,喷灌用地埋管道和地面移动管道,喷头,附属设备等。据统计,截至 2003 年底,我国喷灌工程面积已达 263.34 万 hm^2,其中约 70%采用轻、小型喷灌机,大、中型喷灌机的喷灌面积约占 10%,半固定管道式喷灌约占 20%。

1.喷灌机

(1)大型喷灌机。目前我国生产的大型喷灌机主要有 DYP-415 型电动圆形喷灌机,塔架为 10 跨,系统长度 415 m,一个作业点的控制面积为 60 hm^2。此外,还有 DPP-400 型电动平移式喷灌机,塔架为 10 跨,系统长度 356 m,双侧配置,控制面积 120 hm^2。

大型喷灌机的自动化程度和作业效率高、单机控制面积大、单位面积投资较低,适用于要求机械化程度高的规模化农业发展节水灌溉的需要。

我国的大型喷灌机的开发、研制和生产应用经过 30 多年的努力,积累了一定的技术基础,也有上千台的设备保有量,但产业发展举步维艰。我国大型喷灌机产品的主要差距是能耗高、抗风性能差、整机质量大、专用零部件配套能力不足、防锈蚀工艺落后、系列少等。

(2)绞盘式喷灌机。我国目前批量生产的绞盘式喷灌机有 JP40、JP50、JP65、JP75、JP90、JP110 和 JP125 系列产品,其换代新产品的整机性能已接近国际先进水平,形成了一定的生产规模,产品质量有较大提高。

绞盘式喷灌机因结构的限制,供水管道和水涡轮上的水头损失较大,单喷头配置时入机压力较高,能耗偏大。但该机型机动性好,适应性强,单机控制面积大,单位投资低,用于补充灌溉经济效益显著。目前应用较多的 JP75 型绞盘式喷灌机有效喷洒长度为 300 m,有效喷洒幅度为 50~60 m,喷洒流量 18~27 m^3/h,单机控制面积达 16.7 hm^2,每公顷投资 4 500 元左右。

(3)轻、小型喷灌机。轻、小型喷灌机使用最多的为手抬式和手推式的机组,是当前我国喷灌机具的主力军。我国轻、小型喷灌机已形成相当规模的生产能力,估计年生产能力就可达 40 万~50 万台。

轻、小型喷灌机组机动灵活,使用方便,单位面积投资低,适合我国当前的农村经济体制和农业经营规模,这是它应用广泛的主要原因。但是,这种机型的喷洒质量往往难以保证。轻、小型喷灌机的生产制造分散,产品质量和工艺水平参差不齐,一些企业虽已形成规模生产,但规模效益尚不明显。

2.喷灌专用水泵

我国目前生产的喷灌专用水泵主要是 1982 年原农机部下达任务研制的 50BPZ、65BPZ、80BPZ 等 8 种型号的自吸泵和 65BP、80BP 两种型号的非自吸泵,以及这些专用水泵的变型泵。喷灌专用水泵多是与轻、小型喷灌机配套使用,基本上由喷灌机生产企业组织生产制造。但从整体上看仍存在工艺落后、质量不稳的问题,还没有形成龙头企业和名牌产品。

除喷灌专用水泵外,喷灌工程还广泛使用 QJ 系列井用潜水电泵等通用水泵,这类产品供应充分,市场竞争激烈。目前已初步形成了一些具有较强实力和竞争能力的企业。就整体而言,我国农用水泵的制造水平与国外先进水平相比差距是明显的,突出反映在铸造水平上。

3. 管道

(1)地埋固定管道。我国喷灌工程的地埋固定管道一般使用硬质聚氯乙烯管、改性聚丙烯管、钢丝网水泥管、钢筋混凝土管、铸铁管等,这些管材均可满足喷灌工程的技术要求。其中钢丝网水泥管和钢筋混凝土管运输不便,供应范围有限,塑料管供货充足,管件配套齐全,施工安装方便。

管道式喷灌工程中的管道投资占材料设备费的 70%～80%,降低管材的费用一直是发展喷灌的关键所在。近十几年来,随着塑料工业的发展和应用范围的扩大,塑料管材的产量和质量都有了很大提高,市场供应充足。但由于原材料受国际市场的影响,塑料管材的价格波动很大。

(2)地面移动管道。我国地面移动管道主要使用带有快速接头的薄壁铝合金管和塑料软管。其中薄壁铝管的生产工艺经历了冷拔、焊接、挤压三个阶段,已达到铝材生产的先进水平。挤压铝合金管较冷拔管的成品率高得多,而机械性能又优于焊接管。"十五"期间,国家又把喷灌薄壁铝管列入攻关计划,以进一步提高我国喷灌铝管的性能。

移动铝管快速接头及其他附件一般是由喷灌机厂生产并成套供应移动管道式喷灌系统。地面移动管道中的塑料软管,我国也有足够的生产能力。

目前,我国地面移动铝管的产量、质量都有保障,规格系列齐全,完全能够满足生产需要。

4. 喷头

目前我国生产和使用最多的是 ZY_1、ZY_2 铝合金摇臂式喷头以及 PYS 塑料喷头。我国喷头的生产能力充足,品种齐全,全圆式、可调式喷头,锌铝合金、铜铝合金、锌基合金、增强塑料喷头,其产品性能、使用寿命、性价比等都具有较强的市场竞争力。

我国在大型喷头的开发和制造上与国外存在较大的差距,致使绞盘式喷灌机整机性能不佳,还有待进一步研制开发。

第二节　喷灌系统的分类与特点

一、喷灌系统的组成

喷灌系统通常由水源工程、水泵及配套动力机、输配水管道系统和喷头等部分组成(见图 5-1)。

(一)水源工程

河流、湖泊、水库、池塘和井泉等都可作为喷灌的水源,但都必须修建相应的水源工程,如泵站及附属设施、水量调蓄池和沉淀池等。

(二)水泵及配套动力机

水泵将灌溉水从水源点吸提、增压、输送到管道系统。喷灌系统常用的水泵有离心

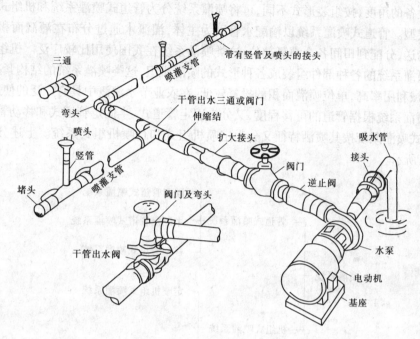

三通

带有竖管及喷头的接头

喷灌支管

弯头

干管出水三通或阀门

伸缩结

喷头

扩大接头

吸水管

竖管

接头

喷灌支管

阀门

堵头

逆止阀

喷灌支管

阀门及弯头

水泵

干管出水阀

电动机

基座

图 5-1　喷灌系统组成示意图

泵、自吸式离心泵、深井潜水泵等。在有电力供应的地方常用电动机作为水泵的动力机；在用电困难的地方可用柴油机、拖拉机等作为动力机与水泵配套。动力机功率的大小根据水泵的配套要求而定。

(三)管道系统

管道系统的作用是将压力水输送并分配到田间。通常管道系统有干管和支管两级，在支管上装有用于安装喷头的竖管。在管道系统上装有各种连接和控制的附属配件，包括弯头、三通、接头、闸阀等。为了在灌水的同时施肥，在干管或支管上端还装有肥料注入装置。

(四)喷头

喷头是喷灌系统的专用部件，喷头安装在竖管上，或直接安装于支管上。喷头的作用是将压力水通过喷嘴喷射到空中，并形成水滴状，洒落在土壤表面。

(五)附属设备和附属工程

喷灌工程中还要用到一些附属设备和附属工程。例如，从河流、湖泊、渠道取水，要有拦污设施；为保护喷灌系统安全运行，应设有排气阀、调压阀、减压阀、安全阀、泄水阀等；为观察喷灌系统运行状况，在水泵进出管路上应设有真空表、压力表和水表，在管道系统上设有闸阀；利用喷灌进行化肥和农药施用时，还要有调配和注入设备等。移动喷灌机组在田间作业，还需要在田间修建引水渠和调节池及相应的建筑物，将灌溉水从水源引到田间，以满足喷灌的需要。

二、喷灌系统的分类

可按不同的方法对喷灌系统进行分类。

从设备的角度,按组装形式不同,可将喷灌系统分为管道式喷灌系统和机组式喷灌系统两种类型。管道式喷灌系统以输配水管网为主体,灌溉水通过分布在灌溉面积上的各级管道输送、分配到田间各个灌溉部位,这类喷灌系统在我国使用比较广泛。机组式喷灌系统将喷灌系统的各种部件组装成各种形式的喷灌机组,这类喷灌系统的结构紧凑,使用灵活,机械利用率高,单位喷灌面积的投资较低,在农业节水灌溉中具有广泛的使用前景。管道式喷灌系统根据管道的可移程度,又分为固定管道式、半固定管道式和移动管道式系统;机组式喷灌系统按其喷洒特征又分为定喷机组式和行喷机组式系统。上述分类体系如图5-2所示。

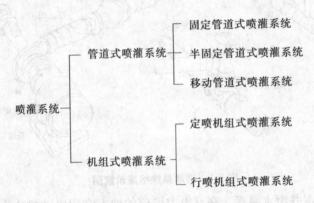

图 5-2　喷灌系统分类体系

若按获得压力的方式,又可分为机压式和自压式喷灌系统。

(1)机压式喷灌系统。即喷头喷水所需压力依靠动力机经水泵加压得到的喷灌系统。目前,绝大多数喷灌系统都属于此类,是最为普遍的形式,也是最容易实现的形式。其缺点是消耗能量较多。

(2)自压式喷灌系统。这种系统喷头喷水所需要的压力是依靠自然水头得到的。在有水源的山区、丘陵地区都有这种条件。自压式喷灌系统能够充分利用自然水能,管理费用低、投资少、有效工作时间长、灌水生产率高,并且不受电源和机泵故障的影响,不需要输水渠和机行道,土地利用率高,大大减少了系统运行的费用,是值得大力推广的方式。但自压式喷灌系统所需要的地形条件也带来了一些特殊的问题,如系统压力随高程变化而变化,相差悬殊。在规划设计中要考虑压力分区的问题,有时还需考虑减压和调压问题。

三、各类喷灌系统的特点及适用条件

(一)固定管道式喷灌系统

水泵与动力机构成固定的泵站,各级管道多埋入地下(也有固定于地面的),喷头装在固定于支管的竖管上,亦即系统各组成部分(通常除喷头可装卸以外)在整个灌溉季节,甚至常年固定不动。

固定管道式喷灌系统运行操作方便,易于管理,生产效率高,工程占地少,且便于实行自动化控制。其主要缺点是设备利用率低、耗材多、投资大,目前我国固定管道式系统的

设备投资一般为 6 750~9 000 元/hm², 其中管道投资常占 50% 以上, 甚至达 80% 左右。

固定管道式系统适用于灌水次数频繁、经济价值较高的蔬菜和经济作物区, 以及城市园林、花卉、绿地的喷灌。

(二)移动管道式喷灌系统

有可以移动的水泵及动力机组, 配有一定数量的可移动管道和喷头, 亦即整个喷灌系统除水源及水源工程以外, 从水泵与动力机、各级管道, 直到喷头都可以拆卸移动, 轮流使用于不同地块。

移动管道式喷灌系统设备利用率高, 设备用量与投资造价较低。其缺点是机、泵、管等设备的拆装搬移劳动强度较大, 生产效率较低, 有时还会损伤作物; 设备的维修、保养工作量大。

移动管道式喷灌系统适用于各种作物, 但对于高秆密植作物, 土质黏重或地形复杂的情况, 将给设备的拆装移动带来困难。

(三)半固定管道式喷灌系统

泵站和干管固定不动, 支管和喷头是可移动的。与固定管道式系统相比, 由于支管可以移动并重复使用, 减少了用量, 降低了投资; 与移动管道式系统相比, 由于机、泵、干管不移动, 方便了运行操作, 提高了生产效率。因此, 半固定管道式喷灌系统的设备用量、投资造价和管理运行条件均介于固定管道式与移动管道式之间。

(四)定喷机组式喷灌系统

在田间布设一定规格的输水明渠或暗管, 每隔一定距离设置供抽水用的工作池, 喷灌机沿渠(管)移动, 在每个预定的抽水点(工作池)处作定点喷洒。根据所用的机组不同又可分为单喷头机组和多喷头机组两种系统。

这种系统形式简单, 施工方便, 使用灵活, 一套机组反复使用, 设备简单, 投资小, 动力还可综合利用。其缺点是机具移动频繁, 劳动强度大, 管理不便, 喷灌质量不易保证, 田间工程占地多。适用于喷洒质量要求不高、灌水次数不多的地方或临时抗旱性的喷灌。对于解决山丘地区零星、分散耕地的灌溉, 是一种较好的形式。

(五)行喷机组式喷灌系统

在田间按一定规格修建供水设施, 喷灌机在连续移动过程中进行喷洒灌溉。

行喷机组式喷灌系统机械化、自动化程度高, 运行操作方便, 工作效率高, 节省操作管理人员, 喷洒时受风的影响小, 均匀度较高, 但一般耗能较多, 一次性投资较高, 维修保养需较高的技术水平。

行喷机组式系统一般适用于土地开阔连片、地形平坦、田间障碍物少, 以及经济条件、技术力量较强的地方。但由于行喷式喷灌机类型多样、规模各异, 故其优缺点与适用条件不尽相同, 在采用时应根据拟选机型的规格与性能做出具体分析。

第三节 喷灌系统的主要设备

一、喷头

喷头是喷灌系统最重要的部件, 压力水经过它喷射到空中, 散成细小水滴并均匀散落到它所控制的灌溉面积上,亦称为喷洒器。它的作用和任务是将水流的压力能量转变为动能,喷射至空中形成雨滴,均匀分配洒布至灌溉面积上,对作物进行灌溉。喷头可以安装在固定的或移动的管路上、行喷机组桁架的输水管上以及绞盘式喷灌机的牵引架上,并与其相匹配的机、泵等组成一个完整的喷灌机或喷灌系统。喷头性能的好坏以及对它的使用是否妥当,将对整个喷灌系统或喷灌机的喷洒质量、经济性和工作可靠性等起决定性作用。

(一)喷头的分类、结构参数和性能指标

1.喷头的分类

可按不同的方法对喷头进行分类。如按喷头的工作压力(或射程)、工作特征和材质等对其分类,一般用得最多的有下列两种。

1)按工作压力和射程分类

按工作压力和射程大小,大体上可以把喷头分为微压喷头、低压喷头(或称近射程喷头)、中压喷头(或称中射程喷头)和高压喷头(或称远射程喷头)四类,见表5-1。

表5-1　喷头按工作压力和射程分类

类别	工作压力 (kPa)	射程 (m)	流量 (m³/h)	特点及适用范围
微压喷头	50~100	1~2	0.008~0.3	耗能量省,雾化好,适用于微型灌溉系统,可用于花卉、园林、温室作物的灌溉
低压喷头 (近射程喷头)	100~200	2~15.5	0.3~2.5	耗能少,水滴打击强度小,主要用于菜地、果园、苗圃、温室、公园、草地、连续自走行喷式喷灌机等
中压喷头 (中射程喷头)	200~500	15.5~42	2.5~32	均匀度好,喷灌强度适中,水滴合适,适用范围广,如公园、草地、果园、菜地、大田作物、经济作物及各种土壤等
高压喷头 (远射程喷头)	>500	>42	>32	喷灌范围大,生产率高,耗能高,水滴大,适用于对喷洒质量要求不太高的大田、牧草等的灌溉

2)按结构形式和喷洒特征分类

按喷头结构形式和喷洒特征,可以分为旋转式(射流式喷头)、固定式(散水式、漫射式)喷头、喷洒孔管三类,此外还有一种同步脉冲式喷头。

(1)旋转式喷头。这是绕其自身铅垂轴线旋转的一类喷头,它把水流集中呈股状,在空气作用下碎裂,边喷洒边旋转。因此,它的射程较远,流量范围大,喷灌强度较低,均匀度较高,是中射程和远射程喷头的基本形式,也是目前国内外使用最广泛的一类喷头。但要限制这类喷头的旋转速度,并应使喷头安装铅直以保证基本匀速转动。

因为驱动机构和换向机构是旋转式喷头的重要部件,因此根据驱动机构的特点,旋转式喷头还可以分为摇臂式(撞击式)、叶轮式(蜗轮蜗杆式)和反作用式三种。其中摇臂式喷头根据导水板的形式还可分为固定导流板式摇臂喷头和楔导水摆块式摇臂喷头;反作用式喷头还可分为钟表式、垂直摆臂式、全射流式(射流元件式)等。根据是否装有换向机构和喷嘴数目,旋转式喷头又有全圆喷洒、扇形喷洒和单喷嘴、双喷嘴等形式。

（2）固定式喷头。固定式喷头是指喷洒时，其零部件无相对运动的喷头，即其所有结构部件都固定不动。这类喷头在喷洒时，水流在全圆周或部分圆周（扇形）呈膜状向四周散裂。它的特点是结构简单、工作可靠、要求工作压力低（100～200 kPa），故射程较近，距喷头近处喷灌强度比平均喷灌强度大（一般在 15～20 mm/h 以上），一般雾化程度较高，多数喷头喷水量分布不均匀。

根据固定式喷头的结构特点和喷洒特征，它还可以分成折射式、缝隙式和漫射式三种。

（3）喷洒孔管。喷洒孔管又称孔管式喷头，其特点是水流在管道中沿许多等距小孔呈细小水舌状喷射。管道常可利用自身水压使摆动机构绕管轴作 90°旋转。喷洒孔管一般由一根或几根直径较小的管子组成，在管子的上部布置一列或多列喷水孔，其孔径仅0.5～2 mm。根据喷水孔分布形式，又可分为单列和多列喷洒孔管两种。

喷洒孔管结构简单，工作压力比较低，操作方便，但其喷灌强度高，由于喷射水流细小，所以受风影响大，对地形适应性差，管孔容易被堵塞，支管内水压力受地形起伏变化的影响较大，对耕作等有影响，并且投资也较大，故目前大面积推广应用较少，在国内一般仅用于温室、大棚等固定场地的喷灌。

（4）喷灌带。喷灌带类似于喷洒孔管，它是由塑料薄膜制成的带状喷水孔管，价格低廉，收放灵活方便，适于较小地块使用，灌水均匀。

上述各种喷头中，我国目前使用最多的是摇臂式喷头、垂直摇臂式喷头、全射流喷头、折射式喷头等，特别是摇臂式喷头和固定式喷头在我国应用很普遍。

2. 喷头的结构参数

1）进水口直径 D

进水口直径是指喷头空心轴或进水口管道的内径，单位为 mm。通常较竖管内径小，因而流速较大，一般流速控制在 3～4 m/s 范围内，以减小水头损失。决定进水口直径大小的因素一般是减少水头损失和结构轻小紧凑等。一个喷头的进水口直径确定以后，其过水能力和结构尺寸也大致确定了，我国目前 PY 系列喷头就是以进水口公称直径来命名喷头的型号，对于旋转摇臂式喷头，《旋转式喷头类型与基本参数》（GB5670.1—85）规定进水口公称直径为 10、15、20、30、40、50、60、80 mm 等 8 种类型。

2）喷嘴直径 d

喷嘴直径为喷头出水口最小截面直径，指喷嘴流道等截面段的直径，单位为 mm。喷嘴直径反映喷头在一定的工作压力下通过水流的能力。在压力相同的情况下，一定范围内，喷嘴直径愈大，喷水量也愈大，射程也愈远，但是其雾化程度则相对下降；反之，喷嘴直径愈小，其喷水量愈小，射程也相对较近，但是其雾化程度相对较好。

3）喷嘴仰角 α

喷嘴仰角是指射流刚离开喷嘴时水流轴线与水平面的夹角。在工作压力和流量相同的情况下，喷头的喷射仰角是影响射程和喷洒水量的主要参数。选定适宜的喷射仰角可以获得最大的射程，从而可以降低喷灌强度和增大喷灌管道的间距。这样有利于充分利用喷头，扩大其覆盖范围，降低管道式喷灌系统中的管道投资，减少喷头的运行费用。

喷射仰角一般在 20°～30°之间，大、中型喷头的仰角 α 大于 20°，小喷头的仰角 α 小于 20°，目前我国常用喷头的喷射仰角多为 27°～30°。为了提高抗风能力，有些喷头已采用 21°～25°之间的喷射仰角。对于小于 20°的喷射仰角，我们称为低喷射仰角。低喷射仰角喷头一般多用于树下喷灌以及微量喷灌的场合，对于特殊用途的喷灌，还可以将喷射仰角选得更小。

3. 喷头的性能指标

1) 压力

喷头压力包括工作压力和喷嘴压力。工作压力是指喷头工作时，其进水口前的压力，即距喷头进水口 20 cm 处测取的静水压力，单位为 kPa，一般在此处的竖管上安装压力表来测量；喷嘴压力是指喷头出口处的水流总压力（即流速水头），它可以用来评价喷头性能的好坏。喷头的工作压力和喷嘴压力非常接近，喷嘴压力是工作压力减喷头内过流部件的水力损失而得出的，所以这个损失越小，喷头内部的流道就越好，产品质量也就越高。

2) 流量

喷头流量是指单位时间内喷头喷出的水的体积，单位为 m^3/h 或 L/min。影响喷头流量的主要因素是工作压力和喷嘴的直径。同样的嘴径，工作压力愈大，喷头的流量也就愈大，反之亦然。喷头的流量可以用体积法、重量法、堰法、流量计法等测量而得出，也可以用水力学管嘴出流公式计算，即

$$Q = 3\,600 \mu A \sqrt{2gh_p} \tag{5-1}$$

$$A = \pi d^2/4 \tag{5-2}$$

式中　Q——喷头流量，m^3/h；

μ——喷头流量系数，取 0.85～0.95，一般喷嘴锥角大的（45°、50°等）取下限，锥角小的（15°、25°等）取上限；

A——喷嘴过水断面面积，m^2；

d——喷嘴直径，m；

g——重力加速度，为 9.81 m/s^2；

h_p——喷头的工作压力水头，m。

3) 射程

射程是指在无风情况下，喷头正常工作时的喷洒湿润圆半径，即指喷洒有效水所能达到的最远距离，又称喷洒半径，单位为 m。

射程可由实测得出。对于旋转式喷头，为了统一标准，规定在无风条件下正常工作时，量水筒中每小时收集的水深为 0.3 mm（对于喷水量低于 250 L/h 的喷头为 0.15 mm/h）的那一点到喷头旋转中心的水平距离作为射程。

对于旋转式喷头，当其结构参数确定后，它的射程就主要受工作压力和转速的影响，在一定的工作压力变化范围内，压力增大，射程也相应地增大。超过这一压力范围，压力增加只会提高雾化程度，而射程不再会增加。喷头射程随转速的增大而减小，当转速接近零时，它的射程达到最大。

在喷头流量相同的条件下，射程愈大，则单个喷头的喷灌强度就愈小，其组合喷灌强度也愈小，喷头的布置间隔则可以适当地增大。这对于降低成本、提高适应性大有好处，所以射程是喷头的一个重要的水力性能指标。

旋转式喷头射程的测试和计算方法可以参见《旋转式喷头试验方法》(GB5670.3—85)。

4）喷灌强度

喷灌强度是指单位时间内喷洒到单位面积上水的体积，或单位时间喷洒的水深，单位为 mm/h。它是喷头的主要参数之一，连同喷灌均匀度和水滴雾化程度，是衡量喷头水力性能的重要指标。

喷头的计算喷灌强度可用下式来表示：

$$\rho_s = 1\,000q/S \tag{5-3}$$

式中　ρ_s——喷头的计算喷灌强度，mm/h；

　　　　q——喷头流量，m^3/h；

　　　　S——单喷头喷洒控制面积，m^2。

应根据具体情况确定喷头控制的喷洒面积，如喷头作全圆喷洒时，$S = \pi R^2$；喷头作扇形喷洒时，$S = \pi R^2 \alpha / 360°$（$\alpha$ 为扇形角）。喷头性能参数表给出的喷灌强度，一般均指上述的计算喷灌强度，如果喷头的计算喷灌强度太大，意味着这个喷头容易产生水洼和径流，造成土壤侵蚀。

5）水滴的打击强度

喷灌时喷洒水滴的打击强度，是指喷洒作物受水面积范围内，水滴对作物或土壤的打击动能。它与喷洒水滴的大小、水滴降落速度和水滴密度密切相关，一般使用雾化指标 ρ_d 或水滴直径大小来表征喷灌水滴打击强度，即

$$\rho_d = 1\,000h_p/d \tag{5-4}$$

式中　ρ_d——雾化指标；

　　　　h_p——喷头工作压力水头，m；

　　　　d——喷嘴直径，mm。

对于同一喷嘴来说，ρ_d 值越大，说明其雾化程度越高，水滴直径越小，打击强度也越小。

6）喷洒水量分布特性

常用水量分布图来表示喷洒水量分布特性，水量分布图是指在喷灌范围内的等水深（量）线图，能准确、直观地表示喷头的特性。水量分布特性是影响喷灌均匀度的主要因素。影响喷头水量分布的因素很多，其中风的影响较大。一个作全圆喷洒的旋转式喷头，如转速均匀，在无风情况下，其水量分布等值线图是一组以喷头为中心的同心圆。通常为了更直观地看到水量分布情况，在互相垂直的两个直径方向，取水量分布等值线图的剖面，给出喷头径向水量分布曲线，如图 5-3 所示。

在有风情况下，风对水量分布的影响如图 5-4 所示。从图 5-4 上可以看出，风使水量分布等值线图的逆风带变陡而收缩，顺风带变缓而伸长，整个湿润面积缩小，喷灌强度变大。所以在喷灌系统的规划设计中，喷头布置间距的确定一定要考虑风的影响。

喷头工作压力是喷头最基本的工作参数，改变工作压力会引起射程、喷头流量、雾化程度及水量分布等方面的变化。对于喷头水量分布来说，喷头的工作压力过高，可使水流分裂加剧，裂变快，有过多的水量落在了喷头附近，射程也会随之减小，喷洒均匀度就不

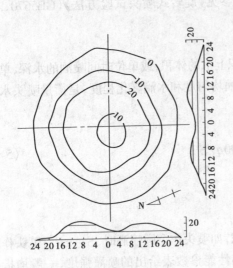

图5-3　喷头水量分布

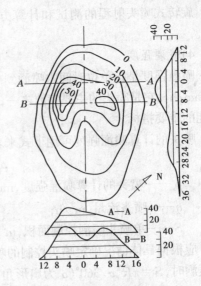

图5-4　风对喷头水量分布的影响

好;压力过低,水流分裂情况不足,大部分的水量射到了远处,导致喷洒不均匀。只有当压力适中时,喷头的水量分布曲线才近似一等腰三角形,如图5-5所示。

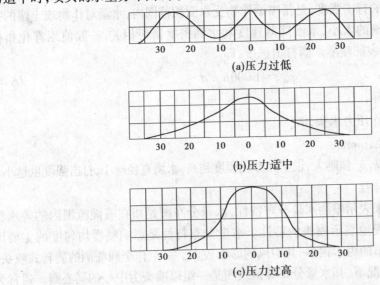

图5-5　在不同压力下单个喷头的水量分布

(二)摇臂式喷头

1.摇臂式喷头的结构

摇臂式喷头虽然有许多结构形式,但基本上都由下列几部分组成。

(1)旋转密封机构。常用的有径向密封和端面密封两种形式,由减磨密封圈、胶垫(或胶圈)、防沙弹簧等零件组成。

(2)流道。水流通过喷头时的通道,包括空心轴、喷体、喷管、稳流器、喷嘴等零件。

(3)驱动机构。由摇臂、摇臂轴、摇臂弹簧、弹簧座等零件组成,其作用是驱动喷头转动。

（4）扇形换向机构。由换向器、反转钩、限位环(销)等零件组成，其作用是使喷头在规定的扇形范围内喷洒。

（5）连接件。摇臂式喷头与供水管常用螺纹连接，其连接件多为喷头的空心轴套。

摇臂式喷头的结构详见图5-6和图5-7。

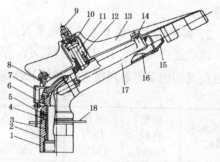

（a）摇臂式喷头外形　　　　　　　　（b）摇臂式喷头结构

图5-6　单嘴带换向机构的摇臂式喷头

1—空心轴套；2—减磨密封圈；3—空心轴；4—防沙弹簧；5—弹簧罩；6—喷体；7—换向器；
8—反转钩；9—摇臂调位螺钉；10—弹簧座门；11—摇臂轴；12—摇臂弹簧；13—副臂；
14—打击块；15—喷嘴；16—稳流器；17—喷管；18—限位环

摇臂式喷头与其他旋转式喷头在结构上的不同之处在于驱动机构，驱动摇臂式喷头旋转的是摇臂机构，摇臂在射流作用下绕自轴摆动，以较大的碰撞冲量撞击喷管或喷体，使喷头旋转。这种间歇施加的撞击驱动力矩，时间短、作用力大，能使喷头转速均匀而稳定，射流集中定向，所以，摇臂式喷头的射程较远而均匀度较高。

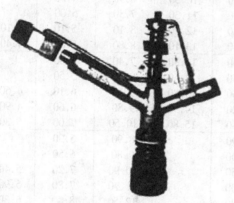
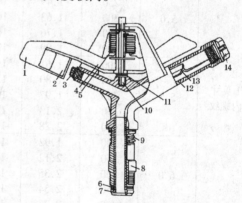

（a）双喷嘴摇臂式喷头外形　　　　　（b）双喷嘴摇臂式喷头的典型结构

图5-7　双喷嘴摇臂式喷头

1—导水板；2—挡水板；3—小喷嘴；4—摇臂；5—摇臂弹簧；6—三层垫圈；7—空心轴；8—轴套；
9—防沙弹簧；10—摇臂轴；11—摇臂垫圈；12—大喷管；13—整流器；14—大喷嘴

摇臂机构中的摇臂、摇臂弹簧及弹簧座都套装在摇臂轴上，摇臂轴固定在喷管或喷体的上部。摇臂弹簧端插入摇臂中部的框架上，另一端插入弹簧座。座上端面有几道交叉线槽，任一道线槽都可嵌入一只固定在轴上的销钉，这样，旋转弹簧座就可以调节弹簧的弹力，从而改变摇臂张角的大小。一般为了便于调节摇臂导流器的受水深度和减小摩擦阻力,摇臂常采用悬挂式结构。

摇臂前端有导流器,后端有平衡重,中间为摇臂框架。摇臂在射流和弹簧的交替作用下,绕摇臂轴作往复摆动。它的作用:一是接受喷嘴射流所施加的能量,驱动摆臂加速,撞击喷管,从而使喷头旋转;二是导流器周期性地切入射流击碎水柱,使喷洒水量得到均匀的分布。

2. 摇臂式喷头的型号及性能参数

国产摇臂式喷头有 ZY_1 系列、ZY_2 系列、PY_1 系列、PY_2 系列等。表 5-2、表 5-3 列出了目前常用的 ZY 系列喷头的型号及性能参数,供参考。

表 5-2　ZY_1 型系列喷头的性能参数

接头形式及尺寸	喷嘴直径(mm)	工作压力(kPa)	喷头流量(m^3/h)	喷头射程(m)	喷头间距(m×m)			
					12×12	12×18	18×18	18×24
					喷灌强度(mm/h)			
1英寸内螺纹	4.0	200	0.85	13.40	5.90	3.90		
		250	0.96	14.20	6.70	4.50		
		300	1.04	14.70	7.20	4.80	3.20	
		350	1.12	15.10	7.80	5.20	3.50	
		400	1.21	15.50	8.40	5.60	3.70	
	4.5	200	1.08	13.70	7.50	5.00		
		250	1.20	14.50	8.30	5.50	3.70	
		300	1.32	15.20	9.20	6.10	4.10	
		350	1.40	15.80	9.80	6.60	4.40	
		400	1.53	16.50	10.60	7.10	4.70	
	5.0	200	1.33	14.30	9.20	6.10	4.10	
		250	1.49	15.20	10.30	6.90	4.60	
		300	1.63	16.00	11.30	7.50	5.00	
		350	1.76	16.80	12.20	8.10	5.10	4.10
		400	1.89	17.40	13.10	8.80	5.80	4.40
	5.5	200	1.61	14.60	11.30	7.40	5.00	
		250	1.80	15.50	12.60	8.30	5.50	
		300	1.97	16.60	13.80	9.10	6.10	4.60
		350	2.13	17.20	14.90	9.80	6.60	4.90
		400	2.28	17.80	15.80	10.50	7.00	5.30
	6.0	200	1.92	14.90		8.90	5.90	
		250	2.12	16.00		9.80	6.50	
		300	2.35	17.30		10.90	7.20	5.40
		350	2.54	18.00		11.70	7.80	5.90
		400	2.71	18.70		12.50	8.40	6.30
	6.5	200	2.26	15.00		10.50	7.00	
		250	2.53	16.20		11.80	7.80	
		300	2.77	17.40		12.10	8.60	6.40
		350	3.00	18.10		13.90	9.30	7.00
		400	3.20	18.80		14.90	9.90	7.40
	7.0	200	2.62	15.20		12.10	8.10	
		250	2.93	16.50		13.60	9.10	6.80
		300	3.22	17.60		15.00	9.70	7.50
		350	3.48	18.70		16.20	10.70	8.10
		400	3.72	19.40		17.20	11.50	8.60

表 5-3　ZY₂ 型系列喷头的性能参数

接头形式及尺寸	喷嘴直径(mm)	工作压力(kPa)	喷头流量(m³/h)	喷头射程(m)	喷头间距(m×m)			
					12×12	12×18	18×18	18×24
					喷灌强度(mm/h)			
1英寸内螺纹	6.0	200	1.92	16.30	5.90			
		310	2.38	18.50	7.30	5.50		
		400	2.71	19.60	8.30	6.30	4.80	
	6.5	200	2.25	16.80	6.90	5.20		
		300	2.76	18.90	8.50	6.40	4.80	
		400	3.18	20.10	9.80	7.40	5.50	
	7.0	200	2.61	17.00	8.00	6.00		
		300	3.20	19.10	9.90	7.40	5.50	
		400	3.69	21.00	11.40	8.60	6.40	5.10
	7.5	200	2.99	17.50	9.20	6.90		
		300	3.67	19.80	11.30	8.50	6.40	
		400	4.23	21.20	13.00	9.80	7.30	5.90
	8.0	200	3.40	18.00	10.50	7.90		
		300	4.18	20.40	12.90	9.70	7.20	
		400	4.81	22.00	14.80	11.10	8.30	6.70
	8.5	200	3.84	18.20	8.90			
		350	5.08	22.10	11.80	8.80	7.00	
		400	5.44	22.50	12.50	9.40	7.50	
	9.0	300	5.29	21.70	12.20	9.20	7.40	
		400	6.09	23.40	14.10	10.50	8.40	6.70
		500	6.81	24.60	15.80	11.80	9.40	7.60
	9.5	300	5.89	21.90	13.60	10.20	8.20	
		400	6.79	23.50	15.70	11.80	9.40	7.50
		500	7.58	25.80		13.10	10.50	8.40
	10.0	300	6.53	21.90		11.30	9.00	
		400	7.52	24.10	15.10	13.00	10.40	8.30
		500	8.40	26.50		14.60	11.70	9.30
	6.0×3.1	200	2.43	16.30	7.50			
		310	3.01	18.50	9.30			
		400	3.43	19.60	10.60	7.90	5.90	
	7.0×3.1	200	3.12	17.00				
		300	3.82	19.10	9.60	8.80	6.60	
		400	4.11	21.00	11.80	10.20	7.60	6.10
	8.0×4.0	200	4.26	18.00	13.10	9.90		
		300	5.23	20.40	16.10	12.10	9.10	
		400	6.03	22.00	18.60	14.00	10.50	8.40
	9.0×4.0	300	6.34	21.70		14.70	11.00	8.80
		400	7.31	23.40		16.90	12.70	10.20
		500	8.17	24.60		18.90	14.20	11.30
	10.0×4.0	300	7.58	21.90			13.20	10.50
		400	8.74	24.10		17.50	15.20	12.10
		500	9.76	26.50			16.90	13.50

(三)垂直摇臂式喷头

1.结构

垂直摇臂式喷头是一种反作用式喷头,它是利用水流通过垂直摇臂的导流器所产生的反作用力,获得驱动力矩的旋转式喷头,它的主要优点是受力情况比摇臂式喷头好。这是因为摆臂不直接撞击喷管,正转时摆臂配重和摆臂轴处配重在运动时对于摆臂轴的作用力方向相反,可以抵消部分撞击力。同时,由于摆臂在与喷管近于平行的平面内运动,摆臂运动的作用力和射流运动产生的作用力相反,也产生一个平衡力矩,因此驱动平稳。

垂直摇臂式喷头是一种中、高压型的喷头。除幼嫩作物外,其他作物都能适应,另外,它还可以喷洒污水或粪液等混合液体。

垂直摇臂式喷头的结构虽然各厂家有所差异,但概括起来可以分为流道(包括空心轴、喷体、喷管、稳流器、喷嘴等零件)、旋转密封机构(包括轴承座、轴承、密封圈等零件)、驱动机构(包括摇臂、反向摇臂、摇臂轴等零件)、换向机构(包括挡块、滚轮、换向架、拉杆、弹簧等零件)和限速机构(包括摩擦垫、压插、压簧等零件)五个部分,具体结构见图5-8。这种喷头与供水管之间常用法兰连接。

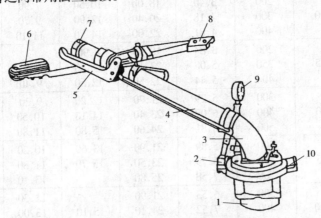

图5-8　垂直摇臂式喷头结构图

1—空心轴套;2—换向架;3—喷体;4—喷管;5—反转摇臂;6—摇臂;
7—喷嘴;8—配重铁;9—压力表;10—挡块

喷头圆环形喷孔出口处有一倾角,射流通过时,虽流量系数有所降低,但能促进射流裂散。喷管一般较长,为喷管直径的8倍以上,稳流栅常用效果较好的星形结构。限速机构包括摩擦片、压缩弹簧和调节螺栓等,摩擦片的压力均布在喷头座上,所以,只要改变弹簧的压缩行程,即可改变摩擦片上的压力,亦即起到控制转速的作用。反转时是靠反转臂、反转传动杆及换向架等部件进行的。因此,垂直摇臂式喷头绕喷体中心垂直轴的正、反转是靠两套机构实现的。

2.垂直摇臂式喷头的型号及性能参数

垂直摇臂式喷头的型号及性能参数见表5-4。

(四)全射流喷头

全射流喷头是我国自20世纪70年代以来研制的一种用于农田灌溉的喷头,它是通过水流反作用力获得驱动力矩,利用水流附壁效应改变射流方向的旋转式喷头。全射流喷头工作时,压力水通过喷头出口处的水射流元件。水射流元件不仅完成射流的均匀喷洒任务,而且还要改变水射流的偏转方向,并与其辅助构件(换向器等)共同完成喷头自动正、反向均匀旋转的动作。

表 5-4　垂直摇臂式喷头的型号及性能参数

型号	接头形式	喷嘴直径 (mm)	工作压力 (kPa)	喷头流量 (m³/h)	喷头射程 (m)	喷灌强度 (mm/h)
PYC40	法兰连接	12.0 14.0 16.0 18.0 20.0	300～450 350～450 400～500 400～500 400～500	8.0～11.0 12.5～13.0 17.0～19.0 21.0～23.0 27.0～30.0	29.0～31.0 32.0～35.0 35.0～36.0 37.0～42.0 37.0～44.0	3.03～3.64 3.38～3.88 4.42～4.67 4.15～4.88 4.93～6.28
PYC60	法兰连接	18.0 20.0 22.0 24.0	400～500 400～500 500～600 500～600	23.0～26.0 28.0～32.0 38.0～42.0 16.0～50.0	36.0～39.0 38.0～41.0 44.0～47.0 46.0～50.0	5.44～5.65 6.06～6.17 6.05～6.25 6.37～6.92
PCL40	法兰连接		300～500	8～30	29.4～44	
PCL60	法兰连接		400～600	23～50	36～50	

　　全射流喷头最大的优点是:运动部件小,无撞击部件,构造较简单,喷洒性能较好等。主要缺点是喷嘴磨损后要更换整个射流元件,有的射流元件上有很小的工作孔,加工不便且易发生阻塞故障等。

　　目前,我国研制的全射流喷头都是采用附壁式水射流元件,从旋转方式上可以分为两类,即连续式和步进式。连续式推动喷头旋转的反作用力是连续单向的,互作用腔内壁为曲线,元件通道截面采用矩形。步进式是间歇施加驱动力矩,使喷头一步一步地近于匀速推进,互作用腔内壁为直线,元件通道截面多采用圆形。由于控制射流附壁的机构(又称脉冲发生器或步进开关)不同,步进式又分好几种形式。

　　全射流喷头是由密封机构、喷体、喷管(包括稳流器)、水射流元件和换向机构等主要部分组成。与其他旋转式喷头比较,不同的是驱动机构和换向机构。

　　1.连续式全射流喷头的结构

　　连续式全射流喷头是由流道(空心轴、喷体、喷管、稳流器、射流元件等)、驱动机构(射流元件)、旋转密封机构(包括密封胶圈、推力轴承、挡圈等零件)和换向机构(换向器、塑料管、限位销等)几部分组成。喷头与供水管为螺纹连接,图5-9为连续式全射流喷头的结构简图。

　　与其他喷头的不同之处是,全射流喷头的射流元件既是喷嘴,又是喷头的驱动机构。连续式全射流喷头的射流元件有圆截面和方截面两种。

　　连续式全射流喷头结构较简单,雾化好,不易出故障,已在生产中广泛使用,但由于转速不易控制,稳定性较差,而且方形喷嘴使水流紊乱,水舌容易过早地被粉碎,因而射程较近,喷灌强度较大。

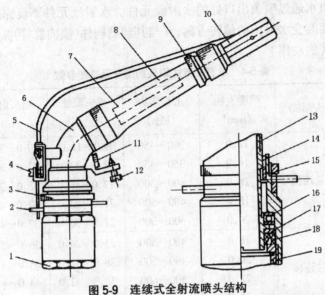

图 5-9　连续式全射流喷头结构

1—管接头；2—限位销；3—锁紧螺母；4—换向器；5—塑料管；6—喷体；7—稳流器；8—喷管；
9—锁紧螺母；10—射流元件；11—副喷嘴；12—雾化针；13—空心轴；14—滚针；15—小挡圈；
16—轴承；17—大挡圈；18—U 形密封圈；19—空心轴套

2. 步进式全射流喷头的结构

步进式全射流喷头是为克服连续式全射流喷头转动不易稳定的缺点而研制的，目前定型生产的有水流互控和水流自控两种形式。结构上除射流元件控制部分外，其余部分均与连续式喷头相同，这里只介绍两种射流元件的结构。

水流互控步进式全射流喷头的射流元件结构见图 5-10。水流自控步进式全射流喷头的射流元件是由防沙罩、出口、接嘴、附壁件、防沙圈、元件接头和 O 形密封圈等零件组成的，其具体结构见图 5-11。

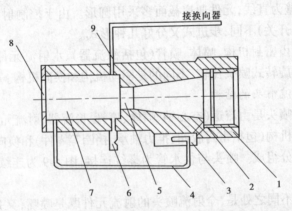

图 5-10　水流互控步进式全射流喷头的射流元件结构

1—主元件；2—防沙圈；3—副元件；4—回水塑料管；5—喷嘴；
6—水斗；7—主元件相互作用区；8—出口；9—连接换向器塑料管

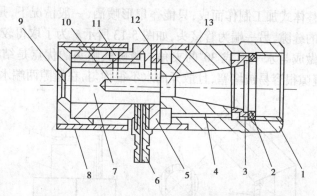

图 5-11 水流自控步进式全射流喷头的射流元件结构

1—元件接头；2—O形密封圈；3—防沙圈；4—信号源孔；5—附壁件；6—接嘴；
7—相互作用区；8—防沙罩；9—出口；10—容室；11—补气孔；12—抽负孔；13—喷嘴

(五)固定式喷头

喷洒时其零部件无相对运动的喷头，称为固定式喷头。固定式喷头又称漫射式喷头或散水式喷头，其特点是在喷灌过程中所有部件相对于竖管是固定不动的，而水流是在全圆周或部分圆周(扇形)同时散开。这样水流分散、射程短(5~10 m)、喷灌强度大(15~20 mm/h以上)。多数喷头的水量分布规律是近处的喷灌强度比平均喷灌强度高得多，因而使用范围受到很大的限制。但是其结构简单，没有旋转部分，工作可靠，而且要求的工作压力比较低，一般水滴比较细，所以常用在公园、草地、苗圃、温室等处。另外，还用于悬臂式喷灌机、中心支轴式喷灌机和平移式喷灌机上，以节约能源。

按固定式喷头的结构和喷洒特点可将其分为三类：折射式、缝隙式和离心式。

1.折射式喷头的结构

喷射水流经过折挡，裂散成水滴的固定式喷头，称为折射式喷头。这种喷头有内支架式、外支架式和整体式三种，喷头由喷嘴、折射锥和支架等部分组成。具体结构见图5-12。

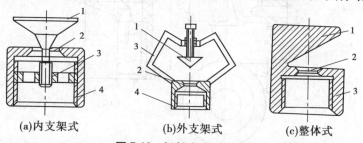

(a)内支架式 (b)外支架式 (c)整体式

图 5-12 折射式喷头结构

1—折射锥；2—喷嘴；3—支架；4—管接头

折射式喷头的工作原理是：当喷头工作时，有压水流由喷嘴直接垂直射出后，遇到折射锥的阻挡，形成薄水层而向四周射出，在空气阻力作用下，伞形的薄水层就散裂为小水滴而降落到地面。

2.缝隙式喷头的结构

缝隙式喷头工作时，有压水流经过特制的缝隙，喷出后裂散成水滴，是一种固定式喷头。这种喷头均为整体式加工制作而成,只能作扇形喷洒,一般情况下,是在封闭的管端附近开出一定形状的缝隙,另一端为管接头,如图 5-13 所示。为了取得较大的射程,有的喷头将其喷射缝隙做成与水平面成 30° 的夹角。缝隙式喷头的优点是结构简单,比较容易制作,但是它的缝隙很容易被堵塞,且散开的水不很均匀,在缝隙两端水流相对较集中。

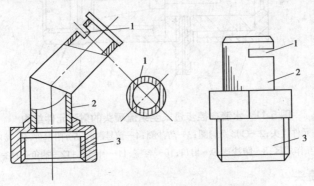

图 5-13　两种缝隙式喷头结构

1—缝隙;2—喷体;3—管接头

缝隙式喷头的工作原理与折射式喷头的工作原理基本相同,只是其有压水流经过固定不动的缝隙喷嘴喷出,形成一个扇形的薄水层,然后在空气阻力的作用下逐渐裂散成水滴,降落到地面。

3. 离心式喷头的结构

离心式喷头(又称漫射式喷头)是指有压水流一经喷出即裂散成水滴的固定式喷头。这种喷头主要由喷嘴、锥形轴(螺旋轴)、喷体、接头等部分组成。具体结构见图 5-14。

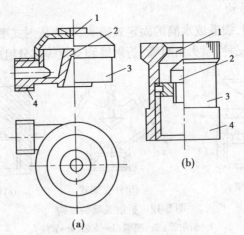

(b)

(a)

图 5-14　漫射式喷头结构

1—喷嘴;2—锥形轴(螺旋轴);3—喷体;4—接头

离心式喷头的工作原理是:喷头开始工作时,经过竖管的有压水流沿切线方向(见图 5-14(a))或沿螺旋孔道(见图 5-14(b))进入喷体,使水流绕垂直的锥形轴或壁面产生涡流运动,这样水从喷孔中呈中空的环状锥形薄水层,并同时具有沿径向外的离心速度和沿切向旋转的圆周速度向外喷出,甩出的薄水层水流在空气阻力作用下,被裂散成细小的水滴而降落在喷头四周的地面上。

离心式喷头的优点是工作压力低,雾化程度比较高,水滴细小,对作物打击强度小。其缺点是喷洒控制面积较小。因此,多用于苗圃、温室、花卉喷灌和行喷式喷灌机具上,这种喷头均为全圆式喷洒,特别适用于草坪等地方。

二、管道与管件

(一)分类及适用条件

管道是喷灌系统的主要部件,用于喷灌系统的管道种类很多,各有自己的特点和适用条件。可以从不同的角度对喷灌管道进行分类。按使用方式可将喷灌管道分为固定管道和移动管道两类;按材料可将喷灌管道分为金属管道和非金属管道两类。

金属管道的原料为金属,有铸铁管、钢管、薄壁铝合金管、薄壁镀锌钢管等。非金属管道又分为脆硬性管和塑料管两种:脆硬性管的主要原料是水泥,有自(预)应力钢筋混凝土管、石棉水泥管等;塑料管有聚氯乙烯管、聚乙烯管、改性聚丙烯管、涂塑软管(维塑软管和锦塑软管)等。

各种管道的物理力学性能不同,适用条件不同。金属管道、石棉水泥管、自(预)应力钢筋混凝土管、硬塑料管可埋入地下作为固定管道;薄壁金属管质量小、拆装移动方便,可用做移动管道;维塑软管和锦塑软管通常做移动管道。

(二)固定管道及管件

1. 铸铁管

铸铁管的优点是:承压能力大,一般为 1 MPa;工作可靠;寿命长,一般可使用 30~60年;管件齐全,加工安装方便等。缺点是:质量大,搬运不方便;价格高;一般使用 10~20年后内壁产生铁瘤,内径变小,阻力加大,降低输水能力。铸铁管分为连续铸铁管和砂型离心铸铁管两种。它们的尺寸、外形、质量另见有关资料。

2. 钢管

钢管的优点是:承压能力大,工作压力为 1 MPa 以上;具有较强的韧性;不易断裂;管件品种齐全;铺设安装方便等。缺点是:价格高;易腐蚀;寿命较短,常年输水钢管的使用寿命一般约 20 年。钢管有无缝钢管(热轧无缝钢管和冷拔无缝钢管)和低压流体输送用焊接钢管。喷灌常用低压流体输送用焊接钢管的技术性能指标和规格见表 5-5。

钢管的连接方法一般有焊接、螺纹接头或法兰接头连接。水、煤气用钢管管件品种规格齐全,价格比较便宜,容易买到,可用于地埋管的连接。

3. 钢筋混凝土管

钢筋混凝土管有自应力钢筋混凝土管和预应力钢筋混凝土管两种,可以承受 0.4~0.7 MPa的压力。它们的优点是:使用寿命较长,一般可用 40~60 年以上;安装施工方便;输水能力稳定;接头密封性好,使用安全可靠等。缺点是:自重大,运输不便;质脆,耐撞击性差;价格较高等。其规格和性能参数详见第四章表 4-6~表 4-9。

表 5-5　低压流体输送用焊接钢管的规格

公称口径 (mm)	外径		普通钢管			加厚钢管		
	公称尺寸 (mm)	允许偏差	壁厚		理论质量 (kg/m)	壁厚		理论质量 (kg/m)
			公称尺寸 (mm)	允许偏差		公称尺寸 (mm)	允许偏差	
6	10.0		2.00		0.39	2.50		0.46
8	13.5		2.25		0.62	2.75		0.73
10	17.0		2.25		0.82	2.75		0.93
15	21.3	±0.50 mm	2.75		1.25	3.25		1.45
20	26.8		2.75		1.63	3.50		2.01
25	33.5		3.25	+12% −15%	2.42	4.00	+12% −15%	2.91
32	42.3		3.25		3.13	4.00		3.78
40	48.0		3.50		3.84	4.25		4.58
50	60.0		3.50		4.88	4.50		6.16
65	75.5		3.75		4.64	4.50		7.88
80	88.5	±1%	4.00		8.34	4.75		9.81
100	114.0		4.00		10.85	5.00		13.44
125	140.0		4.50		15.04	5.50		18.24
150	165.0		4.50		17.81	5.50		21.63

注:1. 本表摘自 GB3092—82。

2. 表中的公称口径为近似内径的名义尺寸,不等于公称外径减去两个公称壁厚所得的内径。

3. 应能承受下列规定的冲压试验值:普通钢管为 2 MPa,加厚钢管为 3 MPa。

4. 硬塑料管

喷灌常用的塑料管有硬聚氯乙烯管、聚乙烯管、聚丙烯管等。它们的承压力按管壁厚度和管径不同而异,一般为 0.4～1.0 MPa。硬塑料管的优点是:耐腐蚀,使用寿命长,一般可用 20 年以上;质量小,搬运容易;内壁光滑,水力性能好,过水能力稳定;有一定的韧性,能适应较小的不均匀沉陷。缺点是:材质受温度影响大,高温发生变形,低温变脆;受光、热老化后,强度逐渐降低,工作压力不稳定;膨胀系数大等。

聚乙烯管有高密度聚乙烯管(简称 HDPE 管)和低密度聚乙烯管(简称 LDPE 管)。前者为高硬度管(比 PVC 管略柔软),后者为低硬度管(半软管)。硬聚氯乙烯管、聚乙烯管的规格和技术性能标准详见第四章表 4-1～表 4-4。

(三)移动管道及管件

喷灌系统的移动管道由于经常需要移动,除了要满足喷灌用的一般要求外,还必须轻便、拆装简便,耐磨、耐撞击,能经受风吹日晒,常用的移动管有薄壁铝管、薄壁钢管、聚乙烯管和涂塑软管等。

1. 薄壁铝管

薄壁铝管的优点是:质量小;能承受较大的工作压力;韧性强,不易断裂;不锈蚀,耐酸性腐蚀;内壁光滑,水力性能好;寿命长,一般可使用 15 年。缺点是:价格较高;抗冲击力差,怕砸,怕摔;耐磨性不及钢管;不耐强碱性腐蚀等。喷灌常用的薄壁铝管的规格见表 5-6,供参考。

表 5-6　薄壁铝管规格

外径 (mm)	壁厚 (mm)	长度 (mm)	质量 (kg/m)	工作压力 (MPa)	试验压力 (MPa)
65	1.5	6 000、5 000	0.81	1	1.5
76	1.5		0.97		
102	2.0		1.70		
125	2.0		2.25		
33	4.0	500、1 000	1.0	1	1.5
48	4.0		1.5		

注:1. 薄壁铝管为冷拔无缝管。

2. 直径 65~125 mm 为移动输水管,直径 33 mm 和 48 mm 为立管。

目前国内喷灌用薄壁铝管管件主要有铝合金铸造件和冲压镀锌钢件。铝合金铸件不怕锈蚀,使用管理简便,有自泄功能,而冲压镀锌钢件转角大,对地形变化适应能力强。

薄壁铝管的接头为快速接头,其结构形式见图 5-15 和图 5-16,规格如表 5-7、表 5-8 所示。

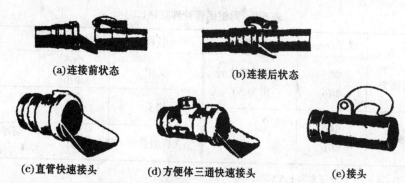

(a)连接前状态　　　　　　(b)连接后状态

(c)直管快速接头　　(d)方便体三通快速接头　　(e)接头

图 5-15　薄壁铝管单挂钩快速接头

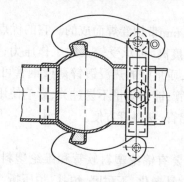

图 5-16　薄壁铝管冲压镀锌钢接头

表 5-7　薄壁铝管管件规格(一)

名称	规格(mm)	名称	规格(mm)
直管快速接头	Φ50 Φ65 Φ76 Φ102 Φ125	变径短管	125×102
		法兰变接头	Φ65 Φ76 Φ102
立管三通快速接头	Φ50 Φ65 Φ76 Φ102	堵头	Φ50 Φ65 Φ76 Φ102 Φ125
三通	Φ65 Φ76 Φ102	支架	Φ50 33×1.5 48×1.5
S形管	Φ102		

表 5-8　薄壁铝管管件规格(二)

名称	规格(mm)	说明	名称	规格(mm)	说明
双钩快速接头	Φ65 Φ76	与管轴线之转角为30°	支架	Φ65 Φ76	
			堵头	Φ65 Φ76	
90°弯头	Φ65 Φ76		立管组合件	25	不包括立管方便控制阀

注:工作压力≤1 MPa,试验压力为1.5 MPa。

2.薄壁钢管

薄壁钢管是用0.7~1.5 mm带钢卷焊而成的。它的优点是:质量小(仅约为水或煤气管质量的1/5),搬运方便;强度高,可承受较大的工作压力;韧性好,不易断裂;抗冲击力强,不怕一般的碰撞;寿命长,质量好的热浸镀锌薄壁钢管可使用10~15年。但是,它的耐锈蚀能力不如铝管和塑料管;镀锌质量不易过关,影响使用寿命,而且价格较高;质量较铝管和塑料管大,移动不如铝管、塑料管方便。

(四)涂塑软管

用于喷灌的涂塑软管主要有锦纶塑料软管和维纶塑料软管两种。涂塑软管的质量小,便于移动,价格低,但是它易老化,不耐磨,怕扎,怕压折,一般只能使用2~3年。

涂塑软管接头一般使用内扣式消防接头或灌溉专用快速接头,其规格性能指标见第四章表4-16、表4-17。

(五)控制部件及安全部件

为确保喷灌系统按计划供水和安全运行,在系统内安装有必要的控制部件和安全部件,主要是控制阀、减压阀、排进气阀、水锤消除器以及各种专用阀等。

1. 控制部件

控制部件的作用是保证按计划向系统内各部分分配输送预定的流量和供水量,主要有各种阀门和专用给水部件。

(1)闸阀。闸阀是喷灌系统使用较多的阀门。它的优点是阻力小,开关力小,水可从两个方向流动;缺点是结构复杂,密封面容易被擦伤而影响止水功能,高度较大。

与闸阀相类似的阀门还有截止阀。其阻力较大,水只能单方向流动,购买时要特别注意。

(2)球阀。球阀的优点是结构简单,体积及质量小,对水流阻力小;缺点是启闭速度不易控制,因而管内可能产生较大的水锤压力。球体形式有浮动球体和刚性支承球体两种。浮动球体适合于小直径及低压系统;刚性支承球体适用于大直径及高、中压系统。球阀多安装在喷头进口前,用于开关控制喷头。

(3)给水栓。半固定喷灌系统的固定管与移动管的连接控制部件通常是给水栓。其结构由上下两部分组成,下部为阀体,与固定管出水口连接;上部为阀门开关,与移动支管连接,可任意水平转动360°。给水栓的规格性能见第四章表4-18。

(4)竖管快接控制阀。竖管快接控制阀是支管和喷头竖管的连接控制部件(又称为方便体)。工作时将装好喷头的竖管插上,打开支管出水口;停止工作时,取下喷头竖管自动封闭支管出水口,两种竖管快接控制阀的规格和技术参数见表5-9,其结构见图5-17。

表5-9 喷灌系统竖管快接控制阀规格

型号	规格(mm)	工作压力 (MPa)	试验压力 (MPa)
TPL	Φ50×33	1	1.5
	Φ65×33	1	1.5
	Φ76×33	1	1.5
	Φ76×48	1	1.5
PKC	25	1	1.5

2. 安全部件

为保证喷灌系统的安全运行,必须在管网适当的位置安装相应的保护部件,防止事故的发生。保护部件主要有以下几种。

(1)下开式停泵水锤消除器。下开式停泵水锤消除器用于防护突然停泵时,因降压可能产生的水锤压力对管道的破坏,它一般与止回阀配合使用,目前国内生产的下开式直接水锤消除器只有在小流量、高扬程、长管道的场合,其防护效果才比较理想。但当事故停泵过程中初始阶段的最大压降接近于正常工作压力时,也不宜用这类安全阀进行水锤防护。

(2)上开式安全阀。上开式安全阀的作用是当管道的水压升高时自动开放,以防止水锤事故。在不产生水柱分离时,将上开式安全阀安装在管道的始端可对全管道起保护作用;如果产生水柱分离,则必须在管道沿程一处或几处另装安全阀才能达到防止水锤的目的。

(3)减压阀。减压阀的作用是在设备或管内的压力超过规定的工作压力时,自动降低

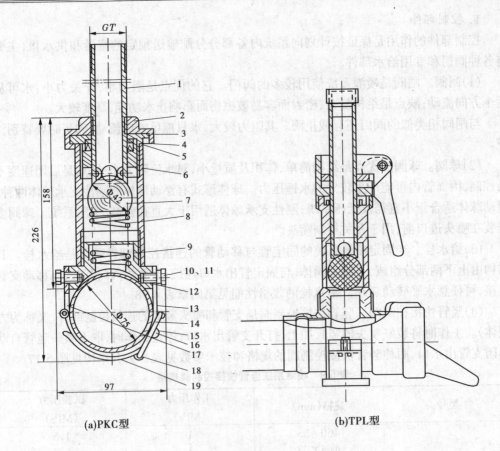

图 5-17 PKC 型竖管快接控制阀 （单位:mm）

1—喷头竖管;2—竖管三爪接头;3—球形阀座;4—定位销轴;5—V 形密封圈;6—阀体;

7—橡胶阀球;8—螺旋弹簧;9—阀簧座;10—螺钉;11—垫圈;12—O 形密封圈;13—吊钩;

14—搭扣环;15—卡紧置下片;16—销轴;17—卡紧装置吊轴;18—鞍形环;19—输水管

压力,以保证设备或管道在正常压力范围内运行。

适用于喷灌系统的减压阀有薄膜式、弹簧薄膜式和波纹式。

(4)空气阀。空气阀的作用是当管道内存有空气时,自动打开通气口,管内充水时进行排气后,封口块在水压的作用下自动封口;当管内产生真空时,在大气的压力作用下打开出水口,使空气进入管内,防止负压破坏。

三、水泵及其动力机

水泵是现代灌溉技术的重要设备。它既可以单独作为提水机械,又是各种现代灌溉系统的重要组成部分,为灌溉系统从水源取水加压。与水泵配套的动力机通常是电动机,在缺少电力供应的地方可以用柴油机或拖拉机作为水泵的动力机。详细资料可参阅有关水泵和机电等设备手册和样本。

四、喷灌机

喷灌机是机组式喷灌系统。它是把喷灌系统的各个组成部分(水泵、动力机、输水管道和喷头及附件等)以某种形式配套组装成一个整体,满足喷洒灌溉的要求。

(一)喷灌机的种类

喷灌机的种类很多,按运行方式可分为定喷式和行喷式两类。在每一类中,由于系统组装形式、喷洒控制面积大小和喷洒特征的不同又有不同的机型,现将各种主要机型划分如图 5-18 所示。

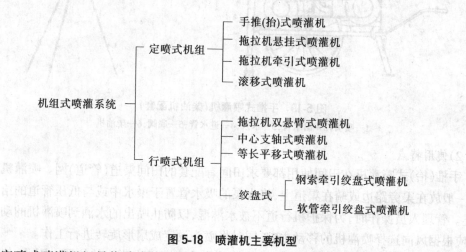

机组式喷灌系统
- 定喷式机组
  - 手推(抬)式喷灌机
  - 拖拉机悬挂式喷灌机
  - 拖拉机牵引式喷灌机
  - 滚移式喷灌机
- 行喷式机组
  - 拖拉机双悬臂式喷灌机
  - 中心支轴式喷灌机
  - 等长平移式喷灌机
  - 绞盘式
    - 钢索牵引绞盘式喷灌机
    - 软管牵引绞盘式喷灌机

图 5-18　喷灌机主要机型

定喷式喷灌机组是指喷灌机工作时,在一个固定的位置进行喷洒,达到灌水定额后,按预定好的程序移动到另一个位置进行喷洒,在灌水周期内灌完计划的面积。行喷式喷灌机组是在喷灌过程中一边喷洒一边移动(或转动),在灌水周期内灌完计划的面积。

上述各种喷灌机中,手推、手抬式是小型机组,由于它具有结构简单、体积小、使用灵活、价格较低等特点,在我国发展喷灌技术中曾是使用最广的机型。随着我国集约化农业生产的发展以及提高劳动效率的要求,各种大中型机组将有广阔的使用前景。

(二)定喷式喷灌机

1. 手推(抬)式喷灌机

手推(抬)式喷灌机在我国使用比较早,是较为成熟的一种机型。

1)结构特点

手推(抬)式喷灌机的特点是水泵和动力机安装在一个特制的机架上。轻型的机架上装有手柄,可由两人抬着移动,小型以上机组多数被安装在小推车上,工作时可由管理人员推动小车移动。

手推(抬)式喷灌机上的水泵都采用喷灌泵,喷灌泵有离心式喷灌泵和喷灌自吸泵两类。

由于自吸泵简便的注水方法,改善了工作条件,因此自吸泵越来越多地被使用在这种喷灌机上。

这种喷灌机的动力有电动机和柴油机。采用电动机时,田间需有电力网配套设施。

柴油机在我国现阶段被使用最多的是单缸式柴油机,功率有 4 马力❶、6 马力、12 马力。

手推(抬)式喷灌机一般是从水泵的出水口引出一条管道伸向田间,管道的末端安装一个带支架的中、远射程喷头,有时根据需要也可沿管道安装多个小型喷头,如图 5-19 所示。

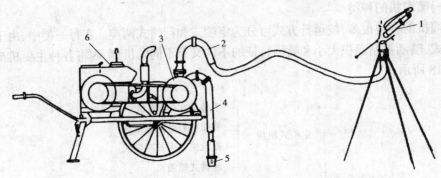

图 5-19　手推式喷灌机(柴油机配套)
1—喷头;2—出水管;3—水泵;4—进水管;5—底阀;6—柴油机

2)使用特点

手推(抬)式喷灌机在田间使用都要求田间有配套的田间渠道(管道)网。喷灌机工作时,一般放在渠旁路边或骑在渠道上,将水泵的吸水管置于渠水中或与低压管道的给水栓相连。管理人员操作时,为保护机行道不被水淋湿,以防止喷出的水洒到喷灌机的动力机上,应根据风向选择喷灌机的移动主向,同时将喷头设定成扇形旋转进行工作。

手推(抬)式喷灌机每工作一个喷点后都需移动喷灌机或喷头的位置。因此,使用此种喷灌机时,管理人员劳动强度较大,特别是水泵采用离心泵时,加之底阀又不严的情况下,每当移动一次喷灌机,都需对水泵进行一次注水。为了减少这种重复性劳动,建议购此种喷灌机时最好选择自吸泵。

2. 拖拉机悬挂式喷灌机

拖拉机悬挂式喷灌机是指将喷灌泵安装在拖拉机上,借助于拖拉机的动力,通过连轴器、增速箱和各种传动方式带动喷灌泵工作的一种喷灌机组。与手推(抬)式喷灌机相比,水泵进水口之前和出水口之后的结构、工作原理完全相同(图 5-20 所示是与手扶拖拉机配套的喷灌机),不同之处是将水泵装在拖拉机上,而不是小推车上,不需另加动力源而直接利用拖拉机本身的动力。

3. 滚移式喷灌机

1)滚移式喷灌机的特点

滚移式喷灌机的特点是结构简单,便于操作,沿着耕作方向作业,与排水、林带结合较好,对不同水源条件都适用,爬坡能力较强,可用于地面坡度不大于 10% 的地形,它是国内外均有使用的一种单元组装多支点结构的喷灌机,根据地块的情况,可组装成长机组和短机组来使用,是一种比较成熟的机型。

---

❶　1 马力 = 735.5 W。

图 5-20 与手扶拖拉机配套的悬挂式喷灌机

1—水源；2—吸水管；3—水泵；4—手扶拖拉机；5—皮带传动系统；

6—输水管；7—竖管及支架；8—喷头

滚移式喷灌机机组管道采用铝合金管，具有轻便、耐腐蚀、坚固耐用、连接快速、拆装方便、一机多用等优点。其缺点是不能灌溉高秆作物，只能对大豆、小麦、玉米前期（株高在75 cm以下）、甜菜、蔬菜等矮株作物喷灌。灌溉作业的情形如图 5-21 所示。这类喷灌机适合用于大面积喷灌，要求有丰富的水源。

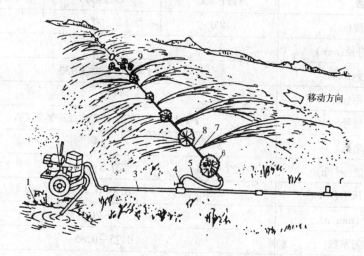

图 5-21 滚移式喷灌机

1—水源；2—抽水机组；3—输水管；4—给水栓；5—连接软管；

6—钢圈式轮；7—喷头；8—喷洒支管；9—驱动车

2)滚移式喷灌机的组成

滚移式喷灌系统的组成主要有以下四个部分。

(1)水泵。水泵可采用深井泵或离心泵，根据使用条件选择。

(2)输水管道。输水管道的作用是将水泵抽的有压水输送到各给水栓处，供喷灌机使用。

(3)喷水管道。在输水管道两侧设两组喷水管道,与输水管道相垂直,每根喷水管长6~12 m,直径为 100~150 mm,每组都有数十根管和一个驱动车,用三角法兰连接,组成一条长度为数百米的喷水管,喷水管的总长度可以根据地块宽度和林带距离的不同适当地增减。每根喷水管上都配有一个喷头座体和一个泄水阀,根据喷头型号的不同,可在每根管子上安装一个喷头,也可以隔一根管子安装一个喷头。不装喷头的座体用丝堵堵上。另外,带有胶管和球形出水阀各两件。工作时轮换着与输水管道的供水阀门连接。

(4)行进部分。滚移式喷灌机的工作是固定作业,但喷完一块地后,移动到下一个喷点时,可采用自己行进。行进时,喷水管作为行进轴,每节喷水管装有一个行进大轮,每组管道中间装有一个驱动车,用小汽油机作动力,将扭矩传递到喷水管道上。动力传递是通过一个驱动箱来进行的,它实际上是一个由蜗轮蜗杆和齿轮组成的多级减速器,位于驱动车的中部。在驱动箱的前后两面装有平衡车架,车架端头装有行进小轮,这样就成为一个能独立行进的驱动车。每个驱动车配有两块配重铁,目的是为了减轻行进时后平衡车架小轮对地面的压力,使喷水管呈一字形向前移动。

3)滚移式喷灌机的基本参数

《滚移式喷灌机使用技术规范》(SL295—2004)给出的滚移式喷灌机的基本参数见表 5-10。

表 5-10　滚移式喷灌机的基本参数

参数	GYP-400	GYP-300	GYP-200
整机长度(m)	400	300	200
喷洒支管直径(mm)	100、125		
滚轮直径(mm)	1 450、1 630、1 930		
滚轮间距(m)	12		
喷头型号	$PY_1 15$、$PY_1 15Sh$、$15PY_2$、$15PY_2 2$、ZY_1		
喷头个数	34	26	17
喷灌机流量(m^3/h)	27~119	20.5~90	13.5~60
喷灌机入机压力(MPa)	0.3~0.45		
喷灌强度(mm/h)	9~20		
喷洒均匀系数	0.75~0.85		
喷灌机滚移速度(m/min)	0~20		
喷灌机功率(kW)	4.4、5.9		

(三)行喷式喷灌机

1.绞盘式喷灌机

1)特点及适用条件

绞盘式喷灌机分为卷管牵引绞盘式和钢索牵引绞盘式两类。卷管牵引绞盘式喷灌机是用可盘卷的软管(一般为 HDPE 管)输水,在喷洒作业时绞盘位置固定,利用喷灌压力水驱动绞盘旋转,绞盘上缠绕软管,牵引远射程喷头,使其沿管自行移动和喷洒(见图 5-22)。钢索牵引绞盘式喷灌机是指用软管(一般为涂塑软管)输水,绞盘和喷头在同一小车上,在喷洒作业时利用喷灌压力水驱动绞盘旋转,绞盘上缠绕钢索,牵引绞盘喷头车移动喷洒(见图 5-23)。

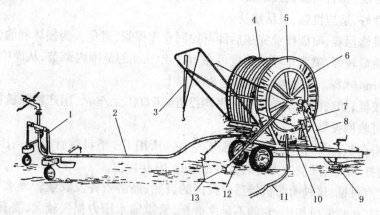

图 5-22　软管绞盘式喷灌机
1—喷头车;2—PE 软管;3—喷头车收取吊架;4—PE 软管;5—卷盘;6—卷盘车;7—伸缩皮囊式水动力机;
8—进水管;9—可调支腿;10—旋转底盘;11—泄水孔管;12—自动排管器;13—支腿

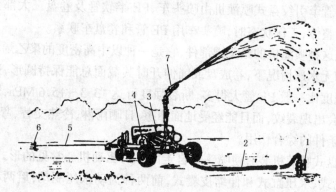

图 5-23　钢索牵引绞盘式喷灌机
1—给水栓;2—供水软管;3—液压装置;4—钢索绞盘;5—钢索;6—锚固桩;7—喷头

绞盘式喷灌机的应用很广泛,特别是近年来受到许多国家的重视。上述两类喷灌机目前以卷管牵引绞盘式发展较快,生产、使用的国家越来越多。如法国灌溉公司生产的这种喷灌机就已在 84 个国家和地区使用,在欧洲、非洲以及美国、加拿大等国有 2 万余台。以下主要对卷管牵引绞盘式喷灌机作简要介绍。

卷管牵引绞盘式喷灌机出现在钢索绞盘式喷灌机之后,约在 1970 年首先在法国、德国等地研制出来。近年来,这类喷灌机的性能不断得以提高完善,目前已被国外公认为是最好的灌溉机械之一。我国 1983 年试制出 J90-300 绞盘式喷灌机,1987 年通过鉴定,并少量推广应用。目前国内已有许多厂家生产多种规格型号的卷管牵引绞盘式喷灌机。

卷管牵引绞盘式喷灌机的优点较多,主要有以下几方面。

(1)结构简单、紧凑,构件结实,不易损坏。

(2)操作简便,能实现自动化,只需 1~2 人操作管理,转移位置时只要 0.5~1.0 h就可安装完毕。可昼夜工作,到位后可自动停机。

(3)控制面积大、生产效率高。输水管长为 120~580 m,喷头射程为 25~65 m,每天只需移动 1~2 次,每台喷灌机按规格不同可控制 7~25 hm² 土地,轮灌周期为 4~10 天。

(4)机动性好,适应性强,灵活快捷。

(5)便于维修保养,喷灌作业完成后即可拉回仓库保管,避免人为损坏和偷盗。

(6)喷灌质量较好,喷头车移动速度可在 10~40 m/h的范围内调节,从而喷灌水量可控制在 8~60 mm水深。喷灌均匀度可达 85% 以上。

(7)投资较低,如法国机型单位面积平均投资约6 600 元/hm²,国产喷灌机投资更省,一般 2~4 年可收回投资。

(8)使用寿命长,正常情况下可用 15 年左右。所用 PE 塑料软管能耐高压、耐高温、耐磨、耐拉、耐扎、耐候(环境应力开裂),寿命可达 10 年以上。

从以上优点可见,这种喷灌机较适合我国的自然、经济条件及农业管理水平,可以大面积推广。和其他喷灌机相比,它的不足之处是,管道输水压力损失较大,要有一条较宽的机行道,对作物有些损坏。

2)构造与技术性能

(1)构造。卷管牵引绞盘式喷灌机由喷头车、PE 半软管及卷盘三大部分组成。运输状态时,三者成为整体;工作状态时,喷头车用 PE 管和卷盘车联系。

PE 半软管是这种喷灌机的最关键部件,它是一种以中高密度的聚乙烯材料为主的半软管,在有水压和无水压情况下,卷成盘或铺伸开时其截面总能保持圆形,这种管的力学性能优良,拉伸强度比一般 PE 管大得多,断裂强度可达 13.3~15.6 MPa,管子重复卷放达 1 万次左右才会出现裂纹,而且能经受地面摩擦、日晒雨淋、冷热交替、弯曲拉伸和内水压力等多种环境条件的综合作用。

卷管牵引绞盘式喷灌机装有使喷头车自走的水力驱动机。常见的形式有四种,即旋转喷嘴式、水涡轮式、水压缸式和伸缩皮囊式,前两种为动水压驱动,后两种为静水压驱动。目前认为伸缩皮囊式性能较好,它结构简单,体积较小,水量消耗很少(一般只占总喷灌流量的 1%~1.5%),水力损失很小,无机械摩擦,性能稳定,对水质要求不高。做功后的水可就近洒在地里。伸缩皮囊常被安装在卷管牵引绞盘式喷灌机的中心部位。

(2)技术性能。《卷管牵引绞盘式喷灌机使用技术规范》(SL280—2003)给出的卷管牵引绞盘式喷灌机的基本参数见表 5-11。

2. 电力驱动中心支轴式全自动喷灌机

电力驱动中心支轴式全自动喷灌机又称时针式或圆形喷灌机。它的喷水管(支管)是一根由一节一节的薄壁金属管连接成的长管道,其上按一定要求布置有许多喷头。长管道高架在间距差不多相等的若干个塔车上,它的一端与被灌地块中央的固定中心支轴座连接,支轴处的井泵和中心控制箱供给压力水并起控制作用,以保证管道绕中心支轴按预先调好的速度保持近于直线的连续缓慢旋转喷灌。

1) 优缺点

这种喷灌机的主要优点是：自动化程度高，可昼夜工作，一人就可管理 8～12 台喷灌机，一个灌水周期可喷灌约 600 hm² 土地，工作效率很高；节约水量、劳力和土地；可适时、适量地满足作物需水要求，增产效果显著；适应性很强，几乎适宜灌溉所有的作物和土壤；能一机多用，可用来喷施化肥、农药、除草剂等。其不足之处是，四个地角不易灌溉、耗能较多、运行费较高等。但该机型仍是最受欢迎的先进机型之一，国外特别是发达国家应用较多。

表 5-11 卷管牵引绞盘式喷灌机的基本参数

规格		JP40	JP50	JP63(65)	JP75	JP85	JP90(100)	JP110	JP125
卷管外径(mm)		40	50	63(65)	75	85	90(100)	110	125
卷管长度(m)		125～140	125～165	200～340	200～400	200～400	230～410	300～420	300～420
喷灌均匀系数 C_u		≥0.85	≥0.85	≥0.85	≥0.85	≥0.85	≥0.85	≥0.85	≥0.85
单喷头车	入机压力(MPa)	0.45～0.75	0.5～0.7	0.5～1.0	0.6～1.0	0.6～1.0	0.7～1.0	0.7～1.0	0.7～1.0
	喷嘴直径(mm)	9～11	11～14	14～18	16～20	18～24	20～24	24～28	26～30
	流量(m³/h)	4～11	6～17	11～28	15～28	20～50	25～54	43～73	51～77
	喷灌条带宽度(m)	30～45	35～50	40～55	45～60	50～65	50～70	70～90	75～95
	喷头工作压力(MPa)	0.2～0.5	0.2～0.5	0.25～0.5	0.25～0.5	0.25～0.5	0.3～0.6	0.4～0.6	0.4～0.6
	喷头流量(m³/h)	4～11	6～17	11～28	15～28	20～50	25～54	43～73	51～77
	喷头射程(m)	19～32	21～36	28～41	30～44	30～49	38～51	42～55	44～57
桁架式喷头车	入机压力(MPa)	0.2～0.5	0.2～0.5	0.3～0.8	0.3～0.8	0.3～0.8	0.4～0.9	0.4～0.9	0.4～0.9
	喷嘴直径(mm)	3.6～6.4	3.6～6.4	4.4～7.5	4.4～7.5	3.6～7.2	3.6～7.2	3.6～7.2	3.6～7.2
	流量(m³/h)	5～19	5～19	11～38	11～38	11～38	13～57	13～57	13～57
	喷灌条带宽度(m)	18～28	18～28	28～38	28～38	28～38	38～53	38～53	38～53
	喷头数量	9～13	9～13	11～15	11～15	11～15	19～27	19～27	19～27
	喷头工作压力(MPa)	0.1～0.2	0.1～0.2	0.1～0.2	0.1～0.2	0.1～0.2	0.1～0.2	0.1～0.2	0.1～0.2
	喷头流量(m³/h)	0.6～3.0	0.6～3.0	0.6～3.0	0.6～3.0	0.6～3.0	0.6～3.0	0.6～3.0	0.6～3.0
	喷头射程(m)	4.0～5.0	4.0～5.0	4.0～5.0	4.0～5.0	4.0～5.0	4.0～5.0	4.0～5.0	4.0～5.0

2) 结构组成

中心支轴式喷灌机属单元组装式多支点结构，由腹架与塔车组成一个单元跨架，然后根据地块所需要的长度将单元跨架连接，并与中心支轴座组成整机。外形结构见图5-24。它的结构主要由八大部分组成：中支轴座、跨架(包括腹架与塔架)、末端悬臂以及驱动、调速、同步、安全保护、喷洒等系统。

3. 平移式喷灌机

平移式喷灌机又称连续直线自走式喷灌机，它是以中央控制塔车沿供水线路(如渠道、供水干管)取水自走，其输水支管的运动轨迹互相平行(即支管轴线垂直于供水轴线)的多塔车喷灌机。它是由中心支轴式喷灌机发展而来的，实际上是两台中心支轴式喷灌机在其中心支轴处代之以中央控制塔车并呈对称组装而成的。所以它在结构上和中心支

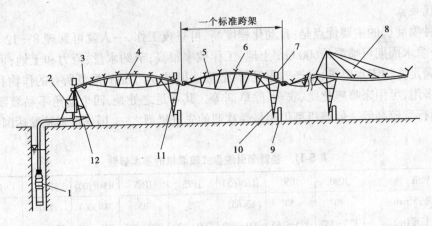

图 5-24　中心支轴喷灌机结构组成

1—井泵(或压力管道供水);2—中心主控制箱;3—柔性接头;4—腹架;5—喷灌支管;6—喷头;

7—塔车控制箱;8—末端悬壁;9—行走轮;10—塔车驱动电机;11—塔车;12—中心支轴座

轴式喷灌机很相似,而灌溉面积是矩形的。

1)特点

平移式喷灌机除了保留中心支轴式喷灌机的优点外,还有以下中心支轴式喷灌机所不及之处。

(1)适于灌矩形地块,不存在地角不能灌的问题,土地利用率可高达 98%。

(2)适于垄作和农机作业,轮迹线路可长期保留,没有妨碍农机作业的圆形轮沟,也不会积水。

(3)灌水均匀度很高。

(4)同机长比中心支轴式喷灌机的控制面积大,单位面积上的投资和消耗材料指标低,各跨架控制面积相等,便于加大机长。

(5)喷灌效率高,管路水头损失小,耗能省,喷头采用一个型号,无需加大末端喷头,沿管各点的喷灌强度一致,管道可用不同直径。

(6)综合利用性能更好,调速范围更宽,可以喷农药。

它的缺点是爬坡能力较低,只能在地面坡度小于 7% 的地块上作业;由于它在平面上有三个自由度,增加了导向问题,不仅难度增加,也往往使导向系统妨碍交通;供水系统的难度增大等。

2)适应条件

平移式喷灌机主要运用于地面较平整、精耕细作的农业区和牧区。

3)结构特点

平移式喷灌机与中心支轴式喷灌机比较,其结构的最大特点是,增加了中心跨架和导向系统;跨架结构与中心支轴式喷灌机一样,但跨度一般较大;在中央跨架的两边各有一刚性连接的跨架,这样可以增加中央跨架的稳定性(见图 5-25)。

中央跨架取代了中心支轴座,也起"首脑"控制作用。两个刚性跨架分立在两边,动力机组及主控制系统等放在吊架上,悬挂在供水渠道上方,吊架吊在中央腹架上并用两个柔性接头与两边的刚性跨架连接,保证了吊架有一定的自由度和运行的稳定性。

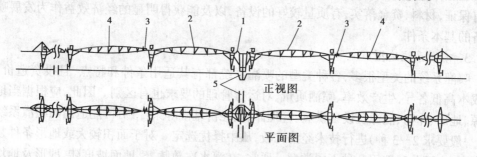

图 5-25 平移式喷灌机结构示意图
1—中央跨架;2—刚性跨架;3—柔性接头;4—柔性跨架;5—渠道

第四节 喷灌工程规划设计

一、规划的原则与内容

喷灌工程规划的任务是在综合分析设计基本资料、掌握灌区基本情况和特点的基础上,通过技术经济比较确定喷灌工程的总体设计方案。

(一)喷灌工程规划的原则

(1)喷灌工程是农田水利工程的一个组成部分,喷灌工程的规划应以各地喷灌区划为基础,并与地区性农业区划和水利规划协调一致。

(2)贯彻统筹兼顾的原则,密切与排水、道路、林带、供电等系统以及居民点的规划相结合,做到统筹安排,并注意充分利用原有的水利及其他工程设施。

(3)注意经济效益,在保证喷洒质量、运行安全可靠和管理方便的前提下,尽量降低投资造价和运行费用,并尽可能考虑喷灌设备的综合利用。工程建成后一定要有经济效益,特别对投资者来说,一定要能尝到增产、增收的甜头,决不能使建成的喷灌工程变成一个经济包袱。

(4)注意节省能源,在有自然水头可利用的地方,尽量发展自压或部分自压喷灌。

(5)贯彻实事求是、因地制宜的原则。要针对当地的实际情况,如水源、生产管理体制、经济实力等,能上多大规模就上多大规模,适宜搞什么样的形式就搞什么形式,量力而行,讲求实效。既不要因循守旧,也不要盲目攀比。

(二)喷灌工程规划的内容

1.勘测收集基本资料

通过勘测、调查和试验等手段,收集灌区自然条件、社会经济条件、已有灌溉试验资料、现有工程设施,以及有关喷灌区划、农业区划、水利规划等基本资料,作为喷灌规划的依据。对收集到的资料和试验成果应进行必要的核实和分析,做到选用数据切实可靠。

2.喷灌可行性分析

根据灌区基本资料,对发展喷灌在技术上的可行性和经济上的合理性作出论证,重要的工程应作出定量分析及不同灌溉方式的比较。在进行可行性分析时,应把水源可靠,能源有保证,材料、资金落实,有质量较好的设备,以及能获得明显的经济效益作为发展喷灌必备的基本条件。

3. 喷灌系统选型

喷灌系统的类型很多,各种类型的喷灌系统都有其适用条件和特点,且投资造价、运行成本高低各异,生产效率、喷洒质量、对运行管理的要求也有区别。因此,应根据当地的水源、地形、作物、能源及设备供应、管理体制、经济基础等条件,对可能适用的喷灌系统类型(一般要求 2~3 种)进行技术经济比较,从中择优选定。对于面积较大或地形条件复杂的灌区,亦可分区选用几种不同类型。通常,在灌水次数频繁、地面坡度陡、地形及地块复杂的丘陵山区,对于经济价值高的作物,可采用固定管道式喷灌系统。在地形平坦的大田作物区,可采用半固定管道式、移动管道式或小型机组式喷灌系统。在灌水次数较少情况下,对于适度规模经营的大田作物可采用绞盘式喷灌机。在大中型农场可采用时针式喷灌机和平移式喷灌机。连片集中的牧草地和矮秆作物种植区,可采用滚移式喷灌机。在有25 m以上自然水头的地方,应尽量采用自压喷灌系统。

4. 水源工程规划

(1)选择取水方式及取水位置。喷灌系统的取水方式有自河道取水的无坝引水、有坝引水、提水取水和水库取水,利用当地地面径流的塘坝和小水库取水,打井提取地下水,以及截取地下潜流等类型,需根据水源类型及地形、地质等具体条件选择。

(2)选择蓄水工程的类型、数量与位置。蓄水工程有小水库、塘坝、蓄水池和大口井等类型,其形式、数量与位置应综合考虑水源类型、地块分布、地形地貌、地质条件,以及施工、管理等因素合理规划,做到既经济又安全可靠。

(3)蓄水工程容积的确定。根据设计标准满足喷灌用水要求并尽量节省工程量的原则,通过来水和用水的水量平衡计算,确定蓄水工程容积。

5. 压力分区规划

以确保喷灌质量和节约能源为目标,综合考虑水源水位、灌区地面高程变化、地块分布、输水距离,以及可供选择的设备规格等因素,对全灌区进行压力规划。当喷灌区面积较大时,由于地形复杂、地块分散、水源集中、输水距离较长等因素的影响,会形成喷灌区各处的压力值相差很大,若采用同种规格型号的喷灌设备,势必造成能源浪费、喷洒质量降低。因此,应对喷灌区进行压力分区规划。

6. 工程规划布置

在综合分析水源位置、地块形状、耕作方向、地形、地质、风向,以及现有排水、道路、林带和供电系统等因素的基础上,作出喷灌工程规划布置,绘出规划布置图,以求有利于工程达到安全可靠、投资较低和方便运行管理的目的。为了寻求最优的布置方案,常需进行多方案的比较。

7. 管道系统规划布置

喷洒支管应尽量与耕作和作物种植方向一致;喷洒支管最好平行等高线布置,如果条件限制,至少也应尽量避免逆坡布置;在风向比较恒定的喷灌区,支管最好垂直于主风向布置,应尽量避免平行主风向布置;喷洒支管与上一级管道的连接,应避免锐角相交,支管铺设应力求平顺、减少折点。

在地形起伏较大的喷灌区,喷洒支管常常无法全部沿等高线布置。这时支管应顺坡垂直等高线或与等高线斜交铺设,以下降的地形高度来弥补支管沿程的水头损失。如果地形坡降正好等于或接近支管的水力坡降则最为理想;如果地形坡降比支管的水力坡降大得多,则应于适当位置布置减压阀或采用减小管径的办法来解决。对于上一级管道只能布置在低处的情况,逆坡铺设的支管不能太长。

对半固定式和移动式管道系统来说,支管在地块中的走向应一致,应尽量使多数支管的长度相同。

有的喷灌区处于漫坡地带,传统的耕作、种植方向是顺坡。这时应按耕种方向顺坡布置喷洒支管。有时在同一地块内存在不同的耕作、种植方向,这时就应通过技术经济分析和方案比较,将耕作方向调整统一。

风对喷灌的灌水质量影响很大。在喷灌季节,若喷灌区内风速很小,则喷洒支管的布置可不考虑风向而以满足其他的要求为主。若风速达到或超过2 m/s且有主风向时,喷洒支管应垂直主风向布置,这样在风的作用下,喷头横向射程的缩短可用加密支管上的喷头数来弥补(只要喷头移动使用,不会因此增加多少购买喷头的投入)。否则对固定式喷灌系统,要减小支管间距,增加支管用量;对半固定式或移动式管道系统来说,则可增加支管移动的次数。

8. 投资概算及效益分析

对主要材料和设备的用量和投资造价以及工程运行费用作出估算,面上的工程和设备可以典型地块的计算结果为指标,扩大概算出全灌区的数值。对工程建成后的增产增收效益及主要经济指标作出分析计算。

二、主要技术参数的确定

(一)设计灌溉保证率

我国灌溉规划中常用灌溉保证率法确定灌溉设计标准。灌溉保证率是指灌区用水量在多年期间能够得到充分满足的概率,常用百分数表示。由于喷灌比地面灌投资大,因此从工程的经济性考虑,《喷灌工程技术规范》(GBJ85—85)中明确规定,喷灌的灌溉保证率要高于地面灌的灌溉保证率。在丰水地区或种植经济价值较高的作物时取较高值;在缺水地区或种植经济价值较低的作物时取较低值,但一般不应低于85%。

对于一个具体的喷灌工程,确定设计标准,就是确定其采用多高的灌溉保证率。然后从以往的年份中,通过对有关资料组成的较长系列进行频率计算,选出符合所确定的灌溉保证率的某一年作为设计代表年,并以该年的自然条件资料作为拟定喷灌灌溉制度和规划水源工程的依据。

选择设计代表年的资料,可以是降水量资料、蒸发量资料、水源来水量资料或喷灌区用水量资料。喷灌设计代表年的选择,一般采用降水量资料或蒸发量与降水量的差值资料。实际中,往往降水年内分布不均,为使作物生长的主要需水期内喷灌用水的保证率符合设计标准,通常宜采用作物主要需水期的降水、蒸发资料推求设计代表年。这些资料应具有10年以上的连续性。

(二)作物需水量

作物田间需水量是指作物在正常生长的情况下,供应植株蒸腾和棵间土壤蒸发所需的水量,故亦称为作物腾发量。它是制定作物灌溉制度、计算灌溉用水量的重要依据。

作物需水量受作物、气象、土壤与农业措施等多方面因素的影响,各地相差悬殊,有条件时应根据当地或邻近地区的喷灌试验确定。联合国粮农组织推荐了计算作物需水量的几种方法,是经过深入研究和大量验证后确定的方法,适用地区较广。其中改进彭曼法国际上用得较多,计算成果较可靠。只要具备一定的气象资料与作物方面的资料,依靠给出的图表,便可计算。具体计算方法可参见第九章第二节及有关资料。

(三)喷洒水利用系数

喷洒水利用系数是指喷洒在地面、作物上的水量与喷头喷出的水量的比值,用 η 表示。喷灌系统灌溉水的损失主要为喷洒过程中的蒸发损失和受风的影响的飘逸损失。因此,喷洒水利用系数是计算喷灌用水量的重要参数。有条件时应通过实测确定喷洒水利用系数。无实测资料时,可根据气象条件在下列数值范围内选取:风速低于 3.4 m/s 时,η 为 0.8~0.9;风速为 3.4~5.4 m/s 时,η 为 0.7~0.8。在湿润地区取大值,干旱地区取小值。这里的风速是指设计风速。

(四)灌水定额与灌水周期

当灌区种植单一作物,不存在几种作物同时灌水,且水源的状况无需进行多日以上的调蓄时,为了计算喷灌系统的设计流量,并不需要定出完整的灌溉制度,而只需确定某一次典型的灌水定额和灌水周期,称之为设计灌水定额和设计灌水周期。作物的灌水定额和设计灌水周期随年份和生育阶段不同而有所变化,为了确保工程的设计标准,应使设计灌水定额和设计灌水周期符合设计代表年的灌水临界期(作物需水强烈、计划湿润层大)的情况。

设计灌水定额和设计灌水周期应根据当地或气候相似地区的喷灌试验资料,以及群众的丰产灌水经验,加以认真分析总结确定。在具备必要的基本资料时也可通过计算确定。

(1)设计灌水定额的计算。

$$m = 0.1h\gamma(\beta_1 - \beta_2)/\eta \tag{5-5}$$

或

$$m = 0.1h(\beta'_1 - \beta'_2)/\eta \tag{5-6}$$

式中　m——设计灌水定额,mm;

　　　　γ——土壤干密度,g/cm³;

　　　　h——计划湿润层深度,cm;

　　　　β_1、β'_1——以干土重百分数和以土体积百分数表示的适宜土壤含水量上限,一般取田间持水量的 80%~100%;

　　　　β_2、β'_2——以干土重百分数和以土体积百分数表示的适宜土壤含水量下限,一般取田间持水量的 60%~80%;

　　　　η——喷洒水利用系数,一般取 0.8~0.9。

(2)设计灌水周期的计算。

$$T = m\eta/E_a \tag{5-7}$$

式中 T——设计灌水周期,d;

E_a——作物日需水量,mm/d,取符合设计保证率的代表年灌水临界期的平均日需水量;

其余符号含义同前。

(五)设计风速

设计风速是指喷灌区主要作物关键需水期(灌水临界期)设计日喷灌时间内平均风速的多年平均值。

由于喷洒水滴要喷射到空中一定高度才落下来,它的运动轨迹受空气气流的影响较大,稍微有些风就会改变。喷灌时,水滴运动轨迹的改变会影响水量分布,使得田间有些地方没有灌到水或灌水不足,有些地方灌水过量而形成水洼,造成灌水不均匀,影响喷灌的质量。

在有风的情况下进行喷灌,风能使射程发生显著的变化,从而使喷头控制的面积形状发生变化,而且喷头工作压力越高,影响越显著。风对水量分布会产生显著的影响。通常在风的作用下,喷头附近水量高度集中,湿润面积由圆形变为椭圆形,而且缩小,水量分布变得不规律。

由于喷洒的水滴很小,在空气相对湿度较低和风速较大时,有一部分水滴还未落到地面就被风吹出灌溉地段或者在空中直接蒸发掉,造成空中蒸发和飘逸损失,这是其他灌水方式所没有的。根据实测,这一损失可占总水量的7%~28%,大多数情况下在10%左右。

一般情况下,超过三级风时(风速大于5.4m/s),飘逸损失明显增大,水量分布也有较大改变,不宜再进行喷灌。

(六)喷灌均匀度

喷灌均匀度是指在喷灌面积上水量分布的均匀程度,它是衡量喷灌质量优劣的主要指标之一,直接关系到喷灌农作物的增产幅度。在喷灌系统中,喷灌均匀度是指大面积上的均匀度,也就是喷头组合在一起时的均匀程度;单个喷头的喷洒均匀度在实际中并无意义。喷灌均匀度是以单喷头的水量分布图为基础进行组合和分析,或实测得出的;它与喷头结构、工作压力、喷头布置形式、喷头间距、喷头转速的均匀性、竖管的倾斜度、地面坡度和风速、风向等因素有关。表征喷灌均匀度的方法很多,通常用喷洒均匀系数和水量分布图表示。

1.喷洒均匀系数

计算喷洒均匀系数的公式有多种,根据《喷灌工程技术规范》的规定,采用美国克里斯琴森(Christiensen)均匀系数公式计算:

$$C_u = (1 - \frac{|\Delta h|}{h}) \times 100\% \tag{5-8}$$

式中 C_u——喷灌均匀系数;

h——喷洒面积上各测点平均喷洒水深,mm;

Δh——各点(雨量筒)喷洒水深的平均偏差,mm。

计算 h 和 Δh 时要根据各测点代表的面积是否相等分别对待。

(1)当各测点代表的面积相等时,

$$h = \frac{\sum\limits_{i=1}^{n} h_i}{n} \tag{5-9}$$

$$|\Delta h| = \frac{\sum\limits_{i=1}^{n} |h_i - \overline{h}|}{n} \tag{5-10}$$

(2)当各测点代表的面积不相等时,以面积为权,求加权平均值。

$$h = \frac{\sum\limits_{i=1}^{n} S_i h_i}{\sum\limits_{i=1}^{n} S_i} \tag{5-11}$$

$$|\Delta h| = \frac{\sum\limits_{i=1}^{n} S_i |h_i - \overline{h}|}{\sum\limits_{i=1}^{n} S_i} \tag{5-12}$$

式中　h_i——某点的喷洒水深,mm;

　　　S_i——某点代表的喷洒面积,m^2;

　　　n——受雨的雨量筒点数。

2.水量分布图

水量分布图就是喷洒范围内的等水量线图。关于这方面的内容已在前面的"喷头的性能指标"部分详细介绍,在此不再赘述。

(七)允许喷灌强度

允许喷灌强度是喷灌时允许地表在短历时内有少量水洼积水但不产生径流的最大喷灌强度。当喷灌按允许喷灌强度值喷洒时,基本上不破坏土壤结构,喷洒的水量能在喷洒时间内或在喷头周期运转的间隙时间内全部渗入土壤。

表5-12给出了各类土壤的允许喷灌强度值,可在喷灌系统设计时参考使用。在斜坡地上,随着地面坡度的增大,土壤的吸水能力将降低,产生地面冲蚀的危险加大,因此在坡地上喷灌需降低喷灌强度。如考虑喷洒水滴的影响,也可参考表5-13数值。

表5-12　各类土壤的允许喷灌强度值和坡地允许喷灌强度降低值

土壤质地	允许喷灌强度 (mm/h)	地面坡度 (%)	允许喷灌强度降低值 (%)
沙土	20	<5	10
沙壤土	15	5~8	20
壤土	12	9~12	40
壤黏土	10	13~20	60
黏土	8	>20	75

注:摘自GBJ85—85。

表 5-13　考虑水滴粒径影响的各类土壤允许喷灌强度值

土壤质地	灌水定额(mm)	水滴粒径(mm)		
		2	2.5	3
		允许喷灌强度(mm/h)		
沙土	15	60～70	35～45	25～30
	20	40～50	20～25	10～15
	25	20～30	10～14	6～8
	30	12～15	8～10	5～6
沙壤土	15	50～60	30～40	20～25
	20	30～40	15～20	7～12
	25	15～25	10～12	5～7
	30	10～12	6～10	4～5
壤土	15	40～50	25～30	15～25
	20	20～30	12～18	6～14
	25	13～20	8～12	4～6
	30	9～11	5～8	3～4
壤黏土	15	30～40	20～25	12～15
	20	15～25	10～15	5～7
	25	12～15	6～10	3～5
	30	8～10	4～6	2～3
黏土	15	20～25	15～20	8～15
	20	12～16	8～12	4～6
	25	8～10	5～7	2～4
	30	4～6	2～4	1.5～2

注:1. 土壤密度和含黏量均小时取大值。

　　2. 如地表已有作物覆盖时,表中的允许喷灌强度值可提高20%。

(八)喷灌雾化指标

雾化指标是用喷头工作压力和主喷嘴直径的比值来评价一个喷头水舌粉碎程度的指标,计算公式如下:

$$\rho_d = 1\,000\,h_p/d \qquad\qquad (5\text{-}13)$$

式中符号含义同前。

ρ_d 值越大,说明其雾化程度越高,水滴直径就越小,打击强度也越小。但如果 ρ_d 值过大,水量损失急剧增加,能源浪费较大,对节水节能不利。我国的实践表明,对一般大田作物,使用中压喷头时,ρ_d 值在3 000～4 000之间为宜;对蔬菜作物,宜用低压喷头(或较低压力的中压喷头),ρ_d 值应控制在4 000～6 000之间。表5-14中列出了各种作物应该满足的雾化指标值。

表 5-14　各种作物适宜雾化指标

作物种类	h_p/d 值
蔬菜及花卉	4 000～5 000
粮食作物、经济作物及果树	3 000～4 000
牧草、饲料作物、草坪及绿化林木	2 000～3 000

(九)设计日净喷时间

为了使喷灌工程经济合理,《喷灌工程技术规范》对设计日净喷时间做了如下规定:固定管道式喷灌系统,不宜少于12 h;半固定管道式喷灌系统,不宜少于10 h;移动管道式和定喷机组式喷灌系统,不宜少于8 h;行喷式喷灌系统,不宜少于16 h。

三、水力计算

喷灌管道都是有压管道,管道水力计算的内容与管道输水工程水力计算相同,主要是管道沿程水头损失、局部水头损失的计算和水锤压力计算等,它们的计算方法是一致的,在此不再赘述。

所不同的是,在喷灌系统中经常会遇到多出口管道,如在喷洒支管上,每隔一定距离有一个喷头分流,则支管的流量是沿程逐渐递减的,应逐段计算两喷头之间管道沿程水头损失,叠加后即为该支管的沿程水头损失,计算起来相当繁杂。为简化计算,常首先以管道最大流量计算沿程流量不变(不考虑分流)时的沿程水头损失 h_f,然后再乘以一个多口系数 F 进行修正,得出多口出流管道沿程水头损失,即

$$h'_f = Fh_f \tag{5-14}$$

式中 h'_f——多口出流管道(如喷灌支管)的沿程水头损失,m;

F——多口系数;

h_f——同一管道但全部流量只在管道末端出流时的沿程水头损失,m。

(一)多口系数 F_1 公式

管道上第一个出水口离管道进口的距离等于各出水口的间距,各出水口流量相等,且进入管道的流量全部沿出水口流出时,多口系数 F_1 的计算公式为:

$$F_1 = h'_f/h_f = [1^m + 2^m + 3^m + \cdots + (N-1)^m + N^m]/N^{m+1} \tag{5-15}$$

式(5-15)的近似式为:

$$F_1 = 1/(m+1) + 1/(2N) + \sqrt{m-1}/(6N^2) \tag{5-16}$$

式中 m——流量指数;

N——管上的出水口总数。

(二)多口系数 F 的一般公式

管道上第一个出水口到管进口的距离 a_0 与出水口间距 a 的比值 $X = a_0/a$ 为任意值,其他条件同前,多口系数 F 的一般公式为:

$$F = (NF_1 + X - 1)/(N + X - 1) \tag{5-17}$$

由以上公式可以看出,多口系数和管道同时出水口的数目、流量指数、管道上第一个出水口到管进口的距离与出水口间距的比值有关,为了方便设计计算,附录B给出了多口系数表。

四、管道式喷灌工程设计要点

(一)喷头的选择与组合

1. 基本要求

按照《喷灌工程技术规范》的规定,可将选择喷头和确定组合间距的具体要求归纳为

下列4点。

(1)喷灌强度不超过土壤的允许喷灌强度值。

(2)喷灌的组合均匀系数不低于规范规定的数值。

(3)雾化指标(h_p/d)值不低于作物要求的数值。

(4)有利于减少喷灌工程的年费用。

2.喷头的选择

喷头的选择包括喷头型号、喷嘴直径和喷头工作压力的选择。喷头这些参数的确定,主要取决于作物的种类、喷灌区的土壤条件,以及喷头在田间的组合情况和运行方式。当喷头选定之后,喷头的其他参数,如流量、射程、单喷头全圆喷洒无风状况下的喷灌强度、进水口直径等也就随之确定(由喷头性能表中查取)。若喷头的组合间距和运行方式确定下来,则整个系统的喷灌强度、喷洒均匀度及雾化程度即可确定,此喷灌工程的喷灌质量的水平也就知道了。所以,喷头选择得是否合理,直接影响着喷灌工程的灌水质量,选择时应根据具体条件从多方面加以考虑,决不可掉以轻心。另外,喷头的种类很多,国内生产喷头的厂家也不少。因此,一定要选用工作运转可靠、结实耐用、由国家定点生产厂家和产品质量有保证的厂家生产的定型产品。从节能的观点考虑,应尽量选用中、低压喷头(200～400 kPa)。灌溉季节风比较大的喷灌区,应选用低仰角喷头。

3.喷头的喷洒方式和组合形状

喷头的喷洒方式视喷头的类型和附属设备的不同可有多种,如全圆喷洒、扇形喷洒、矩形喷洒、带状喷洒等。在管道式喷灌系统中,主要使用全圆喷洒,而在田边路旁或房屋附近则使用扇形喷洒。

喷头的组合形式也称布置形式,一般用相邻4个喷头平面位置组成的图形表示,喷头的基本布置形式有两种,即矩形组合和平行四边形组合。矩形组合用喷头沿支管布置的间距a、相邻两支管的布置间距b表示,如图5-26(a)所示。平行四边形组合除用喷头间距a及支管间距b表示外,尚需增加两相邻支管上喷头偏移的距离e,如图5-26(b)所示。

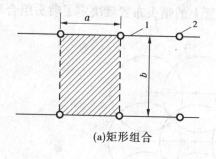
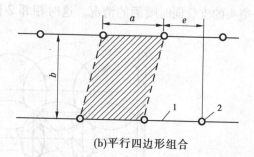

(a)矩形组合   (b)平行四边形组合

图5-26 喷头的布置形式

1—支管;2—喷头

一般情况下,无论是矩形组合还是平行四边形组合,应尽可能使支管间距b大于喷头间距a,以利于节省支管(对固定式喷灌系统),或避免频繁移动支管(对半固定式、移动式喷灌系统)。在有稳定风向时,宜采用$b>a$的组合并应使支管垂直风向,一般也应使支管与风向的夹角大于45°。当风向多变时,应采用等间距,即$a=b$的组合。此时,对矩形布置来说就变成正方形布置。如果平行四边形布置的 $e = a/2$，则可将平行四边形分为两个面积完全相等的等腰三角形。所以，亦称等腰三角形组合。

当平行四边形的偏距 $e = a/2$，且其短对角线与喷头间距相等时，平行四边形分为两个全等的正三角形，亦称正三角形组合。正三角形组合时，对节省支管或减少支管移动次数是不利的，其抗风能力也低于等间距布置。对稳定的风向，即使是支管平行风向布置，也较其他的组合要差，所以一般情况下不宜采用正三角形的组合形式，只有在风速甚小且无均匀度要求的情况下使用。

4.喷头的运行方式

在管道式喷灌系统中，喷头的作业方式主要有以下三种。

(1)单喷头喷洒。一般是一根管子上只带一个喷头，喷完一个工作点再移到下一个工作点。由于喷头是单独喷洒，喷头组合形式是由几个相邻工作点的布置形式决定的，故采用这种作业形式时必须确定工作点的位置，以保证喷洒均匀度。

(2)单行多喷头同时喷洒(见图 5-27)。是指一根支管上布置着多个喷头同时喷洒的情况。由于每个喷头的湿润圆面积与相邻喷头的湿润圆面积相互搭接，因此一个喷头的平均控制面积是个鼓形的面积，其大小取决于喷头射程及和喷头间距。这时的喷头组合形式还取决于相邻支管上的喷头布置。

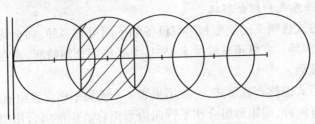

图 5-27　单行多喷头同时喷洒示意图

(3)多行多喷头同时喷洒(见图 5-28)。是指 2 根及 2 根以上彼此相邻且分别带有多个喷头的支管同时喷洒的情况。这时相邻 2 根支管上的喷头布置就决定了喷头组合形式。

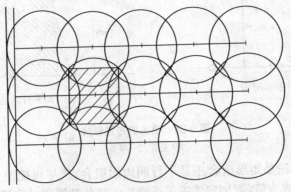

图 5-28　多行多喷头同时喷洒示意图

5. 喷头组合间距的确定

喷头的组合间距不仅直接受喷头射程的制约,同时也受到喷灌系统所要求的喷灌均匀度和喷灌区土壤允许喷灌强度的限制。也就是说,喷头的组合间距与所选喷头关系很大,组合间距的确定是否合理,将直接影响到整个喷灌工程的灌水质量。因此,目前常将喷头组合间距的确定和喷头选型的工作一起进行。即先根据喷灌区自然条件和拟定的喷头组合形式及作业方式,确定满足喷灌灌水质量要求的参数,然后再根据这些参数选择喷头并确定其组合间距。

确定喷头组合间距的方法有很多种,如几何作图法、修正几何作图法、经验系数法等,但最终归结起来,它们都是用系数乘以喷头的射程来确定组合间距的。其中经验系数法考虑了风的影响,使用普遍,而且《喷灌工程技术规范》也推荐了这一方法,下面仅介绍这一方法。

1)根据设计风速和设计风向确定间距射程比

间距射程比可按喷头的组合形式及喷洒支管与主风向的相对位置关系从表 5-15 中选取。表 5-15 中的数据是根据国内一些高等院校和科研院所的试验资料统计归纳得到的,采用这些数据确定的组合间距,能使喷灌的组合均匀系数 C_u 达到 75% 以上。选用我国生产的 PY 系列和 ZY 系列的喷头时,均可使用此表。

表 5-15　支管垂直主风向布置时的最大间距射程比

设计风速 (m/s)	不等间距布置($a<b$)		等间距布置
	垂直风向 K_a	平行风向 K_b	$K_a = K_b$
0.3~1.6	1	1.3	1~1.1
1.6~3.4	0.8~1	1.1~1.3	0.9~1
3.4~5.4	0.6~0.8	1~1.1	0.7~0.9

当支管垂直主风向且不等距布置时,K_a 取表 5-15 中相应的 K_a 值,K_b 取表 5-15 中相应的 K_b 值。当支管平行主风向且不等距布置时,则 K_a 取表 5-15 中相应的 K_b 值,K_b 取表 5-15 中相应的 K_a 值。当支管与主风向的夹角 β 在 0~90° 之间时,间距射程比需根据 β 的大小进行调整。具体方法是:

(1)$\beta<15°$,按支管平行主风向不等间距布置选 K_a、K_b 值。

(2)$\beta\geqslant75°$,按支管垂直主风向不等间距布置选 K_a、K_b 值。

(3)$15°\leqslant\beta<30°$,按支管平行主风向不等间距布置查出 K_a、K_b 值后,将 K_a 调低一挡取,K_b 调高一挡取。

(4)$30°\leqslant\beta\leqslant60°$,按等间距布置选取 K_a、K_b 值。

(5)$60°<\beta<75°$,按支管垂直主风向不等间距布置查出 K_a、K_b 值后,将 K_b 调低一挡取,K_a 调高一挡取。

2)选定喷头并确定组合间距

由初选喷头的射程和选取的间距射程比 K_a、K_b,计算喷头的组合间距:$a = K_a R$,$b = K_b R$。

对于固定式喷灌系统和移动喷灌系统,计算的喷头组合间距可调整后采用,但对于半固定式喷灌系统则需要把 a、b 的值调整为标准管节长的整数倍。调整后的 a、b 值如果与用式(5-24)计算的结果相差较大,则应该进行校核计算,必要时应重新选择喷头。

6. 组合喷灌强度校核

由于喷灌系统的运行方式以及风向、风速等条件不同,即使是型号及工作参数相同的喷头,在相同的组合形式下,其喷灌强度也不一样。要满足喷灌质量的要求,必须使系统在整个灌溉期内的喷灌强度不超过允许喷灌强度。校核组合喷灌强度即是校核设计情况下可能出现的最大喷灌强度。一般情况下,校核喷洒水利用系数近似为1时设计规定的运行情况下的喷灌强度。

1)组合喷灌强度的计算

当喷洒水利用系数近似为1,风速小于 1.0 m/s(可近似视为无风情况),单个喷头独立喷洒的计算喷灌强度按式(5-3)计算。

当风速超过 1 m/s,不论是单喷头喷洒还是单行多喷头同时喷洒,虽然喷头喷出的水量没有变化,但每个喷头的实际喷洒面积变小了;如果有相邻的喷头同时喷洒,由于各喷头湿润的面积有重叠,各喷头同时喷洒的湿润面积小于各喷头独自喷洒时湿润面积之和,这时设计喷灌强度显然比单喷头无风条件下全圆喷洒的喷灌强度大,即 $\rho > \rho_s$。这时,设计喷灌强度可以通过修正 ρ_s 的方法用下式计算:

$$\rho = K_w C_\rho \eta \rho_s \tag{5-18}$$

式中　ρ——组合喷灌强度,也称喷灌的设计喷灌强度,mm/h;

　　　K_w——风系数,反映了风对 ρ 的影响;

　　　C_ρ——布置系数,反映了喷头组合形式和作业方式对 ρ 的影响,等于无风时单喷头全圆喷洒面积与不同运行方式下单喷头实际控制面积之比;

　　　η——校核喷洒水利用系数,近似取值为1;

　　　其余符号含义同前。

2)喷头全圆喷洒时,各种运行方式下 K_w 和 C_ρ 的确定

(1)单喷头喷洒。当风速 $v \leqslant 1$ m/s 时,K_w 和 C_ρ 的值均为1;当 1 m/s $< v \leqslant 5.5$ m/s 时,C_ρ 的值为1,K_w 的值可用下式计算:

$$K_w = 1.15 v_{10}^{0.314} \tag{5-19}$$

式中　v_{10}——离地面 10 m 高的平均风速,m/s。

(2)单行多喷头同时喷洒。当风速 $v \leqslant 1$ m/s 时,K_w 的值为1,C_ρ 的值可用下式计算:

$$C_\rho = \pi / [\pi - (\pi/90)\arccos(\alpha/2R) + (\alpha/R)\sqrt{1 - (\alpha/2R)^2}] \tag{5-20}$$

式中符号含义同前。

当 1 m/s $< v \leqslant 5.5$ m/s 时,C_ρ 的值仍按式(5-20)计算,K_w 的值按喷洒支管布置与主风向的相对关系确定:

当喷洒支管与主风向垂直时,

$$K_w = 1.08 v_{10}^{0.194} \tag{5-21}$$

当喷洒支管与主风向平行时，

$$K_w = 1.12v_{10}^{0.302} \qquad (5-22)$$

当喷洒支管与主风向斜交时，可根据斜交的角度近似地用线性插值法在式(5-21)和式(5-22)求出的值中间插求 K_w 的值。

(3)多行多喷头同时喷洒。在这种情况下，无论是有风还是无风，K_w 的值均为 1，C_ρ 的值可用下式计算：

$$C_\rho = \pi R^2/(ab) \qquad (5-23)$$

式中　R——喷头的射程，m；

其余符号含义同前。

3)校核初选的组合喷灌强度

根据喷灌区土壤资料查出允许喷灌强度 $\rho_允$ 的值，校核初选喷头的组合喷灌强度。

根据 GBJ85—85 的规定，组合喷灌强度不得大于土壤允许喷灌强度，即

$$K_w C_\rho \eta\rho_s \leqslant \rho_允 \qquad (5-24)$$

如果不满足式(5-24)的要求，则应重新确定喷头组合间距，必要时重新选择喷头。

(二)喷灌工作制度

在灌水周期内，为保证作物适时、适量地获得所需要的水分，必须制定一个合理的喷灌工作制度。首先，根据喷灌工程规划图、选定的田间管道系统的布置形式和确定的喷头组合间距，绘制喷灌系统平面布置图，图上标明每个支管的位置和喷头位置(即喷点的位置)。然后，即可着手进行喷灌工作制度的拟定。喷灌工作制度包括喷头在一个喷点上的喷洒时间，喷头每日可工作的喷点数(即喷头每日可移动的次数)，每次需要同时工作的喷头数，以及确定轮灌编组和轮灌顺序。

1. 喷头在一个喷点上的喷洒时间

喷头在一个喷点上的喷洒时间与设计灌水定额、喷头的流量和喷头组合间距有关，可按下式求得：

$$t = abm/(1\,000q) \qquad (5-25)$$

式中　t——喷头在一个喷点上的喷洒时间，h；

q——喷头流量，m^3/h；

其余符号含义同前。

2. 喷头每日可工作的喷点数

喷头每日可工作的喷点数，一般情况下是指每根支管每日可移动的次数，用下式计算：

$$n = t_r/(t + t_y) \qquad (5-26)$$

式中　n——喷头每日可工作的喷点数，次/天；

t_y——每次移动、拆装和启闭喷头的时间，h；

t_r——喷头每日喷灌作业时间，即设计日净喷时间，h。

设计日净喷时间是决定喷灌系统设计流量的重要参数。设计日净喷时间越长，系统设施的利用率越高，则相应的投资造价就越低。应根据具体情况进行经济分析来确定，但

不宜低于国家标准 GBJ85—85 所要求的日净喷时间。另外,为了提高工作效率、改善工作条件,通常都采用两套或三套支管、喷头交替使用。即一套支管和喷头正在运行时,另一套或两套已安排就绪,前者工作完毕,后一套立即开启接着工作,待前者喷洒完的田块不泥泞时,再拆卸并装到后续喷洒位置上去。这样一来,支管和喷头装卸、移动就不占用喷灌作业时间,即 $t_y = 0$。对 n 的计算结果要求舍去小数点后的数字取整。

3.每次需要同时工作的喷头数

每次需要同时工作的喷头数可按下式求得:

$$n_p = N/(nT) \tag{5-27}$$

式中　n_p——每次需要同时工作的喷头数(取整数),个;

　　　N——喷灌区内总喷点数,个,这个数应从系统平面布置图中查取;

　　　T——设计灌水周期,d。

4.确定轮灌编组及轮灌顺序

鉴于目前国内喷灌工程规模一般不大,为了尽量节省管道投资,多采用有序轮灌的工作制度。按式(5-27)计算出需要同时工作的喷头数后,便可结合系统平面布置图上喷点分布的情况进行轮灌编组并确定轮灌顺序。做这项工作时,应考虑以下主要问题。

(1)轮灌编组应该有一定的规律,力求简明、方便运行管理。切不可为片面追求降低管道系统投资或运行成本而采取过于复杂的编组。

(2)各轮灌组的工作喷头数应尽量一致,以保证系统的流量较为平稳,且始终保持在水泵高效区的范围之内。若各轮灌组的喷头数很难均等时,其差别不要超过 1~3 个,并且尽可能使离泵站较远或地势较高的组别喷头数略少;离泵站较近或地势较低的组别喷头数略多。

(3)轮灌编组应该有利于提高管道设备的利用率。

(4)制定轮灌顺序时,应尽量把流量分散到各输、配水管道中去,避免流量集中于某一条干管配水,从而有利于减小输、配水管道的管径或减少其水头损失,降低管道投资或运行费用。

(三)管道系统设计

管道系统设计应在各级管道的平面布置和轮灌方案确定后进行,其内容包括各级管道的管材与管径选择、各级固定管道的纵剖面设计、管道系统的结构设计和管系各控制点的压力计算。

1.各级管道的流量分配

在轮灌方案确定之后,各级各段管道在整个轮灌过程中所通过的流量均已知,这时应将其按轮灌顺序列成表格,据以进行管道水力计算和管径选择。由于每一条管道及同一条管道的不同管段在轮灌过程中流量有变化,一般应取各管或管段中通过的最大流量为该管或管段的设计流量。有时某一条配水管道或输水管道的最大流量通过的时间在设计灌水周期内所占总过水时间的比例甚小,此时应再取一个次大的流量为第二设计流量,在下一步的计算中进行方案比较,用年费用作为衡量其是否经济的指标。

2. 管材和管径的选择

1) 管材选择

可用于喷灌的管道种类很多,应根据喷灌区的具体情况,如地质、地形、气候、运输、供应以及使用环境和工作压力等条件,结合各种管材的特性及适用条件进行选择。一般情况下,对于地埋固定管道,可选用钢筋混凝土管、钢丝网水泥管、石棉水泥管、铸铁管和硬塑料管。钢管易锈蚀和腐蚀,最好不要选用。近年来,国内修建的喷灌工程,地埋管道多选用塑料管。选用塑料管时一定要注意,不同材质的塑料管在几何尺寸相同的情况下可承受的工作压力相差甚远。特别是在使用低密度聚乙烯管(LDPE 管)时,一定要注意管壁的厚度是否达到了能承受喷灌管道系统所要求压力的厚度,若没有达到,千万不能使用,否则将会埋下隐患,造成运行时管道发生爆破,甚至导致整个管道系统瘫痪。用于喷灌地埋管道的塑料管,最好选用硬聚氯乙烯管(UPVC 管)。对于口径150 mm以上的地埋管道,硬聚氯乙烯管在性价比上的优势下降,可采用加筋聚乙烯管或通过技术经济分析选择其他合适的管材。对于地面移动管道,则应优先采用带有快速接头的薄壁铝合金管。采用薄壁镀锌钢管时,要特别注意镀锌层的厚度和均匀度是否达到要求。塑料管经常暴露在阳光下使用,易老化,缩短使用寿命,因此地面移动管最好不采用塑料管。

2) 支管管径的选择

支管是指直接安装竖管和喷头的那一级管道,亦称喷洒支管。支管管径的选择主要依据喷洒均匀的原则。管径越大,支管运行时的水头损失就越小,同一支管上各喷头的实际工作压力和喷水量就越接近,喷洒均匀度就越接近设计状况。但会增大支管的投资,对移动支管来说还增加了拆装、搬移的劳动强度。管径小,支管投资减少,移动作业的劳动强度降低,但由于运行时支管内水头损失增大,同一支管上各喷头的实际工作压力和喷水量差别增大,结果造成田面上各处受水量不一致,影响喷灌质量。为了保证同一支管上各喷头实际喷水量的相对偏差不大于 20%,GBJ85—85 规定:同一支管上任意两个喷头之间的工作压力差应在喷头设计工作压力的 20% 以内。显然,支管若在平坦的地面上铺设,其首末两端喷头间的工作压力差应最大。若支管铺设在地形起伏的地面上,则其最大的工作压力差并不发生在首末喷头之间。考虑地形高差 ΔZ 的影响时上述规定可表示为:

$$h_w + \Delta Z \leqslant 0.2 h_p \qquad (5\text{-}28)$$

式中 h_w——同一支管上任意两喷头间支管段水头损失,m;

ΔZ——两喷头的进水口高程差,m,当支管顺坡铺设时 ΔZ 为负值;

h_p——设计喷头工作压力,m。

因此,同一支管上工作压力差最大的两喷头间允许的水头损失即为:

$$h_w \leqslant 0.2 h_p - \Delta Z \qquad (5\text{-}29)$$

从式(5-29)可以看出,逆坡铺设支管时,允许的 h_w 值小,即选用的支管管径应大些;顺坡铺设支管时,因 ΔZ 值本身为负值,其允许的 h_w 值可以比 $0.2 h_p$ 大些,也就是说,支管顺坡铺设时,因地形坡降弥补了支管内的部分水力坡降,选用的支管管径可适当地小些。

当一条支管选用同管径的管子时,从支管首端到末端,由于沿程出流,支管内的流速水头逐次减小,抵消了局部水头损失,所以计算支管内水头损失时,可直接用沿程水头损失来代替其总水头损失,即 $h'_f = h_w$,式(5-29)可改写为:

$$h'_f \leqslant 0.2h_p - \Delta Z \tag{5-30}$$

喷头选定后,喷头的设计工作压力可从喷头性能表中查得。两喷头进水口高程差(实际上就是两喷头所在地的地面高程差)可以从系统平面布置图中查取,则 h'_f 即可求出。具体计算 h'_f 可采用规范所给出的水头损失计算公式,如 $h'_f = FfLQ^m/d^b$,在其他参数已知的情况下反求管径 d,d 就是该支管可选用的最小管径的计算值。

因管材的管径已标准化、系列化,因此还需按管材的标准管径将计算出的管径规范取整。需要注意的是,在计算两喷头间水头损失时,要正确选定流量和多口系数,如某支管上共有 5 个喷头,欲求支管上第 2 个喷头至第 5 个喷头间支管管段的压力水头损失,则计算时流量应取 $Q = (5-2)q = 3q$,而并非 $Q = 5q$;多口系数应按孔口数 $N = 5-2 = 3$ 确定,而不是取 $N = 5$。对半固定、移动管道式喷灌系统的支管,考虑到运行与管理的方便,最大的管径一般不超过 100 mm,并且应尽量使各支管取相同的管径,至少也需在一个作业区中统一。对于固定管道式喷灌系统,地埋支管的管径可以不同,但规格不宜太多,同一条支管一般最多变径两次。

3. 干管管径的选择

干管是支管以上各级输配水管道的总称,有时为便于区分,也专指其中某一级管道。干管管径的选择关系到系统的设备投资和运行费用,且所占比重甚大,因此选择干管管径的原则是在满足下一级管道流量和压力的前提下,使系统投入费用最小。一般情况下,管道的费用常用年费用来表示。随着管径的增大,管道的投资将随之增高,而管道的年运行费随之降低。因此,客观上必定有一种管径,会使上述两种费用之和为最低,这种管径就是我们要选择的管径,称之为经济管径。经济管径中对应的流速称为经济流速。用这种方法确定管径概念清楚,但计算相当烦琐,往往需要分别计算出多种管径的年投资和年运行费,比较后再确定。随着科学技术的进步和计算机技术的飞速发展,许多优化设计方法,如微分法、动态规划法等已在喷灌管网的设计中得到应用,具体方法可参阅有关书籍。

应该指出的是,由于喷灌管道系统年工作时数少,而所占投资比例又大。因此,一般在喷灌所需压力能得到满足的情况下,选用尽可能小的管径是经济的,但管中流速应控制在 2.5 m/s 以下。

对于某级干管,常因地形或其他条件的限制,需将其水头损失限定在某一范围以内,这时可仿照支管的设计方法,用限定的最大水头损失反推管径;对于主干、干管串接成一条管道的情况,采用经济管径法求管径是可行的;对一般的干管,可先用经济管径法求出各级管径,作为初选管径,然后根据压力要求、分流要求和布置的调整,通过比较确定管径。

4. 管道系统各控制点的压力

管道系统各控制点的压力是指喷洒支管入口、配水干管(或分干管)的入口、输水主干或干管入口和其他特殊点的测管水头,在这些控制点处通常均设有调节阀门和压力表,以保证系统正常运行。计算各控制点在各个轮灌编组时的水头,一方面是为了选择水泵,另一方面也是为了给系统运行提供基础数据。

支管入口压力的计算是系统其他各控制点压力计算的基础,如果支管入口压力出现较大误差,则其他各控制点的压力也将出现较大误差,因此对支管的压力计算应特别注意,力求使其符合实际。

以往计算支管的入口压力,是用设计喷头工作压力,加上喷头与支管入口的最大压力差来确定。原有计算方法的优点是简单,但存在着支管实际流量必然偏大的缺点,因为这样确定支管入口压力的结果是使支管上压力最低的喷头,其实际工作压力等于设计压力。流量也与设计相符,而其他喷头的压力都大于设计压力,流量当然也要超过设计值,所以支管的流量在这个入口压力下必然超过设计值,分干管、干管也超过设计流量,因此必须降低工作压力最小的喷头的设计压力,用逐级试算的方法可以求出合适的支管入口压力,但计算工作量大。下面介绍两种近似计算的方法。

(1)降低 $0.1 h_p$。这种方法比较简单,它是将设计喷头工作压力降低 10% 作为支管上喷头最低工作压力,推算支管入口压力水头。用公式表示为:

$$H_支 = h'_f + \Delta Z + 0.9 h_p \tag{5-31}$$

式中 $H_支$——支管入口压力水头,m;

h'_f——用多口系数法计算的支管相应管段的沿程水头损失,m;

ΔZ——支管入口地面高程到工作压力最低的喷头进水口的高程差,顺坡时为负, m;

h_p——喷头设计工作压力水头,m。

这个方法适用于喷头与支管入口压力差较大的情况,否则会使整个支管流量低于设计值。

(2)降低 $0.25 h_{f首-末}$。这一方法也较简单,它是在原有方法计算所得的支管入口压力水头中,减去首末喷头间支管水头损失的 25%,用公式表示为:

$$H_支 = h'_f + \Delta Z + h_p - 0.25 h_{f首-末} \tag{5-32}$$

式中 $h_{f首-末}$——支管上首、末两喷头间管段的沿程水头损失,m;

其他符号含义同前。

这个方法适用于只有一种管径且支管沿线地势平坦的情况,当喷头个数较多($N>5$)时,支管实际流量很接近设计值,但在喷头数低于 5 个时,仅比原方法稍有改善。

支管入口压力确定后,再计算分干管、干管入口压力,这时可根据系统在各轮灌编组时各管段的流量,分别计算沿程水头损失和局部水头损失,然后再计算各控制点的压力。

将各轮灌编组时各控制点的压力算出之后,应将结果按轮灌顺序列成表格,作为系统运行时的依据。与此同时,可以得到系统的流量范围和输水管入口的压力范围,这是选择水泵所必需的数据。使用流量和压力两个范围来选择水泵,较之使用最大扬程或最大流量选择水泵的方法更为合理,因为它显示了在系统的整个运行过程中,水泵是否能始终工作在高效区。

五、绞盘式喷灌机组喷灌工程设计要点

以常用的卷管牵引绞盘式喷灌机组为例来说明。

(一)喷灌作业条件

(1)喷灌作业的地面坡度不应大于20%。

(2)当风速在3.4~5.4 m/s之间时,宜使用桁架式喷头车;当风速大于5.4 m/s时,不宜实施喷灌。

(3)单喷头车适用于雾化要求低的作物;桁架式喷头车适用于雾化要求高的矮秆作物。

(4)单喷头车喷灌高秆作物时需留出作业道,作业道宽度见表5-16。若无作业道时,喷头车行走方向应与种植行方向一致。

表 5-16　作业道宽度

喷灌机规格	JP40、JP50	JP63(65)、JP75、JP85	JP90(100)、JP110、JP125
作业道宽度(m)	0.7~1.6	1.4~1.8	1.8~2.9

(二)规划设计参数

喷灌设计保证率不应低于85%;喷灌强度、喷灌雾化指标、喷洒均匀系数应符合本节前述规范要求。

(三)估算系统总流量

估算系统总流量为:

$$Q = 10mA/(Tt) \tag{5-33}$$

式中　　Q——系统设计总流量,m^3/h;

　　　　m——设计灌水定额,mm;

　　　　A——系统控制的总灌溉面积,hm^2;

　　　　t——机组一天内净工作小时数,h;

　　　　其余符号含义同前。

(四)机型及喷头的选择

1. 机型的选择

机型选择应综合分析下列诸因素后确定:

(1)设计灌溉面积大小、地形及田块形状。

(2)作物种类及其根系深度、高峰需水量。

(3)土壤性质及其持水能力。

(4)水源来水情况。

(5)泵的扬程或给水栓处提供的压力。

(6)风的情况。

(7)系统需使用多台喷灌机同时工作时,宜选用同一规格型号的喷灌机。

2. 选择喷头

(1)一个喷头的流量等于或大于系统总流量,则只需一台机组,否则就要多台机组。

(2)校核其喷灌强度。应不超过土壤允许喷灌强度。作扇形喷洒时,要注意喷灌强度增大。从横向均匀考虑,扇形角以270°为好。

绞盘式喷灌机运行过程中,喷头车一方面在自走动力驱动下匀速向后移动,另一方面喷头以200°~300°的扇形角向前边喷洒边旋转。这样,喷头喷洒的湿润外周的轨迹就是两种运动合成所形成的有缺口圆螺旋形的重叠区域。如图5-29所示,喷头车由 O 点开始移动喷洒,喷头由 O 移至 D,湿润区为 $ABCDA$,然后快速反转至 DE,此短暂时间内,喷头车后退移动距离很小,可以忽略。喷头开始第二次正转,所形成的湿润周为 $DEFC_1D_1D$,喷头车由 D 移至 D_1,$DD_1 = 2OD = 2L$,如此循环,即构成了纵向移动喷洒水量重叠区域。

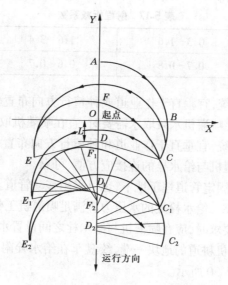

图 5-29 绞盘式喷灌机纵向移动

绞盘式喷灌机单喷头车的平均喷灌强度可由下式计算:

$$\rho = 1\,000 \times 360q/[\pi(0.9R_1)^2\beta] \tag{5-34}$$

式中 ρ——平均喷灌强度,mm/h;

   q——喷头喷水量,m³/h;

   0.9——折减系数;

   R_1——喷头射程,m;

   β——单喷头喷洒扇形角,一般取200°~300°。

(3)选择喷头的仰角。风速较大时,应选用低仰角喷头。

(4)对于高压喷头还应选择喷嘴的形式——环形或锥形,前者雾化好,喷枪近处水量分布好,后者射程远,对有风条件下的喷洒有利。

(五)田间规划布置

(1)将田块分成长条形地块,条田最大长度等于管长加条田宽度的一半。条田宽度(或喷灌条带宽度)可按式(5-35)和式(5-36)计算:

单喷头车的喷灌条带宽度

$$b = 2kR_1 \tag{5-35}$$

桁架式喷头车的喷灌条带宽度

$$b = B + 2kR_2 \tag{5-36}$$

式中　b——喷灌条带宽度,m;

　　　　k——射程折减系数,可从表 5-17 中选用;

　　　　B——桁架总长度,m;

　　　　R_2——桁架两端喷头射程,m;

　　　其余符号含义同前。

表 5-17　射程折减系数

风速(m/s)	0.3~1.6	1.6~3.4	3.4~5.4
k	0.7~0.8	0.6~0.7	0.5~0.6

(2)对于渠道供水系统,宜垂直于作业道或种植行方向布置供水渠道,渠道宜衬砌防渗。当渠道水深不能满足喷灌机水泵取水需要时,宜在喷灌机取水点设置工作池。

(3)对于管道供水系统,宜垂直于作业道和种植行方向布置供水管道,并应在喷灌机取水点设置给水栓。喷灌机与给水栓的连接应方便、可靠。

(4)供水管道可采用固定管道埋于地下,也可采用移动管道。移动管道安装、拆卸、移动应灵活、方便、连接可靠。给水栓处的水压力应满足喷灌机工作压力要求。当水压力不能满足喷灌机工作压力要求时,应在喷灌机与给水栓之间设置水泵加压。

(5)给水栓布置在有机耕道的地块一端,绞盘车在给水栓附近,喷头车拉至田块另一端,然后开始工作,如图 5-30 所示。

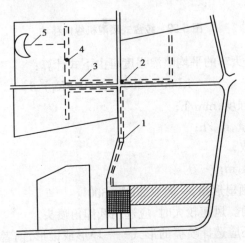

图 5-30　软管牵引卷盘式喷灌机田间布置
1—泵站;2—控制阀;3—固定管;4—给水栓;5—卷盘机

(6)由于喷头车有高架,可通过调节轮距使轮子在垄沟内行进,因此对于矮秆作物不需要专门预留通道;对于高秆作物,需要在喷头车及软管拖移路线上留与喷头车宽度相应的通道,通道内可以种植低矮的作物。

(7)要考虑风向和地面坡度。条田的轴线应垂直主风向。虽然这种喷灌机能用于20%以内的地面坡度,但最好避免在拖移路线上有明显的凹凸不平的地形。

(六)轮灌设计

(1)一次连续有效喷洒长度。按下式计算。

$$L_{有} = L + 0.5R \tag{5-37}$$

式中 $L_{有}$——一次连续有效喷洒长度,m;

    L——卷管有效长度,m;

    0.5——折减系数;

    R——喷头射程,单喷头车喷洒时,$R = R_1$,桁架式喷头车喷洒时,$R = R_3$,R_3为除桁架两端喷头以外的其他喷头射程,m。

(2)喷灌强度。可从产品说明书中查得,或通过实测确定,单喷头车的喷灌强度可按式(5-34)计算。

(3)喷头车作业时的行走速度。按下式计算。

$$v = 1\,000q/(mb) \tag{5-38}$$

式中 v——喷头车作业时的行走速度,m/h;

    其余符号含义同前。

(4)一条条田所需的灌水时间。按下式计算。

$$t_1 = L/v \tag{5-39}$$

式中 t_1——一条条田所需灌水时间,h;

    其余符号含义同前。

(5)轮灌周期。按式(5-7)计算。

(6)一台机组所担负的条田数目。按下式计算。

$$n = tT/t_1 \tag{5-40}$$

式中 n——一台机组所担负的条田数目;

    其余符号含义同前。

(7)所需机组的台数。按下式计算。

$$N = A/A_0 \tag{5-41}$$

$$A_0 = 0.1qTt/m \tag{5-42}$$

式中 N——喷灌机台数;

    A_0——单台喷灌机的喷灌面积,hm²;

    其余符号含义同前。

设计灌溉面积内,需要机组的台数,也可用总条田数除以一台机组可担负的条田数求得。如条田长度不一时,则在轮灌排序后,再确定所需机组台数。

(七)系统设计工作压力

系统设计工作压力根据喷洒地面与水源水位的高差、各级管道的水头损失以及设计喷头工作压力等因素确定。可按下式计算。

$$H = H_m + H_w + \Delta Z \tag{5-43}$$

式中 H——系统设计工作压力,m;

    H_m——喷灌机入机压力水头,m;

H_w——喷灌机入口前的管道水头损失,m;

ΔZ——水源稳定动水位与喷头设计位置的地面高程差,m。

(八)卷盘喷灌机的田间运行使用

喷灌时首先用拖拉机(或其他行走机械)将喷灌机牵引至地边第一条带的给水栓处,然后用拖拉机(或人工)将喷头车拉至该条带的一端,在卷盘车处接上压力水源即可开始喷灌。喷灌时,卷盘在水力驱动机的作用下缓慢旋转,缠绕软管,带动软管末端的喷头车向卷盘车方向移动。喷完一条带时喷头车已移动到卷盘车附近,有一机构使其自动停车。这时就可更换喷灌机的新工作位置,新工作位置可以是平行的相邻条带,也可以是原条带的另一侧。

为了给喷头车留出后退的干路,喷头喷水的湿润区形状一般为约 270° 的扇形,这样喷出的湿润面积就是一个两种运动合成的有缺口的圆螺旋形重叠区域。对于这种湿润情况,要精确计算它的平均喷灌强度及组合均匀度系数都较麻烦,只能用近似计算法或实测得到。

对于一定型号的喷灌机,生产公司都配有说明书,还附有灌水参数表供选用。这些数据可供在使用喷灌机时快捷地规划出所要喷灌地块的基本要素,如条带宽度、长度,水源输水管长,供水泵扬程、流量,在不同喷头车不同运行速度时的灌水定额等。

六、滚移式喷灌机喷灌工程设计要点

(一)喷灌作业条件

(1)喷灌作业的地面坡度不应大于 10%。

(2)风速在大于 5.4 m/s 或气温低于 4 ℃时不宜使用;气温低于 0 ℃时,不应使用。

(3)灌溉期内的作物高度超过喷灌机的地隙时,不宜使用。对于行播作物,喷灌机滚移方向宜与行垄方向一致。

(二)规划设计参数

滚移式喷灌机的规划设计参数同卷管牵引绞盘式喷灌机要求一致。

(三)选型计算

1. 单台喷灌机控制面积计算

单台喷灌机控制面积为:

$$A_0 = 0.1Q_0 Tt/m \tag{5-44}$$

式中　A_0——单台喷灌机控制面积,hm^2;

Q_0——单台喷灌机设计流量,m^3/h;

其余符号含义同前。

2. 设计计算

(1)喷灌机相邻定位喷洒间距的确定。喷灌机相邻定位喷洒间距的确定可从产品说明书中查得,也可按下式计算。

$$b = K_b R \tag{5-45}$$

式中　b——喷灌机相邻定位喷洒间距,m;

K_b——间距射程比,可从表 5-18 中查得;

R——喷头射程,m。

表 5-18　K_b 值

设计风速(m/s)	喷洒支管平行主风方向	喷洒支管垂直主风方向
0.3~1.6	1	1.3
1.6~3.4	0.8~1	1.1~1.3
3.4~5.4	0.6~0.8	1~1.1

(2)喷灌机定位喷洒有效长度的计算。喷灌机定位喷洒有效长度按下式计算。

$$L_a = L + 2K_a R \tag{5-46}$$

式中　L_a——喷灌机定位喷洒有效长度,m;

L——喷灌机两端喷头间距,m;

K_a——射程叠加系数,与风速有关,可从表 5-19 中查得。

表 5-19　K_a 值

设计风速(m/s)	0.3~1.6	1.6~3.4	3.4~5.4
K_a	0.7~0.8	0.6~0.7	0.5~0.6

(3)喷灌强度的确定。滚移式喷灌机的喷灌强度可从产品说明书中查得,或通过实测确定,或按式(5-18)计算。

(4)喷灌机一次定位喷洒的时间。按下式计算。

$$t_1 = 0.001 L_a b m / Q_0 \tag{5-47}$$

式中　t_1——喷灌机一次定位喷洒时间,h;

其余符号含义同前。

3. 系统设计工作压力

一般情况下,滚移式喷灌机组系统的设计工作压力计算同卷管牵引绞盘式喷灌机。对于利用原有管道供水需要设置增压泵时,增压泵的扬程按下式计算。

$$H_1 = H_m + H_{w1} + \Delta Z - H_0 \tag{5-48}$$

式中　H_1——增压泵扬程,m;

H_{w1}——喷灌机入口与增压泵进水管进口之间的管道水头损失,m;

ΔZ_1——喷灌机入口与增压泵进水管进口的高程差,m;

H_0——增压泵进水管进口压力水头,m;

其余符号含义同前。

(四)滚移式喷灌机的田间运行使用

将喷灌机滚移到喷洒作业点,用制动杆固定,接通压力水进行定位喷洒。当一个作业点喷洒结束后,停止供水,待喷洒支管内存水泄出后,卸下连接软管,将制动杆转至与喷灌机移动方向相反的一侧,启动发动机,滚移到下一个作业点上。

第五节　喷灌工程设计示例

一、管道式喷灌系统

某水库下游沿河有土地 33.3 hm²(500 亩),土壤透水性较强,降雨年内分配不均,粮食产量低而不稳。为使农业增产增收,决定利用水库下游河道提取水库供给的水,采用喷灌的方法对农田进行灌溉。现根据已完成的喷灌工程规划的成果,进行该喷灌工程的技术设计。

(一)已完成的喷灌工程规划的成果

1. 基本资料

地形从实测的 1:2 000 地形图中了解。当地土壤为含砾的沙壤土,土层厚度不小于 1 m,土壤密度为 1.45 g/cm³。主要作物为花生,并具有邻县试验站连续 8 年种植花生的大田喷灌资料:花生在各生育的日需水量、计划湿润层深度和适宜土壤含水量见表 5-20;8 年中湿润年占 2 年,平水年占 2 年,干旱年占 4 年,按干旱年、平水年、湿润年的顺序,将 8 年中不灌的单产与采用设计灌水定额和灌水次数的喷灌下的单产列于表 5-21。灌区南部为水库下游河道,灌溉季节,水库可按 129.6 m³/(hm²·d) 的流量供给灌区用水,供水时河水位为 79.0 m,汛期供水位为 81.5 m。据当地气象站 36 年资料:多年平均降水量为 652 mm,且主要集中在 6、7、8 月三个月;多年平均年蒸发量为 1 513 mm;最大冻土层深度 50 cm;灌溉季节日间风速为 1.5~3.2 m/s,多年平均值为 2.7 m/s,风向基本上是西南风和南东南两种情况,喷灌在白天进行,夜间不作业。当地供电有保证,电费为 0.30 元/kWh。

表 5-20　花生各生育期日需水量等资料

生育期	日需水量 ET_0 (mm/d)	计划湿润层深度 h (cm)	适宜土壤含水量 β (占田间持水量的百分数,%)
苗期	0.8~2.1	20	60~70
花期	3.5~4.7	30~40	55~75
结荚期	4.2~6.2	30~40	65~85
饱果期	2.1~4.3	20~30	70~80

表 5-21　花生在不同水文年喷灌与不灌的单产比较

水文年	干旱年				平水年		湿润年	
排列序号	1	2	3	4	5	6	7	8
不灌单产(kg/hm²)	2 884.5	3 334.5	3 883.5	3 937.5	4 806	4 912.5	3 966	5 145
喷灌单产(kg/hm²)	5 842.5	5 823	5 701.5	5 262	5 232	5 532	4 477.5	5 469
灌水次数	6	6	5	6	4	3	3	1
灌溉定额(m³/hm²)	2 025	2 025	1 725	2 025	1 350	1 050	975	300

2. 灌溉制度的拟定

(1)设计灌水定额。按灌水定额的公式计算。计算参数参考邻县试验资料确定:计划湿润层深度为40 cm;适宜土壤含水量上下限取田间持水量的60%～80%;土壤密度为1.45 g/cm³;田间持水量为22%(占干土重百分数);因风速低于3.4 m/s,故喷洒水利用系数η=0.85。则设计灌水定额为:

$$m = 0.1h\gamma(\beta_1 - \beta_2)/\eta = 0.1 \times 40 \times 1.45 \times (0.80 - 0.60) \times 22/0.85$$
$$= 30(\text{mm}) = 300 \text{ m}^3/\text{hm}^2$$

(2)设计灌水周期。花生灌水临界期为结荚期,根据邻县喷灌试验结果,结荚期的日需水量为4.2～6.2 mm/d,取E_a=5.2 mm/d计算,则灌水周期为:

$$T = 30 \times 0.85 \div 5.2 = 4.9 \approx 5(\text{d})$$

3. 喷灌系统选型

经技术经济论证,确定在该灌区兴建半固定管道式喷灌工程。

4. 确定灌区的总体布置

灌区地势南低北高,公路贯穿南北将其分为东西两块,因此宜分两区布置,以尽量减少管线穿越公路。按东西两块面积之比约为2:3,可大致将西块分为3个小区,东块分为2个小区,每个小区面积约为6.67 hm²,在灌水周期的5天内,各小区内部可进行单支管轮灌。现考虑两种布置方案,如图5-31所示。图中实线表示第一方案,虚线表示第二方案,点画线为地块界线。

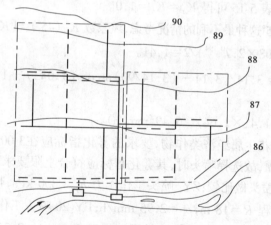

图5-31 两种管系总体布置方案

第一方案中有三级管道,干管的长度比较短,分干管平行等高线布置。各支管入口压力比较均衡,但支管有逆坡铺设的情况。第二方案,管径可减小,且长度也较短,全部支管均平行等高线布置。对两个方案的输、配水管道进行技术经济比较并将有关数据列入表5-22中。可以看出,第二方案输、配水管道单位面积投资低,而且支管又无逆坡情况,因此确定采用第二方案。在进行经济比较时,各级管道的管材均采用1 MPa的硬聚氯乙烯管,流量和管径按控制面积估算。

表 5-22　方案技术经济比较

流量 (m^3/h)	管径 (mm)	第一方案			第二方案		
		管长 (m)	单价 (元/m)	复价 (元)	管长 (m)	单价 (元/m)	复价 (元)
30	75	90.0	7.50	6 750	360	7.50	2 700
60	110	360	15.20	5 472	700	15.20	10 640
90	125	0	19.50	0	200	19.50	3 900
120	140	0	25.50	0	0	25.50	0
150	160	230	33.20	7 636	50	33.20	1 660
合计(元)				19 858			18 900
投资(元/hm^2)				595.5			567

(二)喷灌工程的技术设计

1. 喷头选型与组合

(1)计算允许的喷头最大喷灌强度。查表 5-12 得沙壤土的允许喷灌强度为 $\rho_允 = 15$ mm/h,因喷灌区地面平均坡度小于 5% 不用折减。喷头采用单行多喷头同时喷洒的运行方式,且灌溉季节平均风速为 2.7 m/s,支管与主风向成 45°～67.5° 夹角布置,喷头组合形式为正方形,查表 5-15 可得 $K_a = K_b = 1.0$。

按风向夹角为 45° 这种最不利的情况考虑,风系数 $K_w(45°) = [K_w(0°) + K_w(90°)]/2 = (1.12 \times 2.7^{0.302} + 1.08 \times 2.7^{0.194})/2 = 1.41$。

布置系数 $C_\rho = 3.14/[3.14 - (3.14/90)\arccos(1.0/2) + 1.0/\sqrt{1 - (1.0/2)^2}] = 1.64$。

则 $\rho_{smax} = 15 \div (1.41 \times 1.64) = 6.49$(mm/h)。

(2)选择喷头。花生属经济类作物,要求的雾化指标应在 3 000～4 000 范围内,考虑到在花针期需要喷灌,故选择喷头时,其雾化指标应符合上限要求。查喷头性能表,初选 ZY_1 喷头和 $PY_1$20 喷头做比较:ZY_1 喷头工作压力 $h_p = 350$ kPa,喷嘴直径 $d = 6.5$ mm,流量 $q = 3$ m^3/h,射程 $R = 18$ m,$\rho_s = 2.95$ mm/h;$PY_1$20 喷头工作压力 $h_p = 300$ kPa,喷嘴直径 $d = 7$ mm,流量 $q = 3.05$ m^3/h,射程 $R = 20.8$ m,$\rho_s = 2.25$ mm/h。则有:ZY_1 喷头,$h_p/d = 35 000/6.5 = 5 385 > 4 000$;$\rho_s = 2.95$ mm/h < 6.49 mm/h;支管上装 10 个喷头时,支管入口流量为 30 m^3/h,支管长度为 180 m,与总体布置方案相符。$PY_1$20 喷头,$h_p/d = 30 000/7 = 4 286 > 4 000$;$\rho_s = 2.25$ mm/h < 6.49 mm/h;支管上装 9 个喷头时,支管入口流量为 27.5 m^3/h,支管长度为 180 m,与总体布置方案也相等。

(3)确定组合间距。根据选定的 $K_a = K_b = 1.0$,则有:ZY_1 喷头,$a = b = 1.0 \times 18 = 18$(m);$PY_1$20 喷头,$a = b = 1.0 \times 20.8 = 20.8$(m)。

移动铝管的节长为 4、5、6 m 三种,如选用 3 节 6 m 管,则 $a = 18$ m;如选用 4 节 5 m 管,则 $a = 20$ m,显然,5 m 管在两喷头间要多用一对接头,因此确定选 $a = 18$ m,即从初选的两种喷头中选择 ZY_1 喷头为本喷灌工程所用喷头。其组合间距为 $a=b=18$ m。

2. 进行管道系统的平面布置

如图 5-32 所示。在西、东两区中间标出一、二干管位置，由南边界开始间隔9 m布置第一条支管，此后每隔18 m布置一条，到北边界止布置30条支管，然后再由北边界向南布置第二趟支管，即支31～支60，同理布置完支61～支81、支82～支102。每条支管在距入口处9 m布置一个喷头工作点，此后沿支管每隔18 m布置一个喷点。则支1～支95每条支管上布置10个喷点，支96～支98每条支管上布置9个喷点，支99有8个喷点，支100有7个喷点，支101有4个喷点，支102有3个喷点，总计999个喷点。

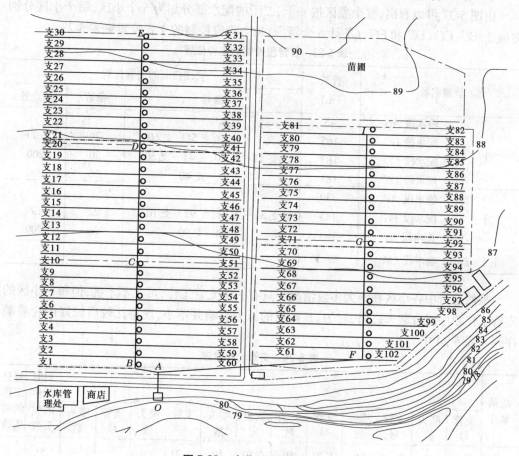

图 5-32 喷灌系统平面布置图

3. 拟定喷灌工作制度

（1）计算喷头在一个喷点上的工作时间。

$$t = 18 \times 18 \times 30 \div (1\,000 \times 3.0) = 3.24 (\text{h})$$

即喷头在每个喷点上的喷洒时间为 3 小时 15 分。

（2）计算一个喷头每天可喷洒的喷点数。为充分利用每天可能的喷灌时间，也避免在刚喷灌过的湿地上拆装支管，确定配置两套移动支管，因此支管的拆装不占用喷洒作业时间。规定夜间不作业，白天连续工作 14 个小时，所以

$$n = 14/3.24 = 4.32$$

取 $n=4$，即两套支管中，每套每天只搬移 2 次。

(3)计算每次同时喷洒的喷头数。

$$n_p = 999/(4 \times 5) = 49.95 \approx 50(个)$$

由于灌区分成了 5 个面积相当的小区，前 95 根支管每根都有 10 个喷头，支 96～支 98 每根都有 9 个喷头，支 99 加上支 102 有 11 个喷头，支 100 加上支 101 有 11 个喷头。因此，可视做共 100 根支管，每次同时有 5 根支管运行，每个小区有一根支管运行。

4.编制轮灌顺序

由图 5-32 可以看出，整个灌区按一干、二干的配水部分划为 5 个小区，每个小区分别对应于 BC、CD、DE 和 FG、GI 计 5 个管段，每个管段控制的支管位置见表 5-23。

表 5-23　各管段控制的支管位置

管道名称		管长（m）	直接控制的支管位置		
			编号	条数	喷点数
一干	输水段 AB	45			
	配水段 BC	165	支 1～支 10,支 51～支 60	20	200
	配水段 CD	183	支 11～支 20,支 41～支 50	20	200
	配水段 DE	183	支 21～支 40	20	200
二干	输水段 AF	339			
	配水段 FG	183	支 61～支 71,支 92～支 102	22	199
	配水段 GI	183	支 72～支 90	20	200
主干	输水段 OA	39.5			

虽然运行中各小区在绝大多数情况下只有一条支管工作，可互不干扰，但每一小区的支管工作顺序组合起来之后，对 B、F 两点的压力影响并不小，现将比较后较好的轮灌顺序列入表 5-24 中。

表 5-24　支管轮灌顺序

轮灌顺序		一干						二干						同时工作的喷头数	每日工作的喷头数
		支管号	喷头数	支管号	喷头数	支管号	喷头数	支管号	喷头数	支管号	喷头数	支管号	喷头数		
第一天	1	支 1	10	支 41	10	支 21	10	支 91	10	支 71				50	200
	2	支 2	10	支 42	10	支 22	10	支 72	10	支 92	10			50	
	3	支 3	10	支 43	10	支 23	10	支 73	10	支 93	10			50	
	4	支 4	10	支 44	10	支 24	10	支 74	10	支 94	10			50	
第二天	5	支 5	10	支 45	10	支 25	10	支 75	10	支 95	10			50	197
	6	支 6	10	支 46	10	支 26	10	支 76	10	支 96	9			49	
	7	支 7	10	支 47	10	支 27	10	支 77	10	支 97	9			49	
	8	支 8	10	支 48	10	支 28	10	支 98	9			支 49			

续表 5-24

轮灌顺序		一干						二干						同时工作的喷头数	每日工作的喷头数
		支管号	喷头数	支管号	喷头数	支管号	喷头数	支管号	喷头数	支管号	喷头数	支管号	喷头数		
第三天	9	支9	10	支49	10	支29	10	支79	10	支99	8	支102	3	51	
	10	支10	10	支50	10	支30	10	支80	10	支100	7	支101	4	51	202
	11	支51	10	支11	10	支31	10	支81	10	支61	10			50	
	12	支52	10	支12	0	支32	10	支82	10	支62	10			50	
第四天	13	支53	10	支13	10	支33	10	支83	10	支63	10			50	
	14	支54	10	支14	10	支34	10	支84	10	支64	10			50	200
	15	支55	10	支15	10	支35	10	支85	10	支65	10			50	
	16	支56	10	支16	10	支36	10	支86	10	支66	10			50	
第五天	17	支57	10	支17	10	支37	10	支87	10	支67	10			50	
	18	支58	10	支18	10	支38	10	支88	10	支68	10			50	200
	19	支59	10	支19	10	支39	10	支89	10	支69	10			50	
	20	支60	10	支20	10	支40	10	支90	10	支70	10			50	

根据支管轮灌顺序表,现将各管段的入口流量、管长、管段首末端高差列入表 5-25 中。

表 5-25　支管轮灌各管段有关数据

管道名称		管长 (m)	设计流量 (m³/h)	首末端高差 $Z_{末} - Z_{首}$ (m)
一干	DE 段	183	30	+1.77
	CD 段	183	60	+1.13
	BC 段	165	90	+0.7
	AB 段	45	90	+0.1
二干	GI 段	183	30	+1.23
	FG 段	183	60	+1.14
	AF 段	339	60	+0.1
主干 OA 段		39.5	150	+1.1
支管		171	30	-0.19～0.22

由表 5-25 看出,喷灌系统的流量为 150 m³/h,而水源来水流量为 $Q_L = (500/10\ 000) \times 1 \times 3\ 600 = 180 (m^3/h)$,因此不必设计蓄水调节工程。

5. 管道设计

(1)支管设计。选用薄壁铝管作为移动支管。支1～支95均由28节6 m长的铝管组成,其中有10节带竖管座;支96～支98均由25节6 m长的铝管组成,其中有9节带竖管座;支99、支100、支101和支102分别由22节、19节、10节、7节6 m长的铝管组成,每条支管中分别含有8节、7节、4节和3节带竖管座。为方便拆装移动,支管采用同一种口径。按 GBJ85—85 要求,支管上任意两个喷头之间的水头差应不超过喷头工作压力的 20%,即 $h'_f + \Delta Z \leqslant 0.2h_p$。从系统平面布置图中可以看出,支管基本上按等高线布置,最大水头差是在支管上首、末两个喷头之间,计为 $\Delta Z = 0.22$,铝管水力计算的系数、指数为:$f = 0.861 \times 10^5$,$m = 1.74$,$b = 4.74$。孔口数 $N = 10$,$X = 9/18 = 0.5$,代入式(5-17),则:

$$F = \left[10 \times \left(\frac{1}{1.74+1} + \frac{1}{2 \times 10} + \frac{\sqrt{1.74-1}}{6 \times 10^2} \right) + 0.5 - 1 \right] \times \frac{1}{10+0.5-1} = 0.386$$

$$30 \times 0.2 \geqslant \frac{0.386 \times 0.861 \times 10^5 \times 171 \times 30^{1.74}}{D^{4.74}} + 0.22$$

解得:$D \geqslant 64$ mm。为安全起见,选择外径为 76 mm、内径为 73 mm 的铝管为移动支管。

(2)干管设计。干管选择硬聚氯乙烯管。各管段的经济管径按经验公式计算,并将计算结果与实选管径列于表 5-26 中。

表 5-26　设计结果

管段	AB	AF	BC	CD	DE	FG	GI
设计流量(m³/h)	90	60	90	60	30	60	30
经济管径(mm)	123	101	123	101	71.2	101	71.2
实选管径(mm)	140	110	140	110	90	110	90

(3)主干管设计。主干管分为两段:一段为水泵的出水管,长 2 m 左右,待水泵选定后确定其内径;另一段 OA 段与两干管 AB、AF 连接,39.5 m,Q 为 150 m³/h,需穿过铁路。其管径仍按经验公式计算,$D = 140.8$ mm,实选Φ160 mm 公称直径的硬聚氯乙烯管。

6. 管道纵剖面设计和管道结构设计

各级管道的平面布置和管径确定后,即可进行固定管道的纵剖面设计。图 5-33、图 5-34、图 5-35 分别是干管和分干管的纵剖面图。

各级管道的平面位置和立面位置确定后,即可进行管道系统结构设计。图 5-36 是该喷灌系统的管道结构示意图。

7. 管道系统各控制点的压力计算

(1)支管入口压力水头。本设计中因最大水头差产生在支管首末端喷头间,所以应该用末端喷头入口压力作为计算基础。因花生株高为 0.5 m 以下,故竖管选用内径为 25 mm,长度为 0.75 m 的铝质厚壁管。根据 GBJ85—85,末端喷头的工作水头以设计压力的 90% 计,支管入口与末端的地形高差最大为 0.22 m,喷头的工作水头以竖管上距喷头进口 0.2 m 处的压力水头计,因此支管入口的压力水头为:

$$
\begin{aligned}
H_支 &= 0.9 \times 35 + (0.75 - 0.2) + 0.22 \\
&+ (0.861 \times 10^5 \times 0.55 \times 3^{1.74}/25^{4.74}) \\
&+ (0.386 \times 0.861 \times 10^5 \times 168 \times 30^{1.74}/73^{4.74}) \\
&+ (0.948 \times 10^5 \times 3 \times 30^{1.74}/73^{4.74}) \\
&= 35.5(m)
\end{aligned}
$$

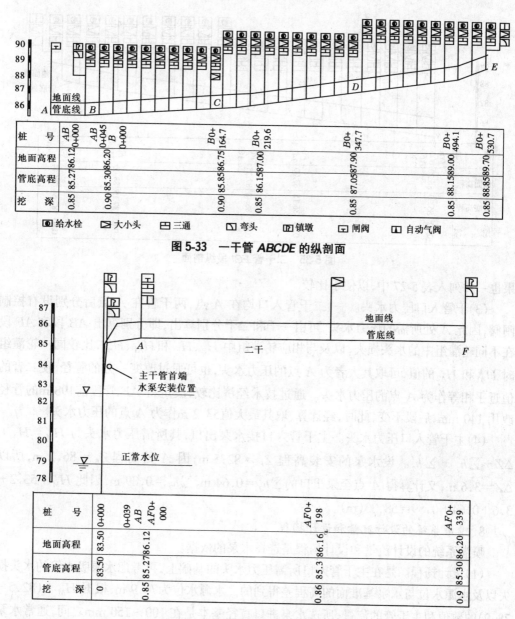

图 5-33 一干管 ABCDE 的纵剖面

图 5-34 干管 OA 及二干 AF 段纵剖面

即支管入口的压力水头需保证有 35.5 m。

(2)干管配水段入口压力水头。一干管配水段入口在 B 点,其压力水头 H_B 是 DE 段支管的入口压力水头 $H_支$ 加上此入口到 B 点的全部水头损失 h_w,如果 DE 段支管入口点高于 B 点,则再加上两者的高程差,反之减去高程差。由于在不同轮灌组中 DE 段支管的位置不一样,CD、BC 段的支管位置也不同,因此造成了从 DE 段支管入口到 B 点的总水头损失和高程差均不一样,现将逐一计算的结果列于表 5-27。

二干管配水段入口在 F 点,其压力水头的计算方法与一干管配水段相同,其计算结

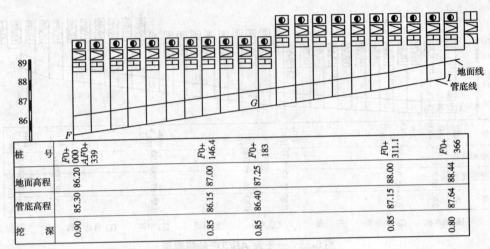

图 5-35　二干管 FGI 段纵剖面

果也一并列入表 5-27 中,以便于比较。

(3)干管入口压力水头。一、二干管入口均在 A 点,两干管在 A 点后分别设有控制闸阀,因此 A 处所需的压力水头,可由一干和二干分别算出,即分别算出 AB 段和 AF 段在不同轮灌组中的水头损失,以及与相应轮灌组中 H_B、H_F 和 H_{A1}、H_{A2},比较同一轮灌组时 H_{A1} 和 H_{A2} 的值,可取其大者为 A 点的压力水头,也可通过改变一方的管径,使二者的值近乎相等作为 A 点的压力水头。通过技术经济比较,决定将 AF 管段前198 m的管径改用 140 mm,后段不变,此时,经计算,取其最大值53.2 m作为 A 点的压力水头。

(4)主干管入口压力水头。主干管入口接水泵出口,其所需压力水头为 $H_M = H_A + \Delta Z + \sum h_f + \sum h_j$。设水泵的安装高程 $Z_P = 82.5$ m,因 A 处高程 $Z_A = 86.1$ m,所以 $\Delta Z = 3.6$ m,又计算得 A 点至泵出口的 $\sum h_f = 0.64$ m,$\sum h_j = 0.89$ m,因此 $H_M = 53.2 + 3.6 + 0.64 + 0.89 = 58.33$(m)。

8. 喷灌系统的设计流量和设计扬程

喷灌系统的设计流量和设计扬程是选择水泵的依据。

(1)设计扬程。是在主干管入口所需压力水头的基础上,再考虑水泵吸水管的水头损失以及水源水位与水泵基准面的高程差得到的。水源水位为78.9 m;根据 $H_M + (82.5 - 78.9)$ 的数值和主干管的流量,所选水泵进口直径基本是在 $100 \sim 150$ mm 之间,通常水泵吸水管的管径比泵进口大一级,则吸水管的管径基本是 $150 \sim 200$ mm。吸水管的长度按4 m计算,设其有一个 90°弯头和一个偏心渐缩管,则根据设计扬程的计算公式

$$H = H_M + \sum h_f + \sum h_j + \Delta Z$$

当水泵口径为 100 mm 时,$H = 58.33 + 0.52 + 1.44 + 3.6 = 63.9$(m);
当水泵口径为 150 mm 时,$H = 58.33 + 0.25 - 1.15 + 3.6 = 61.03$(m)。

(2)设计流量 $Q = 50 \times 3 \div 0.95 = 158$(m³/h)。

(3)水泵及动力机的选配。根据设计流量和设计扬程选择两台 IS100-65-250A 单吸悬臂离心泵,其性能如表 5-28 所示。

表 5-27　干管配水段入口压力水头计算结果

轮灌顺序	1	2	3	4	5	6	7	8	9	10	11	12	13	14	15	16	17	18	19	20
管段	一干配水段																			
入口流量(m³/h)										90										
支管入口流量(m³/h)										38.5										
Σh_f(m)	7.85	8.09	8.33	8.57	8.81	9.25	9.01	10.34	9.63	10.01	10.1	9.86	9.62	9.38	9.14	8.89	8.57	8.22	8.01	7.85
Σh_j(m)	1.57	1.62	1.67	1.71	1.76	1.85	1.8	2.0	1.93	2	2.2	1.97	1.92	1.88	1.83	1.78	1.71	1.64	1.6	1.57
高程差(m)	1.93	2.07	2.21	2.35	2.49	2.63	2.79	2.9	3.3	3.6	3.6	3.7	2.9	2.78	2.63	2.49	2.35	2.21	2.07	1.93
管段入口水头(m)	46.85	47.28	47.71	48.13	48.56	49.23	49.09	50.74	50.36	51.11	51.40	50.63	49.94	49.54	49.10	48.66	48.31	47.57	47.18	46.85
管段	二干配水段																			
入口流量(m³/h)										60										
支管入口流量(m³/h)										35.5										
Σh_f(m)	6.10	5.97	6.01	6.05	6.73	6.73	6.09	6.72	6.81	6.86	6.52	7.14	7.09	7.05	7.01	6.97	6.89	6.85	6.84	6.1
Σh_j(m)	1.22	1.19	1.2	1.21	1.35	1.35	1.3	1.35	1.36	1.37	1.3	1.4	1.4	1.41	1.42	1.39	1.38	1.37	1.36	1.2
高程差(m)	1.25	1.25	1.36	1.47	1.58	1.69	1.78	1.92	2.07	2.22	2.37	2.37	2.22	2.07	1.92	1.78	1.69	1.58	1.47	1.36
管段入口水头(m)	44.07	43.91	44.07	44.23	45.16	45.27	44.67	45.49	45.74	45.95	45.69	46.41	46.21	46.03	45.85	45.64	45.46	45.30	45.17	44.16

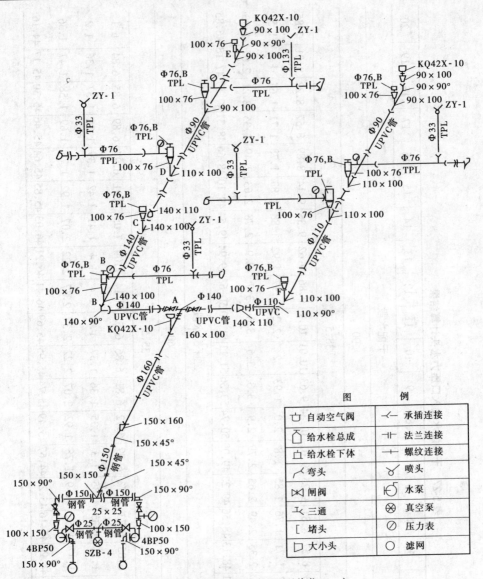

图 5-36 管道结构示意图 （单位:mm）

选择两台 Y200L₁-22 型电动机与之配套,其功率为 30 kW,转速2 900 r/min。

表 5-28 水泵性能

泵 型 号	流量 (m³/h)	扬程 (m)	转速 (r/min)	功率(kW)		效率 (%)	允许吸上 真空高度(m)
				轴功率	配套功率		
IS100-65-250A	58	66					
	90	61	2 900		30	71	5.8
	112	56					

9. 设备投资预算和技术经济计算

进行主要设备投资预算和技术经济计算(略)。

二、绞盘式喷灌机喷灌工程设计示例

(一)基本资料

(1)设计地块位置、地形及面积:设计地块位于山东省临沂市罗庄区某项目区内孙家对河村东南,面积28.47 hm²(427亩),田面平坦。

(2)种植作物:苜蓿草,南北向种植,每公顷产量在120 000~180 000 kg。

(3)土质及基本特性:土质为中壤土,密度1.35 g/cm³,田间持水率为24%(占干土重百分数),土壤平均入渗强度为12 mm/h。最大冻土层深为45 cm。

(4)水源:地块中间有2眼机井,单井出水量均在50 m³/h,动水位在8 m左右。

(5)气象条件:区内多年平均降雨量为857.8 mm,灌溉季节多东南风,常见风速2.5 m/s左右。

(二)灌溉制度的确定

(1)灌水定额。

$$m = 0.1h\gamma(\beta_1 - \beta_2)/\eta$$

式中　m——设计灌水定额,m³/hm²;

　　　γ——土壤干密度,1.35 g/cm³;

　　　h——计划湿润层深度,取为45 cm;

　　　β_1、β_2——适宜土壤含水量上、下限(占干土重百分比),取田间持水量的90%、70%,田间持水量为24%;

　　　η——灌溉水利用系数,取0.85。

计算得:$m = 343$ m³/hm²。

(2)灌水周期。

$$T = m\eta/E_a$$

式中　T——设计灌水周期,d;

　　　E_a——作物日需水量,mm/d,牧草生长高峰期耗水强度为$E_a = 4.0$ mm/d;

　　　其余符号含义同前。

计算得:$T = 7.3$ d,取 $T = 7$ d。

(三)绞盘式喷灌机选择

卷盘喷灌机采用单喷头式,由于地块的净种植面积为28.47 hm²,东西长为600 m,南北最长边为500 m,考虑到喷灌机的工作道应尽量结合道路及管理的方便,宜选用卷管比较长的喷灌机,使工作道在东西生产路上,这样喷灌最大长度为260 m,加之地块内单井出水量为50 m³/h,可考虑选用卷管长为250 m的JP75/270型绞盘式喷灌机。

其性能参数如下:输水管直径75 mm,卷管长度250 m,喷灌机进口工作压力42 m水头,喷嘴直径28 mm,喷头流量45 m³/h,喷头射程38 m,有效喷洒长度270 m。

(四)绞盘式喷灌机工作制度

(1)喷头有效喷洒宽度。

$$b = 2kR_1$$

式中　R_1——喷头射程,38 m;

　　　　k——折减系数,取 $k=0.8$。

计算得:$b=60.8$ m,取 $b=60$ m。

(2)喷头车行走速度。

$$v = 1\,000q/(mb)$$

式中　q——喷头喷水量,45 m³/h;

　　　　m——灌水定额,343 m³/hm²。

计算得:$v=21.9$ m/h。

JP75/270 型绞盘式喷灌机的喷头车行走速度应控制为 21.9 m/h。

(3)喷灌机在一个条田的工作时间。

$$t_1 = L/v$$

式中　L——喷灌机牵引软管的有效长度,$L=250$ m。

经计算,$t_1=12$ h。

(4)单台喷灌机控制面积。

$$A_0 = 0.1qTt/m$$

式中　A_0——单台喷灌机的控制面积,hm²;

　　　　q——喷灌机流量,m³/h;

　　　　t——每天灌溉时间,取 16 h;

　　　　m——灌水定额,m³/hm²;

　　　　其余符号含义同前。

计算得:$A_0=14.67$ hm²。

(5)所需机组台数。每台喷灌机控制面积 14.67 hm²,喷灌 28.47 hm² 共需选用 2 台喷灌机。系统设计总流量 $Q_{设}=45×2=90$(m³/h)。

(五)管网布置

绞盘式喷灌机喷灌工程平面布置示意图见图 5-37。

干管管材采用 UPVC 管材。

地块内机井位于东西路北侧,干管东西向,沿生产路布置,长度 540 m,每60 m布设一给水栓,共计 10 个,干管末端给水栓离地边20 m。

绞盘式喷灌机从给水栓取水,喷灌机与给水栓的连接采用地面移动软管,软管长度为 5 m。卷盘车在生产路上移动作业。垂直干管顺作物种植行方向每间距60 m修一条宽为 1.5 m的喷头车道,供卷盘喷灌机的喷头车移动。

(六)系统工作方式

地块共布置 10 个给水栓,配备两台绞盘式喷灌机,每台开启一个给水栓工作,给水栓双向供水,所以该系统喷灌机有 5 个工作点。喷灌机在一个工作点的工作分为两部分,灌溉完给水栓南(北)面部分,再灌溉北(南)面部分。一个工作点的工作完毕后,再将喷灌机移至下一个工作点,与该工作点的给水栓连接后,继续开机灌溉,依此类推(见图 5-37)。

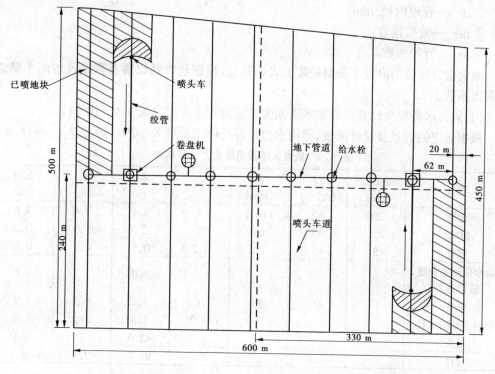

图 5-37　卷管牵引绞盘式喷灌机喷灌工程平面布置示意图

(七)管网水力计算

1.干管管径确定

绞盘式喷灌机的工作压力、喷洒流量决定了管网上给水栓的出口压力和流量。根据系统工作方式,可知供水干管的流量为45 m³/h。

按经济流速法推算干管的管径:

$$d = 18.8(Q/v)^{1/2}$$

式中　d——管内径,mm;

　　　Q——流量,45 m³/h;

　　　v——经济流速,取 1.5 m/s。

计算得:$d = 103$ mm。

故地埋固定管道供水干管选用 Φ125 mm 的高压 UPVC 塑料管材,给水栓与喷灌机的地面移动连接软管考虑到与喷灌机接口配套选用Φ80 mm的高压消防软带。

2.管网水力计算

(1)沿程水头损失计算。

$$h_f = fQ^m L/d^b$$

式中　h_f——管道沿程水头损失,m;

　　　f——摩阻系数;

　　　L——计算管道长度,m;

　　　Q——管道设计流量,m³/h;

d——管道内径,mm;

m——流量指数;

b——管径指数。

地面塑料软管的沿程水头损失按上式计算后,根据软管铺设顺直程度及地面平整情况乘以系数1.2。

(2)局部水头损失计算。局部水头损失按总沿程水头损失的5%～10%计。

根据选定的管径及设计流量,管网水力计算具体结果见表5-29。则,$\sum h_f = 94.1$ m。

表 5-29　绞盘式喷灌系统水力计算结果

项目	L (m)	Q (m³/h)	d (mm)	F	h_f (m)	h_j (m)	$\sum H$ (m)
干管	280	45	114.2	1	3.4	0.4	3.8
PE 管	250	45	61	1	32.7	1.6	34.3
软管	5	45	80	1.2	0.5	0.1	0.6
动水位到主管道进口高差	15	45	75	1	8.0		8.0
泵管					3.6	0.3	3.9
地形差及给水栓					1.5		1.5
喷头					42.0		42.0
合计					91.7	2.4	94.1

(八)水泵选型

根据设计的绞盘式喷灌机喷灌工程系统进口压力 94.1 m 和系统流量45 m³/h的要求,选用潜水电泵型号为200QJ50-104/8-25 kW。

(九)系统首部枢纽及管网安全保护设施设计

在系统管网的首部依次设置水泵、逆止阀、闸阀、安全阀、压力表、IC卡水表等设备(见图 5-38)。

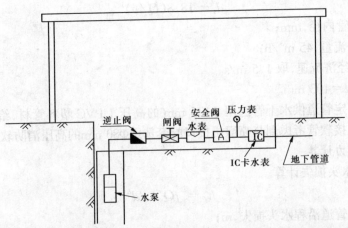

图 5-38　卷管牵引绞盘式喷灌机喷灌系统首部枢纽布置示意图

(十)材料设备及投资估算

(略)

第六章　微灌工程技术

第一节　概　述

微灌是滴灌、小管出流(涌泉灌)、渗灌和微喷灌的统称。灌水时,水通过配水管道安装的滴头或灌水器以间断或连续水滴、细流、渗流或微细喷洒等形式缓慢地灌到地表或地表以下的灌水方法。

微灌的主要特点是灌水流量小,一次灌水延续时间较长,灌水周期短,需要的工作压力较低,能够较精确地控制灌水量,能把水和养分直接供应到作物根区土壤,可以实现局部灌溉。

一、微灌的优缺点

(一)微灌的优点

(1)省水。微灌系统全部由管道输水,很少有沿程渗漏和蒸发损失;微灌属局部灌溉,灌水时一般只湿润作物根部附近的部分土壤,灌水流量小,不易发生地表径流和深层渗漏;另外,微灌能适时适量地按作物生长需要供水,较其他灌水方法,水的利用率高。因此,一般比地面灌溉省水 1/3～1/2,比喷灌省水 15%～25%。

(2)节能。微灌的灌水器在低压条件下运行,一般工作压力为 50～150 kPa,比喷灌低;又因微灌比地面灌溉省水,灌水利用率高,对提水灌溉来说意味着减少了能耗。

(3)灌水均匀。微灌系统能够做到有效地控制每个灌水器的出水量,灌水均匀度高,均匀度一般可达 80% 以上。

(4)增产。微灌能适时适量地向作物根区供水供肥,有的还可调节棵间的温度和湿度,不会造成土壤板结,为作物生长提供了良好的条件,因而有利于实现高产稳产,提高产品质量。许多地方的实践证明,微灌较其他灌水方法一般可增产 30% 左右。

(5)对土壤和地形的适应性强。微灌系统的灌水速度可快可慢,对于入渗率很低的黏性土壤,灌水速度可以放慢,使其不产生地面径流;对于入渗率很高的沙质土,灌水速度可以提高,灌水时间可以缩短或进行间歇灌水,这样做既能使作物根系层经常保持适宜的土壤水分,又不至于产生深层渗漏。由于微灌是压力管道输水,对地面平整程度要求不高。

(6)在一定条件下可以利用咸水资源。微灌可以使作物根系层土壤经常保持较高含水状态,因而局部的土壤溶液浓度较低,渗透压比较低,作物根系可以正常吸收水分和养分而不受盐碱危害。实践证明,使用咸水滴灌,灌溉水中含盐量在 2～4 g/L 时作物仍能正常生长,并能获得较高产量。

但是利用咸水滴灌会使滴水湿润带外围形成盐斑,长期使用会使土壤恶化,因此在干旱和半干旱地区,在灌溉季节末期应用淡水进行洗盐。

（7）节省劳动力。微灌系统不需平整土地、开沟打畦，可实行自动控制，大大减少了田间灌水的劳动量和劳动强度。

（二）微灌的缺点

（1）易引起堵塞。灌水器的堵塞是当前微灌应用中最主要的问题，严重时会使整个系统无法正常工作，甚至报废。引起堵塞的原因可以是物理因素、生物因素或化学因素。如水中的泥沙、有机物质或是微生物以及化学沉凝物等。因此，微灌对水质要求较高，一般均应经过过滤，必要时还需经过沉淀和化学处理。

（2）可能引起盐分积累。当在含盐量高的土壤上进行微灌或是利用咸水微灌时，盐分会积累在湿润区的边缘，若遇到小雨，这些盐分可能会被冲到作物根区而引起盐害，这时应继续进行微灌。在没有充分冲洗条件下的地方或是秋季无充足降雨的地方，则不要在高含盐量的土壤上进行微灌或利用咸水微灌。

（3）可能限制根系的发展。由于微灌只湿润部分土壤，加之作物的根系有向水性，这样就会引起作物根系集中向湿润区生长。另外，在没有灌溉就没有农业的地区，如我国西北干旱地区，应用微灌时，应正确布置灌水器，在平面上要布置均匀，在深度上最好采用深埋方式。

总之，微灌的适应性较强，使用范围较广，各地应根据当地自然条件、作物种类等因地制宜选用。

二、微灌技术的发展

（一）国外微灌技术的发展概况

最初，滴灌是从地下灌溉发展起来的。1860年在德国首次利用排水瓦管进行地下灌溉试验，管材是明接头的短瓦管，瓦管间距5 m，埋深0.8 m，管上覆盖0.3～0.5 m的过滤层。试验结果，作物产量成倍增加。这项试验连续进行了20年。1920年德国在水的出流方面实现了一次突破，采用了穿孔管，使水沿管道输送时从孔眼流入土壤。

1923年苏联和法国也进行了类似的试验，研究穿孔管系统的灌溉方法。1934年美国研究用帆布管渗水灌溉。自1935年以后着重试验各种不同材料制成的孔管系统，研究根据土壤水分的张力确定管道中流到土壤里的水量。荷兰、英国首先应用这种灌溉方法灌溉温室中的花卉和蔬菜。

第二次世界大战以后，塑料工业迅速发展，出现了各种塑料管。由于它易于穿孔和连接，且价格低廉，使滴灌系统在技术上实现了第二次突破，成为今天所采用的形式。当时使用的滴头是绕在管子上的一些微管，流道长，便于消能。到了20世纪50年代后期，以色列研制成功长流道管式滴头，在微灌技术的发展中又迈出了重要的一步。70年代以来许多国家对滴灌开始重视，认识到滴灌不仅是一种灌溉方法，而且是一种现代化的农业技术措施，因此发展很快。1971年在以色列特拉维夫，1974年在美国加利福尼亚斯诺，先后召开了两次国际滴灌会议，有力地促进了滴灌的发展。据统计，1974年全世界滴灌面积仅5.78万 hm^2，到1983年就发展到42.67万 hm^2。

在当今世界上工农业生产迅速发展、人口不断膨胀、水资源危机波及全球的情况下，滴灌特别引起人们的重视，促使人们在滴灌技术和滴灌设备方面进行深入研究。由于滴头易堵塞,是限制滴灌发展的关键问题,因此各国都在集中进行对滴头结构和水力性能的研究,各种各样的新型滴头不断问世。美国研制的滴灌带已由第一代发展到第四代;以色列和意大利联合研制成了脉冲式滴灌装置;为了克服喷灌用水多、耗能大和滴灌易堵塞的问题,澳大利亚研制成了多种微型喷水装置;苏联的雾灌、美国的涌流灌溉已经问世。所有这些灌溉方式都远远超出了滴灌原有的范畴,形成了局部灌溉的新概念。这些灌溉方式的基本特点是相同的,即运行压力低、灌水流量小、灌水频繁、能精确地控制灌溉水量、灌水均匀、湿润作物根区部分土壤。

微灌最先是用在干旱和半干旱的地方,目前,已在世界各地推广应用。在灌溉作物方面,由果树、蔬菜等少数经济作物向行播大田作物发展。在微灌方式上由地表微灌系统向地埋式微灌系统发展,这样既方便了耕作,也防止了毛管过早老化,延长了使用期。在设备研制上由小孔径灌水器逐渐向低压大孔径方向发展,对防止堵塞有一定作用。由单一的滴灌向多种形式的节水节能型微灌发展。为了节省劳力,提高微灌设备的利用率,进行了机械化、自动化移动式微灌系统的试验研究工作。电子计算机、激光、太阳能利用等现代化技术开始在微灌中应用,这些都标志着微灌技术已开始进入现代科学技术领域。

(二)我国微灌技术的发展

我国现代微灌技术的试验研究是从 1974 年引进墨西哥滴灌设备开始的,当时试点仅 3 个,面积约有 5.33 hm²,试验都取得了显著的增产、省水效果。经过 30 多年的研究示范开发,在学习国外经验和引进国外先进设备、技术的基础上,结合国情,我国微灌事业有了长足的发展。2003 年全国微灌面积已达到 37.11 万 hm²,其中山东省发展面积约 3.78 万 hm²。目前,我国微灌技术总体上已达到世界先进水平。现在,在微灌形式发展上,不但发展滴灌,而且也发展了微喷、地表下滴灌、小管出流、脉冲式喷灌、涌泉灌等。在微灌设备生产方面,成规模的生产厂家已有数十家,产品质量、品种已达到世界先进水平,某些方面已具世界领先水平,产量和质量完全可满足国内推广应用,还部分出口国外。在规划设计方面,优化设计技术已得到推广应用,规划设计手段和技术已接近世界水平。在技术标准制定方面,我国先后制定出台了《微灌灌水器—滴头》(SL/T67.1—94)、《微灌灌水器—微灌管、微灌带》(SL/T67.2—94)、《微灌灌水器—微喷头》(SL/T67.3—94)、《微灌用筛网过滤器》(SL/T68—94)、《微灌工程技术规范》(SL103—95)等行业标准,为微灌设备研制生产、推广应用、工程规划设计提供了依据。

山东省微灌发展面积主要分布在经济较发达的烟台、威海、济南、青岛、淄博、潍坊等地。一些经济欠发达地区,如鲁西北沿黄地区近年来也有发展。微灌作物主要为果树、大棚蔬菜等。近几年发展的微灌工程形式,果树以微喷、小管出流为主,大棚蔬菜以滴灌带滴灌为主。所用设备主要是北京绿源、福建亚通、河北龙达等国内厂家的产品。国外一些先进微灌设备,主要是以色列产品,也已经大量进入山东省,如临沂、潍坊等地利用以色列普拉斯托公司的产品发展 667 hm² 微灌示范工程等。

微灌事业在我国有着广阔的前景。随着我国经济的发展,水资源危机的加剧和发展高效、优质农业的需求,微灌在 21 世纪将有大的发展。据统计,我国现有灌溉面积 6 105.6万 hm²,实施节水灌溉的面积仅为 1 944.28 万 hm²,而微灌面积仅有 37.11 万 hm²。北方各省发展微灌面积除山东省、辽宁省超过 2 万 hm² 外,其他各省发展面积都不足 1 万 hm²。一般大城市郊区是蔬菜集中产区,据调查,在特别适宜实施微灌的大棚蔬菜的地区,推广应用微灌面积也不到 15%。可见,发展节水型微灌具有广阔的前景。

三、目前我国微灌发展存在的主要问题

目前我国微灌技术发展存在的问题主要集中在微灌设备和认识等方面:

(1)灌水器品种齐全,但质量参差不齐。灌水器是微灌系统的"心脏",系统工作质量的高低、工作可靠性很大程度上取决于灌水器的性能,因而各国均对灌水器的研制十分重视,研制生产了上千种不同类型、不同规格的滴头和微喷头。同时由于滴头流道尺寸小,要求加工精度高。我国自 20 世纪 70 年代开始了滴头的仿制和自行研制,尤其近几年,随着模具工艺技术的发展和市场发展的需要,一体化滴灌管(带)、滴头、微喷头等研制生产规格比较齐全,但由于生产厂家较多,市场竞争激烈,一些厂家为降低成本,对生产原材料、模具精度等重视不够,造成产品质量不稳定,影响了微灌技术的推广应用。

(2)管件及控制设备配套水平低。目前我国滴灌系统所采用的管件以内插竹节式、活接式为多,内插竹节式管件适用于管径较小的管材,在管径较大时,容易漏水。采用内插竹节式管件,管口处长期处于应力紧张状态,容易出现纵向裂纹,影响管道的寿命,对直径超过 25 mm 的管道,这种方法在国外早已淘汰。活接式管件使用比较方便,但价格偏高(尤其是大口径管件),压力超过 0.4 MPa 时也存在露水问题。在自动控制设备方面,如电磁阀、自动控制器等,与国外相比差距更大,不但自主开发生产的产品很少,而且质量较差。

(3)对微灌技术的认识不到位。微灌是一项技术要求比较高、适合于规模化发展的先进节水技术,在目前一家一户的生产管理体制条件下,这项技术所带来的综合效益显现不出来,大家对其优势还认识不足,难以形成规模化发展和统一灌溉管理,制约了微灌技术的推广与发展。

第二节　微灌系统的组成与分类

一、微灌系统的组成

微灌系统通常由水源工程、首部枢纽、输配水管网和灌水器 4 部分组成,其形式见图 6-1。

(一)水源工程

河流、湖泊、塘堰、沟渠、井泉等,只要水质符合微灌要求,均可作为微灌的水源。为了充分利用各种水源进行灌溉,往往需要修建引水、蓄水和提水工程,以及相应的输配电工程。这些统称为水源工程。

(二)首部枢纽

微灌工程的首部通常由水泵及动力机、控制阀门、水质净化装置、施肥装置、测量和保护设备等组成。首部枢纽担负着整个系统的驱动、检测和调控任务,是全系统的控制调度中心。

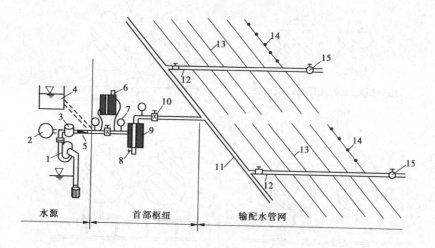

图 6-1　微灌系统示意图

1—水泵；2—供水管；3—水表；4—蓄水池；5—逆止阀；6—施肥罐；7—压力表；
8—排污阀；9—过滤器；10—阀门；11—干管；12—支管；13—毛管；14—灌水器；15—冲洗阀门

(三)输配水管网

干、支、毛管道担负着输水和配水的任务,一般均埋入地面以下一定深度。根据灌区大小,管网的等级划分也有所不同。

(四)灌水器

微灌的灌水器有滴头、微喷头、涌水器、滴灌带(管)和渗灌管等多种形式,或置于地表或埋入地下。灌水器的结构不同,水流的出流方式也不同,有滴水式、漫射式、喷水式、渗流式和涌泉式等,相应的灌水方法亦称为滴灌、微喷灌、渗灌和涌泉灌。

二、微灌系统的分类与特点

按灌水时水流出流方式的不同,可以将微灌分为如下四种形式(见图 6-2)。但在实践中形成完整理论并广泛使用的主要是地表滴灌和微喷灌两种。

(一)滴灌

滴灌是通过安装在毛管上的滴头、孔口或滴灌管(带)等灌水器将水一滴一滴地、均匀而又缓慢地滴入作物根区附近土壤中的灌水形式。由于滴水流量小,水滴缓慢入土,因而在滴灌条件下除紧靠滴头附近的土壤水分处于饱和状态外,其他部位的土壤水分均处于非饱和状态,土壤水分主要借助毛管张力作用入渗和扩散。根据滴灌管道和灌水器铺设方式不同又分为地表滴灌和地表下滴灌两种形式。

地表滴灌是指滴灌管道和灌水器全部铺设在地表面的一种形式。

地表下滴灌是将全部滴灌管道和灌水器埋入地表下面的一种灌水形式。这种形式的滴灌能克服地面毛管易于老化的缺陷,防止毛管损坏或丢失,同时方便田间作业。

(二)渗灌

渗灌是通过埋在地下的渗水管道将水缓慢地渗入作物根区附近土壤中的灌水形式。渗灌土壤水分主要借助土壤毛管张力作用向上或向两侧扩散,因此灌水速度应比滴灌更慢。

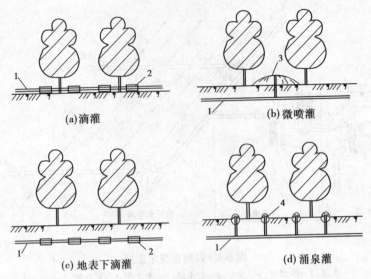

图 6-2　微灌的形式

1—毛管;2—滴头;3—微喷头;4—涌水器

(三)微喷灌

利用直接安装在毛管上或与毛管连接的微喷头将压力水喷洒在枝叶上或树冠下地面上的一种灌水形式,简称微喷。微喷头有折射式和旋转式两种,前者喷射范围小,水滴小;后者喷射范围较大,水滴也较大。微喷既可以增加土壤水分又可提高空气湿度,起到调节田间小气候的作用。

(四)涌泉灌溉

涌泉灌溉也称小管出流灌溉,是通过安装在毛管上的涌水器(或微管),以涌泉方式形成地面水流流入作物根区土壤的一种灌水形式。涌泉灌溉的流量比滴灌和微喷大,一般都超过土壤的渗吸速度。为了防止产生地面径流,需要在涌水器附近挖一小灌水坑暂时储水。涌泉灌尤其适合于果园和植树造林的灌溉。

第三节　微灌系统的主要设备

一、灌水器

(一)对灌水器的基本要求

灌水器的作用是把末级管道中的压力水流均匀而又稳定地分配到田间,满足作物生长对水分的需要。灌水器的结构性能和质量好坏直接影响到微灌系统是否工作可靠及灌水质量高低。因此,常把灌水器称为微灌的"心脏",对它的要求如下。

(1)出水量小。灌水器出水量的大小取决于工作水头高低、过水流道断面大小和出流受阻的情况。微灌灌水器的工作水头一般为 $5\sim15\,\mathrm{m}$,过水流道直径或孔径一般在 $0.3\sim2.0\,\mathrm{mm}$ 之间,出水流量在 $2\sim200\,\mathrm{L/h}$ 之间变化。

(2)出水均匀、稳定。一般情况下灌水器的出流量随工作水头大小而变化。因此,要求灌水器本身具有一定的调节能力,使得在水头变化时引起的流量变化较小。

(3)抗堵塞性能好。灌溉水中总会含有一定的污物和杂质,由于灌水器流道和孔口较小,在设计和制造灌水器时要尽量采取措施提高它的抗堵塞性能。

(4)制造精度高。如上所述,灌水器的流量大小除受工作水头影响外,还受设备精度的影响。如果制造偏差过大,每个灌水器的过水断面大小差别就会很大,无论采取哪种补救措施,都很难提高灌水器的出水均匀度。因此,为了保证微灌灌水质量,要求灌水器的制造偏差系数值 C_v 一般应控制在 0.03~0.07 之间。

(5)结构简单,便于制造和安装。

(6)坚固耐用,价格低廉。灌水器在整个微灌系统中用量较大,其费用往往占整个系统总投资的 30%~60%。另外,在移动式微灌系统中,灌水器要连同毛管一起移动,为了延长使用寿命,降低工程造价,要求在降低价格的同时还要保证产品的经久耐用。

实际上绝大多数灌水器的质量不能同时满足上述所有要求,因此在选用灌水器时,应根据具体使用条件,只满足某些主要要求即可。例如,使用水质不好的地面水源时,要求灌水器的抗堵塞性能较高,而在使用相对较干净的井水时,对灌水器的抗堵塞性能的要求就可以低一些。

(二)灌水器的分类

灌水器在滴灌系统中简称为滴头,在微喷灌系统中简称为微喷头,其分类还没有统一的规定标准。由于灌水器的结构形式、品种众多,不同的角度其名称也有不同的叫法,而它们之间也有很多共性之处,因此一般是根据灌水器的结构和性能更接近哪一类型而确定其名称。生产实践中,一般按应用角度或习惯叫法来分。

1.滴头的分类

1)按滴头与毛管的连接方式分类

(1)管上式滴头。是安装在毛管上的一种滴头形式。施工时在毛管上直接打孔,然后将滴头插在毛管上(见图6-3)。

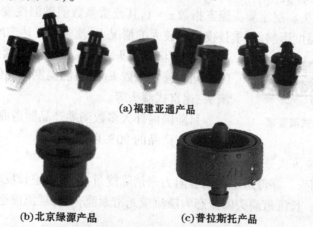

(a)福建亚通产品

(b)北京绿源产品　　　　　(c)普拉斯托产品

图6-3　管上式滴头

(2)管间式滴头。安装在两段毛管的中间,本身成为毛管一部分的滴头,如图6-4所示。管间式滴头,其接头分别插入两段毛管内,绝大部分水流通过滴头体腔流向下一段毛管,而很少一部分水流通过滴头体内的侧孔进入滴头流道流出。

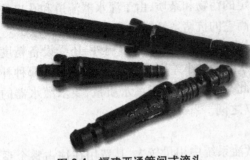

图6-4　福建亚通管间式滴头

(3)内镶式滴灌管。在毛管生产过程中,直接将灌水器镶嵌在毛管内。内镶式滴灌管管壁较厚(一般不小于0.4 mm),管内装有专用滴头,如图6-5所示。

(4)管壁式滴灌带。将孔口、消能流道直接做在毛管壁上,管内无专用滴头,只是在管壁打孔或直接在结合缝处热合成流道或成双壁管等。如在毛管上用激光打孔制作的多孔管滴灌带;薄膜迷宫式滴灌带(见图6-6)等,

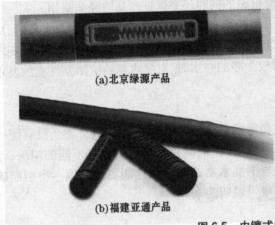

(a)北京绿源产品

(b)福建亚通产品

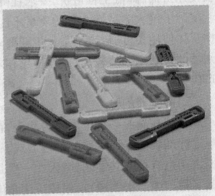

(c)普拉斯托产品

图6-5　内镶式滴灌管

其管壁较薄(一般小于0.4 mm)。

2)按滴头流态分类

(1)层流式滴头。层流滴头流态指数$x=1$,其流量系数值随温度变化而变化。因此,层流滴头流量受温度影响,夏季昼夜温差较大的情况下,流量差可达20%以上。

图6-6　管壁式滴管带

(2)紊流式滴头。滴头内流态为紊流,流态指数$x=0.5$,同时流量系数k_d值不随温度的变化而变化。如孔口滴头、迷宫式滴头等。

目前国内外大多数滴灌产品制造商提供紊流式滴头,占总供应产品的90%以上。

3)按滴头消能方式分类

(1)长流道滴头。靠流道壁的沿程阻力来消除能量,一般流道长度较大,如微管、内螺纹和管式滴头等。长流道滴头内流态为层流或光滑紊流,当为层流流态时,流量和压力成线性关系。

(2)孔口式滴头。以孔口出流造成的局部水头损失来消能。孔口滴头包括很多滴头和在毛管上打的孔。流态为完全紊流,流量由下式计算:

$$q = K_q \sqrt{2gh} \tag{6-1}$$

式中　K_q——系数,取决于孔口面积和特性;

　　　h——工作水头;

　　　g——重力加速度。

(3)涡流消能式。水流进入滴头的涡室内形成涡流。由于水流旋转产生的离心力,迫使水流趋向涡室的边缘,在涡流中心产生一低压区,使中心的出水口处压力较低,因而出水量较小。

(4)迷宫式滴头。如图 6-7 所示,迷宫流道具有扰动作用,一般较长。水头损失包括边壁摩擦、尖端弯曲、收缩和放大。一些迷宫式滴头外观和长流道滴头相同,但其流道短,流道截面积在相同压力和流量下比长流道滴头大。

(a)福建亚通产品　　　　　　　　　　　　　(b)普拉斯托产品

图 6-7　迷宫式滴头

(5)压力补偿式滴头。如图 6-8 所示,是借助水流压力使弹性部件或流道变形致使过水断面积变化,实现流量稳定。压力补偿式滴头的优点是能自动调节出水量和自清洗,出水均匀度高,但制造较复杂,投资高于其他形式的滴头。

(a)福建亚通产品　　　　　　　　　　　　　(b)普拉斯托产品

图 6-8　压力补偿式滴头

压力补偿式滴头能在一个很大的压力范围内,保持滴头流量不变。稳定的流量(或称补偿性能)是在流道内使用弹性材料而实现的,因此应使弹性材料的抗老化性能与滴头材料相当,以使整个滴头能长期稳定地工作。

目前国内外很多滴灌设备制造厂家能够提供补偿式滴头,但价格偏高。

(6)自冲洗滴头。分为打开—关闭自冲洗滴头和持续自冲洗滴头。打开—关闭自冲洗滴头是在系统开始工作或最后关闭的很短时间内进行自冲洗。它们大部分都是补偿式滴头(如图 6-9 所示)。持续自冲洗滴头使用大口径弹性材料孔口来消除压力。当颗粒直径大于孔口直径时,孔口直径变大,从而可持续排除堵塞颗粒。

(a)普拉斯托产品　　　　　　(b)福建亚通产品

图6-9　自冲洗滴头

2. 微喷头的分类

根据水流喷射原理,目前已投入使用的微喷头有以下三种主要类型。

(1)折射式喷头。其结构特点是水流经一个起折射、破碎作用的结构(可以是一个部件,也可以是流道上几何结构的改变形成的),改变出流方向后,按一固定的角度并且呈不连续的水滴状喷洒到作物根区土壤。

在本书中所给出的折射式微喷头是使流经微喷头的水在其喷嘴附近被非运动的部件或结构强行改变其流动方向并被破碎成微小水滴后撒向空间的多种微喷头的统称。这一类微喷头在喷洒图形上有多种,如水的喷洒可呈全圆、伞形、条带状、线条状(放射状)水束或呈雾化状态等。在喷嘴的结构上也有不同,如可以是孔状、缝隙状或其他几何形状。但其有共同的特点:①水滴的尺寸小,射程近;②雾化程度相对较高;③降雨强度较大(专用雾化喷头除外);④降水范围内降水特性曲线的分布常呈近似的三角形。图6-10给出了3种外观不同的折射式微喷头。

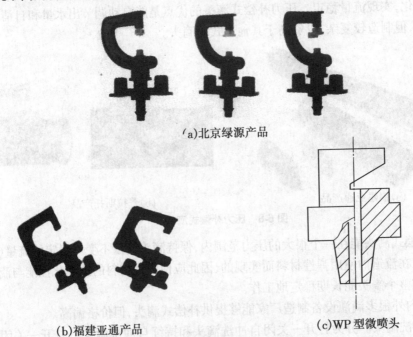

(a)北京绿源产品

(b)福建亚通产品　　　　　　(c)WP型微喷头

图6-10　折射式微喷头

(2)旋转式微喷头。水流经过一个可以产生旋转、破碎作用的部件后,以一个变化的角度喷洒出去,其喷洒水束呈时针般旋转。

旋转式微喷头的主要特征是微喷头中设有运动部件,辅助水流呈束状喷出并产生旋转。旋转式微喷头的喷洒图形一般为圆形或扇形。依据不同的原理,旋转式微喷头的结构有许多种,但均利用了水的反作用力,即水流流经可转动的弯曲流道或可产生反作用效果的专用部件时,水的反作用力使喷嘴产生转动,喷洒出的水束随之做周向运动。

旋转式微喷头的特点:①由于旋转式微喷头的出流流道相对较长,因此可有较远的射程;②由于水束做周向运动,使得降水强度大大降低;③通过对出流流道的专门设计,可以获得不同的降水曲线和满足不同的用途,从而获得较高的均匀度。由于旋转式微喷头有旋转运动部件和对喷嘴尺寸与精度的要求高,对旋转轴及与其配合的固定部件材料的抗磨性能提出了较高的要求。目前在生产中常用的比较有代表性的旋转式微喷头见图6-11。

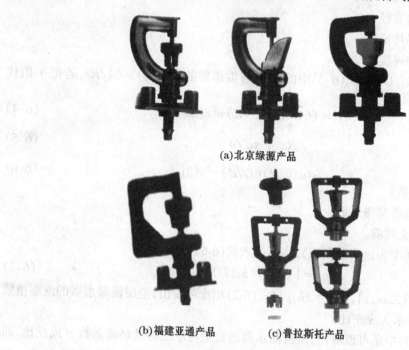

(a)北京绿源产品

(b)福建亚通产品　　　　(c)普拉斯托产品

图6-11　旋转式微喷头

(3)离心式微喷头。离心式微喷头是指能使水流在喷出喷嘴之前,经微喷头内设的流道或利用偏心作用使水流产生旋转并以此状态喷洒出去的微喷头。采用这种结构的优点是流道尺寸可设计得比较大,从而对过滤的要求较低,但其喷洒特性与折射式微喷头很近似,图6-12为DLX离心式微喷头的结构。

(三)灌水器的水力学特性

尽管根据不同的分类方式可以把灌水器分成各种类型,但它们都是通过水流克服摩阻力而耗能来调节流量的,因此它们的流量计算公式为:

$$q = kh^x$$

(6-2)

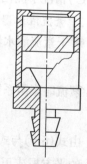

图6-12　DLX离心式微喷头结构

式中　q——灌水器的流量；

　　　h——工作水头；

　　　k——流量系数；

　　　x——流态指数，它反映了灌水器的流量对压力变化的敏感程度。

1. 全层流灌水器的水力学特性

由达西—韦斯巴赫(Darcy－Weisbach)公式可知：

$$h_f = f(L/d)v^2/(2g) \tag{6-3}$$

式中　h_f——摩阻水头损失；

　　　f——摩阻系数；

　　　L——流道长度；

　　　d——流道内直径；

　　　v——管内平均流速；

　　　g——重力加速度。

对于层流($Re < 2\,000$)，式(6-3)中的 f 值与雷诺数的关系为 $f = 64/Re$，若把 f 值代入式(6-3)即得：

$$h_f = (64/Re)(L/d)v^2/(2g) \tag{6-4}$$

$$Re = vd/v \tag{6-5}$$

故

$$h_f = 64v/(vd)(L/d)v^2/(2g) \tag{6-6}$$

式中　Re——雷诺数；

　　　v——水的运动黏滞系数；

　　　其余符号含义同前。

又因 $v = q/A$(A 为过水断面积)，将其代入式(6-6)得：

$$q = [gAd^2/(32vL)]h_f \tag{6-7}$$

令 $k = [gAd^2/(32vL)]$，得 $q = kh_f$，与式(6-2)相比可看出，全层流灌水器的流态指数为1，即流量与工作水头成正比。

另外，从式(6-7)中还可以看出，层流灌水器的流量与水的运动黏滞系数 v 成反比，而 v 又与水温成反比，即随着水温的增加，层流灌水器的流量将增加，于是要对在正常水温(20℃)情况下测出的流量进行修正，修正系数见表6-1。

2. 紊流灌水器的水力学特性

对于紊流灌水器，仍可用式(6-2)表示，由式(6-3)及 $v = q/A$ 整理得：

$$h_f = fL/(2gd)(q^2/A^2) \tag{6-8}$$

紊流时摩阻系数 f 与雷诺数无关，解式(6-8)得：

$$q = (A\sqrt{2gd/(fL)})h^{1/2} \tag{6-9}$$

由式(6-9)与式(6-2)相比可以看出，紊流灌水器的流态指数 $x = 1/2$，即流量与工作水头的平方根成正比，同时也可以看出，紊流灌水器的流量不受水温变化的影响。

表 6-1　温度对灌水器流量影响的修正系数

水温(℃)	修正系数		
	$x=0.6$	$x=0.8$	$x=1.0$
5	0.94	0.87	0.63
10	0.95	0.92	0.75
15	0.98	0.96	0.87
20	1.00	1.00	1.00
25	1.02	1.05	1.13
30	1.04	1.10	1.28
35	1.06	1.14	1.43
40	1.08	1.19	1.56
45	1.10	1.24	1.70
50	1.12	1.29	1.85

对于孔口出流,由伯努力公式可知,孔口出流计算公式为:

$$q = Ac\sqrt{2gh} = (Ac\sqrt{2g})h^{1/2} \tag{6-10}$$

式中　c——系数;

其余符号含义同前。

由式(6-10)与式(6-2)相比可以看出,孔口灌水器的流态指数 $x=0.5$,无疑孔口式灌水器属于紊流型灌水器。

3. 压力补偿灌水器的水力学特性

由于压力补偿灌水器是通过水压变化来改变流道几何形状或流道过水断面面积大小来保持出流量稳定不变,因此流量计算公式为:

$$q = kh^0 = k \tag{6-11}$$

与式(6-2)相比可知,压力补偿灌水器的流态指数 $x=0$,即当管道中的水压变化时,灌水器的流量基本保持恒定。因此,为了提高微灌的灌水均匀度,它是理想的灌水器之一。

综上所述,可以得到如下结论:全层流灌水器如渗水毛管的流态指数 $x≈1$,而且它们的出流量受水温变化的影响;全紊流灌水器如孔口滴头、微喷头等的流态指数 $x=0.5$,出流量不受温度变化的影响;全压力补偿灌水器的流态指数 $x=0$,出水量也不受水温变化的影响;其他各种形式的灌水器的流态指数在 $0～1.0$ 之间变化。表6-2给出了各种灌水器的流态指数的大小,而图6-13表示流态指数不同时,灌水器的流量变化与压力变化之间的关系。

表 6-2　灌水器流态指数及流态

灌水器形式	流态指数 x	流态	灌水器形式	流态指数 x	流态
压力补偿式	0	可变流道	全流道或螺旋流道式	0.7	光滑紊流
	0.1			0.8	
	0.2		微孔管	0.8	光滑层流
	0.3			0.9	
涡流式	0.4	涡流	毛细管、渗水管	1.0	全层流
孔口式、迷宫式、双腔管	0.5	全紊流			
	0.6				

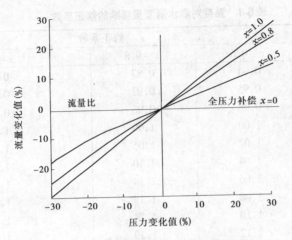

图6-13　灌水器流态与流量指数关系

4. 确定流态指数 x 与流量系数 k 值的简易方法

对于某种形式的灌水器,可以通过简单的测定方法来确定它的流态指数 x 和流量系数 k。方法是首先测出灌水器在工作水头 h_a 的上、下两个水头 h_1 和 h_2 的流量 q_1 和 q_2($h_1 = 0.6h_a, h_2 = 1.4h_a$),然后将 (h_1, q_1) 和 (h_2, q_2) 两对数据点绘在双对数纸上。通过此两点作一直线,该直线的斜率就是流态指数 x 值,直线的截距就是流量系数 k。

另外,也可以用下式计算出流态指数 x,即

$$x = \lg(q_1/q_2)/\lg(h_1/h_2) \tag{6-12}$$

式中符号含义同前。

当 x 求出后,也可用式(6-2)计算出灌水器的流量系数 k。

(四)灌水器的制造偏差

由式(6-7)和式(6-9)可知,灌水器的流量系数 $k = \left[gAd^2/(32\upsilon L)\right]$(全层流)和 $k = A\sqrt{2gd/(fL)}$(全紊流)。若将 $A = \pi d^2/4$ 代入式(6-7)和式(6-9),整理后得:

$$q = \left[g\pi/(128\upsilon L)\right]hd^4 \qquad \text{(全层流)} \tag{6-13}$$

$$q = \left[2^{-3/2}\pi\sqrt{g/(fL)}\right]d^{5/2}h^{1/2} \qquad \text{(全紊流)} \tag{6-14}$$

式中符号含义同前。

由式(6-13)和式(6-14)可以看出,灌水器的流量与流道直径 d 的 2.5～4 次幂成正比,即灌水器制造上的微小偏差将会引起较大的流量偏差。

事实上,由于制造工艺和材料收缩变形等影响,灌水器不可避免地会产生制造误差,实践中一般用制造偏差系数来衡量产品的制造精度。对于微灌灌水器,则是用流量偏差系数来衡量它的制造偏差,即

$$C_v = s/\overline{q} \tag{6-15}$$

$$s = \sqrt{1/(n-1)\sum_{i=1}^{n}(q_i - \overline{q})^2} \tag{6-16}$$

$$\overline{q} = (1/n)\sum q_i \tag{6-17}$$

式中　C_v——灌水器的流量偏差系数；

　　　s——流量标准偏差；

　　　q_i——所测每个灌水器的流量，L/h；

　　　$\overline{q}$——所测灌水器的平均流量，L/h；

　　　n——所测灌水器个数。

对于滴头来说，当每棵树的滴头数多于一个的时候，每棵树的各滴头可以互相补偿。一个滴头可能流量大些，而另一只滴头有可能流量低些。平均情况下，每棵树所出现的流量偏差会远远低于 C_v 值。系统流量偏差 V_s 可由下式表示：

$$V_s = C_v / \sqrt{N'_p} \tag{6-18}$$

式中　N'_p——每棵树的滴头数；

　　　其余符号含义同前。

单毛管单出流口滴头系统，每棵树一只滴头，但当滴头间距较小，每棵树可有 2 个或 3 个滴头，相应的 N'_p 为 2 或 3。对于多出流口滴头，如有分配水管，每个出流口没有独立的消能装置，其 $N'_p = 1$，如果每个出流口均有消能装置，N'_p 为出流口数。

C_v 值越小，表示灌水器的制造精度越高。一般认为，当 $C_v < 0.03$ 时，灌水器的制造质量为优等；$C_v = 0.06 \sim 0.12$ 时为一般；当 $C_v > 0.12$ 时，则认为制造不合格。

灌水器的制造偏差一般由制造厂家提供，以备用户和设计人员查用。

（五）灌水器的堵塞问题

由于灌水器的出口或流道很小（一般在 $0.25 \sim 2.5$ mm 之间），可能很容易被水中的污物及杂质堵塞。灌水器的堵塞是当前微灌应用中最主要的问题，堵塞造成灌水器出水流量减小，使配水均匀度降低，严重时会使整个系统无法正常工作，甚至报废。引起堵塞的原因可以是物理因素、生物因素或化学因素。如水中的泥沙、有机物质或是微生物以及化学沉凝物等。因此，微灌对水质要求较严，一般均应经过过滤，必要时还需经过沉淀和化学处理。

控制灌水器堵塞性能的两个重要因素是灌水器流道尺寸和流速。流道尺寸对灌水器堵塞的影响表现为：小于 0.7 mm，非常敏感；$0.7 \sim 1.5$ mm，敏感；大于 1.5 mm，不敏感。水流通过灌水器流道的流速在 $4 \sim 6$ m/s 时，也可以提高灌水器的抗堵塞性能。

为了减小堵塞，一些灌水器设计成具有一定的自冲洗功能。当系统打开或关闭时，在压力逐渐上升或下降过程中，压力低于某一特定值时，灌水器内的补偿元件就会脱离流道，使流道变得很宽，杂质被冲出灌水器。有时为了防止灌水器堵塞，在系统上安装脉冲发生器，使系统压力频繁上升和下降，达到冲洗灌水器的目的。

最近的经验和试验表明，堵塞往往发生在毛管尾部 $4 \sim 5$ 个灌水器上，因而定期冲洗毛管会大大降低灌水器堵塞的可能性。这一点对于条状布置的滴灌管（带）很重要。即使在良好的灌溉条件下，毛管尾部安装冲洗阀，对于系统持续安全运行也是有益的。因此，建议在所有毛管尾部安装冲洗阀，特别是对于无自冲洗功能的灌水器，有两种类型的冲洗阀可供选择。一种是自动冲洗阀门（具有独立的自动弹簧系统）；另一种是须附加控制系统的小水动阀。在毛管尾部人工放水冲洗，效果也很好。

(六)灌水器的性能参数

如前所述,灌水器的性能参数一般包括设计工作水头(压力)、设计流量、流量系数、流态指数以及外形尺寸(壁厚、直径)等。对于滴头来说,一般应给出工作水头、流量等。对于微喷头一般应给出工作压力、流量、喷洒直径、喷洒强度等。下面介绍一些常用灌水器的规格及性能参数,供设计时参考。

1.绿源内镶式滴灌管(带)性能参数

北京绿源公司生产的内镶式滴灌管(带)(图 6-5(a))有关技术参数见表 6-3 和图 6-14。

表 6-3 绿源内镶式滴灌管(带)技术参数

项目	技术参数			
管径(mm)	16	16	16	12
壁厚(mm)	0.6	0.4	0.2	0.4
滴头间距(mm)	300	400	400	500
最大工作压力(MPa)	0.25	0.20	0.10	0.25
单卷长度(m)	500	1 000	2 000	2 000

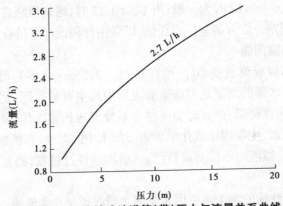

图 6-14 绿源内镶式滴灌管(带)压力与流量关系曲线

2.福建亚通内镶式滴灌管性能参数

图 6-5(b)所示的内镶式滴灌管由福建亚通新材料科技股份有限公司生产,其性能参数见表 6-4,压力及流量关系见表 6-5、图 6-15;图 6-8(a)所示的压力补偿式滴灌管压力及流量关系见图 6-16、表 6-6。

表 6-4 福建亚通内镶滴灌管性能参数

外径(mm)	12		16			20	
额定流量(L/h)	1.9	2.8	1.6	2.2	4.0	1.8	4.0
流量系数	1.93	2.79	1.66	2.26	4.10	1.82	3.82
流态指数	0.52	0.50	0.53	0.53	0.47	0.51	0.51
流量偏差(%)	2.10	4.38	4.65	4.40	4.50	3.51	4.50
壁厚(mm)	0.90	0.9	1.00	1.00	1.00	1.20	1.20

表 6-5　福建亚通内镶式滴灌管压力与流量关系　　　（单位:L/h）

外径(mm)	12		16			20	
流量(L/h)	1.9	2.8	1.6	2.2	4.0	1.8	4.0
0.05 MPa	1.34	1.98	1.15	1.56	2.95	1.27	2.68
0.08 MPa	1.72	2.50	1.48	2.00	3.69	1.62	3.41
0.10 MPa	1.93	2.79	1.66	2.26	4.10	1.82	3.82
0.12 MPa	2.12	3.06	1.83	2.49	4.47	2.00	4.19
0.14 MPa	2.30	3.30	1.99	2.70	4.80	2.17	4.54
0.16 MPa	2.46	3.53	2.13	2.90	5.12	2.32	4.86
0.18 MPa	2.62	3.75	2.27	3.08	5.41	2.47	5.16
0.20 MPa	2.77	3.95	2.40	3.26	5.69	2.60	5.44
0.25 MPa	3.11	4.41	2.70	3.68	6.32	2.92	6.09
0.30 MPa	3.42	4.83	2.98	4.05	6.89	3.21	6.69

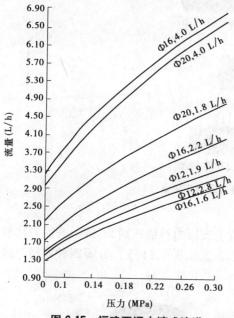

图 6-15　福建亚通内镶式滴灌
管压力与流量关系曲线

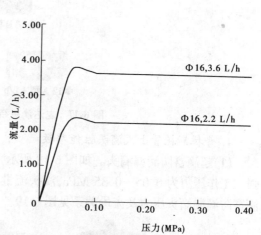

图 6-16　福建亚通压力补偿式内镶滴
灌管压力与流量关系曲线

表 6-6　福建亚通压力补偿式滴灌管压力与流量关系　　　（单位:L/h）

外径(mm)	16		外径(mm)	16	
额定流量(L/h)	2.2	3.6	额定流量(L/h)	2.2	3.6
0.05 MPa	2.26	3.70	0.25 MPa	2.21	3.67
0.10 MPa	2.24	3.69	0.30 MPa	2.20	3.67
0.15 MPa	2.22	3.68	0.35 MPa	2.20	3.66
0.20 MPa	2.21	3.68			

3.龙达内镶式滴灌管性能参数

河北龙达灌溉设备有限公司生产的内镶式滴灌管,管径有 12、16 mm 两种规格,壁厚为 0.6~1.2 mm,工作压力范围 0.05~0.20 MPa,滴头流量 1~4 L/h,滴头间距可根据用户需要而定。不同规格型号的滴头及对应流量见图 6-17。

Φ16,2 L/h

Φ16,4 L/h

Φ16 A 型 2 L/h　Φ16 C 型 4 L/h

Φ16 B 型 3 L/h

Φ12 A 型 1 L/h　Φ12 B 型 2 L/h

图 6-17　龙达滴头结构形式及对应流量

4.普拉斯托管上式滴头性能参数

(1)超滴富防滴漏滴头。如图 6-18 所示,为管上式压力补偿式滴头,抗阻塞能力比较强。工作压力为 0.05~0.35 MPa,滴头流量有 2.2、3.8、8.0、11.5 L/h 等四种规格。超滴富防滴漏滴头压力及流量关系见图 6-19。

图 6-18　普拉斯托超滴富防滴漏滴头结构形式

(2)开滴富滴头。如图 6-9(a)所示,为压力补偿按钮式滴头,可以更平滑地安装在滴灌管上,具有自清洗功能。工作压力为 0.08~0.30 MPa,滴头流量有 2.3、2.8、3.75、8.5 L/h 四种规格,出水口位置有顶端出水口、侧出水口以及用于"压入"式的出水口三种。开滴富压力补偿按钮式滴头压力及流量关系见图 6-20。

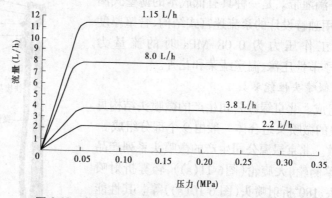

图 6-19　普拉斯托超滴富防滴漏滴头压力与流量关系

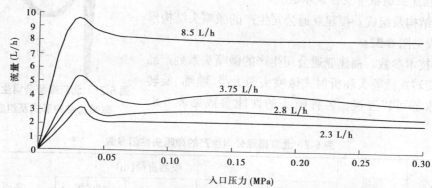

图 6-20　开滴富压力补偿按钮式滴头压力及流量关系

（3）耐滴富滴头。如图 6-3(c)所示，为紊流管上式滴头，具有独特的迷宫式结构，水流通道的宽度最小为 1.1 mm，抗阻塞能力强。滴头流量有 2.1、4.1、8.0、11.3 L/h 四种规格。

5.普拉斯托滴灌管

（1）豪杰滴普Ⅱ型滴灌管。如图 6-5(c)所示，为内置平面式滴灌管，其滴头是在挤压过程中插入管道。滴灌管内径有 15.2、17.6、22.2 mm 三种规格，壁厚有 0.45、0.60、0.90、1.00、1.15 mm 五种规格。工作压力为 0.1 MPa 时的流量有 1.7、2.3、3.6 L/h 三种规格。

（2）豪杰歌尔滴灌管如图 6-7(b)所示，为迷宫式滴灌管，圆柱式滴头装有大面积入水口滤道，抗堵塞能力强。根据需要，可以开 1 个、2 个或 4 个出水口。滴灌管壁厚有 0.6、0.9、1.0、1.1 mm 四种规格，不同管径对应的滴头流量：12 mm 的滴灌管有 2.0、3.0 L/h；16 mm 的滴灌管有 2.0、4.0、8.0 L/h；20 mm 的滴灌管有 2.0、2.5、3.4 L/h。

（3）豪杰 P.C 滴灌管。如图 6-8(b)所示，为压力补偿式滴灌管，具有宽阔的迷宫式流道，自冲洗功能、抗堵塞能力强。在 0.06～0.35 MPa 压力范围内，出水量均匀。滴灌壁厚有 0.9、1.0、1.1、1.15 mm 四种规格，管内径在 15.6～17.6 mm 范围内。适合于坡地及远距离灌溉。

(4)豪杰答普滴灌带。是一种具有低成本的薄壁式滴灌管。管道内采用独特设计的紊流迷宫式结构,管壁厚度 0.2～0.4 mm,工作压力为 0.08 MPa 时的流量为 1.0 L/h,适用于季节性庄稼、温室蔬菜和花卉。

6．北京绿源微喷头性能参数

(1)结构及组成。北京绿源公司生产的微喷头结构见图6-21,一套完整的微喷头组合体一般由 9 个部分组成。

(2)技术参数。北京绿源公司生产的微喷头系列产品主要有小旋轮、单侧轮、大旋轮(图6-11(a))、轻雾折射喷头、平面折射喷头、180°折射喷头(图6-10(a))等。其性能参数见表6-7。

7．福建亚通微喷头性能参数

(1)结构及组成。福建亚通公司生产的微喷头结构形式及组成见图 6-22。

(2)技术参数。福建亚通公司生产的微喷头系列产品主要有旋转式微喷头和折射式微喷头两大类,喷嘴、旋转轮和散水器可以互换。各种喷头的性能参数见表6-8、表6-9。

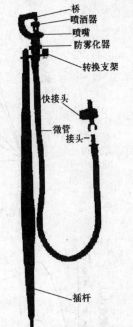

图 6-21　北京绿源公司生产的微喷头结构形式及组成

表 6-7　北京绿源公司生产的微喷头性能参数

工作水头 (m)	流量 (L/h)	喷洒直径(m)				
		大旋轮	小旋轮	单侧轮	180°折射喷头	平面折射喷头
10	30		4.5	4.5	2.0	2.8
15	37		5.0	5.5	2.5	3.0
20	43		5.5	6.0	2.5	3.4
25	48		6.0	6.0	3.0	3.4
30	53			5.5	3.0	3.6
10	50		5.5	6.5	2.0	3.0
15	61		5.5	7.0	2.5	3.0
20	70			7.5	2.7	3.4
25	78		6.0	8.0	3.0	3.4
30	86			6.5	3.0	3.6
10	85		6.0	7.5	2.5	3.5
15	104	8.5	6.5	8.0	2.5	3.5
20	120	9.0	6.5	8.5	2.7	4.0
25	134	9.5	7.0	9.0	3.0	4.4
30	147	10			3.0	4.5

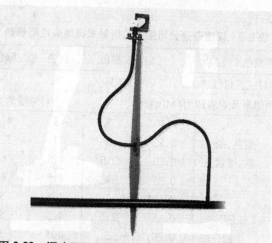

图 6-22 福建亚通公司生产的微喷头结构形式及组成

表 6-8 福建亚通公司生产的旋转式微喷头性能参数

喷嘴颜色			褐色	灰色	绿色	黑色	红色
0.2 MPa 时的对应流量(L/h)			34	70	104	130	203
旋转轮形状、颜色及喷洒图形			对应喷洒直径(m)				
	黑色	全圆,小直径	5	9	7	7	
	灰色	全圆,大直径		9	9	9	10.5
	绿色	全圆,倒喷	5	6.7	7	8.2	10.5
	红色和黑色	全圆,防虫	4.5	5.5	6.5	6.5	

8. 龙达微喷头性能参数

龙达微喷头结构见图 6-23,性能参数见表 6-10。

9. 普拉斯托微喷头性能参数

1)结构及组成

普拉斯托生产的微喷头结构形式及组成见图 6-24。

2)技术参数

(1)图娜舵射流式微喷头。如图 6-25 所示,为涡流静态微喷头,无运动部件射流式微喷头。独特的涡流机构允许通过很大的水流,防止堵塞。喷洒形式有360°、300°和180°三种,喷水嘴有 8 个或 12 个之分。在 0.15 MPa 压力时的喷水量有 25、35、55、70 L/h,喷洒直径因喷洒流量不同在 2.5~4.0 m 范围内。锥形压入式或 5 mm 进水口连接。适用于树下喷灌和庭院灌溉系统。

表 6-9　福建亚通公司生产的折射式微喷头性能参数

喷嘴颜色			褐色	灰色	绿色	黑色	红色
0.2 MPa 时的对应流量(L/h)			34	70	104	130	203
散水器形状、颜色、喷洒图形及对应压力(MPa)			对应喷洒直径(m)				
	蓝色,条状、带状	0.10	3	3	4.5	4.5	3
		0.15	3	4	5.5	5	4
		0.20	3.5	4.5	6	5.5	4.5
		0.25	4	4.5	6	5.5	4.5
	红色,半圆	0.10	2	4.5	5	4.5	6
		0.15	2.5	4.5	5	4.5	7.5
		0.20	3	4.5	5	5	7.5
		0.25	3	5	5.5	5.5	7.5
	黄色,全圆	0.10	3	2.5	3	3.5	3
		0.15	2	2.5	3	4	4
		0.20	2	3	3	4	4.5
		0.25	2	3.5	3.5	4.5	
	橘黄色,全圆,小直径	0.10	2	1.5	1.5	1	
		0.15	2	1.5	1.5	1	
		0.20	2	1.5	1.5	1	
		0.25	1.5	1.5	1.5	1	
	褐色,全圆,小直径	0.10	1.5	1	0.5	1	1
		0.15	2	1	0.5	0.5	1
		0.20	2	1	0.5	0.5	1
		0.25	2	1	0.5	0.5	1
	紫色,雾状	0.10	1.5	2.5	2	2.5	3
		0.15	1.5	2.5	2.5	3	3.5
		0.20	1.5	2.5	2.5	3.5	4
		0.25	1.5	2.5	3	3.5	4.5

图 6-23　龙达微喷头结构形式

(2)J.F.R 压力补偿射流式微喷头。如图 6-26 所示,由 14 股低角度射流构成圆形喷洒形式,具有整体式防昆虫功能及无运动部件、水流喷洒均匀等特点。工作压力在0.15～0.30 MPa 范围内,喷头流量有 20、30、40、50、70 L/h 五种规格,喷洒直径因喷洒流量不同在 3.6～6.0 m 范围内。3/8 英寸(10 mm)螺纹连接,适用于树下灌溉。

表 6-10　龙达微喷头性能参数

微喷头类型	压力(MPa)	流量(L/h)	射程(m)
小双轮微喷头		70	2.5
单侧轮微喷头	0.20	70	3.5
平面微喷头		40	1.5
雾化微喷头		70	0.75

图 6-24　普拉斯托生产的微喷头结构形式及组成

　　(3)龙舵中距离微型喷头。如图 6-11(c)所示,工作压力范围 0.15～0.30 MPa,喷头流量 40～300 L/h,水流在 7.5 m×7.5 m 范围内分布均匀。还配有流量调节器和射程限制器供选用。喷头连接形式有锥形的压入式、5 mm 进水口、内螺纹杆和 3/8 英寸外螺纹式。适用于树下、庭院、露天作物以及温室倒置喷灌。

图 6-25　图娜舵射流式微喷头

　　(4)龙舵 XL 中型喷头。如图 6-27 所示,为慢速旋转单喷嘴喷头,具有良好的湿润方式和分布均匀性。工作压力为 0.20～0.35 MPa,压力在 0.20 MPa 时的喷水流量有 135、170、210、260、305、360 L/h 等 6 种,有效的喷洒半径为 8 m。3/8 英寸和 1/2 英寸的外螺纹进水口。适用于蔬菜和露天苗圃喷灌。

二、管材与管件

　　微灌系统常用的管材与管件主要有聚氯乙烯(PVC)、聚乙烯(PE)和聚丙烯(PP)等塑料管材与管件,部分管段还用到铸铁和钢质管材与管件。有关管材的规格与性能见第四章。本部分主要介绍微灌系统常用的专用塑料管件。

(一)微灌系统塑料管件分类

　　按连接方式不同,微灌系统塑料管件可分为承插式和组合式两大类。

　　承插式管件主要用于直径小于 25 mm 以下的聚乙烯塑料管和一体化滴灌管(带),系统工作压力一般小于 0.20 MPa。安装时,直接将管件承插在管材内,依靠管材本身的弹性密封或外管箍缩紧密封。承插式连接件一般是一次性的,连接部件装卸维修困难,但管件造价低。

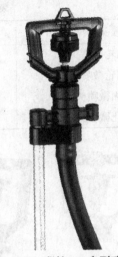

图 6-26　J.F.R 压力补偿射流式微喷头　　图 6-27　龙舵 XL 中型喷头

组合式管件可用于直径不大于 63 mm 的塑料管,系统工作压力一般不超过 0.40 MPa。安装时,将管件套在管材外面,依靠管件自锁连接、橡胶圈密封。组合式连接件,施工安装、维修更换方便,密封性好,但造价较高。

不同的厂家生产的微灌管件不尽相同,但原理基本上都属上述两种类型,具体选用时应注意配套。北京绿源、河北龙达、福建亚通、普拉斯托等公司都有与滴灌管(带)、微喷头相配套的连接管件。现简要介绍一下国内常用的几种管件,供参考。

(二)承插式管件

内镶式滴灌管专用连接件见表 6-11。管上滴灌管连接件见表 6-12。另外还有一些三通、弯头、直接、异径接头、毛管接头等。

表 6-11　内镶式滴灌管连接件(北京绿源公司)

管件外形	名称	规格	管件外形	名称	规格
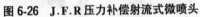	内镶旁通	Φ12×4 Φ16×4		旁通本体	Φ16
	内镶直通	Φ12 Φ16		内镶堵头	Φ12 Φ16
	内镶五通	Φ16×3/4″❶		内镶七通	Φ16×3/4″
	内镶管箍	Φ12 Φ16		内镶三通	Φ16
	内镶三通	Φ16×3/4″		内镶旁通	Φ12

注:❶1″=25 mm,下同。

表 6-12　管上滴灌管连接件(北京绿源公司)

管件外形	名称	规格	管件外形	名称	规格
	管上旁通	Φ12 Φ16		管上五通	Φ16×3/4″
	管上直通	Φ12 Φ16		管上堵头	Φ12 Φ16
	管上三通	Φ16×12×16		管上水封	Φ14

(三)组装式管件

聚乙烯管材组合式连接件见表 6-13。

三、净化设备与设施

在微灌系统中必须安装净化设备与设施,以清除灌溉水中的污物和杂质,防止微灌系统及灌水器堵塞,保证系统正常运行。

灌溉水中所含的污物及杂质可以分为物理、化学和生物等三大类。物理污物及杂质又可分为无机物和有机物两类:无机物主要是土壤颗粒和砂粒,有机物主要是各种微生物、活的或死的生物体等。化学污物主要是只溶于水中的某些化学物质,如碳酸钙和碳酸氢钙等,当条件变化时它们会变成固体沉淀物,造成灌水器的堵塞。生物污物主要包括菌类、藻类等微生物和水生动物等。因此,在进行微灌工程规划设计之前,一定要对所选用的水源水质进行化验,全面了解和掌握水质状况,并根据微灌系统所选用的灌水器种类及抗堵塞性能,合理选配组合净化设施。

微灌系统常用的净化设备与设施包括拦污栅(筛、网)、沉淀池、离心式过滤器、砂石过滤器、网式过滤器、叠片式过滤器等。

(一)拦污栅(筛、网)

拦污栅(筛、网)主要用于河流、库塘、水泵上水管进口处,作为初级净化处理设施,拦截枯枝残叶、杂草、藻类和其他较大的漂浮物。拦污栅(筛、网)的构造比较简单,形状各异,用户和设计人员可根据实际情况自行设计和制作,在此不再赘述。

(二)沉淀池

沉淀池主要用于对砂粒与淤泥等污物含量较高的浑浊地表水源进行净化处理。沉淀池可以消除水中的两类污物:一类是一般灌溉水中的悬浮固体污物;另一类是水源中的含铁物质。

沉淀池清除灌溉水中的悬浮固体污物的工作原理是通过重力作用,使水中的悬浮固体在静止的水体中自然下沉于池底。沉淀池中悬浮固体污物的沉淀过程一般分为四个阶段。

第一阶段为自有沉淀阶段,水中含量低的大体积悬浮颗粒以较快的速度自由下沉,它们在沉淀时不影响周围的颗粒。

第二阶段为水中含量较少的聚合或絮凝颗粒下沉。这种颗粒通过聚合或絮凝作用,体积与重量逐渐增大并慢慢下沉,最后也以较快的速度沉淀于池底。

表 6-13 聚乙烯管材组合式连接件(北京绿源公司)

管件外形	名称	规格	管件外形	名称	规格
	等径直通	Φ20、Φ25、Φ32、Φ40、Φ50、Φ63		中心阴螺纹三通	Φ20×1/2″、Φ20×3/4″、Φ25×3/4″、Φ25×1″、Φ32×3/4″、Φ32×1″、Φ40×1″、Φ40×1-1/4″、Φ40×1-1/2″、Φ50×1-1/2″、Φ50×2″、Φ63×1-1/2″、Φ63×2″
	阳螺纹直通	Φ20×1/2″、Φ20×3/4″、Φ25×3/4″、Φ25×1″、Φ32×3/4″、Φ32×1″、Φ32×1-1/4″、Φ40×1-1/4″、Φ40×1-1/2″、Φ50×1-1/2″、Φ50×2″、Φ63×1-1/2″、Φ63×2″		堵头	Φ20、Φ25、Φ32、Φ40、Φ50、Φ63
	等径弯头	Φ20、Φ25、Φ32、Φ40、Φ50、Φ63		阴螺纹直通	Φ20×1/2″、Φ20×3/4″、Φ25×3/4″、Φ25×1″、Φ32×1″、Φ40×1-1/4″、Φ40×1-1/2″、Φ50×1-1/2″、Φ63×1-1/2″、Φ63×2″
	鞍座	Φ40×1/2″、Φ40×3/4″、Φ40×1″、Φ50×3/4″、Φ50×1″、Φ63×3/4″、Φ63×1″、Φ75×3/4″、Φ75×1″、Φ90×3/4″、Φ90×1″、Φ110×1″		阳螺纹弯头	Φ20×1/2″、Φ20×3/4″、Φ25×3/4″、Φ25×1″、Φ32×3/4″、Φ32×1″、Φ50×2″、Φ63×2″
	Y型三通	Φ25×3/4″、Φ25×1″、Φ63×165		阴螺纹弯头	Φ20×1/2″、Φ20×3/4″、Φ25×3/4″、Φ25×1″、Φ32×3/4″、Φ32×1″、Φ40×1-1/4″、Φ50×2″、Φ63×1-1/2″、Φ63×2″
	等径三通	Φ20、Φ25、Φ32、Φ40、Φ50、Φ63		中心阳螺纹三通	Φ20×1/2″、Φ20×3/4″、Φ25×3/4″、Φ25×1″、Φ32×3/4″、Φ32×1″、Φ40×1/4″、Φ40×1/2″、Φ50×2″、Φ63×3/4″、Φ63×1-1/2″、Φ63×2″

　　第三阶段为水中含量较大的悬浮物沉淀。由于这些污物的颗粒比较小,颗粒之间的作用力足以阻止邻近颗粒的下沉,各颗粒之间彼此处于相对位置,并以团块形式下沉,在

沉积物顶部形成一个固—液交界面,因此通常把这种沉淀称为层状沉淀。

第四阶段则为压缩沉淀阶段。在颗粒重力的作用下,上面的颗粒继续下沉,无数颗粒发生拥挤、密集和压缩现象,并渐渐沉入池底。因此,压缩沉淀通常发生在沉淀池底部。这样,原来含有大量污物杂质、较为混浊的灌溉水通过沉淀池的沉淀作用变成了较为干净的清水,为第二次净化处理打下了基础。

关于沉淀池可以清除水中含铁物质的作用,主要是对铁物质含量较高的地下水而言。当抽取地下水进行微灌时,由于地下水的水温低而压力高,二氧化碳溶于水中形成碳酸,水中的 pH 值较低,使铁物质溶于水中。当地下水被抽到地面上后,如果直接送入灌溉管道,由于条件改变,水温上升,压力下降,水中的碳酸分解,二氧化碳逸出,水中的 pH 值升高,会使溶解在水中的铁物质还原沉淀,从而引起微灌系统堵塞。因此,使用沉淀池使井水曝光掺气,水中的铁物质沉淀在池中,可以减少和避免微灌系统堵塞。

单独使用沉淀池沉淀的办法不能获得理想的水质。由于沉淀池多为开敞式,难以彻底清除灌溉水中的污物与其他杂质,因此人们通常把沉淀池作为微灌用水的初级处理措施,与其他过滤净化措施配合使用,以满足微灌用水的要求。关于沉淀池的设计可参考有关资料。

(三)离心式过滤器

离心式过滤器又称水砂分离器、涡流式水砂分离器,它由进口、出口、漩涡室、分离室、储污室和排污口等部分组成,其结构见图 6-28。

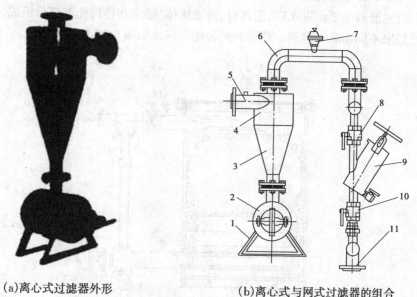

(a)离心式过滤器外形　　　　　(b)离心式与网式过滤器的组合

图 6-28　离心式过滤器及与网式过滤器的组合

1—支架;2—储沙罐;3—分离室;4—旋流室;5—进水口;6—连接管;
7—排水(气)阀;8、10—阀门;9—网式过滤器;11—出水口

离心式过滤器的工作原理是:当压力水流由进水口以切线方向进入旋流室后开始作旋转运动,并进入分离室,在分离室内水流除作平面旋转运动外,同时也在重力作用下运动,水中的泥沙颗粒除被抛向分离室壁面方向外,同时也在重力作用下沿壁面逐渐向下沉

淀,并向储污室中汇集。由于储污室的断面比分离室大,水流速度下降,泥沙颗粒受旋转力影响减小,受重力作用加大,泥沙颗粒下落并向储污室底部沉淀,最后经人工定期清除出过滤器。另一方面由于旋流中心和储污室中的水流速度比较低,而位能比较高,于是,旋流中心的较清洁的水上升并通过分离器顶部的出水口进入灌溉供水管道。

离心式过滤器能够清除的砂粒数量相当于 200 目网式过滤器清除量的 98%。它能将比重大于 1 的有机污物从水中清除掉,但对比重小于 1 的有机污物却无能为力。因此,同沉淀池一样,它只能作为初级过滤之用。

虽然离心式过滤器不能清除掉所有需要清除的颗粒,但它们对清除灌溉水挟带的大量极细砂是有效的。离心式过滤器在开泵和关泵时,由于水流压力和流速不稳定,影响过滤效果,建议在离心式过滤器下游尽量配套安装网式过滤器,以滤去通过离心过滤器的污物。

(四)砂石过滤器

砂石过滤器是由细砾石和经筛选的砂粒分层铺设于过滤罐体中而构成的,是一种介质过滤器,它具有较强的截获污物的能力。影响砂石过滤器的特性和功能的因素是水质、砂石的类别和大小、流量和允许的压降。虽然它们与有类同之处的筛网式过滤器相比投资较高,但是砂石过滤器可用较少的反冲洗次数和较小的压降来清除较大数量的污物。当筛网式过滤器需要频繁清洗或拟清除的颗粒小于 200 目时,建议使用砂石过滤器。

1.砂石过滤器的构造

砂石过滤器主要由进水口、出水口、过滤罐体、砂床和排污孔等部分组成,其结构形式因生产厂家不同而略有差别。常见的两种结构形式如图 6-29 和图 6-30。

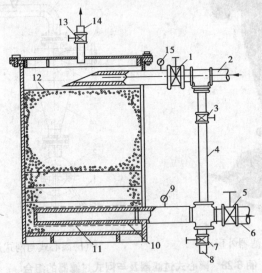

图 6-29　自制反冲洗砂过滤器

1—进水阀;2—进水管;3—冲洗阀;4—冲洗管;5—输水阀;
6—输水管;7—排水阀;8—排水管;9—压力表;10—集水管;
11—150 目滤网;12—过滤砂;13—排污阀;14—排污管;15—压力表

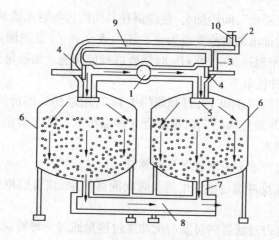

图 6-30　双罐自冲洗砂石过滤器

1—进水管；2—排污管；3—反冲洗管；4—三向阀；5—过滤罐进口；
6—过滤罐体；7—过滤罐出口；8—集水管；9—反冲洗管；10—排污阀

2.砂粒滤料的选择与处理

砂粒滤料的选择主要取决于微灌系统类型及灌水器对灌溉水质的要求。如果砂太粗，过滤不充分会引起灌水器的堵塞；砂过细又会引起过滤器冲洗次数过多，给管理带来不便。过滤砂按平均有效粒径和均匀系数两个指标分类：平均有效粒径是指 10%的砂样通过筛孔时的粒径值，它是表示该级别的砂中最小砂粒的粒径大小。例如平均有效粒径为 0.75 mm 的砂的含意是有 10%的砂样的粒径比 0.75 mm 小；均匀系数是指 60%的砂样通过筛孔时的粒径值除以 10%的砂样通过筛孔时的粒径值(d_{60}/d_{10})。

对于微灌用过滤砂粒料，均匀系数在 1.5 左右比较合理，并且要选用石英或花岗岩碎砂。过滤砂以标号表示，标号不同过滤效果也不同，选择时一定要弄清过滤水质与过滤砂的标号关系。过滤砂的标号、指标和过滤效果见表 6-14。

表 6-14　过滤砂标号与过滤效果对应表

过滤砂标号	有效粒径 （mm）	均匀系数	砂质种类	相应过滤效果 （目/英寸）	消除能力 （μm）
8	15	1.47	花岗岩碎砂	100～140	＞125
11	0.78	1.54	花岗岩碎砂	140～200	＞74
16	0.66	1.51	石英砂	140～200	＞74
20	0.46	1.42	石英砂	200～250	＞50

注:100 目/英寸为每 1 英寸长度内有 100 个孔,每个孔的直径(mm)约等于 16 除以每英寸孔数。

3.工作原理

1)单罐自冲洗砂石过滤器工作原理

如图 6-29 所示,过滤时打开进水阀门 1,关闭阀门 3 和阀门 13,灌溉水通过进水管 2 进入过滤罐内并逐渐渗过各砂砾层,通过包裹着 150 目的不锈钢滤网集水管由阀门 5 进入灌溉管道 6,水中的污物被各砂砾滤层截获并滞留在各砂粒的孔隙之间。反冲洗时首先关闭阀门 1 和阀门 5,打开冲洗管 4 上的阀门 3 和排污管上的阀门 13,水流经过冲洗管 4 由集水管 10 进入过滤罐内反向流过各砂滤层,上部颗粒较细的砂层在上浮力的作用下体积膨大,各砂粒开始"松动",间距加大,使滞留在其间的污物随水流通过排污阀 13 和排污管 14 排出罐外,直到排出的水流变清为止。压力表 9 和 15 是观测过滤罐进出口的压力变化之用的,当压力差超过 30～50 kPa 时就要进行反冲洗。如果每天需要反冲洗两次以上,建议安装自动反冲洗装置。

反冲洗完毕后关闭阀门 3 和 13,打开阀门 1 和 7,用过滤后的清洁水冲去集水管 10 和冲洗管 4 中的污物,并通过阀门 7 和排水管 8 排去污水。待水清洁后才能关上阀门 7 并打开阀门 5 向灌区供水。

2)双罐(或多灌)自冲洗砂石过滤器工作原理

为了使微灌系统在反冲洗过程中也能及时向灌区供水,在首部枢纽往往需要安装两个以上过滤罐。

如图 6-30 所示,这种过滤器的过滤与反冲洗过程是通过一种特制的三向阀门来控制的,当打开三向阀门时,阀门向后移动封闭住反冲洗管进口 3 而让压力水流通过进水管 1 和过滤罐进口 5,水中污物被砂粒之间的孔隙截留,清洁的水经出口 7 和集水管 8 进入下级灌水管道而送到灌区。

反冲洗时,关闭其中一个过滤罐上的三向阀门 4,同时也就是打开了该罐的反冲洗管进口 3,由另一过滤罐来的干净水通过集水管 8 进入待冲洗罐内,水流反向流过砂床 6 时使砂床膨胀向上,砂粒之间的间距增大,被截留在孔隙之间的各种污物被水冲动并带出砂床,经过反冲洗管 9 排出罐外。

在反冲洗时,如果反冲洗水流过大,则会把过滤砂冲出罐外,这时可以调节排污管上的排污阀 10,使冲洗水流中见不到过滤砂流出即可。如果在反冲洗时流量不足,则可以通过关闭装在灌溉供水管上的阀门减少向灌区的供水流量而提高反冲洗流量。每次冲洗时一定要冲到使排出的污水变清为止。

4. 适用条件

通过砂石过滤器的流量大小由砂床表面积和设计流量比决定。设计流量比是单位砂床面积通过的流量,以 $(m^3/s)/m^2$ 为单位,砂石过滤器的流量比一般在 $0.01～0.02$ $(m^3/s)/m^2$。对于一般灌溉水质的水源,可选用流量比为 0.017 $(m^3/s)/m^2$ 的砂石过滤器,如果灌溉水中含有较多的悬浮固体颗粒,就应该选用流量比较低的砂石过滤器。此外,在选择砂石过滤器时,还要考虑到灌溉水质随季节变化的状况,并按最坏水质条件来选定砂石过滤器。表 6-15 和表 6-16 给出了使用不同过滤砂所制成的过滤器的过滤能力和反冲洗时所需要的流量,供自制砂石过滤器时参考。

表 6-15　砂石过滤器流量(单罐)　　　　　　　　　(单位:m³/s)

流量比	罐直径(m)				
$(m^3/s)/m^2$	0.45	0.6	0.75	0.9	1.2
0.01	0.017	0.029	0.046	0.066	0.188
0.014	0.022	0.039	0.061	0.088	0.157
0.017	0.027	0.049	0.077	0.107	0.197
0.020	0.033	0.059	0.092	0.133	0.236

表 6-16 过滤砂标号与反冲洗流量关系(单罐) (单位:m³/s)

过滤砂标号	罐直径(m)				
	0.45	0.6	0.75	0.9	1.2
8	0.032	0.057	0.088	0.126	0.226
11	0.016	0.030	0.046	0.066	0.118
16	0.020	0.035	0.056	0.079	0.141
20	0.016	0.030	0.046	0.066	0.118

(五)网式过滤器

网式过滤器是一种简单而有效的过滤设备,造价也较为便宜,在国内外微灌系统中使用最为广泛。

1. 形式与分类

网式过滤器的种类繁多。如果按安装方式分,有立式与卧式两种;按制造材料分类,有塑料和金属两种;按清洗方式分类又有人工清洗和自动清洗两种类型;按封闭与否分类则有封闭式和开敞式(又称自流式)两种。

2. 构造

网式过滤器的基本构件是滤网和过滤筒身。塑料壳体网式过滤器外观如图 6-31(a)所示,它由进水口、出水口、壳体、不锈钢或尼龙滤网、顶盖、冲洗阀门等构成。其口径一般不大于 65 mm,它一般用于支管或毛管上,滤网可用不锈钢、尼龙网或铜丝网制作。金属壳体网式过滤器如图 6-31(b)所示,其口径一般不小于 75 mm,多用于灌溉系统首部或流量大的管道上,滤网可用不锈钢、尼龙网或铜丝网制作。

(a)塑料网式过滤器

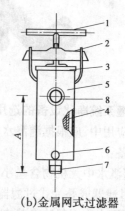
(b)金属网式过滤器

图 6-31 网式过滤器
1—手柄;2—横旦;3—顶盖;4—不锈钢滤网;5—壳体;6—冲洗阀门;7—出水口;8—进水口

3. 适用条件

网式过滤器主要用于过滤灌溉水中的粉粒、砂和水垢等污物(见表 6-17),尽管它也能用来过滤含有少量有机污物的灌溉水,但当有机物含量稍高时过滤效果很差,尤其是当压力较大时,大量的有机污物会"挤"过滤网而进入管道,造成微灌系统与灌水器的堵塞。

表 6-17　滤网规格与过滤土粒粒径关系

滤网规格		滤网孔口尺寸		相应土粒	
（目/英寸）	（目/cm²）	（mm）	（μm）	类别	粒径（mm）
20	8	0.711	711	粗砂	0.50～0.75
40	16	0.420	420	中砂	0.25～0.40
80	32	0.180	180	细砂	0.15～0.20
100	40	0.152	152	细砂	0.15～0.20
120	48	0.125	125	细砂	0.10～0.15
150	60	0.105	105	极细砂	0.10～0.15
200	80	0.074	74	极细砂	<0.10
250	100	0.053	53	极细砂	<0.10
300	120	0.044	44	粉砂	<0.10

(六)叠片式过滤器

叠片式过滤器的滤网为叠片状(见图 6-32),其他各组成部分完全与网式过滤器相同。叠片是由数量众多的带沟槽薄塑料圆片组成的,当水流通过叠片时,泥沙被拦截在叠片沟槽中,清水通过叠片的沟槽进入下级管道中。

图 6-32　叠片式过滤器

(七)微灌系统净化设备的选用

在实际应用中,应根据灌溉水质状况和灌水器的流道尺寸,按以下原则来选用一种或几种净化设备:

(1)当灌溉水中无机物含量小于 10 mg/kg,或粒径小于 80 μm 时,宜选用砂过滤器、200 目网式过滤器或叠片式过滤器。

(2)当灌溉水中无机物含量在 10～100 mg/kg 之间,或粒径在 80～500 μm 之间时,宜先选用离心式过滤器或 100 目网式过滤器作初级处理,然后再选用砂过滤器。

(3)当灌溉水中无机物含量大于 100 mg/kg,或粒径大于 500 μm 时,应使用沉淀池或离心式过滤器作初级处理,然后再选用 200 目网式或砂过滤器。沉淀池的表面负荷率不宜大于 3.0 mm/s。

（4）当灌溉水中有机污物含量小于 10 mg/kg 时,应选用砂过滤器或 200 目网式过滤器。

（5）当灌溉水中有机污物含量大于 10 mg/kg 时,应选用拦污筛作第一级处理,再选用砂过滤器或 200 目网式过滤器。

四、施肥(农药)设施

向微灌系统注入可溶性肥料或农药溶液的设备及装置称为施肥(农药)设施。微灌系统中常用的施肥设施有压差式施肥罐、开敞式肥料桶、文丘里施肥器、施肥泵等。

(一)压差式施肥罐

压差式施肥罐由储液罐、进水管、出水管、调压阀等几部分组成(见图 6-33)。

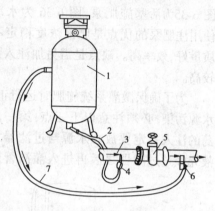

压差式施肥罐施肥工作原理与操作过程:待微灌系统正常运行后,首先把可溶性肥料或肥料溶液装入储液灌 1 内后,关紧罐盖,然后依次打开供肥管阀门 6、进水管阀门 4,此时储液罐的压力与输水管道的压力相等。此时,关小输水管道上的施肥调压阀门 5,使其产生局部阻力水头损失,使调压阀后输水管道内压力变小,调压阀前管道压力大于阀后管道压力,形成一定压差(根据施肥量要求调整调压阀),使罐中肥料通过输肥管进入阀后输水管道中,又造成储液罐压力降低,因而阀前管道中的灌

图 6-33　压差式施肥罐
1—储液罐;2—进水管;3—输水管;4—阀门;
5—调压阀;6—供肥管阀门;7—供肥管

溉水即由供水管 2 进入储液罐内,而罐中肥料溶液又通过输液管进入微灌管网及所控制的每个灌水器,如此循环运行,储液罐内肥料液浓度降至接近零时,即需重新添加肥料或溶液,继续施肥。

储液罐应选用耐腐蚀、抗压能力强的塑料或金属材料制造。对封闭式储液罐还要求具有良好的密封性能,罐内容积应根据微灌系统控制面积大小(或轮灌区面积大小)及单位面积施肥量、化肥溶液浓度等因素确定。

压差式施肥罐的优点是:加工制造简单,造价较低,不需外加动力设备。缺点是:溶液浓度变化大,无法控制;罐体容积有限,添加化肥次数频繁且较麻烦;输水管道因设有调压阀调压而造成一定的水头损失。

(二)开敞式肥料罐自压施肥装置

在自压微灌系统中,使用开敞式肥料箱(或修建一个肥料池)非常方便。只需把肥料箱放置于自压水源如蓄水池的正常水位下部适当的位置上,将肥料箱供水管(及阀门)与水源相连接,输液管及阀门与微灌主管道连接,打开肥料箱供水阀,水进入肥料箱可将化肥溶解成肥液。关闭供水管阀门,打开肥料箱输液阀,化肥箱中的肥液就自动地随水流输送到灌溉管网及各个灌水器,对作物施肥。

(三)文丘里注入器

文丘里注入装置可与敞开式肥料箱配套组成一套施肥装置。其构造简单,造价低廉,使用方便,主要适用于小型微灌系统。文丘里注入器的缺点是如果直接装在骨干管道上注入肥料,则水头损失较大,这个缺点可以通过在管路中并联一个文丘里注入器来克服,文丘里注入器的构造见图6-34。

(四)注射泵

微灌系统中常使用活塞泵或隔膜泵向灌溉管道中注入肥料或农药。根据驱动水泵的动力来源又可分为水驱动和机械驱动两种形式,图6-35为活塞施肥泵,图6-36为水动施肥泵。使用注肥泵的优点是肥液浓度稳定不变,施肥质量好,效率高。缺点是需另加注入泵,且造价较高。

为了确保微灌系统施肥时运行正常并防止水源污染,必须注意以下三点:第一,化肥或农药的注入一定要放在水源与过滤器之间,使肥液先经过过滤器之后再进入灌溉管道,使未溶

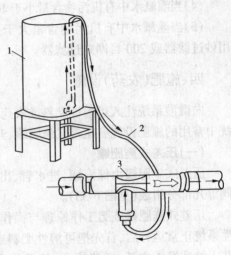

图 6-34　文丘里注入器

1—开敞式化肥罐;2—输液管;3—文丘里注入器

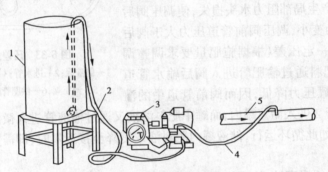

图 6-35　活塞式施肥泵

1—化肥罐;2—输液管;3—活塞泵;4—输肥管;5—输水管

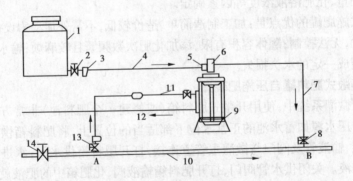

图 6-36　水动施肥泵

1—肥料罐;2—阀门;3—过滤器;4—吸肥管;5—吸肥阀;6—送肥阀;7—送肥管;
8—阀门;9—隔膜泵;10—供水管;11—进水管;12—排水管;13—阀门;14—主阀门

解化肥和其他杂质被清除掉,以免堵塞管道及灌水器。第二,施肥和施农药后必须利用清水把残留在系统内的肥液或农药全部冲洗干净,防止设备被腐蚀。第三,化肥或农药输液管出口处与水源之间一定要安装逆止阀,防止肥液或农药流进水源,更严禁直接把化肥和农药加进水源而造成环境污染。

五、流量、压力调节装置,量测设备及安全装置

微灌系统中需要安装必要的控制和量测设备以及安全装置,以确保系统正常运行。控制量测设备及安全装置除了安装在首部以外,在系统管道中任一需要的位置都要安装。下面简要介绍一下流量与压力调节装置、安全装置。

(一)流量、压力调节装置

流量与压力调节装置是用于自动调节管道中的压力和流量的设备。

1.流量调节装置

流量调节器是通过自动改变过水断面的大小来调节流量的,如图6-37所示。在正常工作压力时流量调节器中的橡胶环处于正常工作状态,通过的流量为所要求的流量,当水压力增加时,水压力使橡胶环变形,过水断面变小,因此限制水流通过,使流量保持稳定不变,从而保证了微灌系统各级管道流量的稳定。

2.压力调节器

压力调节器是用来调节微灌管道中的水压力,使之保持稳定的装置。工作时是利用弹簧受力变形,改变过水断面而调节管内压力,使压力调节器出口处的压力保持稳定,实际上也是一种流量调节器,如图6-38所示。

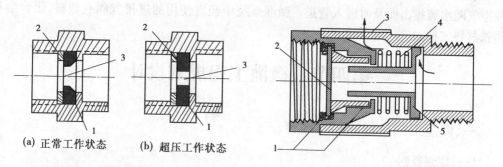

(a) 正常工作状态　　　(b) 超压工作状态

图6-37　流量调节器
1—橡胶环;2—压环;3—过水口

图6-38　压力调节器
1—橡皮环;2—限位套;3—减压孔;4—调节弹簧;5—活塞柱

3.稳流器

稳流器是近几年国内开发出的一种用于单个微喷头上的压力调节装置。其外观有圆盘形和圆柱形两种。北京绿源公司研制生产的稳流器如图6-39所示,其压力补偿范围为$0.07\sim0.3$ MPa,稳流器设计流量有18、34 L/h 两种。

(二)安全装置

为了保证微灌系统安全运行,须在适当位置安装安全保护装置。微灌系统常用的安全装置有以下几种。

1.减压阀

减压阀是在设备或管内的压力超过规定的工作压力时自动打开降低压力,以保证微灌系统在正常压力范围内运行。

2.安全阀

图 6-39　稳流器

安全阀有上开式和下开式之分。下开式停泵水锤消除器,用于防护突然停泵时,因降压可能产生的水锤压力对管道的破坏,一般与止回阀配合使用。上开式安全阀,当管道的水压升高时自动开放,以防止水锤事故。在不产生水柱分离时,将上开式安全阀安装在管道的始端,可对全管道起保护作用;如果产生水柱分离,则必须在管道沿程一处或几处另装安全阀才能达到防止水锤的目的。

3.空气阀

空气阀是当管道存有空气时自动打开通气口,管内充水时进行排气后,封口块在水压的作用下自动封口;当管内产生真空时,在大气的压力作用下打开通气口,使空气进入管内,防止负压破坏。

4.进排气阀

进排气阀能够自动排气和进气,而且压力水来时又能自动关闭。在微灌系统中主要安装在管网系统中最高位置处和局部高地。当管道开始输水时,管中的空气受水的“排挤”向管道高处集中,当空气无法排出时,就会减少过水断面,还会造成高于工作压力数倍的压力冲击。在这些制高点处应装进排气阀,以便将管内空气及时排出。当停止供水时,由于管道中的水流向低处逐渐排出时,会在高处管内形成真空,进排气阀将能及时补气,使空气随水流排出而及时进入管道。微灌系统中经常使用的进排气阀有塑料、铝合金和铸铁材料三种。

第四节　微灌工程规划设计

一、微灌工程规划原则与内容

(一)规划原则

(1)微灌工程的规划,应与其他的灌溉工程统一安排。如喷灌和管道输水灌溉,都是节水节能灌水新技术,各有其特点和适用条件。在规划时应结合各种灌水技术的特点,因地制宜地统筹安排,使各种灌水技术都能发挥各自的优势。

(2)微灌工程的规划应重视规模效益。由于微灌投资较高、管理要求严,尤其采用自动控制的微灌系统,其控制面积不能太小,适宜的灌溉面积可以达到良好的规模效益。

(3)微灌工程规划要重视经济效益。尽管微灌具有节水、节能、增产等优点,但也有一次性亩投资较高的缺点。兴建微灌工程应力求获得最大的经济效益。为此,在进行微灌工程规划时,要先考虑在经济收入高的经济作物区发展微灌。

(4)因地制宜、合理地选择微灌形式。我国地域辽阔,各地自然条件差异很大,山区、丘陵、平原、高原、南方、北方、气候、土壤、作物等都各不相同,加以微灌的形式也较多,又各有其优缺点和适用条件。因此,在规划和选择微灌形式时,应贯彻因地制宜的原则,切忌不顾条件盲目照搬外地经验。

(5)近期发展与远景规划相结合。微灌系统规划要将近期安排与远景发展结合起来,既要着眼长远发展规划,又要根据现实情况,讲求实效,量力而行。根据人力、物力和财力,做出分期开发计划。要使微灌工程建成一处,用好一处,尽快发挥工程效益。

(二)规划内容

(1)勘测和收集基本资料。包括地形、水文、水文地质、土壤、气象、作物、灌溉试验、动力与设备、当地经济发展现状与发展规划等。资料收集的越齐全,规划设计依据越充分,规划成果也就越符合实际。

(2)根据当地的自然条件、社会和经济状况等,论证工程建设的必要性和可行性。

(3)根据当地水资源状况和农业生产等要求进行水利计算,确定工程的规模和微灌系统的控制范围。

(4)根据水源位置、地形和作物种植情况,合理布置引、蓄、提水源工程、微灌枢纽位置和骨干输配水管网。

(5)提出工程概算。选择微灌典型地段进行计算,用扩大技术经济指标估算出整个工程的投资、设备、用工和用材种类、数量以及工程效益。

二、微灌系统的布置

(一)毛管和灌水器的布置

毛管和灌水器的布置方式取决于作物种类、生长阶段和所选用灌水器的类型。下面分别介绍滴灌系统和微喷灌系统毛管和灌水器的一般布置形式。

1. 滴灌系统的毛管和灌水器的布置

(1)单行毛管直线布置。图 6-40(a)为单行毛管直线布置形式。毛管顺作物种植行方向布置,一行作物布置一条毛管(或滴灌管、带),滴头安装在毛管上,滴头间距一般为 0.25~1.0 m。这种布置方式适用于作物行距超过 1 m 和轻质壤土(一般为沙壤土、砂土)的条播密植作物(如蔬菜);树形较小,土壤为中壤以上的果园。当作物间距较小(一般小于 1 m)时,可采用一条毛管控制两行作物;当作物行间距小于 0.3 m 时,也可采用一条毛管控制若干行作物。

(2)双行毛管平行布置。当果树行距较大(一般大于 4 m),土壤为中壤以上的土壤时,或当果树行距小于 4 m,但土壤沙性较严重时,或在干旱地区,果树完全依赖灌溉时,可采用如图 6-40(b)所示的沿树行两侧布置两条毛管的形式。

(3)单行毛管带环状管布置。图 6-40(c)、(d)为单行毛管带环状管曲折状或绕树布置形式。当滴灌成龄果树,或果树间距较大(一般大于 5 m),或在极干旱地区,可沿一行树布置一条输水毛管,围绕每一棵树布置一条环状灌水管,其上安装 5~6 个单出水口滴头。这种布置形式的优点是,湿润面积近于圆形,与果树根系的自然分布一致。其缺点是:由于增加了环状管,使毛管总长度大大增加,因而增加了工程费用。

(4)单行毛管带微管布置。凡是能采用单行毛管带环状管布置的作物,也可以采用单行毛管带微管布置形式,如图 6-40(e)所示。当使用微管滴灌果树时,每一行树布置一条毛管,再用一段分水管与毛管连接,在分水管上安装 4～6 条(有时更多)微管。这种布置形式大大减少了毛管的用量,加之微管价格低廉,因此减少了工程费用。

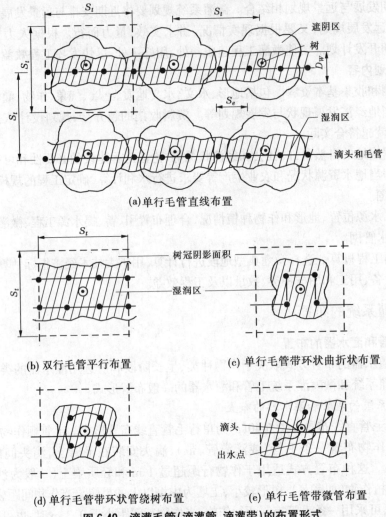

(a) 单行毛管直线布置

(b) 双行毛管平行布置　　　　　　(c) 单行毛管带环状曲折状布置

(d) 单行毛管带环状管绕树布置　　　　　(e) 单行毛管带微管布置

图 6-40　滴灌毛管(滴灌管、滴灌带)的布置形式

以上各种布置方式中毛管均沿作物行方向布置,在山丘区一般采用等高种植,故毛管是沿等高线布置的。对于果树,滴头(或滴水点)与树干的距离通常为树冠半径的 2/3。

近几年,由于开发生产出滴头与毛管一体的滴灌管、滴灌带,规格型号非常丰富,因此目前多采用单行、双行毛管(滴灌管、带)布置形式。

毛管的长度直接影响灌水的均匀系数和工程费用,毛管长度越长,支管间距越大,支管数量越少,工程投资越少,但灌水均匀系数越低。因此,布置的毛管长度应控制在允许的最大长度以内,也就是允许的最大毛管长度应满足设计均匀系数的要求。

2. 微喷灌系统的毛管和灌水器的布置

微喷灌系统常用于果园、园艺等方面,微喷灌系统的毛管布置与灌溉作物、微喷头的布置、微喷头的结构及水力性能等有关。

（1）地面系统布置形式。在这种布置形式中，微喷头和毛管都在地面上铺设，系统便于安装、检查、移动，但管道易损坏和丢失，对地面管道的抗老化性能要求较高。当果树很小时，田间往往套种其他作物，更容易造成地面管道和微喷头损坏。

微喷头和毛管的布置形式见图 6-41 所示。毛管沿作物行间布置，毛管的长度取决于微喷头的流量和均匀系数的要求。由于微喷头喷洒直径及作物种类的不同，一条毛管可控制一行作物，也可控制若干行作物。

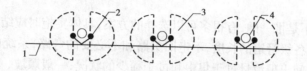

(a)单向微喷头局部喷洒

(b)双向微喷头局部喷洒

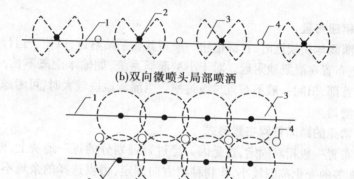

(c)全圆微喷头全面喷洒

(d)全圆微喷头局部喷洒

图 6-41　微喷灌时的毛管与微喷头布置形式

1—毛管；2—微喷头；3—喷洒湿润区；4—果树

（2）树上系统布置形式。在我国江西的柑橘园和山东烟台等地的苹果园都有树上式微喷系统的实例。这一系统中，微喷头置于树冠中或树冠顶部。研究表明，树上系统在苹果园中可改善苹果的着色。另外在柑橘园，树上系统可用于防霜冻，也可用于降温和改善田间小气候。但树上系统要求更高的供水压力以补偿较高的位置和较长毛管的水头损失。

（3）悬挂系统布置形式。悬挂系统布置是用铁丝等将支、毛管悬空，使微喷头悬空喷洒作业，主要用于温室育苗、花卉等的降温、增加室内湿度及灌溉。由于要悬空，喷头喷洒半径一般较小，布置密度大，投资较高。

（4）地下系统布置形式。微喷头仍由引出地面的毛管供水，由插杆支撑运行。支毛管埋在地下，可降低对管道抗老化的要求，便于农作和保护，应用最多。目前开发出的快速接头使微喷头的装卸更为方便,适宜于我国农村灌溉管理现状。其毛管布置同地面系统布置形式。

(二)干支管布置

干、支管的布置取决于地形、水源、作物分布和毛管的布置。其布置应达到管理方便、工程费用少的要求。在山丘地区,干管多沿山脊布置,或沿等高线布置。支管则垂直于等高线,向两边的毛管配水。在平地,干、支管应尽量双向控制,两侧布置下级管道,以节省管材。

系统布置方案不是惟一的,有很多可以选择的方案,具体实施时应结合水力设计优化管网布置,尽量缩短各级管道的长度,不走回头路和不必要的弯路;系统内的水源分配均匀一致,不使管道之间出现流量过于集中和过于稀少的状况;一般顺坡、平坡而行,在有坡度的情况下尽量减少逆坡布置的管道数量;有利于减少水力损失,改善流动性能,保障管道安全。

(三)首部枢纽布置

当水源距灌溉地块较近时,首部枢纽一般布置在泵站附近,以便于运行管理。距离较远时,首部枢纽布置在灌溉地附近。对于小型灌溉系统,如输水距离不长,一般只在泵站安装一级过滤首部,田间一般不布置二级过滤。当灌溉地块较大时,可考虑在不同的区域上安装二级过滤器。

(四)几种常见的微灌管网布置形式

田间管网布置一般相对固定,这是因为经过合理划分的每一地块上,地块面积、地形地势、毛管长度等的变化范围较小,作物种植方向固定,可供选择的余地不多。但设计时仍需认真分析,从几种方案中优选。田间管网设计可概化出常用的七种形式,见图 6-42。

以下所提供的七种形式展示了如毛管方向的改变、坡度和分干管的分片运行等典型特征。为方便分析选择一方形地块作为基本地块。

(1)形式一。如图 6-42(a)所示,毛管平行主干管 A、B,主干管 A 输送 100% 的流量,主干管 B 输送 50% 的流量,地块 1 和 3 或地块 2 和 4(也可 1 和 4 或 2 和 3)同时灌溉,分两个轮灌组。

(2)形式二。如图 6-42(b)所示,毛管垂直主干管 A 布置,主干管 A 输送 100% 的流量,干管 B_1 和 B_2 输送 50% 的流量,地块 1 和 2 或地块 3 和 4(也可 1 和 4 或 2 和 3)同时灌溉,分两个轮灌组。

(3)形式三。如图 6-42(c)所示,毛管垂直干管 A,阀置于干管 C 和 B 上,而地块 1 和 3、地块 2 和 4 同时灌溉,分两个轮灌组。干管 AC 和 AB 输送 100% 的流量。

(4)形式四。如图 6-42(d)所示,干管 AB 逆坡,支管与坡向垂直,毛管长度在逆坡时减小,在顺坡时增加,可根据支管 1 和 2 的位置和干管 A 的长度变化划分地块 1、2、3、4,大小不变。两个轮灌组可以是地块 1 和 3,2 和 4;也可以是地块 1 和 4,2 和 3。

(5)形式五。如图 6-42(e)所示,干管 AB 平行于等高线,支管 1、2、3、4 保持在原来的位置。地块 1 和 3 面积增加,地块 2 和 4 面积减少。为保持流量均匀,两个轮灌组宜为地块 1 和 4,2 和 3。

(6)形式六。如图 6-42(f)所示,干管 AB 与最大坡向斜交,干管逆坡布置,支管和毛

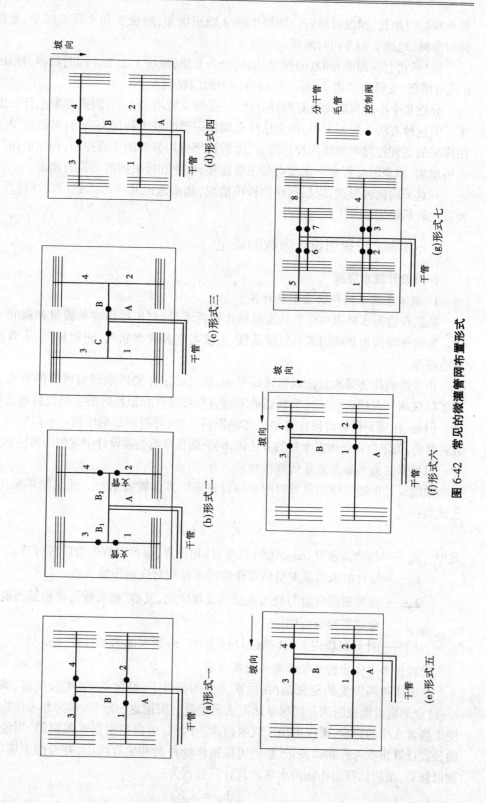

图 6-42 常见的微灌管网布置形式

管在顺坡时加长,逆坡时减短。地块1和3面积增加,地块2和4面积减少;地块1和4同时灌溉,地块2和3同时灌溉。

(7)形式七。如图6-42(g)所示,地块分为8块,地块1、2、5、6同时灌溉,地块3、4、7、8同时灌溉,支管流量更小,每一地块由一个阀门控制。

分成几个小的地块轮灌有两种办法:一是将支管增加一倍,因而单根毛管长度减少一半。但这种方法一般不采用,因为这样会增加一倍的鞍座和接头,运行时很烦琐。二是利用原来的支管控制本地块的较远部分,而较近部分用另外的支管控制,相应地阀门的用量也将增加,原来的支管有一半没有与毛管连接,鞍座和接头的数量没有增加。

究竟采用何种形式,应根据作物种植情况,初步选出几种形式进行设计计算,经技术经济比较后确定。

三、微灌工程规划设计参数的确定

(一)设计耗水强度

1. 微灌条件下的作物需水量计算

微灌作物需水量也称作物腾发量或作物耗水量,它包括作物蒸腾量和棵间土壤蒸发量。影响作物需水量的因素有气象条件、土壤类别及含水状况、作物种类、生育阶段及农业措施等。

由于影响作物需水量的因素错综复杂,所以确定作物需水量最可靠的方法是进行田间实际观测。在规划设计时根据当地实测资料或条件相似地区的实测资料确定作物需水量。但是,在规划设计阶段往往缺乏实测资料,这时可根据影响作物需水量的因素进行估算。目前,关于估算作物需水量的方法很多,下面仅介绍微灌设计中常用的两种估算方法。

1)根据自由水面蒸发量估算作物需水量

微灌设计中经常使用蒸发皿的观测资料来估算作物需水量。此法简单实用,其计算公式为:

$$E_c = k_c k_p E_p \tag{6-19}$$

式中　E_c——作物需水量,mm/d,可以按月、旬计算,也可以按生育阶段计算;

　　　k_c——与自由水面蒸发量估算作物需水量相对应的作物系数;

　　　k_p——蒸发皿蒸发量与自由水面蒸发量之比,又称"皿系数",可根据当地水文和气象站资料分析确定;

　　　E_p——计算时段内 E601 型或口径为 80 cm 蒸发皿的蒸发量,mm/d。

2)根据参考作物腾发量计算作物需水量

参考作物腾发量的定义是:在供水充分的条件下,高度均匀、生长茂盛、高为 8~15 cm 且全部覆盖地表面的开阔绿草地上的腾发量。根据这一定义,认为参考作物腾发量不受土壤含水率的影响,而仅取决于气象因素。因此,可以只根据气象资料,用经验或半经验公式计算出参考作物腾发量,然后再根据作物种类和生育阶段,并考虑土壤、灌排条件加以修正,最后估算出作物需水量。其计算公式为:

$$E_c = k_c E_0 \tag{6-20}$$

式中　E_0——参考作物腾发量,mm/d;

　　其余符号含义同前。

　　参考作物腾发量的估算方法详见第九章。果树作物系数见表 6-18,山东省果树滴灌需水量实测结果见表 6-19。

表 6-18　山东省果树作物系数

作物	4 月	5 月	6 月	7 月	8 月	9 月	10 月
苹果	0.584	0.650	0.791	0.990	1.027	0.868	0.868
梨	0.638	0.677	0.700	1.023	0.955	0.955	0.711
葡萄	0.568	0.530	0.675	0.870	0.914	0.803	0.789
山楂	0.494	0.627	0.927	1.157	1.193	0.907	0.671

表 6-19　山东省果树滴灌需水量实测结果

地点	作物	试验年	各月需水强度(mm/d) 4 月	5 月	6 月	7 月	8 月	9 月	10 月	需水量合计(mm)
招远市湖汪	苹果	1989	2.103	2.358	2.321	3.902	3.502	2.210	1.597	552.05
		1990	1.416	2.176	4.144	3.466	3.379	1.127		480.26
		平均	1.774	2.267	3.232	3.684	3.440	1.668	1.597	540.85
沂源县崔家庄	苹果	1990	1.740	2.239	2.373	2.661	3.250	2.697	1.992	519.32
山亭区张山头	黄梨	1989	1.806	2.357	2.899	2.679	2.557	1.839	1.749	485.92
		1990	1.944	2.464	3.139	3.755	2.745	2.245		497.72
		平均	1.875	2.410	3.019	3.217	2.661	2.042	1.749	519.23
安丘市宴玉	山楂	1989	1.466	1.492	3.033	4.077	3.774	1.870	1.232	518.90
		1990	1.583	3.239	4.122	4.131	4.023	2.548	1.390	643.86
		平均	1.524	2.366	3.578	4.104	3.898	2.209	1.311	581.38
平度市大营	葡萄	1989	1.650	1.542	1.768	2.235	1.621			269.88
		1990	2.196	2.230	3.613	3.969	4.635			510.12
		平均	1.923	1.886	2.690	3.102	3.128			389.99
平度市大泽山	葡萄	1980	2.013	2.784	2.983	2.661	2.390	4.070	2.311	586.51
		1981	1.080	1.997	2.283	3.355	2.700	1.587	1.100	459.21
		1982	0.977	2.135	4.480	2.916	3.629	1.820	1.736	541.21
		1983	2.213	2.352	1.840	4.039	2.306	1.820	0.927	474.53
		平均	1.796	2.317	2.896	3.243	2.756	2.324	1.518	515.33
招远市东良	梨	1985		3.005	3.544	3.832	3.786	2.559	1.028	544.27
		1986	1.288	1.322	1.819	4.393	3.219	2.582		447.62
		1987	2.579	2.749	3.325	3.646	3.018			468.92
		平均	1.934	2.359	2.896	3.957	3.341	2.570	1.028	553.24

注:需水量合计值为各月的需水强度乘以月天数的累计值,空缺月份未计入。

2. 微灌耗水强度与灌溉补水强度计算

1) 耗水强度计算

微灌用于灌溉果园和条播作物,只有部分土壤表面被作物覆盖,并且灌水时只有部分湿润土壤。与地面灌溉和喷灌相比,作物耗水量主要用于本身的生理蒸腾,地面蒸发损失很小。因此,作物的耗水量仅与作物对地面的遮阴率大小有关,其耗水强度(日耗水量)为:

$$E_a = k_r E_c \tag{6-21}$$

$$k_r = G_c / 0.85 \tag{6-22}$$

式中　E_a——微灌条件下的作物实际耗水强度,mm/d;

　　　k_r——作物耗水量的修正系数,可根据作物的遮阴率估算,当计算出的数值大于1时,取 $k_r = 1$;

　　　G_c——作物遮阴率,又称作物覆盖率,随作物种类和生育阶段而变化,对于大田和蔬菜作物,设计时可取 0.8～0.9,对于果树作物,可根据树冠半径和果树所占面积计算确定;

　　　其余符号含义同前。

若考虑局部灌溉条件下部分根系吸水受到抑制,k_r 值会更小,如山东省在滴灌条件下的测定结果,k_r 可取 0.4～0.6。

设计耗水强度是指在设计条件下微灌的作物耗水强度。它是确定微灌系统最大输水能力和灌溉制度的依据,设计耗水强度越大,系统的输水能力也越大,保证程度越高,但系统的投资也越高,反之亦然。因此,在确定设计耗水强度时既要考虑作物对水分的需要情况,又要考虑经济上合理可行。对于微灌,一般取生育期中月平均作物耗水强度峰值作为设计耗水强度,并以 mm/d 计。《微灌工程技术规范》给出的设计耗水强度参考值见表 6-20。

表 6-20　设计耗水强度　　　　　　　　　　(单位:mm/d)

作物	滴灌	微喷灌	作物	滴灌	微喷灌
果树	3～5	4～6	蔬菜(露地)	4～7	5～8
葡萄、瓜类	3～6	4～7	粮、棉、油等作物	4～6	5～8
蔬菜(保护地)	2～3	—			

2) 灌溉补充强度计算

作物生长所消耗的水量来源于天然降雨、地下水补充、土壤中原有的含水量和人工灌溉所补给的水量。微灌的灌溉补水强度是指为了保证作物正常生长必须由微灌提供的水量,以 mm/d 计。因此,微灌的灌溉补水强度取决于作物耗水量、降雨量和土壤含水量条件,通常有以下两种情况。

在干旱地区降雨量很少,地下水很深,作物生长所消耗的水量全部由微灌提供。此种情况下灌溉补水强度最少要等于作物的耗水强度,即

$$I_a = E_a \tag{6-23}$$

式中　I_a——微灌的灌溉补水强度,mm/d;

其余符号意义同前。

当有其他来源补充作物耗水量时,如降雨、土壤原有含水量、地下水补给等,微灌只是补充作物耗水不足部分,此时的微灌补水强度为

$$I_a = E_a - P_0 - S \tag{6-24}$$

式中　P_0——有效降雨量,mm/d;

　　　S——根层土壤和地下水补给的水量,mm/d;

　　　其余符号含义同前。

灌溉补充强度是确定微灌工程规模和指导系统运行管理的依据,只有当灌溉是作物耗水的惟一来源时,设计灌溉补充强度才等于设计耗水强度,除此之外,两者不能混淆。由于我国多数地区降雨不均匀,即使是在多雨的夏季,也会经常出现多日无雨的干旱天气,而需要连续灌溉。为保证满足作物的需水要求,设计灌溉补水强度时,一般不考虑降雨量、根层土壤和地下水补给的水量的影响,而认为作物所消耗的水量全部需通过灌溉补充,即 $I_a = E_a$。

(二)设计土壤湿润比

1.土壤湿润比

微灌条件下,湿润土体体积与整个计划层土体的比值称为土壤湿润比。土壤湿润比决定于作物、灌水器流量、灌水量、灌水器间距和所灌溉土壤的特性。在滴灌条件下,由于点水源所形成的湿润范围过小,土壤湿润比的合理确定对作物的影响较大。在微喷灌条件下,由于喷洒范围较大,土壤湿润比对作物的影响相对较小。

通常滴头下地表的湿润面积比较小,在地表下稍微增大,湿润体形状像一个"倒悬的灯泡"。在实际应用中,土壤湿润比常以地面以下 20~30 cm 处的平均湿润面积与作物种植面积的百分比表示,也就是把地面以下 20~30 cm 处的湿润面积近似作为计划层内湿润体的平均面积。

2.理想的土壤湿润比

到目前为止,还没有得出非常准确的理想的土壤湿润比。然而,具有较大湿润比的土壤可以储存更多的水(在系统发生故障时,这是很好的保护作物的方式)。这种系统易于管理和编制灌溉计划,同时可以利用更多的土壤来储存和提供养分。对于宽行稀植作物如葡萄、果树等,一般湿润作物根系水平剖面最大面积的 1/3~2/3,即 33%<土壤湿润比<67%。在一些有足够降雨的地区,土壤为中壤到黏土的地方,湿润比可小于 33%。

对于宽行作物,湿润比宜小于 67%,以保持行间干燥,便于其他作物生长。湿润比小有利于减少地面蒸发,还可节省投资。对于密植作物,滴头间距小于 0.8 m 时,土壤湿润比一般能达到 100%。

如果降雨能够湿润 1.0 m 以下,作物根系会超出滴灌的湿润区。这种根系活动很重要,可以吸收大量的养分。在土壤湿润比不小于 33% 的情况下,到目前为止还没有发现作物根系锚固问题。然而对于有大风的地区,存在作物根系锚固问题,一般可利用降雨来扩大根系。

在滴灌条件下,有些作物潜在产量高于使用其他灌溉方法。因而合适的滴灌系统应该认真地选用湿润比。例如,一个湿润比为 25% 的滴灌系统,作物产量会同其他灌溉方

法的产量相同。但当湿润比增大到 33% 时,作物产量比其他灌溉方法提高了 20%。

在实际应用过程中,如何选择合理的湿润比,以免影响作物的产量、品质,保证达到理想的产量和生长状况,是滴灌系统推广应用过程中至关重要的问题。这是由于湿润比不仅受作物品种、土壤状况和当地气候条件等的影响,而且还受到了系统投资的限制。如土壤湿润比过小,会降低作物产量,但系统投资相对较低。如选用土壤湿润比过大,作物产量并不会明显提高,但系统投资相应增加。设计时宜根据当地的条件,对不同的作物进行不同的湿润比试验,从而获得一些合理的湿润比。对于没有试验资料的地区,可参照国内外类似地区同类作物的资料进行设计。运行中应密切观察滴灌系统对作物生长的影响,以获得可靠的经验。

3. 用田间试验法确定土壤湿润比

滴头下大约 30 cm 处湿润面积的大小取决于滴头流量、灌水量,同时取决于土壤的结构、坡度和土壤的均匀程度。有很多数学模型可用来计算土壤的湿润面积,但这些数学模型都存在着很多近似假设,并且求解比较复杂,很难在实际工程中使用。因此,确定土壤湿润比最为有效的也是最可靠的办法是田间试验。所谓田间试验,就是选择有代表性的地方进行滴灌,然后实测湿润体体积。

试验灌水量为预计每天滴头的灌水量。最好在容器内放入所需水量,然后让其自然滴完。如果土壤特别干燥,须在测量湿润区域之前连续灌水 2~3 天。观测湿润区域最好的办法是在滴头下一直到湿润锋底挖一个纵剖面,测量其各高程的湿润直径。可用土钻来确定深度。由量得的各高程湿润直径,便可计算湿润体体积,如果已知滴头布置间距,便可算出湿润比。

4. 土壤湿润比的计算

1) 估算土壤湿润面积

表 6-21 给出了标准的 4 L/h 滴头,在不同的土壤条件和深度下的湿润面积。土壤表面湿润面积一般小于地表下 15~30 cm 处最大湿润面积的一半,但如果滴头流量很大,引起地表径流的情况下除外。4 L/h 的滴头最为普遍,最有代表性,可以通过它估算其他流量下的湿润面积。

表 6-21 数据相应于试验时每天或每隔一天灌溉,并且水量满足并略超出作物的需水量。湿润面积以矩形方式给出,长边 D_w 是滴头下土壤湿润体的最大直径,短边 S'_e 是最大湿润直径的 80%,即均匀湿润带的滴头间距值(理想的滴头间距)。

几乎所有的土壤在一定程度上都是分层的或者是不均匀的。但在做田间试验之前,就假定土壤是分层的而选择较大的湿润面积值都是根据不足的。如果土壤在水平方向分层和压实严重,湿润面积值有可能是表 6-21 给出值的 2 倍。这些只能由田间试验来确定。

在坡地上,湿润图形会向下坡方向延伸。在陡坡地上,这种变形很大,90% 的湿润面积集中在下坡段。在布置滴头位置时须考虑这一点,但实际湿润面积值与平地上是相同的。

表 6-21 给出的值只是用于估计,如果用的值大于表中所给的值,应有足够的田间试验作依据。

表 6-21 不同土壤条件下流量为 4 L/h 滴头的等效湿润面积的估算值

土壤或根系深度(m)	土壤结构	土壤层状		
		均一	非均一	层状
0.75	粗	0.4×0.5	0.6×0.8	0.9×1.1
	中	0.7×0.9	1.0×1.2	1.2×1.5
	细	0.9×1.1	1.2×1.5	1.5×1.8
1.50	粗	0.6×0.8	1.1×1.4	1.4×1.8
	中	1.0×1.2	1.7×2.1	2.2×2.7
	细	1.2×1.5	1.6×2.0	2.0×2.4

注:1. 等效湿润矩形 $S'_e×D_w(m×m)$,S'_e、D_w 分别是湿润直径的 80% 和湿润直径。

2. 土壤结构中,粗,包括粗沙、沙土;中,包括沙壤、壤土;细,包括粉沙、黏壤到黏土(如果黏土有干裂,按粗到中的结构处理)。

3. 几乎所有的土壤都是非均一的,非均一土壤是指在相对均匀的土壤中,有些颗粒具有方向性,或者有压实层,使得水平方向导水率大于垂直方向导水率。

当滴头流量变化时,每一灌水周期在灌溉面积上灌水量为 40 mm 时,不同均一土壤条件下,单滴头最大湿润直径见表 6-22。

表 6-22 不同滴头流量下不同土壤最大湿润直径

滴头流量 (L/h)	<1.5			2.0			4.0			8.0			>12		
土壤质地	粗	中	细	粗	中	细	粗	中	细	粗	中	细	粗	中	细
最大湿润 直径(m)	0.2	0.5	0.9	0.3	0.7	1.0	0.6	1.0	1.3	1.0	1.3	1.7	1.3	1.7	2.0

2)单行毛管直线布置土壤湿润比计算

单行毛管直线布置见图 6-40(a),土壤湿润比按式(6-25)计算。

$$p = 0.785D_w^2/(S_eS_l) × 100\% \tag{6-25}$$

式中 p——土壤表层以下 30 cm 处湿润面积占作物种植面积的比(土壤湿润比),%;

D_w——地表以下 30 cm 处的湿润宽度,m,等于单个滴头的湿润直径,可以通过试验得出,或参考表 6-21 和表 6-22 确定;

S_e——灌水器(或出水口)沿毛管上的间距,m;

S_l——毛管间距,m。

为了计算方便,表 6-23 给出了单行毛管、灌水器或出水点均匀布置,每一灌水周期在灌溉面积上灌水量为 40 mm 时的土壤湿润比,供设计时查用。

3)双行毛管直线布置土壤湿润比计算

在透水性强的土壤上,为了获得足够的土壤湿润比,对于宽行作物可以采用双行毛管直线布置方式(见图 6-40(b)),两条毛管窄间距为 $p=100\%$ 时的毛管间距,这样做是为了在两条毛管之间没有干燥区,以便得到最大的湿润面积。此时湿润比的计算式为:

表 6-23　土壤湿润比参考值

毛管有效间距 S_l (m)	灌水器或出水点流量（L/h）														
	<1.5			2.0			4.0			8.0			>12.0		
	对粗、中、细结构的土壤推荐的毛管上的灌水器或出水点的间距 S_e(m)														
	粗	中	细	粗	中	细	粗	中	细	粗	中	细	粗	中	细
	0.2	0.5	0.9	0.3	0.7	1.0	0.6	1.0	1.3	1.0	1.3	1.7	1.2	1.6	2.0
0.8	38	88	100	50	100	100	100	100	100	100	100	100	100	100	100
1.0	33	70	100	40	80	100	80	100	100	100	100	100	100	100	100
1.2	25	58	92	33	67	100	67	100	100	100	100	100	100	100	100
1.5	20	47	73	26	53	80	53	80	100	80	100	100	100	100	100
2.0	15	35	55	20	40	60	40	60	80	60	80	100	80	100	100
2.4	12	28	44	16	32	48	32	48	64	48	64	80	64	80	100
3.0	10	23	37	13	26	40	26	40	53	40	53	67	53	67	80
3.5	9	20	31	11	23	34	23	34	46	34	46	57	46	57	68
4.0	8	18	28	10	20	30	20	30	40	30	40	50	40	50	60
4.5	7	16	24	9	18	26	18	26	36	26	36	44	36	44	53
5.0	6	14	22	8	16	24	16	24	32	24	32	40	32	40	48
6.0	5	12	18	7	14	20	14	20	27	20	27	34	27	34	40

$$p = (p_1 S_1 + p_2 S_2)/S_r \times 100\% \tag{6-26}$$

式中　S_1——对毛管窄间距, m, 可以根据给定的流量和土壤类别查表 6-23（当 $p=$ 100%时推荐的毛管间距）;

　　　p_1——与 S_1 相对应的土壤湿润比, %;

　　　S_2——对毛管的宽间距, m;

　　　p_2——根据 S_2 查表 6-23 所得的土壤湿润比, %;

　　　S_r——作物行距, m。

4）绕树环状多出水点布置土壤湿润比计算

对于单行毛管带环状管曲折状布置（见图 6-40(c)）、单行毛管带环状管绕树布置（见图 6-40(d)）、单行毛管带微管布置（见图 6-40(e)）, 它们的土壤湿润比按以下两式计算。

$$p = 0.785 n D_w^2/(S_t S_r) \times 100\%$$

或

$$p = n S_e S_w/(S_t S_r) \times 100\%$$

式中　n——株果树下布置的灌水器个数, 个;

　　　S_t——果树株距, m;

　　　S_w——湿润带宽度, m, 查表 6-23, 当 $p=100\%$ 时相应的毛管间距 S_l;

　　　其余符号含义同前。

5）微喷灌系统的土壤湿润比计算

由于微喷灌系统的各个微喷头的降雨一般不重叠, 果园内一部分地面保持干燥（不湿）, 从而产生了多大部分的地面应该灌溉, 即合理确定湿润比的问题。实践中一般有以下三种选择。

（1）最小湿润比（30%～40%）。选择这样的湿润比要有把握保证在合理的灌水管理条件下，灌水面积的降低并不会降低作物产量。在降雨稀少的地区，小湿润比可减少杂草生长。

（2）中等湿润比（60%～70%）。树冠的生长是被灌溉的树木根系生长的真实反映，即农民常说的树冠有多大，根有多大。选择这一湿润比是为了有目的的增大供养根系的数量，或在供水量有限的条件下，仍能有效地利用灌溉水。

（3）最大湿润比（90%～100%）。这相当于全面灌溉，对某些密植作物或较大型的树木常常采用最大湿润比。

一般建议，对于果树可以采用不少于40%的湿润比，对于密植果树，可以采用70%～80%的土壤湿润比。对于苗圃、苗床、蔬菜等，可以采用90%～100%的湿润比。

对于微喷灌系统（见图6-41），土壤湿润比可按下式计算：

$$p = A_w/(S_e S_l) \times 100\% \tag{6-27}$$

对于一株树下布置 n 个微喷头时的土壤湿润比可按下式计算：

$$p = nA_w/(S_t S_r) \times 100\% \tag{6-28}$$

$$A_w = \theta/360 \times \pi R^2 \tag{6-29}$$

式中　A_w——微喷头的有效湿润面积，m^2；

　　　　θ——湿润范围平面分布夹角，当为全圆喷洒时 $\theta = 360°$；

　　　　R——微喷头的有效喷洒半径，m；

　　　　其余符号含义同前。

5. 设计土壤湿润比

微灌设计土壤湿润比应根据自然条件、作物种类、种植方式及微灌的形式确定，《微灌工程技术规范》在总结国内外实践经验的基础上，给出了微灌设计土壤湿润比（见表6-24），设计时可参考选用。

表 6-24　微灌设计土壤湿润比

作物	滴灌	微喷灌	作物	滴灌	微喷灌
果树	25%～40%	40%～60%	蔬菜	60%～90%	70%～100%
葡萄、瓜类	30%～50%	40%～70%	粮、棉、油等作物	60%～90%	100%

注：干旱地区宜取上限值。

（三）灌溉水利用系数的确定

在微灌时，只要设计合理，精心管理，就不会产生输水损失、地面流失和深层渗漏损失，微灌的主要水量损失是由于灌水不均匀和某些不可避免的损失所造成的，常用下式表示微灌的灌水有效利用率，即

$$\eta = V_m/V_a \tag{6-30}$$

式中　η——微灌灌溉水有效利用系数；

　　　　V_m——微灌时储存在作物根层的水量；

　　　　V_a——微灌的灌溉供水量。

《微灌工程技术规范》规定，微灌灌溉水有效利用系数滴灌不低于0.90，微喷灌不低

于 0.85。

(四)设计系统日工作时间

《微灌工程技术规范》规定,微灌设计系统日工作小时数应根据当地水源和农业技术条件确定,不宜大于 20 h。

(五)微灌均匀系数

为了保证微灌的灌水质量,要求灌水均匀系数达到一定的要求。在田间,影响灌水均匀系数的因素很多,如灌水器工作压力的变化、灌水器的制造偏差、堵塞情况、水温变化、微地形变化等。目前在设计微灌工程时能考虑的只有水力学(压力变化)和制造偏差两种因素对均匀系数的影响。

微灌的灌水均匀系数可以用克里斯琴森(Christiansen)均匀系数来表示,即

$$C_u = 1 - \overline{\Delta q}/\overline{q} \tag{6-31}$$

$$\overline{\Delta q} = (1/n) \sum_{i=1}^{n} |q_i - \overline{q}| \tag{6-32}$$

式中 C_u——微灌均匀系数;

$\overline{\Delta q}$——灌水器流量的平均偏差,L/h;

$\overline{q}$——灌水器流量平均值,L/h;

q_i——各灌水器的流量,L/h;

n——所测的灌水器数目。

1. 只考虑水力影响因素时的设计均匀系数

微灌的均匀系数 C_u 与灌水器的流量偏差率 q_v 存在着一定的关系,当灌水器流量的偏差为均匀分布时,其关系如表 6-25 所示。

表 6-25 C_u 与 q_v 的关系

$C_u(\%)$	98	95	92
$q_v(\%)$	10	20	30

另外,微灌灌水器的流量偏差率 q_v 与工作水头的偏差率的关系为:

$$H_v = (1/x)q_v[1 + 0.12q_v(1 - x)/x] \tag{6-33}$$

$$H_v = (h_{max} - h_{min})/h_a \tag{6-34}$$

$$q_v = (q_{max} - q_{min})/q_a \tag{6-35}$$

式中 H_v——工作水头的偏差率;

x——灌水器的流态指数;

h_{max}——灌水器的最大工作水头,m;

h_{min}——灌水器的最小工作水头,m;

h_a——灌水器的平均工作水头,m;

q_{max}——相应于 h_{max} 时的灌水器的流量,L/h;

q_{min}——相应于 h_{min} 时的灌水器的流量,L/h;

q_a——灌水器的平均流量,L/h;

其余符号含义同前。

若选定了灌水器,已知流态指数 x,并确定了均匀系数,则可由式(6-33)求出允许的压力偏差率 H_v,从而可以确定毛管的设计工作压力变化范围。

2. 考虑水力和制造偏差两个影响因素后的设计均匀系数

$$E_u = (1 - 1.27C_v/\sqrt{n})(q_{\min}/q_a) \tag{6-36}$$

或

$$E_u = (1 - 1.27C_v/\sqrt{n})(h_{\min}/h_a)^x \tag{6-37}$$

$$h_{\min}/h_a = 1 - H'_v \tag{6-38}$$

$$H'_v = 1 - [E_u/(1.27C_v/\sqrt{n})]^{1/x} \tag{6-39}$$

式中　E_u——考虑水力和制造偏差后的设计均匀系数;

C_v——灌水器的制造偏差系数;

n——一株作物下安装的灌水器数目;

H'_v——灌水器最小工作水头与平均工作水头之间的偏差;

其余符号含义同前。

3. 设计灌水均匀系数的确定

在设计微灌工程时,选定的灌水均匀系数越高,灌水质量越高,水利用率也越高,而系统的投资和运行管理费用也越大。因此,设计灌水均匀系数的确定,应根据作物对水分的敏感程度、经济价值、水源条件、地形、气候等因素综合考虑确定。

根据当前条件,建议采用的设计均匀系数:当只考虑水力因素时,取 $E_u = 0.95 \sim 0.98$,或 $q_v = 10\% \sim 20\%$;当考虑水力和制造偏差两个因素时,取 $E_u = 0.9 \sim 0.95$。《微灌工程技术规范》规定微灌均匀系数不应低于0.8。

(六)灌水器设计工作水头

灌水器设计的工作水头越高,灌水均匀度越高,但系统的运行费用越大。灌水器的设计工作水头应根据地形和所选用的灌水器的水力性能决定。滴灌时通常为10 m水头,涌泉灌(小管出流)时,工作水头可为 $5 \sim 7$ m,微喷时工作水头一般以 $15 \sim 20$ m 为宜。

四、微灌系统设计

(一)灌溉设计保证率

《微灌工程技术规范》规定,微灌工程设计保证率应根据自然条件和经济条件确定,不应低于85%。

(二)灌水器的选择

灌水器是否适用,直接影响工程的投资和灌水质量。设计人员应熟悉各种灌水器的性能、适用条件。在选择灌水器时,应考虑以下因素。

(1)作物种类和生长阶段。不同的作物对灌水的要求不同,如窄行密植作物,要求湿润条带土壤,湿润比高,可选用多孔毛管、双腔毛管、微灌带;而对于高大的果树,株、行距大,一棵树需要多个湿润点,如用单出水口滴头,常常要 $5 \sim 6$ 个滴头,如用多出水口滴头,只要 $1 \sim 2$ 个即可,也可采取微喷灌、小管出流等。

(2)土壤性质。不同类型土壤,水的入渗能力和横向扩散力不同。对于轻质土壤,可用大流量的灌水器,以增大土壤水的横向扩散范围。而对于黏性土壤应选用流量小的灌水器。

(3)灌水器流量对压力变化的反应。灌水器流量对压力变化的敏感程度直接影响灌水的质量和水的利用率。层流型灌水器的流量对压力的反应比紊流型灌水器敏感得多。例如当压力变化 20% 时,层流灌水器(流态指数 $x=1$)的流量变化 20%,而紊流灌水器(流态指数 $x=0.5$)的流量只变化 11%,因此应尽可能选用紊流型灌水器。

(4)灌水器的制造精度。微灌的均匀度与灌水器的精度密切相关,在许多情况下,灌水器的制造偏差所引起的流量变化,超过水力学引起的流量变化。因此,设计时应选用制造偏差系数 C_v 值小的灌水器。

(5)灌水器流量对水温变化的反应。灌水器流量对水温反应的敏感程度取决于两个因素:①灌水器的流态,层流型灌水器的流量随水温的变化而变化,而紊流型灌水器的流量受水温的影响小,因此在温度变化大的地区,宜选用紊流型灌水器;②灌水器的某些零件的尺寸和性能易受水温的影响,例如压力补偿滴头所用的人造橡胶片的弹性,可能随水温而变化,从而影响滴头的流量。

(6)灌水器抗堵塞性能。灌水器的流道或出水孔的断面越大,越不易堵塞。但是对于流量很小的滴头,过大的流道断面,可能因流速过低,使穿过过滤器的细泥粒在低流速区沉积下来,造成局部堵塞,使流量变小。一般认为,流道直径 $d<0.7\,\mathrm{mm}$ 时,极易堵塞;$0.7\,\mathrm{mm}<d<1.2\,\mathrm{mm}$ 时,易于堵塞;$d>1.2\,\mathrm{mm}$ 时,不易堵塞。

(7)价格。一个微灌系统有成千上万的灌水器,其价格的高低对工程投资的影响很大。设计时,应在保证质量的前提下,尽可能选择价格低廉的灌水器。

一种灌水器不可能满足所有的要求,在选择灌水器时,应根据当地的具体条件选择满足主要要求的品种和规格的灌水器。

(三)设计灌溉制度

微灌灌溉制度是指作物全生育期(对于果树等多年生作物则为全年)每一次灌水量(灌水定额)、灌水时间间隔(灌水周期)、一次灌水延续时间、灌水次数和全生育期(或全年)灌水总量(灌溉定额)。

1. 设计灌水定额

设计灌水定额按下式计算

$$m = 0.1\gamma z p(\theta_{\max} - \theta_{\min})/\eta \tag{6-40}$$

$$m = 0.1 z p(\theta'_{\max} - \theta'_{\min})/\eta \tag{6-41}$$

式中　m——设计毛灌水定额,mm;

　　　γ——土壤密度,g/cm³;

　　　z——计划湿润土层深度,m;

　　　p——微灌设计土壤湿润比(%);

　　　$\theta_{\max}$、$\theta_{\min}$——适宜土壤含水率上、下限(占干土重的百分数);

　　　$\theta'_{\max}$、$\theta'_{\min}$——适宜土壤含水率上、下限(占土壤体积的百分数);

　　　η——灌溉水利用系数。

2.设计灌水周期

设计灌水周期应根据试验资料确定,在缺乏试验资料的地区,可参照邻近地区的试验资料并结合当地实际情况按下式计算确定。

$$T = m\eta/E_a \tag{6-42}$$

式中符号含义同前。

3.一次灌水延续时间

当毛管单行直线布置,灌水器间距均匀时,一次灌水延续时间由下式确定

$$t = mS_eS_l/q \tag{6-43}$$

式中　　t——一次灌水延续时间,h;

S_e——灌水器间距,m;

S_l——灌水器行距(毛管间距),m;

q——灌水器流量,L/h;

其余符号含义同前。

对于灌水器间距非均匀布置安装时,式(6-43)中的 S_e 为灌水器间距的平均值。

对于果树,若每株树有 n 个灌水器,则

$$t = mS_rS_t/(nq) \tag{6-44}$$

式中　　S_r、S_t——果树的株、行距,m;

其余符号含义同前。

4.灌水次数与灌溉定额

使用微灌技术,作物全生育期(或全年)的灌水次数比传统的地面灌溉多。根据国内实践经验,北方果树通常一年灌水 16~30 次,但在水源不足的山区也可能一年只灌 3~6次。灌水总量为各次灌水量的总和。

(四)系统工作制度的确定

微灌系统的工作制度通常分为续灌、轮灌和随机供水三种情况。不同的工作制度要求系统的流量不同,因而工程费用也不同。在确定工作制度时,应根据作物种类、水源条件和经济状况等因素做出合理选择。

1.续灌

续灌是对系统内全部管道同时供水,灌溉面积内所有作物同时灌水的一种工作制度。它的优点是每株作物都能得到适时灌水;灌溉供水时间短,有利于其他农事活动的安排。缺点是干管流量大,增加工程的投资和运行费用;设备的利用率低;在水源流量小的地区,可能缩小灌溉面积。因此,在灌溉面积小的灌区,种植单一的作物时可采用续灌的工作制度。

2.轮灌

较大的微灌系统为了减少工程投资、提高设备利用率、增加灌溉面积,通常采用轮灌的工作制度。一般是将支管分成若干组,由干管轮流向各组支管供水,而支管内部则同时向毛管供水。

1)划分轮灌组的原则

轮灌组的数目应满足作物需水要求,同时使水源的水量与计划灌溉的面积相协调。

　　每个轮灌组控制的面积应尽可能接近相等,以便水泵工作稳定,提高动力机和水泵的效率,减少能耗。

　　轮灌组的划分应照顾农业生产责任制和田间管理的要求。例如,一个轮灌组包括若干片责任地(树),尽可能减少农户之间的用水矛盾,并使灌水与其他农业技术措施如施肥、修剪等得到较好的配合。

　　为了便于运行操作和管理,通常一个轮灌组管辖的范围宜集中连片,轮灌顺序可通过协商自上而下或自下而上进行。有时,为了减少输水干管的流量,也可采用插花操作的方法划分轮灌组。

　　2)轮灌组数目的确定

　　按作物需水要求,全系统允许最大轮灌组数目为

$$N \leqslant cT/t \tag{6-45}$$

式中　N——允许的轮灌组最大数目,取整数;

　　　　c——一天运行的小时数,一般为 12~20 h;

　　　　其余符号含义同前。

　　实践表明,轮灌组过多,会造成各农户的用水矛盾。按式(6-45)计算的 N 值为允许的最多轮灌组数,设计时应根据具体情况确定合理的轮灌组数目。

　　3)轮灌组的划分方法

　　通常在支管的进口安装闸阀和流量调节装置,使支管所管辖的面积成为一个灌水基本单元,称为灌水小区。一个轮灌组可包括一条或若干条支管,即包括一个或若干个灌水小区。也就是支管分组供水,支管内部同时供水。

　　3.随机供水

　　采用系统轮灌工作制度的缺点是易造成各轮灌组之间的用水矛盾。但实际上全灌区每个农户不可能都同时用水,如果用续灌的工作制度,系统的设计流量又可能偏大,故可采用随机供水的工作制度。这种工作制度类似于城市自来水系统的工作制度,即假定每个农户的用水都不是确定的时间,但从总体上讲,服从某一种统计规律。随机供水系统的流量大小介于续灌和轮灌之间。这种工作制度适合于当前农业生产责任制的需要,尤其适合自动化微灌系统。

　　(五)系统流量计算

　　1.毛管流量计算

　　一条毛管的进口流量为该毛管上所有灌水器流量之和,则毛管进口流量为:

$$Q_毛 = \sum_{i=1}^{N} q_i \tag{6-46}$$

　　设毛管上灌水器或出水口的平均流量为 q_a,则

$$Q_毛 = Nq_a \tag{6-47}$$

式中　$Q_毛$——毛管进口流量,L/h;

　　　　N——毛管上灌水器或出水口的数目;

　　　　q_i——第 i 个灌水器或出水口的流量,L/h;

　　　　q_a——毛管上灌水器或出水口的平均流量,L/h。

为了方便,设计时可用灌水器设计流量代替平均流量。

2. 支管流量计算

支管进口流量等于所控制的毛管流量之和,即

$$Q_支 = \sum_{i=1}^{n} Q_{i毛} \tag{6-48}$$

式中　$Q_支$——支管流量,L/h;

$Q_{i毛}$——第 i 条毛管的流量,L/h。

3. 干管流量的推算

当采用续灌时,干管段的流量可自下而上逐级推算求得。任一干管段的流量等于该段干管以下支管流量之和。

当采用轮灌时,应按划分的轮灌组分别自下而上逐级推算各段干管流量。任一干管段的流量等于通过该管段的各轮灌组中最大的流量。

当采用随机供水时,干管流量可按下列方法计算:

$$Q = xQ_r \tag{6-49}$$

$$x = (1/r)(1 + U\sqrt{1/n_1 - 1/n}) \tag{6-50}$$

$$n_1 = Q_r/(Q_支 r) \tag{6-51}$$

$$Q_r = 10AI_a/t \tag{6-52}$$

$$r = c/24 \tag{6-53}$$

$$I_a = E_a - P_0 \tag{6-54}$$

式中　Q——干管或系统的流量,m^3/h;

x——系数;

Q_r——干旱时期连续供水的干管流量,m^3/h;

r——系统运行系数;

U——正态分布函数中的自变量,与设计流量保证率 P 有关(设计流量保证率是指同时开启的取水口不超过某一数目或流量不超过某一数值出现的机会,反映了保证程度;在规划设计中,应根据灌区规模大小、所设置的取水口多少、作物对水分的敏感程度以及整个工程的重要程度等合理确定设计流量保证率,管网愈大,取水口愈多,P 值可愈小,但一般以不低于 80% 为宜,当取水口数目 $n \leqslant 5$ 时,取 $P = 100\%$),可从标准正态分布函数值表(见表 6-26)中查取;

n——系统支管数目;

n_1——灌溉季节内可能同时供水的支管数;

$Q_支$——支管流量,m^3/h;

A——系统控制总面积,hm^2;

I_a——设计供水强度,mm/d;

c——系统日运行时数,h;

t——干旱时期系统连续供水的时间,取 24 h;

E_a——设计耗水强度,mm/d;

P_0——有效降雨量,mm/d。

表 6-26　标准正态分布函数值

设计流量保证率 $P(\%)$	70	80	85	90	95	99	99.9	99.999 7
U	0.525	0.842	1.033	1.282	1.645	2.37	3.09	4.5

(六)管网水力计算

1.管网水力计算的主要内容

管网水力计算的主要内容包括:计算各级管道的沿程水头损失;确定各级管道的直径;计算各毛管入口工作压力;计算各灌溉小区入口工作压力;计算首部水泵所需扬程。

2.管网水力计算的步骤

(1)确定微灌设计均匀度 E_u 或流量偏差率 q_v,计算允许的水头偏差率 H_v。

(2)根据毛管布置的方式和允许的水头偏差率 H_v,计算毛管允许最大长度 L_m。

(3)按毛管允许的最大长度布置管网,实际的毛管使用长度应小于 L_m,以保证灌水均匀度满足设计要求。

(4)根据实际的毛管长度确定毛管进口要求的工作水头。

(5)假定支管管径,计算支管压力分布,并与该处毛管要求的进口水头相比较,在满足毛管水头要求并稍有富余的条件下尽可能减小支管管径。

(6)假定主、干管道直径,按最不利的轮灌组流量、水头条件对主、干管逐段计算直至管网进口。对于自压管道,按水源水位与管网进口水头要求相应条件确定主、干管道管径。

(7)对于需加压的系统,根据管网进口水头和流量,计算系统总扬程,并选择泵型。

(8)根据已定水泵型号,主、干管管径,计算其他轮灌组工作时主、干管水头分布,支管水头分布,并与毛管进口水头要求相比较,通过调整支管管径,使二者相适应,从而确定其他轮灌组的支管管径。

(9)计算各条支管水头与该处毛管进口水头要求之差,按此水头差计算毛管进口调压管长度或通过安装调节装置(压力、流量调节器)来解决。

3.微灌管道水力计算基本公式

微灌系统常用塑料管材,其流态除滴头内部和毛管末端可能处于层流外,毛管大部、支管及干管均属于光滑管紊流,因而可按《微灌工程技术规范》给出的公式计算管道沿程水头损失。

$$h_f = fQ^m L / d^b \tag{6-55}$$

式中　h_f——沿程水头损失,m;

　　　f——管材摩阻系数;

　　　Q——流量,L/h;

　　　d——管内径,mm;

　　　L——管长,m;

其余符号含义同前。

各种管材的 f、m、b 值见表 6-27。

表 6-27　管道沿程水头损失计算系数、指数

管材			f	m	b
硬塑料管材			0.464	1.77	4.77
微灌用聚乙烯管材	$d>8$ mm		0.505	1.75	4.75
	$d\leqslant 8$ mm	$Re>2\,320$	0.595	1.69	4.69
		$Re\leqslant 2\,320$	1.75	1	4

注:1.Re 为雷诺数;

　　2.表中微灌用聚乙烯管材的值相应于水温 10 ℃,其他温度时应修正。

4.多口出流管道的沿程水头损失计算

多口出流管道在微灌系统中一般是指毛管和支管。在滴灌系统中,由于毛管一般由厂家提供了不同管径、不同滴头和不同间距条件下铺设长度与水头损失关系曲线,故一般不需计算。如厂家所提供的数据中滴头间距不能满足设计要求,此时需进行计算,但滴头和微喷头与毛管连接处的局部水头损失应充分考虑,可初选一个值,利用厂家提供的数据反推而得出适宜的局部水头损失值。在微喷灌系统中,也可使用厂家提供的水头损失与管径、微喷头流量和间距的关系曲线。因而多孔出流管沿程水头计算一般指支管的计算。

1)管道沿程压力分布

管道沿程任一断面的压力等于进口压力水头、进口至该断面处的水头损失及地形高差的代数和,即

$$h_i = H - \Delta H_i + \Delta Z \tag{6-56}$$

式中　h_i——断面 i 处的压力水头,m;

　　　H——进口处的压力水头,m;

　　　ΔH_i——进口至 i 断面的水头损失,m;

　　　ΔZ——进口处与 i 断面处的地形高差,顺坡为正值,逆坡为负值。

多口出流管因管中流量沿程是不断变化的,当孔距无穷小时其沿程损失曲线为指数曲线,如图 6-43 中线 2,考虑了沿管的地形坡度(图 6-43 中线 1)后,多口出流管沿程压力水头分布如图 6-43 中线 3。

确定多口管压力分布曲线的方法步骤如下:

(1)计算多口管道全长的沿程损失 ΔH。

(2)计算从管进口至任一分流口断面的沿程损失,即

$$\Delta H = R_i \Delta H \tag{6-57}$$

对于全等距等量(各口分流量相等,各口间距及管进口至第一分流口的间距也相等)的多口管的摩损比 R_i 为:

$$R_i = 1 - [1 - i/(N + 0.48)]^{m+1} \tag{6-58}$$

式中　i——孔口编号;

　　　N——出流口数;

m——计算 ΔH 公式中的流量指数。

(3)确定任一断面处与进口地形高差 ΔZ。

(4)按式(5-56)计算任一处的压力 h_i。

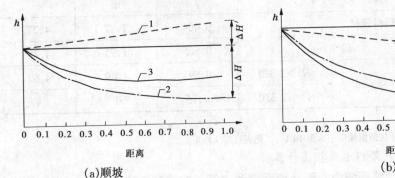

（a)顺坡　　　　　　　　　　　　　　（b)逆坡

图 6-43　多口出流管沿程压力水头分布

1—地面坡度线;2—摩擦阻力损失曲线;3—压力水头曲线

2)多口出流管道的沿程损失计算

可以分别计算各分流口之间管段的沿程水头损失,然后再累加起来,得到多口出流管全长的沿程水头损失。将管段从上游往下游顺序编号,第 n 管段水头损失计算公式为:

$$h_n = fQ_n^m L_n/d^b \tag{6-59}$$

$$Q_n = \sum_{i=n}^{N} q_i \tag{6-60}$$

式中　h_n——第 n 管段水头损失,m;

L_n——第 n 段管的长度,亦即第 $i-1$ 号与第 n 号出流口的间距,m;

q_i——第 i 号出流口的流量,L/h;

其余符号含义同前。

当出水口较多时,分段计算将很烦琐。对于等距、等量的多出流管的沿程水头损失,可按以下的简易方法计算。

(1)同径、等距、等量分流管沿程损失计算。管径不变、分流口间距相等、分流量相等的多口管的沿程水头损失,可以用多口系数法来计算。即先以多口管进口流量按式(6-55)计算出无分流管道的沿程水头损失,再乘以多口系数,即

$$h_t = Fh_f \tag{6-61}$$

式中　h_t——多口管沿程损失,m;

F——多口系数(可从附录 B 中查得);

h_f——无多口出流时的沿程损失,m。

(2)变径多口管水力计算。由于多口出流管道内的流量自上而下逐渐减小,为了节省管材,减少工程投资,通常可分段设计成几种直径,即从上而下逐渐减小管道直径,如图 6-44 所示。

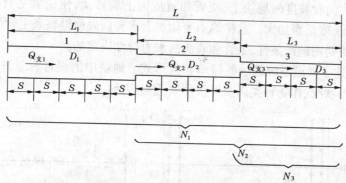

图 6-44　变径支管水力计算示意图

在利用式(6-61)计算时,可将某段管道及其以下的长度看成与计算段直径相同的管道,计算多口出流管道水头损失,然后再减去与该管段直径相同,长度是其以下管道长度的多口出流管道水头损失,即

$$\Delta H_i = \Delta H'_i - \Delta H'_{i+1} \tag{6-62}$$

式中　ΔH_i——第 i 管段的沿程水头损失,m;

　　　　$\Delta H'_i$——将第 i 管段及其以下管长均作为第 i 段管道直径 d_i 时多口出流管的沿程水头损失,m;

　　　　$\Delta H'_{i+1}$——与第 i 管段直径相同的第 i 段以下长度的多口出流管沿程水头损失,m。

如按式(6-61)计算,则公式为

$$\Delta H_i = F'_i h'_{fi} - F'_{i+1} h'_{fi+1} = F'_i f Q_i^m L'_i / d_i^b - F'_{i+1} f Q_{i+1}^m L'_{i+1} / d_i^b \tag{6-63}$$

如各出口流量相等,每个出水口的流量为 q,则

$$\Delta H_i = f q^m (N_i^m L'_i F'_i - N_{i+1}^m L'_{i+1} F'_{i+1}) / d_i^b \tag{6-64}$$

式中　Q_i、Q_{i+1}——第 i 和第 $i+1$ 管段进口流量,L/h;

　　　　F'_i、F'_{i+1}——第 i 和第 $i+1$ 管段及其以下管道的多口系数;

　　　　L'_i、L'_{i+1}——第 i 和第 $i+1$ 管段及其以下管道的总长度,m;

　　　　d_i——第 i 段管段的内径,mm;

　　　　N_i、N_{i+1}——第 i 和第 $i+1$ 管段及其以下管道的分水口总数目;

　　　　其余符号含义同前。

对于最末一管段,按均一管径多口出流管道计算。

5. 多口管局部水头损失计算

多口管分流口多,局部损失一般不能忽略,应按厂家的资料选用。无资料时,局部水头损失可按沿程损失的一定的比例估算,这一比例支管为 0.05～0.1,毛管为 0.1～0.2。

(七)支、毛管设计原则

毛管设计的内容是在满足灌水均匀度要求下,确定毛管长度、毛管进口的压力和流量。在平整的地块上,一般最经济的布置是在支管的两侧双向布置毛管。毛管入口处的压力相同,毛管长度也相同。

在沿毛管方向有坡度的地块上,支管布置应向上坡移动,使逆坡毛管的长度适当减小,而顺坡毛管长度适当加大。这样地形变化加上水头损失使得整条毛管出流均匀。

支管的间距是由地形条件、毛管和滴头的水力特性决定的。

图6-45描述了微灌系统的一些简单布置形式。地块中的设计有三种选择方案。设计时应根据地形状况、作物种类以及经济因素适当选择。

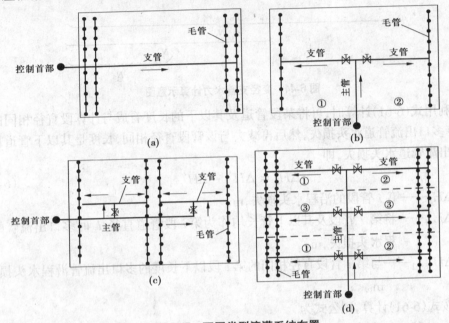

图6-45　不同类型滴灌系统布置

1. 方案Ⅰ,"百分之十原则"

"百分之十原则",也就是地块中的任意两个灌水器流量差不能超过所选灌水器额定流量的10%。如果所选用的滴头的制造偏差较小($C_v \leq 7\%$),设计时只考虑由于水力因素造成的灌水均匀度的偏差。此时如选用的滴头为紊流滴头,则支管和毛管允许水头差之和应小于滴头额定工作水头的20%。如选用的滴头为层流滴头,支管和毛管允许水头差之和应小于滴头额定工作水头的10%。起伏不大的地形上管径可依据允许水头差由毛管损失80%和支管损失20%原则来计算。地块入口处超过的压力可通过在首部安装调节器来控制。当选用两个以上支管时,可用安装在支管入口处的压力或流量调节器控制。

2. 方案Ⅱ,毛管按最大流量偏差率为10%的原则设计

毛管按最大流量偏差率为10%的原则设计,这样可采用更长的毛管或者管径更小些的毛管。支管上压力变化可采用安装在毛管入口处的压力或流量调节器来控制。使用调节器可使进入位于支管两侧毛管的流量均匀。

支管的管径主要由控制首部提供的压力来决定。当首部压力升高,可选用较小管径,压力降低则需较大管径,因此应对设备投资费用和能耗费用进行计算比较做出选择。

必须指出的是,由于毛管数量大,微灌系统中毛管的投资相当高。例如,毛管间距为2 m的棉花滴灌,每公顷需要5 000 m毛管。因而如果可能时,应采用较小管径的毛管,以降低系统投资。压力或流量调节器投资也较大,但可采用一个调节器同时控制4条或

6 条毛管的办法来降低投资。

3. 方案Ⅲ,采用压力补偿式灌水器来进一步减小管径

由于滴头与毛管的连接,无论是管上式、管间式还是一体式,都会有局部水头损失,因此毛管水力计算尽管有很多种图解法和数值解法,其计算结果都会有一定的出入,并且计算工作量较大,实用中一般由厂家经试验确定。因此,建议按厂家所提供的毛管最大允许长度来选取。

补偿式灌水器的附加投资可能较高,可能会与小管径毛管节省的投资相抵。如当滴头布置间距为 2 m×1 m 时,每公顷需要 5 000 个滴头,用量很大。因此,是否采用补偿式灌水器,也应进行投资比较。同时须指出的是,补偿式滴头内部都有一个起调节作用的橡胶膜片,滴头的寿命决定于橡胶片的寿命,一般补偿式滴头的寿命比非补偿式滴头寿命低。

4. 方案比较分析

图 6-45(a)为支管位于田块中间,向两边的毛管供水。由于种植方向确定,毛管的布置方式也就确定。控制首部安装在地块入口处附近。对于小型地块,此种布置方案具有管理操作方便的优点,其缺点是系统流量大和支管管径大。

图 6-45(b)地块和图 6-45(a)地块相同,只是控制首部的位置将地块分为两个面积相同的小地块,可进行轮灌。水是通过两条支管输送的,每块地用一条支管。每块地的设计采用上述三种方案中的一种。如采用方案Ⅰ,当地块不平坦时,或两地块之间不平时,可在支管入口处安装压力或流量调节器来保持两条支管流量不变;同样也可防止控制首部压力升高对支管流量的影响。如果地块平坦,控制首部安装一只压力或流量调节器就足够了(这一调节器在方案Ⅱ方案Ⅲ中同样需要,以避免入口处压力过高)。与图 6-45(a)的区别是支管的长度和流量均降低了一半,可选用较小直径的管。

图 6-45(c)的地块和图 6-45(a)的地块相同,只是干管布置在地块中央,用于向四条支管供水,每条支管控制整块地的 1/4。虽增加了管的总长度,但每条支管的流量和长度均是图 6-45(a)方案的 1/4,这样就只需更小管径的支管。

图 6-45(c)系统的布置特别适用于坡地或地形起伏的地块。当采用方案Ⅰ设计时,如果每条支管的入口安装有压力或流量调节器,这样各条支管的流量相同。

图 6-45(d)微灌系统由 6 个小地块组成,每次同时灌溉两个地块,系统设计(采用上述三种方案中的一种)后要给出灌溉计划,当采用方案Ⅰ设计时,压力或流量调节器安装在支管入口处。这样可以防止由于干管上压力变化引起的流量分配不均匀。其优点是支管直径进一步降低。缺点是操作管理烦琐。

必须指出的是,调节器的局部水头损失不可忽视,在某种情况下,损失可能达到好几米。相关数据由厂家提供。

(八)支管设计

微灌系统支管是指连接干管与毛管的管道,它从干管取水分配到毛管中。支管同毛管一样也是多孔出流管道,与毛管不同的是其流量要大得多,因而支管一般是逐段变细的,这主要是为了在一定压力差范围内使投资更小。

支管设计包括确定管径以及支管入口压力。当沿支管地形坡度小于 3% 时,通常情况下最经济的方式是支管沿干管双向布置。当沿支管地形坡度大于 3% 时,干管应向上

坡方向移动,使逆坡支管长度减小,而顺坡的支管长度增加。

为了降低投资,支管一般设计成由 2~4 种管径组成,为了保证支管的冲洗,最小管径不应小于最大管径的一半。通常支管内流速应限制在 2 m/s 之内。

由于调压阀安装位置不同,支管的允许压力差也就不同,支管设计应按以下两种情况分别考虑。

(1)毛管入口处安装调压阀或使用补偿式灌水器,此时支管设计只要保证每一条毛管入口压力在调压阀的工作范围内且不小于毛管要求的进口压力即可。水力计算按多孔出流管进行。

(2)不采用补偿式灌水器且毛管入口处未安装调压阀时,支管和毛管设计是通盘考虑的。在设计毛管时已经将分配给支管的水头偏差确定了,可据此设计支管。当计算出的支管管径过大时,可修改毛管设计,以获得最经济的设计。水力计算按多孔出流管进行。

(九)毛管设计

微灌系统毛管是指安装有灌水器的管道,毛管从支管取水,然后通过其上的灌水器均匀地分配到作物根部。毛管直径一般为 10~20 mm,有时也用到 25 mm。由于滴灌工程毛管数量相对较大,因此一般选用较小直径的毛管,最常用的毛管直径为 10~16 mm。毛管一般选用同一直径,中间不变径。

毛管设计是在确定了灌水器类型、流量和布置间距后进行的,通常只有选用单个滴头时,毛管设计才是必需的,对于一体化滴灌管,可依靠厂家提供的有关毛管的参数。毛管设计的任务是确定毛管直径和在该地形条件下允许铺设的最大长度。对于这个问题,由于选用不同类型的灌水器,其设计方法也是不同的。下面根据灌水器是否具有压力补偿能力来分别论述毛管设计方法。

在很多文献中给出了不同的毛管水力计算公式以及各种图解法,但由于采用的毛管直径较小,无论是管间式、管上式和滴灌管(带),其滴头与毛管连接处的局部水头损失都是很大的,而局部水头损失计算结果也不一定准确。一般情况下,滴头厂家都会给出滴头在不同管径、不同间距情况下,平地上的水头损失曲线,因而毛管设计也就变得较为轻松了。只要根据该曲线即可查出水头损失值。

1. 补偿式灌水器毛管设计(方案Ⅲ)

由于补偿式滴头在一定的压力范围内,其流量是近于稳定的,因而在设计毛管时只要使每一个滴头处的压力满足这一范围,滴头就能正常工作。

当为平坦地形时,滴头生产厂家一般提供不同滴头类型、流量和间距在不同毛管直径、不同入口压力的情况下,毛管最大铺设长度表。在设计时,只要选定这些参数,即可查得毛管最大铺设长度,毛管布置长度不大于最大铺设长度,即可满足灌溉要求。

当为均匀坡地形时,可使用厂家所提供的毛管水头损失曲线来设计。其方法是将选定的灌水器类型、流量和毛管直径相对应的曲线描在透明纸上,然后将其放在已画好地形坡度的坐标纸上,找出最小压力和最大压力值点,校核是否超出该补偿式灌水器的工作范围,如未超出即可满足要求。如已超出,需减小毛管长度,直到满足要求为止。

对于非均匀坡地也可采用这种方法来校核,只是工作量较大,需要对典型坡度逐一进行校核,以免出现误漏,影响微灌的灌水质量。

2. 非补偿式灌水器毛管设计(方案Ⅰ、Ⅱ)

目前非补偿式灌水器一般为紊流式滴头,已很少采用层流滴头,因而此处介绍紊流式非补偿灌水器毛管设计方法。

根据上述设计导则中所建议采用的"百分之十"的原则,即在同一个调压区内各滴头流量偏差率不超过10%,对于紊流灌水器,也就是各灌水器之间压力偏差率不超过20%。因而毛管的设计与调压区的选择是密切相关的。

1)毛管允许水头偏差和灌水器最大、最小工作水头及流量的确定

根据设计标准和灌水器的设计流量,在较小的坡度下,灌水小区内灌水器最大、最小出流量可按下式估算。

$$q_{\max} = q_d(1 + 0.65q_v) \tag{6-65}$$

$$q_{\min} = q_d(1 - 0.35q_v) \tag{6-66}$$

相应灌水器水头为:

$$h_{\max} = (1 + 0.65q_v)^{1/x}h_d \tag{6-67}$$

$$h_{\min} = (1 - 0.35q_v)^{1/x}h_d \tag{6-68}$$

为计算方便,以设计灌水器工作水头 h_d 计算允许的水头偏差率为:

$$H_v = (h_{\max} - h_{\min})/h_d = (1/x)q_v[1 + 0.15q_v(1 - x)/x] \tag{6-69}$$

此时,灌水器的流量偏差率为:

$$q_v = \begin{cases} H_v & x = 1 \\ [(\sqrt{1 + 0.48(1 - x)H_v} - 1)/0.24]x/(1 - x) & x < 1 \end{cases} \tag{6-70}$$

式中　$q_{\max}$、$q_{\min}$——灌水器最大和最小流量,L/h;

　　　　q_d——灌水器的设计流量,L/h;

　　　　h_d——灌水器的设计水头,m;

　　　　$h_{\max}$、$h_{\min}$——与 $q_{\max}$、$q_{\min}$ 相对应的灌水器最大和最小工作水头,m;

　　　　x——灌水器流态指数;

　　　　q_v——设计流量偏差率;

　　　　H_v——设计水头偏差率。

当在毛管进口安装调压装置后,允许水头偏差将全部分配到每条毛管上。$h_{\max}$、$h_{\min}$就是每条毛管上灌水器的最大、最小水头。在设计中若规定了 q_v,则可由式(6-69)求得H_v;如果 H_v 是已知的,可由式(6-70)求得 q_v。

2)判别最大工作水头灌水器的位置

在沿毛管地形坡度 $J \leqslant 0$ 的情况下,毛管上最大工作水头灌水器的位置在上游的第1孔,在下坡条件下可能出现在毛管上游第1孔或下游第 N 孔端,其判别条件为:

$$\Delta H_{N-1} - J(N-1)S \begin{cases} > 0, h_1 > h_N, 第1孔 \\ = 0, h_1 = h_N, 第1孔和第 N 孔 \\ < 0, h_1 < h_N, 第 N 孔 \end{cases} \tag{6-71}$$

式中　ΔH_{N-1}——$(N-1)$孔毛管的总水头损失,m;

J——沿毛管的地形坡度；

其余符号含义见图 6-46。

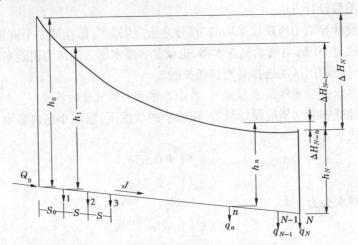

图 6-46 毛管水头和出水口流量分布示意图

3) 毛管允许的最大长度

在特定条件下,满足设计均匀度要求的最大毛管长度称为毛管允许的最大长度(或称极限长度)。充分利用这个长度来布置管网,可以节省投资。

对于均匀坡毛管的允许最大长度按下式计算。

$$L_m = N_m S + S_0 \tag{6-72}$$

式中　L_m——毛管允许的最大长度,m;

　　　　N_m——毛管极限孔数;

　　　　S——毛管上分流孔间距,m;

　　　　S_0——毛管进口至首孔的距离,m。

一般规定,地形比降以顺流下坡为正,顺流逆坡为负。毛管上的分流孔编号,以最上游为 1 号,顺流向排序,末孔以 N 号表示。

毛管极限孔数是毛管满足水头偏差要求的最多孔数,使用孔数应不超过极限孔数,应根据沿毛管的地形比降与毛管最下游管段水力比降的比值 r(简称降比)来确定:

当降比 $r \leqslant 1$ 时,按式(6-73)试算确定极限孔数。

$$[\Delta h_2]/(Gh_d) = (N_m - 0.52)^{2.75}/2.75 - r(N_m - 1) \tag{6-73}$$

其中　　　　　　　$r = Jd^{4.75}/(kfq_d^{1.75}) \tag{6-74}$

$$G = kfSq_d^{1.75}/(h_d d^{4.75}) \tag{6-75}$$

式中　$[\Delta h_2]$——毛管的允许水头偏差,当在毛管进口段设置调压装置时,小区设计允许的水头偏差全部分配给毛管,$[\Delta h_2] = H_v h_d$;

　　　　G——毛管最下游管段总水头损失与孔口设计水头的比值(简称压比);

　　　　d——毛管内径,mm;

　　　　k——水头损失扩大系数,为毛管总水头损失与沿程水头损失的比值,$k = 1.1 \sim 1.2$;

其余符号含义同前。

当降比 $r > 1$ 时,按下述方法试算确定极限孔数。

(1)当 $\Phi \geqslant 1$ 时,按式(6-76)试算 N_m。

$$[\Delta h_2]/(Gh_d) = (N_m - 0.52)^{2.75}/2.75 - (p'_n - 0.52)^{2.75} \qquad (6-76)$$

(2)当 $\Phi < 1$ 时,按式(6-77)试算 N_m。

$$[\Delta h_2]/(Gh_d) = r(N_m - 1) - (N_m - 0.52)^{2.75}/2.75 \qquad (6-77)$$

其中

$$p'_n = \text{INT}(1 + r^{0.571}) \qquad (6-78)$$

$$\Phi = [\Delta h_2]/\{Gh_d[r(p'_n - 1) - (p'_n - 0.52)^{2.75}/2.75]\} \qquad (6-79)$$

式中符号含义同前。

另外,当毛管入口处安装有调压阀(选择方案Ⅱ),也就是说一条毛管上各滴头流量偏差不超过 10%,即压力偏差不超过 20%。如沿毛管方向坡度小于 3%,可按厂家提供的最大毛管铺设长度选择。

4)毛管进口水头 h_0

核算毛管是否满足允许水头偏差要求的方法有两种,一是计算极限孔数 N_m,使 $N \leqslant N_m$;二是计算毛管最大水头偏差 Δh_{max},使 $h_{max} \leqslant [\Delta h_2]$。对满足允许水头偏差的毛管,按式(6-80)计算。

$$h_0 = h_1 + kfS_0(Nq_d)^{1.75}/d^{4.75} - JS_0 \qquad (6-80)$$

确定首孔水头 h_1 的方法有平均水头法和中孔水头比法,在此只介绍平均水头法求解首孔水头的方法步骤,中孔水头比法求首孔水头的方法详见《微灌工程技术规范》附录C。

$$h_1 = h_d + R\Delta H - 0.5(N - 1)JS \qquad (6-81)$$

$$\Delta H = Gh_d(N - 0.52)^{2.75}/2.75 \qquad (6-82)$$

式中　ΔH——首孔与最末孔之间毛管的总水头损失,m;

　　　　R——平均摩损比,可根据 N 由表6-28查得;

　　　　其余符号含义同前。

(十)干管设计

干管是指从水源向田间支、毛管输送灌溉水的管道。干管的管径一般较大,灌溉地块较大时,还可分为总干管和各级分干管。干管设计的主要任务是根据轮灌组确定的系统流量选择适当的管材和管道直径。

1.干管管材的选择

微灌系统干管一般都选用塑料管材,可选用的管材有聚氯乙烯(PVC)管、聚乙烯(PE)管和聚丙烯(PP)管。干管管材的选择应考虑以下因素:

(1)根据系统压力,选用不同压力等级的塑料管。不同材质的塑料管的抗拉强度不同,因此同一压力等级,不同材质塑料管的壁厚也不相同。对于较大的灌溉工程或地形变化较大的山丘区灌溉工程,由于系统压力变化较大,应根据不同的压力分区选用不同压力等级的管材。

对于压力不大于 0.63 MPa 的管道,以上三种塑料管均可使用,压力大于 0.63 MPa 的管道,推荐使用聚氯乙烯(PVC)管材。

表 6-28　平均摩损比 R

N	R	N	R	N	R	N	R
5	0.651 3	29	0.720 6	53	0.726 4	77	0.728 6
6	0.666 4	30	0.721 0	54	0.726 6	78	0.728 7
7	0.676 8	31	0.721 4	55	0.726 7	79	0.728 7
8	0.684 4	32	0.721 8	56	0.726 8	80	0.728 8
9	0.690 2	33	0.722 1	57	0.726 9	81	0.728 8
10	0.694 8	34	0.722 5	58	0.727 0	82	0.728 9
11	0.698 5	35	0.722 8	59	0.727 1	83	0.728 9
12	0.701 6	36	0.723 1	60	0.727 2	84	0.729 0
13	0.704 1	37	0.723 4	61	0.727 3	85	0.729 1
14	0.706 3	38	0.723 7	62	0.727 4	86	0.729 1
15	0.708 2	39	0.723 9	63	0.727 5	87	0.729 1
16	0.709 8	40	0.724 2	64	0.727 6	88	0.729 2
17	0.711 3	41	0.724 4	65	0.727 7	89	0.729 2
18	0.712 5	42	0.724 6	66	0.727 8	90	0.729 3
19	0.713 7	43	0.724 8	67	0.727 9	91	0.729 3
20	0.714 7	44	0.725 0	68	0.728 0	92	0.729 4
21	0.715 6	45	0.725 2	69	0.728 0	93	0.729 4
22	0.716 4	46	0.725 4	70	0.728 1	94	0.729 5
23	0.717 2	47	0.725 5	71	0.728 2	95	0.729 5
24	0.717 8	48	0.725 7	72	0.728 3	96	0.729 5
25	0.718 5	49	0.725 9	73	0.728 3	97	0.729 6
26	0.719 1	50	0.726 0	74	0.728 4	98	0.729 6
27	0.719 6	51	0.726 2	75	0.728 5	99	0.729 7
28	0.720 1	52	0.726 3	76	0.728 5	100	0.729 7

注:表内数值相应于 $m=1.75$。

（2）考虑系统的安装以及管件的配套情况,选用不同的塑料管材。聚氯乙烯(PVC)管材可选用扩口粘接和胶圈密封方式进行连接。高密度聚乙烯(HDPE)和聚丙烯(PP)管材,由于没有粘接材料,只能采用热熔对接或电熔连接,习惯采用的承插法连接方式,其抗压能力较低,一般只在工作压力较低的情况使用。低密度聚乙烯(LDPE)管材只能使用专用管件进行连接。管道直径小于 20 mm 时,可使用内插式密封管件,管道直径大于 20 mm 时,由于施工安装和密封方面的问题,一般不选用内插式密封件,而使用组合密封式管件,由于大口径密封式管件结构复杂,体积和质量较大,价格相对较高,因而微灌中常用的低密度聚乙烯管材口径一般在 63 mm 以下。

（3）考虑市场价格和运输距离选择适当的管材。塑料管道体积较大,质量小,因而运输费用相对较大,在选择管材时,应就近选择适当管材,以降低费用。

2.干管管径的选择

干管的管径选择与投资造价及运行费用、压力分区等密切相关。管径选择较大,其水头损失较小,所需水泵扬程降低,运行费用减小,但管网投资相应提高了。管径选择较小,其水头损失较大,所需水泵扬程较大,运行费用增加,但管网的投资可减小。由于微灌系统年运行时数较少,运行费用相对较低,一般情况下应根据系统的压力分区以及可选水泵的情况综合考虑,通过技术经济比较来选择干管直径。

(十一)水泵选型计算

1. 系统设计扬程的确定

由最不利轮灌组推求的总水头就是系统的设计扬程。

$$H = H_0 + \Delta H_j + (Z_1 - Z_2) \tag{6-83}$$

式中　H——系统设计扬程,m;

　　　H_0——最不利轮灌组所要求的干管进口工作水头,m;

　　　ΔH_j——干管进口至水源的水头损失(包括首部枢纽各组成部分的水头损失),m;

　　　Z_1——干管进口处的地面高程,m;

　　　Z_2——水源稳定动水位,m。

(1)干管进口所要求的工作水头 H_0。应按下式计算。

$$H_0 = H_支 + \Delta H_干 + Z_3 - Z_1 \tag{6-84}$$

式中　$H_支$——最不利灌水小区的进口水头,m,在设计支管时已经算出;

　　　$\Delta H_干$——从最不利灌水小区的进口处至干管进口各级管段的水头损失,m;

　　　Z_3——最不利灌水小区进口处高程,m;

　　　其余符号含义同前。

(2)水泵进水管入口至干管入口处的损失 ΔH_j。包括水泵的吸水管、水泵出水口至干管进口段、阀门、接头、肥料注入装置、过滤器及水表等水头损失。需特别指出的是,过滤器的水头损失是这部分水头损失中最大的一部分,应根据系统流量和所选过滤器的级数、规格和型号,参照有关过滤器的性能曲线选择。

2. 系统设计流量的确定

流量可由下式计算。

$$Q = 10mA/(Tt) \tag{6-85}$$

式中　Q——系统设计流量,m³/h;

　　　m——毛灌水定额,mm;

　　　A——灌溉面积,hm²;

　　　T——轮灌周期,d;

　　　t——水泵日工作时间,h。

当只用一台水泵工作时,式(6-85)即为水泵流量。当用多台泵工作时,则可按水泵进行流量分配。

3. 水泵选型

根据系统设计扬程和流量可以选择相应的水泵型号,一般所选择的水泵参数应略大于系统的设计扬程和流量,然后再由该水泵的性能曲线校核其他轮灌组要求的流量和压力是否满足。

(十二)首部枢纽设计

集中安装于管网进口部位的调节、控制、净化、施肥(药)、保护及量测等设备的集成称为首部枢纽。首部枢纽的设计就是正确选择和合理配置有关设备和设施,以保证微灌系统正常运行,实现设计目标。首部枢纽对微灌系统运行的可靠性和经济性起着决定性的作用,因此在设计时应给予高度的重视。

在选择设备时,其设备容量必须满足系统的过水能力,使水流经过各设备时的水头损失比较小。在布置上必须把易锈金属件和肥料(农药)注入器放在过滤装置上游,以确保进入管网的水质满足微灌要求。

1.过滤器

选择过滤设备主要考虑水质和经济两个因素。筛网式过滤器是最普遍使用的过滤器,含有机污物较多的水源使用砂石过滤器能得到更好的过滤效果,含沙量大的水源可采用离心式水砂分离器,且还必须与筛网过滤器配合使用。筛网的网孔尺寸或过滤器的砂粒型号应满足灌水器对水质过滤的要求。过滤器设计水头损失一般为 3~5 m。

2.水表

水表的选择要考虑水头损失值在可接受的范围内,并配置于肥料注入口之上游,以防止肥料对水表的腐蚀。

3.压力表

选择量程按经常测定的系统设计水头为压力表最大量程的 2/3 为宜,以提高测量精度,在过滤器的前后均设置压力表,以便根据压差大小确定清洗与否。

4.进排气阀

进排气阀一般设置在微灌系统管网的高处,或局部高处,首部应在过滤器顶部和下游管上各设一个,其作用为在系统开启管道充水时排除空气,系统关闭管道排水时向管网补气,以防止负压产生,系统运行时排除水中夹带的空气,以免形成气阻。

进排气阀的选用,目前可按"四比一"法进行,即进排气阀全开直径不小于排气管道内径的 1/4。也可按第四章介绍的方法选用。

另外在干、支管末端和管道最低位置处应安装排水阀。

(十三)保护地作物滴灌设计要点

保护地是人工形成的,供作物在露地条件下不能生长的季节能够正常生长的特殊环境。按种植季节及结构形式,保护地一般有小拱棚、春秋大棚、日光温室大棚等几种形式。

由于保护地种植作物在相对封闭的环境条件下生长,对空气湿度、温度、气温、地温等的要求与露地种植不同,需要采用不同于传统的方式来调整空气、土壤和肥料环境,以便给作物提供最佳的生长发育条件,使作物获得高产,提高经济效益。

保护地栽培的作物大部分为蔬菜,其次为果树、苗木等。下面简要介绍保护地蔬菜滴灌设计要点。

1.保护地蔬菜滴灌系统选型

1)滴头的选择

蔬菜种植密度较大,根系发育范围较小,因而滴头布置密度较高,滴头用量很大,需要选择价格相对较低的滴头,同时由于蔬菜对水分和养分很敏感,要求灌水均匀度较高,需要选择出水量均匀,不易堵塞的紊流流道滴头。

综上所述,保护地蔬菜滴灌系统所用滴头须具有以下特点。

(1)灌水均匀度高。滴头制造偏差应控制在7%以下。

(2)不易堵塞。选用紊流流道滴头,流道最小尺寸不小于1 mm。

(3)造价低。宜选用非补偿式滴头。

(4)施工安装方便。宜选用工厂已组装好的一体化滴灌管或滴灌带。

2)毛管的选择

对于蔬菜等条播密植作物,毛管用量非常大,毛管投资占整个滴灌系统投资的比重较大,因而宜选用价格较低的薄壁毛管。同时为了防老化和水藻的生长,宜选择添加碳黑母料的聚乙烯薄壁管。

3)过滤器的选择

滴灌系统必须安装过滤系统,保护地蔬菜灌溉水源多为井水,井水的主要杂质为沙。因而在水源处宜安装离心式水砂分离器和筛网过滤器组成的过滤设施。

在田间(大棚内)为了便于管理,有时要分片施肥,则需安装二级过滤,以防肥料的沉淀堵塞滴头。二级过滤器一般选择Φ25 mm的筛网过滤器,过滤精度不低于120目。

4)施肥系统的选择

对于集中管理的面积较大的保护地,可采用电动计量注肥泵,也可采用体积较大的压差式施肥罐。对于小面积分散管理的保护地,一般宜采用文丘里式施肥器或小型压差式施肥罐。

2.保护地蔬菜滴灌设计参数

(1)设计日耗水强度。保护地蔬菜日耗水强度较低,在冬季,一般不超过1 mm;但如在夏秋季仍安排生产,设计日耗水强度不得低于4~6 mm。因而在设计时,应通盘考虑全年不同季节的日耗水量,选择较大的值,以提高灌溉保证率。

关于保护地不同季节、不同作物的日耗水量情况,目前国内均没有系统的试验资料,一般取裸地蔬菜的日耗水量酌情减少,作为供水系统的设计依据。

(2)设计湿润比。蔬菜的设计湿润比一般为60%~90%,对于蔬菜保护地滴灌,一般取其上限值。即保护地滴灌设计湿润比应不小于90%。

(3)日工作小时数。保护地蔬菜滴灌系统,日工作小时数一般不宜超过20 h。

(4)设计灌水周期。保护地蔬菜滴灌系统运行采用少灌勤灌的方式,因而设计灌水周期常为1~3天。

3.保护地蔬菜滴灌系统田间布置

保护地蔬菜种植一般有两种形式,一种为南北向种植,畦长较短,因而滴灌毛管的布置长度短,一般为6~8 m,而支管布置为东西向,长度与大棚长度相同;一种为东西向种植,畦(沟)长与大棚长度相同,一般50~80 m。

对于南北向种植的大棚蔬菜,一般采用大小行种植,小行宽度为50~60 cm,大行为60~70 cm,小行双垄种植铺一地膜,地膜下设一条毛管,有时也布置两条毛管。支管沿东西向布置,首部控制阀门、施肥装置、过滤装置一般安装在大棚的一端或中间(见图6-47)。

对于东西向种植的大棚蔬菜,一般也采用大小行种植,小行双垄种植铺一地膜,地膜下设一条毛管,有时也布置两条毛管。支管一般沿南北向布置在大棚的中间,双向分水。首部控制部分也布置在大棚中间(见图6-48)。有时支管和首部装置也布置在大棚的一端。

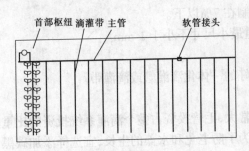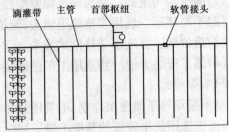

(a)首部枢纽布置在大棚一端　　　　　　(b)首部枢纽布置在大棚中间

图 6-47　大棚支毛管布置示意图

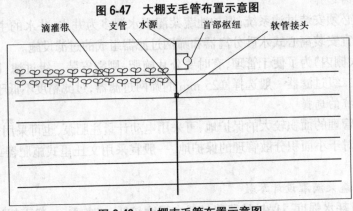

图 6-48　大棚支毛管布置示意图

第五节　微灌工程规划设计示例

一、果树滴灌工程规划设计

某节水灌溉示范区内有 8.24 hm² 的苹果园,拟实施滴灌工程。

(一)基本情况

1. 地理位置与地形

果园位于山麓坡地上,地势比较平缓,地面坡度 1.5/100～3/100。

2. 土壤条件和种植情况

果园土壤为沙壤土,土层厚度为 1.5～2.0 m,1.0 m 土层平均干密度 1.32 g/cm³,田间持水率21%(占干土重百分数);果树品种为短枝红富士苹果,现已处盛果期,果树株距 3.0 m,行距 4.0 m。

3. 气象条件

本区属半干旱气候。根据果园附近气象站实测资料分析,多年平均降水量 585.5 mm,多年平均蒸发量 1 305.4 mm。全年降水量60%集中于8～9月,而3～7月是干旱季节,降水很少,约为全年降水量的 10%。

4. 水源条件

果园的西南边有一眼机井,稳定动水位在距井台 12 m 时,出水量 80 m³/h,水质符合灌溉要求。

(二)滴灌系统规划设计参数

该区属于半干旱气候,3月开始,气温逐渐回升,果树生长需要大量的水分消耗,根据华北地区果树滴灌试验资料分析,考虑当地的实际条件,本设计采用的规划设计参数如下:

(1)设计日耗水强度 $E_a = 3.5$ mm/d;

(2)土壤湿润比不小于30%;

(3)设计灌水均匀度 $C_u = 95\%$;

(4)灌溉水利用系数 $\eta = 0.95$。

(三)灌水器的选择

根据目前国内灌水器的种类和水力性能,拟选用直径16 mm、滴头间距0.75 m的内镶迷宫式滴灌管,滴头的流态指数 $x = 0.515$,在设计工作水头15 m时滴头出水流量 $q = 4$ L/h。

(四)系统的规划布置

1. 系统的规划

果园滴灌系统的规划布置见图6-49。根据总体规划要求,8.24 hm² 果园全部采用滴灌,利用果园西南边的井水灌溉,通过水泵抽水直接加压进入滴灌系统。滴灌系统的首部枢纽安装在机井管理房内。

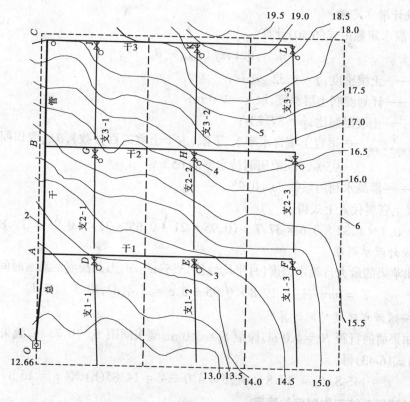

图 6-49　果树滴灌系统管网布置图

1—机井及管理房;2—总干管;3—阀门;4—进、排气阀;5—轮灌区界线;6—灌区界线

2. 管网的布置

(1)滴灌管的布置。滴灌管采用单行布置的方式,即一行树布置一条滴灌管,初步确定滴灌管的长度为 48 m,滴灌管通过接头与支管连接。

已知果树行距 $S_r = 4.0$ m,株距 $S_t = 3.0$ m,滴头间距 $S_e = 0.75$ m,由式(6-25)计算实际滴灌土壤湿润比。

$$p = 0.785 D_w^2 / (S_e S_r) \times 100\%$$

已知土壤为非均一层状,查表 6-21 得 $D_w = 1.2$ m,则

$$p = 0.785 \times 1.2^2 \div (0.75 \times 4.0) \times 100\% = 37.7\%$$

故上述布置满足设计湿润比的要求。

(2)干、支管的布置。干管分为总干和干管两级。从水源和首部枢纽起往北逆坡布置一条总干管,沿总干管向东布置 3 条干管,每条干管顺坡一侧布置支管,支管基本垂直于等高线,支管两侧对称布置滴灌管。

(3)控制、调节和保护设备的布置。为了防止停电等原因引起的停机事故,造成水泵倒转,在水泵出水管路上安装一逆止阀,在总干管进口和每条支管进口处各设置闸阀一个;为了防止供水时产生阻气、停(泄)水时产生真空现象,在总干管上端和每条支管进口处阀门的后面均安装进、排气阀。

(五)滴灌灌溉制度的确定

1. 设计灌水定额

设计灌水定额由式(6-40)计算。

$$m = 0.1 \gamma z p (\theta_{max} - \theta_{min}) / \eta$$

式中　γ——土壤密度,$\gamma = 1.32$ g/cm³;

　　　z——计划湿润土层深度,取 $z = 1.0$ m;

　　　p——土壤湿润比,$p = 37.7\%$;

　　　θ_{max}、θ_{min}——适宜土壤含水率上、下限(占干土重的百分数),θ_{max} 取田间持水率的
　　　　　　　　　　95%,θ_{min} 取田间持水率的 65%;

　　　η——灌溉水利用系数,$\eta = 0.95$。

将以上资料代入上式得

$$m = 0.1 \times 1.32 \times 0.6 \times 37.7 \times (0.95 \times 21 - 0.65 \times 21) \div 0.95 = 19.8 (\text{mm})$$

2. 设计灌水周期

已知苹果的最大日耗水强度(月平均峰值)3.5 mm/d,因此滴灌的灌水时间间隔为:

$$T = m\eta / E_a = 19.8 \times 0.95 \div 3.5 = 5.4 (\text{d}),\text{取 } T = 5 \text{ d}。$$

3. 一次灌水延续时间计算

已知果树的行距 $S_r = 4.0$ m,株距 $S_t = 3.0$ m,滴头间距 $S_e = 0.75$ m,滴头流量 $q = 4$ L/h。由式(6-43)得

$$t = m S_e S_r / q = 19.8 \times 0.75 \times 4.0 \div 4 = 14.85 (\text{h}),\text{取 } t = 15 \text{ h}。$$

(六)滴灌系统工作制度的确定

为了减小系统的流量,降低工程投资,本系统采用轮灌工作制度,轮灌组数目为 $N \leqslant$

cT/t。系统每天灌水时间取 12 h,因此轮灌片 $N=12\times5\div15=4$(片)。根据系统管网布置情况,将灌区分为 3 片轮灌,每条干管上同时有一条支管运行供水,使实际的轮灌区数目小于计算的轮灌区数目。这样既方便系统操作管理,又方便同其他农业技术相结合。轮灌组的划分情况见表 6-29。

表 6-29　滴灌系统轮灌组的划分

轮灌组编号	所辖支管	流量(m³/h)
①	支 1-1	13.824 ⎫
	支 2-1	13.824 ⎬ 41.472
	支 3-1	13.824 ⎭
②	支 1-2	13.824 ⎫
	支 2-2	13.824 ⎬ 41.472
	支 3-2	13.824 ⎭
③	支 1-3	13.824 ⎫
	支 2-3	13.824 ⎬ 41.472
	支 3-3	13.824 ⎭

(七)系统流量的推算

1. 毛管流量的计算

已知毛管长度 $L_毛=48$ m,滴头间距为 0.75 m,滴头流量 $q=4$ L/h,则利用式(6-47)计算一条毛管的进口流量。

$$Q_毛 = Nq = (L_毛/S_e)q = (48\div0.75)\times4 = 256(\text{L/h})$$

2. 支管流量计算

支管长 $L_支=108$ m,双向布设毛管,则按式(6-48)计算一条支管进口流量为:

$$Q_支 = \sum_{i=1}^{n} Q_{i毛} = 2\times256\times108\div4 = 13\ 824(\text{L/h}) = 13.824\ \text{m}^3/\text{h}$$

3. 干管流量的推求

总干管和干管的流量按不同轮灌组从下至上推求。流量推算结果见表 6-30。

表 6-30　干管流量

（单位:m³/h）

轮灌组编号	干管流量/干管管段	总干管流量		
		BC 段	AB 段	OA 段
①	13.824/干₁AD,13.824/干₂BG,13.824/干₃CJ	13.824	27.648	41.472
②	13.824/干₁AE,13.824/干₂BH,13.824/干₃CK	13.824	27.648	41.472
③	13.824/干₁AF,13.824/干₂BI,13.824/干₃CL	13.824	27.648	41.472

(八)管网水力学计算

1. 毛管水力学计算

根据滴灌均匀度 $C_u=95\%$,其相应的滴头流量偏差率为 $q_v=0.15$。因选定的滴灌管流态指数 $x=0.515$,在设计工作水头 $h_d=15$ m 时,流量 $q_d=4$ L/h。按式(6-69)计算滴头工作水头偏差率为：

$$H_v = (h_{max} - h_{min})/h_d = (1/x)q_v[1 + 0.15q_v(1 - x)/x] = (1 \div 0.515) \times 0.15 \times$$
$$[1 + 0.15 \times 0.15 \times (1 - 0.515) \div 0.515] = 0.297$$

因毛管沿等高线布置，沿毛管地形坡度 $J = 0$，则毛管允许的最多出水口数 N_m 按式(6-73)、式(6-74)、式(6-75)计算，$k = 1.10$，$f = 0.505$，$S = 0.75$ m，则

$$[\Delta h_2]/(Gh_d) = (N_m - 0.52)^{2.75}/2.75 - r(N_m - 1)$$
$$r = Jd^{4.75}/(kfq_d^{1.75})$$
$$G = kfSq_d^{1.75}/(h_d d^{4.75})$$

由 $[\Delta h_2] = H_r h_d = 0.297 \times 15 = 4.455$(m)，$r = 0$，$G = 1.10 \times 0.505 \times 0.75 \times 4^{1.75} \div$
$(15 \times 16^{4.75}) = 6.0 \times 10^{-7}$，经试算得：$N_m = 64.03$，取 $N_m = 64$。

允许最大毛管长度按式(6-72)计算，毛管进口至首孔的距离为 0.375 m，则 $L_m = N_m S + S_0 = 64 \times 0.75 + 0.375 = 48.375$(m)

毛管进口要求的工作水头 h_0 按式(6-80)确定。因毛管沿等高线布置($J = 0$)，灌水器最大工作水头在毛管进口处的第 1 个滴头处，即 $h_1 = h_{max}$，因此 $h_0 = h_1 + kfS_0(Nq_d)^{1.75}/d^{4.75} - JS_0$。

由公式(6-82)计算：

$$\Delta H = Gh_d(N - 0.52)^{2.75}/2.75 = 6.0 \times 10^{-7} \times 15 \times (64 - 0.52)^{2.75} \div 2.75 = 0.297$$

查表 6-28 得 $R = 0.7276$，由式(6-81)计算：

$$h_1 = h_d + R\Delta H - 0.5(N - 1)JS = 15 + 0.7276 \times 0.297 = 15.22(m)$$

则 $h_0 = 15.22 + 1.1 \times 0.505 \times 0.375 \times (64 \times 4)^{1.75} \div 16^{4.75} = 15.23$(m)

2. 干支管水头损失计算及系统总扬程的确定

第③轮灌组为最不利轮灌组，故以第③轮灌组工作的情况下确定总干管、干管和支管的直径及系统总扬程。

1)支管水头损失的计算

支 3-3 总长 $L = 108$ m，初步将支管分成 3 段，第 1 段长 $L_1 = 30$ m，直径 $d_1 = 63$ mm，$\delta_1 = 7.1$ m；第 2 段 $L_2 = 30$ m，$d_2 = 50$ mm，$\delta_2 = 5.6$ mm；第 3 段 $L_3 = 48$ m，$d_3 = 40$ mm，$\delta_3 = 4.5$ mm。各管段及其以下管长出水口数 $N_1 = 27$、$N_2 = 20$、$N_3 = 12$，各管段进口流量为 $Q_1 = 2N_1 Q_{毛} = 2 \times 27 \times 256 = 13\,824$(L/h)、$Q_2 = 10\,240$ L/h、$Q_3 = 6\,144$ L/h，$L'_1 = 108$ m、$L'_2 = 78$ m、$L'_3 = 48$ m，按式(6-59)、式(6-62)、式(6-63)、式(6-64)计算支管各段的水头损失。

$m = 1.75$，$x = 0.5$ 时，查附录 B 得 $F'_1 = 0.371$、$F'_2 = 0.373$、$F'_3 = 0.380$，各段支管水头损失计算：

第一段：

$$\Delta H_1 = \Delta H'_1 - \Delta H'_2 = F'_1 f Q_1^{1.75} L'_1/d_1^{4.75} - F'_2 f Q_2^{1.75} L'_2/d_1^{4.75}$$
$$= 0.371 \times 0.505 \times 13\,824^{1.75} \times 108 \div (63 - 2 \times 7.1)^{4.75}$$
$$- 0.373 \times 0.505 \times 10\,240^{1.75} \times 78 \div (63 - 2 \times 7.1)^{4.75}$$
$$= 3.41 - 1.46 = 1.95(m)$$

第二段：

$$\Delta H_2 = \Delta H'_2 - \Delta H'_3 = F'_2 f Q_2^{1.75} L'_2 / d_2^{4.75} - F'_3 f Q_3^{1.75} L'_3 / d_3^{4.75}$$
$$= 0.373 \times 0.505 \times 10\ 240^{1.75} \times 78 \div (50 - 2 \times 5.6)^{4.75}$$
$$- 0.380 \times 0.505 \times 6\ 144^{1.75} \times 48 \div (50 - 2 \times 5.6)^{4.75}$$
$$= 4.35 - 1.11 = 3.24 (\text{m})$$

第三段：

$$\Delta H_3 = F'_3 f Q_3^{1.75} L'_3 / d_3^{4.75}$$
$$= 0.380 \times 0.505 \times 6\ 144^{1.75} \times 48 \div (40 - 2 \times 4.5)^{4.75} = 3.24 (\text{m})$$

考虑局部水头损失，则支 3-3 总水头损失

$$\Delta H_{\text{支3-3}} = 1.1 (\Delta H_1 + \Delta H_2 + \Delta H_3) = 8.85 (\text{m})$$

2）干管水头损失的计算

按式(6-55)计算沿程水头损失，$h_f = f Q^m L / d^b$。

干 3 长度 $L = 240$ m，选取直径 $d = 63$ mm，壁厚 $\delta = 2.0$ mm 的 PVC 管材，$Q = 13\ 824$ L/h，则

$$h_{f干3} = 0.464 \times 13\ 824^{1.77} \times 240 \div (63 - 2 \times 2.0)^{4.77} = 8.49 (\text{m})$$

总干管 BC 段长度 $L = 108$ m，选取直径 $d = 63$ mm，壁厚 $\delta = 2.0$ mm 的 PVC 管材，$Q = 13\ 824$ L/h，则

$$h_{f干BC} = 0.464 \times 13\ 824^{1.77} \times 108 \div (63 - 2 \times 2.0)^{4.77} = 3.82 (\text{m})$$

总干管 AB 段长度 $L = 108$ m，选取直径 $d = 75$ mm，壁厚 $\delta = 2.3$ mm 的 PVC 管材，$Q = 27\ 648$ L/h，则

$$h_{f干AB} = 0.464 \times 27\ 648^{1.77} \times 108 \div (75 - 2 \times 2.3)^{4.77} = 5.61 (\text{m})$$

总干管 OA 段长度 $L = 90$ m，选取直径 $d = 90$ mm，壁厚 $\delta = 2.8$ mm 的 PVC 管材，$Q = 41\ 472$ L/h，则

$$h_{f干OA} = 0.464 \times 41\ 472^{1.77} \times 90 \div (90 - 2 \times 2.8)^{4.77} = 4.03 (\text{m})$$

考虑局部水头损失，总干管和干 3 的总水头损失

$$H_干 = 1.05 (h_{f干3} + h_{f干BC} + h_{f干AB} + h_{f干OA}) = 23.05 (\text{m})$$

总干进口 O 处的水头，$H_0 = h_0 + \Delta H_{\text{支3-3}} + H_干 + (z_1 - z_0)$

z_1、z_0 分别为毛管进口处和总干进口处地面高程，$z_1 = 16.90$ m，$z_0 = 12.90$ m，则

$$H_0 = 15.23 + 8.85 + 23.05 + (16.90 - 12.90) = 51.13 (\text{m})$$

系统总扬程为：$H = H_0 + \Delta H + \Delta z$。

ΔH 为水泵底阀至总干进口的损失，包括底阀、首部枢纽和吸水管的水头损失，取 $\Delta H = 7.0$ m，Δz 为机井动水位距地面的深度，$\Delta z = 12$ m，则

$$H = 51.13 + 7.0 + 12 = 70.13 (\text{m})$$

3. 水泵的选型

根据系统总扬程 $H = 70.13$ m，流量 $Q = 41.47$ m³/h，查附录 E，选用 200QJ40-78/6 潜水电泵，其性能为扬程 $H = 70 \sim 90$ m，流量 $Q = 29 \sim 48$ m³/h，配套功率 15 kW。当抽水流量 $Q = 42$ m³/h 时，水泵出水口的扬程为 $H = 78$ m，为了充分利用水泵扬程，总干进

口工作水头 $H_0 = 78 - 7 - 12 = 59(\mathrm{m})$，取 $H_0 = 55$ m。

4. 系统压力均衡校核

根据上面第③轮灌组的工作条件推出的总干进口工作水头 $H_0 = 55$ m，重新核定各轮灌组工作时干、支管水头分布和支管直径。下面以第①轮灌组为例推求如下。

1) 总干管水头分布

总干 A 处的水头为：

$$H_A = H_0 - \Delta H_{OA} + (z_O - z_A)$$

式中　　H_0——总干进口的工作水头，$H_0 = 55$ m；

　　　　ΔH_{OA}——OA 段的水头损失，$\Delta H_{OA} = 1.05 h_{fTOA} = 4.23$ m；

　　　　z_O、z_A——总干 O 点和 A 点地面高程，$z_O = 12.9$ m，$z_A = 13.40$ m。

将以上资料代入上式，得

$$H_A = 55 - 4.23 + (12.9 - 13.40) = 50.27(\mathrm{m})。$$

同理可算得 $H_B = 50.27 - 1.05 \times 5.61 + (13.4 - 15.3) = 42.48(\mathrm{m})$，$H_C = 42.48 - 1.05 \times 3.82 + (15.3 - 17.5) = 36.27(\mathrm{m})$。

2) 干管水头分布

干 1 长度 $L = 240$ m，选取直径 $d = 63$ mm，壁厚 $\delta = 2.0$ mm 的 PVC 管材，$Q = 13\,824$ L/h，则干管 D 处的水头

$$H_D = H_A - \Delta H_{AD} + (z_A - z_D)$$

$$\Delta H_{AD} = 1.05 h_{fAD} = 1.05 \times 0.464 \times 13\,824^{1.77} \times 48 \div (63 - 2 \times 2.0)^{4.77}$$

$$= 1.78(\mathrm{m})$$

$z_A = 13.40$ m，$z_D = 14.0$ m，故

$$H_D = 50.27 - 1.78 + (13.4 - 14.0) = 47.89(\mathrm{m})$$

同理可得干 2 H_G 和干 3 H_J，此处从略。

3) 支管水头分布与直径的确定

支管任一点的水头 $h_{支i}$ 必须等于或大于该处毛管要求的进口工作水头。采用试算的方法确定满足 $h_{支i} \geq h_0$ 的支管直径和 $h_{支}$。采用不变管径和变径支管设计，以节省工程投资。现以支 1-1 为例计算如下：

支 1-1 总长 $L = 108$ m，不采取变径设计，初步选取直径 $d_1 = 40$ mm，$\delta_1 = 4.5$ m 的 PE 管材。支 1-1 出水口数 $N = 27$，进口流量为 $Q = 13\,824$ L/h，按式 (6-59) 计算支 1-1 管段的水头损失。

$m = 1.75$，$x = 0.5$ 时，查附录 B 得 $F = 0.371$，支管 1-1 水头损失计算：

$$\Delta H_{支1-1} = 1.05 E f Q^{1.75} L / d^{4.75}$$

$$= 1.05 \times 0.371 \times 0.505 \times 13\,824^{1.75} \times 108 \div (40 - 2 \times 4.5)^{4.75} = 30.86(\mathrm{m})$$

选取支 1-1 首末两端进行计算，其他各点从略。

支 1-1 首端压力计算，由于 $H_D = 47.89$ m，也就是说支 1-1 第一条毛管首部的压力为 47.89 m，远大于 h_0，因此通过在毛管首部设置压力调节器使毛管入口压力降至设计要求。

支 1-1 末端的压力计算，$H_{1-1末} = H_D - \Delta H_{支1-1} + (z_D - z_{支1-1末})$，其中，$z_D = 14.0$ m，

$z_{\text{支}1\text{-}1\text{末}} = 12.5$ m,则

$$H_{1\text{-}1\text{末}} = 47.89 - 30.86 + (14.0 - 12.5) = 18.53(\text{m}) > h_0 = 15.23 \text{ m}$$

可见支1-1末端的毛管入口压力也满足毛管入口压力要求。同理可计算出支1-1其他各点的压力水头和其他支管各点的压力水头。

（九）首部枢纽的设计

滴灌系统的首部枢纽设备包括过滤器、化肥注入器、水表、闸阀、逆止阀、进排气阀和压力表等，首部枢纽的布置见图6-50，各种设备的选用如下。

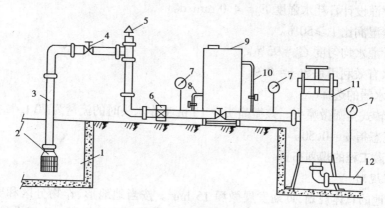

图 6-50　首部枢纽布置示意图

1—水源；2—水泵；3—吸水管；4—阀门；5—进、排气阀；6—水表；7—压力表；8—施肥罐进水管；
9—压差式施肥罐；10—施肥罐输肥管；11—过滤器；12—输水管

（1）过滤器。本滴灌系统水源为井水，水质良好，为保证系统安全运行，选用DN80的筛网过滤器。

（2）化肥注入器。采用压差式施肥罐。

（3）逆止阀及各种闸阀。选用DN80的逆止阀和闸阀。

（4）水表和压力表。水表选用DN80的旋翼式水表，压力表用弹簧式压力表。

（5）进排气阀。干管和支管均采用DN50的进排气阀。

（十）材料设备、预算及工程技术经济分析

（略）

二、果树微喷灌工程规划设计

（一）基本情况

某优质苹果基地面积53.3 hm²，为了调节田间小气候，为果树生长创造良好的环境，拟在该基地内建立一面积为15 hm²的微喷灌系统。

1．地形、土壤及种植资料

果园地处浅山丘，高差在5～10 m，地块呈长方形，土壤为沙壤土，平均入渗强度为8.0 mm/h，土壤深度约为1.0 m，干密度1.32 g/cm³，田间持水率21%（占干土重百分数）。果树品种为短枝红富士，树龄8年，树冠直径3.0 m，株、行距均为4.0 m，基本沿等高线种植，果园管理良好。

2. 气象条件

该地年平均气温 12 ℃，多年平均降水量 680 mm。

3. 水源及供电情况

在果园西边有一机井，稳定动水位在距井台 15 m 时，出水量 120 m³/h，水质符合灌溉要求。供电充足。

(二)系统规划设计参数

根据实践经验，结合该地实际情况，该系统规划设计采用如下设计参数。

(1)微喷灌设计日耗水强度 $E_a = 4.0$ mm/d。

(2)土壤湿润比 $P \geqslant 50\%$。

(3)设计灌水均匀度 $C_u = 95\%$。

(4)灌水有效利用系数 $\eta = 0.9$。

(三)灌水器的选择

选用旋转式全圆微喷头。该微喷头在 15 m 工作水头时的流量为 70 L/h，射程为 2.0 m，喷头的流态指 $x = 0.50$。

(四)微灌工程的规划布置

1. 工程规划

根据基地的总体规划，近期发展微灌 15 hm²。按当地地形、作物分区和实行生产责任制等情况，划定了微灌灌区的范围，如图 6-51 所示。系统首部枢纽布置在机井房内，采用机压直接供水进微灌管网。

2. 管网布置

(1)毛管与微喷头布置。果树基本平行于等高线种植，每行树布置一条毛管，故毛管也沿等高线布置。毛管间距等于果树行距，均为 4.0 m。每一棵树下布置 1 个微喷头，微喷头位于两棵树之间，喷头间距为 4.0 m。微喷头用一条长 3.0 m，直径 4 mm 的塑料管，通过毛管接头与毛管连接，同时用一插杆将喷头固定在树下。毛管和微喷头的布置和连接方式见图 6-52 和图 6-53。

由式(6-27)、式(6-29)计算实际土壤湿润比。已知微喷头的有效射程 $R_{有效} = 0.85R$，组合间距为 4 m×4 m，则

$$A_w = \theta/360 \times \pi R^2 = 360 \div 360 \times 3.14 \times (0.85 \times 2)^2 = 9.08(m^2)$$

$$p = A_w/(S_e S_r) \times 100\% = 9.08 \div (4 \times 4) \times 100\% = 56.75\% > 50\%$$

满足设计要求。

(2)干、支管布置。为布置方便，干管分为总干管和干管二级，总干管从水源起垂直于等高线布置，直至灌区最高处，然后又垂直于等高线向小丘另一侧延伸至山坡中部 M_1 处(见图 6-51)。干管共两条，一条沿山脊布置，两边分别布置支管，另一条沿山东坡布置，顺坡一边布置毛管。支管垂直于等高线布置，双向控制毛管，毛管平行等高线布置。

(3)控制、调节和保护设备布置。在水泵的出口处安装逆止阀。各干、支管进口处安装控制阀门，在干、支管最高位置处分别要安装进排气阀，在每条支管的末端要安装泄水阀。

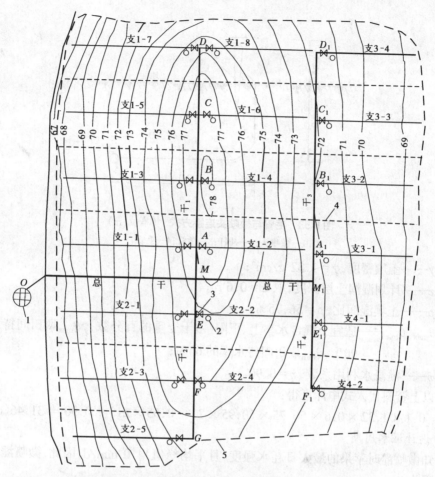

图 6-51 微灌工程布置

1—水源;2—进、排气阀;3—阀门;4—轮灌区界线;5—灌区界线

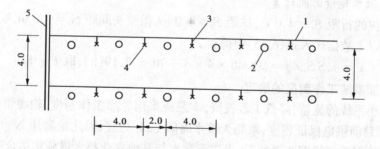

图 6-52 毛管和微喷头布置 (单位:m)

1—毛管;2—果树;3—微管;4—微喷头;5—支管

(五)微灌灌溉制度的确定

1. 设计灌水定额

设计灌水定额由式(6-40)计算。

$$m = 0.1\gamma z p(\theta_{\max} - \theta_{\min})/\eta$$

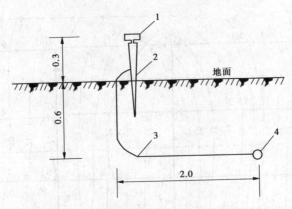

图 6-53　毛管与微喷头连接方式（单位:m）

1—微喷头;2—插杆;3—微管;4—毛管

式中　γ——土壤密度,$\gamma = 1.32$ g/cm^3;

z——计划湿润土层深度,取 $z = 0.6$ m;

p——土壤湿润比,$p = 56.75\%$;

θ_{max}、θ_{min}——适宜土壤含水率上、下限(占干土重的百分数),θ_{max}取田间持水率的 90%,θ_{min}取田间持水率的 65%;

η——灌溉水利用系数,$\eta = 0.90$。

将以上资料代入式中计算得:

$$m = 0.1 \times 1.32 \times 0.6 \times 56.75 \times (0.95 \times 21 - 0.65 \times 21) \div 0.90 = 31.46(\text{mm})$$

2．设计灌水周期

已知微喷灌时苹果的最大日耗水强度(月平均峰值)4.0 mm/d,因此,微喷灌的灌水时间间隔为:

$$T = m\eta/E_a = 31.46 \times 0.90 \div 4.0 = 7.08(\text{d}),\text{取 } T = 7 \text{ d。}$$

3．一次灌水延续时间计算

已知果树的行距 $S_r = 4.0$ m,株距 $S_t = 4.0$ m,微喷头间距 $S_e = 4.0$ m,喷头流量 $q = 60$ L/h。将以上数据代入式(6-43)中得:

$$t = mS_eS_r/q = 31.46 \times 4 \times 4 \div 70 = 7.19(\text{h}),\text{取 } t = 8 \text{ h}$$

(六)微灌系统工作制度的确定

为了减小系统的流量,降低工程投资,本系统采用轮灌工作制度,轮灌组数目为 $N \leqslant cT/t$。根据目前供电保证程度,取每天灌水时间 12 h 为宜,因此轮灌片 $N = 12 \times 7 \div 8 = 10.5$(片)。根据系统管网布置情况,考虑到灌水与其他农业技术措施相结合的问题,并使系统有足够的停水维修时间,将全系统分成 10 个轮灌组,每个轮灌组包括两条支管,最末一个轮灌组只包括支 1-8 一条支管。另外,为了减少干管流量,每次轮灌时,两条毛管分别位于不同的干管上。轮灌组的具体划分见表 6-31。实际布置结果为:若以每日工作 12 h 计算,实际上 15 hm^2 果园只要 6.7 天就可以轮灌完毕。

表6-31　轮灌组划分

轮灌组编号	支管	支管长度(m)	控制毛管条数/长度(m)/流量(L/h)		支管流量(m³/h)	轮灌组流量(m³/h)
			左侧	右侧		
1	支1-1	136	34/32/560	34/32/560	38.08	66.08
	支3-1	100	25/32/560	25/32/560	28.00	
2	支1-3	136	34/32/560	34/32/560	38.08	66.08
	支3-2	100	25/32/560	25/32/560	28.00	
3	支1-5	136	34/32/560	34/32/560	38.08	67.20
	支3-3	104	26/32/560	26/32/560	29.12	
4	支1-7	128	32/32/560	32/25/420	31.36	58.24
	支3-4	96	24/32/560	24/32/560	26.88	
5	支2-1	128	32/32/560	32/32/560	35.84	61.60
	支4-1	90	23/32/560	23/32/560	25.76	
6	支2-3	124	31/32/560	31/32/560	34.72	62.44
	支4-2	86	22/32/560	22/40/700	27.72	
7	支2-5	116	29/32/560	29/32/560	32.48	63.84
	支1-2	112	28/32/560	28/32/560	31.36	
8	支1-4	112	28/32/560	28/32/560	31.36	62.72
	支2-2	112	28/32/560	28/32/560	31.36	
9	支1-6	112	28/32/560	28/32/560	31.36	62.72
	支2-4	112	28/32/560	28/32/560	31.36	
10	支1-8	112	28/29/490	28/32/560	29.40	29.40

(七)系统流量推算

1. 毛管流量推算

一条毛管的进口流量为：

$$Q_毛 = (L_毛 / S_e)q$$

式中　q——微喷头的流量，$q = 70$ L/h；

　　　$L_毛$——毛管长度，除支1-7右侧毛管长为25 m，支1-8的毛管长29 m，支4-2右侧的毛管长40 m外，其余毛管长度均为32 m；

　　　S_e——喷头的间距，$S_e = 4.0$ m。

将以上资料代入上式中计算出各条毛管的流量为：

支1-7右侧毛管的流量

$$Q_毛 = (25 \div 4) \times 70 \approx 420(\text{L/h}) \quad (N = 6)$$

支1-8左侧毛管的流量

$$Q_毛 = (29 \div 4) \times 70 \approx 490(\text{L/h}) \quad (N = 7)$$

支4-2右侧毛管流量

$$Q_{毛} = (40 \div 4) \times 70 = 700 (\text{L/h}) \qquad (N = 10)$$

其他毛管的流量

$$Q_{毛} = (32 \div 4) \times 70 = 560 (\text{L/h}) \qquad (N = 8)$$

2. 支管流量计算

一条支管的流量为 $Q_{支} = \sum\limits_{i=1}^{N} Q_{毛}$。例如支 1-1 长 136 m，毛管间距 4 m，支 1-1 双向控制毛管，有毛管条数 $N = 136 \div 4 \times 2 = 68$（条）。则支管 1 的流量 $Q_{1\text{-}1} = 560 \times 68 = 38\,080$（L/h）$= 38.08$ m³/h。其他各支管的流量见表 6-31。

3. 干管流量推算

干管流量按不同轮灌组从下向上推求，其结果见表 6-32。

表 6-32　干管流量推算　　　　　　　　　　（单位：m³/h）

轮灌组编号	干管流量/管段	总干管流量	
		MM_1	OM
1	38.08/干 1MA,28.00/干 3M_1A_1	28.00	66.08
2	38.08/干 1MB,28.00/干 3M_1B_1	28.00	66.08
3	38.08/干 1MC,29.12/干 3M_1C_1	29.12	67.20
4	31.36/干 1MD,26.88/干 3M_1D_1	26.88	58.24
5	35.48/干 2ME,25.67/干 4M_1E_1	25.76	61.60
6	34.72/干 2MF,27.72/干 4M_1F_1	27.72	62.44
7	32.48/干 2MG,31.36/干 1MA		63.84
8	31.36/干 1MB,31.36/干 3ME		62.72
9	31.36/干 1MC,31.36/干 3MF		62.72
10	29.40/干 1MD		29.40

(八)管道水力计算

1. 毛管水力计算

根据所确定的微喷灌均匀度 $C_u = 95\%$，灌水器流量偏差率 $q_v = 0.2$，微喷头的流态指 $x = 0.5$，微喷头的设计工作水头 $h_d = 15$ m。按式(6-69)计算滴头工作水头偏差率为：

$$\begin{aligned}
H_v &= (h_{\max} - h_{\min})/h_d \\
&= (1/x)q_v[1 + 0.15q_v(1-x)/x)] \\
&= (1 \div 0.5) \times 0.20 \times [1 + 0.15 \times 0.2 \times (1 - 0.5) \div 0.5] \\
&= 0.412
\end{aligned}$$

因毛管沿等高线布置，沿毛管地形坡度 $J = 0$，则毛管允许的最多出水口数 N_m 按式(6-73)、式(6-74)、式(6-75)计算，$k = 1.10$，$f = 0.505$，$S = 4.0$ m，毛管直径 $d = 12$ mm，则

$$[\Delta h_2]/(Gh_d) = (N_m - 0.52)^{2.75}/2.75 - r(N_m - 1)$$

$$r = Jd^{4.75}/(kfq_d^{1.75})$$

$$G = kfSq_d^{1.75}/(h_dd^{4.75})$$

由$[\Delta h_2] = H_vh_d = 0.412 \times 15 = 6.18(m)$，$r = 0$，$G = 1.10 \times 0.505 \times 4 \times 70^{1.75} \div (15 \times 12^{4.75}) = 1.877 \times 10^{-3}$，经试算得 $N_m = 10.78$，取 $N_m = 10$。

允许最大毛管长度按式(6-72)计算，毛管进口至首孔的距离为 2.0 m，则 $L_m = N_mS + S_0 = 10 \times 4 + 2 = 42(m)$

毛管进口要求的工作水头按式(6-80)确定。因毛管沿等高线布置($J = 0$)，灌水器最大工作水头在毛管进口处第 1 个喷头处，即 $h_1 = h_{max}$。因此，$h_0 = h_1 + kfS_0(Nq_d)^{1.75}/d^{4.75} - JS_0$。

由式(6-82)计算：

$$\Delta H = Gh_d(N - 0.52)^{2.75}/2.75$$
$$= 1.877 \times 10^{-3} \times 15 \times (10 - 0.52)^{2.75} \div 2.75 = 0.023$$

查表 6-28 得 $R = 0.6948$，由式(6-81)计算：

$$h_1 = h_d + R\Delta H - 0.5(N - 1)JS = 15 + 0.6948 \times 0.023 = 15.02(m)$$

由于微喷头通过直径 4 mm 的微管与毛管连接，还应考虑微管的水头损失，由式(6-55)计算微管的水头损失，因 $Re > 2320$，则 $f = 0.595$，$m = 1.69$，$n = 4.69$，考虑局部水头损失，

$$h_{微管} = 1.1 \times 0.595 \times 70^{1.69} \times 3 \div 4^{4.69} = 3.87(m)$$

则　$h_0 = 15.02 + 1.1 \times 0.505 \times 2 \times (10 \times 70)^{1.75} \div 12^{4.75} + 3.87 = 19.68(m)$

对于长度不等于 32 m 的毛管，其水头偏差率 $H_v \neq 0.412$，即进口要求的工作水头也不等于 19.68 m。为了计算方便，本设计中全系统的毛管进口要求的工作水头均采用 19.68 m。

2. 干支管水头损失计算及系统总扬程的确定

由表 6-31 可知，系统最不利工作状况为第③轮灌组，故按第③轮灌组运行时的情况确定总干管、干管和支管的直径及系统总扬程。分别计算输水线路干管 OMC + 支 1-5 的总水头损失和输水线路干管 OMM_1C_1 + 支 3-3 的总水头损失，选取最大的水头损失来确定系统总扬程。

1)求支 1-5 的水头损失

支 1-5 总长 $L = 136$ m，初步将支管分成 2 段，第 1 段长 $L_1 = 56$ m，直径 $d_1 = 75$ mm，$\delta_1 = 8.4$ m；第 2 段 $L_2 = 80$ m，直径 $d_2 = 63$ mm，$\delta_2 = 7.1$ m。各管段及其以下管长出水口数 $N_1 = 136 \div 4 = 34$、$N_2 = 80 \div 4 = 20$，各管段进口流量为 $Q_1 = 2N_1Q_{毛} = 2 \times 34 \times 560 = 38080(L/h)$，$Q_2 = 2 \times 20 \times 560 = 22400(L/h)$，$L'_1 = 136$ m，$L'_2 = 80$ m，按式(6-59)、式(6-62)、式(6-63)、式(6-64)计算支管各段的水头损失。

$m = 1.75$，$x = 0.5$ 时，查附录 B 得 $F'_1 = 0.369$、$F'_2 = 0.373$，各段支管水头损失计算：
第一段

$$\Delta H_1 = \Delta H'_1 - \Delta H'_2 = F'_1fQ_1^{1.75}L'_1/d_1^{4.75} - F'_2fQ_2^{1.75}L'_2/d_1^{4.75}$$
$$= 0.369 \times 0.505 \times 38080^{1.75} \times 136 \div (75 - 2 \times 8.4)^{4.75}$$
$$- 0.373 \times 0.505 \times 22400^{1.75} \times 80 \div (75 - 2 \times 8.4)^{4.75}$$
$$= 10.88 - 2.56 = 8.32(m)$$

第二段

$$\Delta H_1 = F'_2 f Q_2^{1.75} L'_2 / d_2^{4.75}$$
$$= 0.373 \times 0.505 \times 22\,400^{1.75} \times 80 \div (63 - 2 \times 7.1)^{4.75}$$
$$= 5.90(\text{m})$$

考虑局部水头损失,则支 1-5 的水头损失

$$\Delta H_{\text{支1-5}} = 1.1(\Delta H_1 + \Delta H_2) = 15.64(\text{m})$$

2)求支 3-3 的水头损失

支 3-3 总长 $L = 104$ m,初步将支管分成 2 段,第 1 段长 $L_1 = 48$ m,直径 $d = 63$ mm,$\delta_1 = 7.1$ m;第 2 段 $L_2 = 56$ m,直径 $d_2 = 50$ mm,$\delta_2 = 5.6$ m。各管段及其以下管长出水口数 $N_1 = 104 \div 4 = 26$,$N_2 = 56 \div 4 = 14$,各管段进口流量为 $Q_1 = 2N_1Q_{\text{毛}} = 2 \times 26 \times 560 = 29\,120(\text{L/h})$,$Q_2 = 2 \times 14 \times 560 = 15\,680(\text{L/h})$,$L'_1 = 104$ m、$L'_2 = 56$ m,按式(6-59)、式(6-62)、式(6-63)、式(6-64)计算支管各段的水头损失。

$m = 1.75$,$x = 0.5$ 时,查附录 B 得 $F'_1 = 0.372$、$F'_2 = 0.378$,各段支管水头损失计算:

第一段

$$\Delta H_1 = \Delta H'_1 - \Delta H'_2 = F'_1 f Q_1^{1.75} L'_1 / d_1^{4.75} - F'_2 f Q_2^{1.75} L'_2 / d_2^{4.75}$$
$$= 0.372 \times 0.505 \times 29\,120^{1.75} \times 104 \div (63 - 2 \times 7.1)^{4.75} - 0.378 \times$$
$$0.505 \times 15\,680^{1.75} \times 56 \div (63 - 2 \times 7.1)^{4.75}$$
$$= 12.11 - 2.24 = 9.87(\text{m})$$

第二段

$$\Delta H_2 = F'_2 f Q_2^{1.75} L'_2 / d_2^{4.75} = 0.378 \times 0.505 \times 15\,680^{1.75} \times 56 \div (50 - 2 \times 5.6)^{4.75}$$
$$= 6.67(\text{m})$$

考虑局部水头损失,则支 3-3 的水头损失

$$\Delta H_{\text{支3-3}} = 1.1(\Delta H_1 + \Delta H_2) = 18.19(\text{m})$$

3)干管水头损失的计算

按式(6-55)计算沿程水头损失,$h_f = f Q^m L / d^b$。

干 1 MC 长度 $L_{MC} = 160$ m,选取直径 $d = 90$ mm,壁厚 $\delta = 2.8$ mm 的 PVC 管材,$Q = 38\,080$ L/h,则

$$h_{f \text{干MC}} = 0.464 \times 38\,080^{1.77} \times 160 \div (90 - 2 \times 2.8)^{4.77} = 6.16(\text{m})$$

总干管 OM 段长度 $L = 167$ m,选取直径 $d = 110$ mm,壁厚 $\delta = 3.4$ mm 的 PVC 管材,$Q = 67\,200$ L/h,则

$$h_{f \text{干OM}} = 0.464 \times 67\,200^{1.77} \times 167 \div (110 - 2 \times 3.4)^{4.77} = 6.37(\text{m})$$

干 3 M_1C_1 长度 $L_{M_1C_1} = 160$ m,选取直径 $d = 90$ mm,壁厚 $\delta = 2.8$ mm 的 PVC 管材,$Q = 29\,120$ L/h,则

$$h_{f \text{干}M_1C_1} = 0.464 \times 29\,120^{1.77} \times 160 \div (90 - 2 \times 2.8)^{4.77} = 3.83(\text{m})$$

总干管 MM_1 段长度 $L = 112$ m,选取直径 $d = 90$ mm,壁厚 $\delta = 2.8$ mm 的 PVC 管材,$Q = 29\,120$ L/h,则

$$h_{f \text{干}MM_1} = 0.464 \times 29\,120^{1.77} \times 112 \div (90 - 2 \times 2.8)^{4.77} = 2.68(\text{m})$$

考虑局部水头损失,干管 OMC + 支 1-5 的总水头损失 $H_{干OC}$ 和干管 OMM_1C_1 + 支 3-3 的总水头损失 $H_{干OC_1}$,总干管和干 1 的总水头损失

$$H_{干OC} = 1.05(h_{f干OM} + h_{f干MC}) = 13.16 \text{ m}$$

$$H_{干OC_1} = 1.05(h_{f干OM} + h_{f干MM_1} + h_{f干M_1C_1}) = 13.52 \text{ m}$$

4)总干进口 O 处的水头计算

分别按支 1-5 和支 3-3 运行的情况计算,则按支 1-5 运行时,z_1、z_0 分别为支 1-5 管段上最不利的毛管进口处和总干进口处地面高程,$z_1 = 77.00 \text{ m}$,$z_1 = 66.53 \text{ m}$,则

$$H_{01} = h_0 + \Delta H_{支1-5} + H_{干OC} + (z_1 - z_0)$$
$$= 19.68 + 15.64 + 13.16 + (77 - 66.53) = 58.95(\text{m})$$

按支 3-3 运行时,z_1、z_0 分别为支 3-3 管段上最不利的毛管进口处和总干进口处地面高程,$z_0 = 72.05 \text{ m}$,$z_1 = 66.53 \text{ m}$,则

$$H_{02} = h_0 + \Delta H_{支3-3} + H_{干OC_1} + (z_1 - z_0)$$
$$= 19.68 + 18.19 + 13.52 + (72.05 - 66.53) = 56.91(\text{m})$$

由此可见,系统总扬程为:$H = H_{01} + \Delta H + \Delta z$。

ΔH 为水泵底阀至总干进口的损失,包括底阀、首部枢纽和吸水管的水头损失,取 $\Delta H = 7.0 \text{ m}$,Δz 为机井动水位距地面的深度,$\Delta z = 15 \text{ m}$,则

$$H = 58.95 + 7.0 + 15 = 80.95(\text{m})$$

3. 水泵的选型

根据系统总扬程 $H = 80.95 \text{ m}$,流量 $Q = 67.20 \text{ m}^3/\text{h}$,查附录 E,选用 200QJ63-84/7 潜水电泵,其性能为扬程 $H = 75 \sim 95 \text{ m}$,流量 $Q = 45 \sim 75 \text{ m}^3/\text{h}$,配套功率 25 kW。当抽水流量 $Q = 67.2 \text{ m}^3/\text{h}$ 时,水泵出水口的扬程为 $H = 81.5 \text{ m}$,则总干进口工作水头

$$H_0 = 81.5 - 7 - 15 = 59.5(\text{m})$$

4. 系统压力均衡校核

根据第③轮灌组工作时的条件确定的总干管和干管直径推求其他各轮灌组工作时的干、支管工作水头分布和支管直径。现以第②轮灌组为例进行水力计算,其他各轮灌组的计算方法与其相同,此处从略。

1)干管压力分布计算

第②轮灌组工作时,总干管 OM 段的流量 66.08 m^3/h。由水泵性能曲线查得水泵出口的工作水头为 81.0 m,总干管进口的工作水头 $H_0 = 81.0 - 7 - 15 = 59.0(\text{m})$。

总干 M 处的水头为:

$$H_M = H_0 - \Delta H_{OM} + (z_O - z_M)$$

式中　H_0——总干进口的工作水头,$H_0 = 59.0 \text{ m}$;

ΔH_{OM}——OM 段的水头损失,$\Delta H_{OM} = 1.05 \times 0.464 \times 66\,080^{1.77} \times 167 \div (110 - 2 \times 3.4)^{4.77} = 6.87(\text{m})$;

z_O、z_M——总干 O 点和 M 点地面高程,$z_O = 66.53 \text{ m}$,$z_M = 76.4 \text{ m}$。

将以上资料代入式中得:

$$H_M = 59.0 - 6.87 + (66.53 - 76.4) = 42.26(\text{m})$$

干 1 B 点处的水头

$$H_B = H_M - \Delta H_{MB} + (z_M - z_A)$$
$$= 42.26 - 1.05 \times 0.464 \times 38\,080^{1.77} \times 96 \div (90 - 2 \times 2.8)^{4.77} + (76.4 - 77.8)$$
$$= 42.26 - 3.88 - 1.4 = 36.98 (\text{m})$$

同理可算得总干 M_1 处、干 2 B_1 处的水头。

2)支管水头分布与直径的确定

支管任一点的水头 $h_{支}$ 必须等于或大于该处毛管要求的进口工作水头。采用试算的方法确定满足 $h_{支i} \geqslant h_0$ 的支管直径和 $h_{支}$。支管上任一毛管进口处的水头为:

$$h_{支i} = h_i - \Delta H_i + (z_i - z_{i+1})$$

式中　$h_{支i}$——支管上任一毛管进口的水头,m;

　　　　ΔH_i——第 i 段支管($i \sim i+1$)行毛管之间的水头损失,m;

　　　　h_i——第 i 行毛管进口处支管的水头,m;

　　　　z_i、z_{i+1}——第 i 和第 $i+1$ 行毛管进口处的地面高程,m。

为节省工程投资以及保证支管各点水头满足设计要求,同一支管可以采用变径设计,也可以不采用变径设计。如采用变径设计,计算方法步骤同支 1-5 水头损失的计算。现以支 1-3 为例,按不变管径计算如下:

支 1-3 总长 $L = 136$ m,初步确定支管全部选用直径 $d = 63$ mm,$\delta = 7.1$ m 的 PE 管材。因支管为同径、等距、等量分流管,则按式(6-55)、式(6-59)、式(6-61)计算支管各段的水头损失。

支 1-3 第 1 条毛管进口压力在不考虑 2 m 支管的沿程损失的情况下可近似认为等于干 1 B 处的水头,即 $h_1 = 36.98$ m。

计算第 8 条毛管处的进口压力。此时支管长度为 $L_8 = 7 \times 4 + 2 = 30(\text{m})$、$N_8 = 8$、$F_8 = 0.390$、$Q_8 = 8 \times 2 \times 560 = 8\,960(\text{L/h})$、$z_1 = 77.8$ m,$z_8 = 74.0$ m,则

$$\Delta H_8 = 0.390 \times 0.505 \times 8\,960^{1.75} \times 30 \div (63 - 2 \times 7.1)^{4.75} = 0.47(\text{m})$$
$$h_8 = h_1 - 1.05\Delta H_8 + (z_1 - z_8) = 36.98 - 1.05 \times 0.47 + (77.8 - 74.0)$$
$$= 40.29(\text{m}) > h_0 = 19.68 \text{ m}$$

满足设计要求,多余压力可通过设置调压装置解决。

计算支 1-3 最末端毛管处的进口压力。此时支管长度为 136 m,$N_末 = 34$,$F_末 = 0.369$,$Q_末 = 38\,080$ L/h,$z_1 = 77.8$ m,$z_末 = 67.0$ m,则

$$\Delta H_末 = 0.390 \times 0.505 \times 38\,080^{1.75} \times 136 \div (63 - 2 \times 7.1)^{4.75} = 25.12(\text{m})$$
$$h_末 = h_1 - 1.05\Delta H_末 + (z_1 - z_末) = 36.98 - 1.05 \times 25.12 + (77.8 - 67.0)$$
$$= 21.40(\text{m}) > h_0 = 19.68 \text{ m}$$

满足设计要求。

同理可计算出支 1-3 其他各点的压力水头和其他支管各点的压力水头。

另外,首部枢纽的设计、材料设备、预算及工程技术经济分析等在此从略。

第七章　水稻节水灌溉技术

第一节　水稻控制灌溉

　　水稻控制灌溉是指稻苗(秧苗)本田移栽后,田面保持 5~25 mm 薄水层返青活苗,在返青以后的各个生育阶段,田面不建立灌溉水层,以根层土壤含水量作为控制指标,确定灌水时间和灌水定额。土壤水分控制上限为饱和含水率,下限则视水稻不同生育阶段,分别取土壤饱和含水率的 60%~70%。是根据水稻在不同生育阶段对水分需求的敏感程度和节水灌溉条件下水稻新的需水规律,在发挥水稻自身调节机能和适应能力基础上,适时适量科学供水的灌水新技术。

　　在非关键需水期,通过控制土壤水分造成适度的水分亏缺,改变水稻生理生态活动,使水稻根系及株型生长更趋合理。在水稻需水关键期,通过合理供水改善根系土壤水、气、热、养分状况及田面附近小气候,使水稻对水分和养分的吸收更加有效、合理,促进水稻生长,形成合理的群体结构和较理想的株型,从而获得高产。控制灌溉技术在显著减少水稻棵间蒸发和田间渗漏耗水的同时,有效地减少了水稻蒸腾耗水,使水稻蒸腾和光合作用处于一种新的协调状态。对水稻根系生长和株型形成具有显著的促控作用,可消除或减少土壤中有毒有害物质,具有良好的保肥改土作用,土壤水分和养分利用率高,既节水又增产,稻米品质明显改善。因此,水稻控制灌溉技术具有节水、高产、优质、低耗、保肥、抗倒伏和抗病虫害等优点。

　　一般认为,水稻在淹水条件下才能正常生长,田面必须保持足够深的水层,才能满足水稻生理生态需水要求。但从生产实践来看,在水稻分蘖后期进行烤田,起到了抑制无效分蘖、提高有效分蘖的作用,具有明显的增产效果。现代农学研究中,也采用化学药品、生物技术等手段,减少作物的无效耗水,提高养分的有效吸收和作物对干旱等逆境的抵抗能力,从而达到节水高产的目的。基于水稻生产实践和现代科学理论,对水稻节水高产灌溉技术进行了深入试验研究,形成了水稻控制灌溉技术,其主要理论依据是:①水稻各个生育期对水分的需要各不相同,不必均保持稻田田面的水层,也不必都保证充分的水分供应,应该根据水稻不同生育期对水分需要的敏感度,适时、适量地供应水分,调整水稻生理生态状况,减少作物无效蒸腾量、棵间蒸发量和田间渗漏量,从而显著地减少水稻耗水量,并能通过对水稻生长形态的调整,促使水稻向"最佳群体结构"和"理想丰产株型"两者的优化组合方向发展,以求达到水稻节水、高产、优质、高效的目的。②在作物"土壤-作物-大气"水分循环系统中,以灌溉供水作为促控手段,研究灌溉调控土壤水分后,土壤中水、肥、气、热状况与植物生理生态指标的变化,以及土壤、植物与大气影响因素之间的相互关系。即对控制土壤水分后,作物对大气中光热资源利用,土壤中水、气、热的要求,以及作物本身机能的变化等相互促进、相互制约的关系进行研究,突出了灌溉在连续体

(SPAC)系统中的积极作用。通过不同的灌溉技术,不同的灌溉补水量,对农作物进行有促有控的生理生态调整,充分利用根层土壤含水量与稻作之间的互相反馈作用和作物对水分的自我调节能力。所以,水稻控制灌溉技术是现代农业技术和现代水利灌溉技术的有机结合。

控制灌溉技术既不同于传统淹灌和在此基础上发展起来的湿润灌溉技术(它突破了稻田的水层管理旧框架);也有别于近期国内外介绍的非充分灌溉(或称缺水灌溉,限制性灌水)。湿润灌溉的上限为灌水层,下限为土壤饱和含水量或稍低。而控制灌溉的灌水上限仅为饱和含水量,下限在田间持水率以下,返青后田间无灌水层。非充分灌溉是在有限水资源条件下,通过减少灌水定额扩大灌溉面积,以适当减少单产追求整体最大效益。而控制灌溉则是以减少灌溉供水,控制土壤水分,在增产的同时节约水量。因此,控制灌溉在节水幅度、稳定单产和整体效益方面均优于非充分灌溉和湿润灌溉技术。另外,水稻控制灌溉技术,发挥了水稻根系层水分调节作用,减少了无益的水量消耗,使稻田根层土壤具有较强的调蓄功能,改变了传统灌溉条件下稻田的生态环境,使水稻体与环境的协调处于最佳状态,达到了高产、节水的目的。

一、水稻控制灌溉技术特点

(一)改变了传统的灌溉理论

传统灌溉是以作物全生育期均需给予根层土壤充分的水分,且充分满足作物需水为前提的,认为在农作物生育期内,如果不能够给作物根层土壤充足的水分,就必将导致农作物的减产。控制灌溉技术试验研究结果显示,农作物仅仅在其关键需水期,才必须充足或较为充足地供应水分。在非关键需水期,就不必要充分供水,按照农作物各个生育期对水分的敏感程度,调节土壤水分的合理供应,能有效地减少作物无效蒸腾量、棵间蒸发量和田间渗漏量,水稻田间耗水量明显降低。蒸腾蒸发量的减少,不仅没有减产,而且有益于增产。

(二)符合高产水平水稻需水规律

由需水量计算公式和彭曼(Penman)原理可知,作物需水量与产量密切相关,当作物蒸腾蒸发量达到潜在腾发量时,获得最高产量。换言之,当土壤供水条件发生变化,蒸腾蒸发量减少时产量就会降低。然而,控制灌溉的水稻在获得高产的同时,田间耗水量及蒸腾蒸发量均大幅度下降。多年试验证明,控制灌溉技术通过控制土壤含水量的大小,既减少了叶面蒸腾,又降低了棵间蒸发,田间渗漏量下降幅度更大。

不同灌溉技术不仅使水稻耗水量发生变化,而且也改变了水稻的耗水规律。不同灌溉技术处理水稻需水量及其变化规律试验分析结果表明,采用控制灌溉后,水稻全生育期田间土壤水分状况的变化,使主要耗水组成部分均有明显改善,其叶面蒸腾、棵间蒸发和田间渗漏均明显减少,使稻体和生长环境的协调处于较佳状态,高产稳产和增产节水作用较佳。

(三)有效地减少了水稻灌溉用水量

水稻的灌溉用水量,决定于水稻的需水量和其生育期内的有效降水量。一般而言,水稻需水量愈多,则水稻灌溉用水量就愈多;而生育期有效降水量愈多,则水稻灌溉用水量就愈少。

不同灌溉技术的水稻实际灌溉水量差别很大。淹水灌溉的灌溉水量为 5 473.5～7 723.5 m^3/hm^2，多年平均值为 6 957 m^3/hm^2。控制灌溉的灌水量为 2 806.5～23 931.5 m^3/hm^2，多年平均值为 3 340.5 m^3/hm^2。比淹水灌溉节约灌溉用水量 3 616.5 m^3/hm^2，节水 52%。

(四)实现了水稻高产基础上的再增产

高产水稻的生长应符合"最佳生长状态"的要求，也就是水稻根系发育良好，保持较高的活力，群体结构好，茎秆粗壮，抗倒伏，叶面积指数增减过程合理，特别是成熟期，能保持有较多的功能叶片，穗大、实粒多、千粒重高。

控制灌溉技术对水稻的根系生长、株型及群体结构形成，具有较好的促控作用，实现了水稻高产基础上的再增产。从水稻产量的对比分析可知，控制灌溉水稻的产量各年均高于淹水灌溉，水稻产量多年平均值比淹水灌溉的水稻增产 823.5 kg/hm^2，增产 9.5%，历年的增产幅度在 0.7%～25.7% 之间。

(五)提高了稻米品质

采用控制灌溉的稻米品质有了明显提高。1985 年经山东农业大学中心化验室分析，采用控制灌溉的稻米的粗蛋白质含量在 10% 以上，比淹水灌溉的稻米（同一种品种的稻谷）提高了 22.8%，达到了优质大米的标准。1989 年又经南京农业大学中心化验室作了进一步分析化验，组成蛋白质的 17 种氨基酸的总和以及 7 种人体必需的氨基酸含量均明显高于淹灌稻米。

(六)水稻水分生产效率成倍提高

消耗每单位水量所生产的稻谷产量称为水稻水分生产效率，这一指标可用于衡量水资源开发利用程度。而以单位灌溉水量所生产稻谷产量计算的水稻灌溉水生产效率，则可用以衡量属同一降水量范围内的灌区所采用灌溉技术的先进性和合理性，比较它们的增产节水效果。由历年试验结果分析可知，控制灌溉的水稻水分生产效率多年平均值达 1.602 kg/m^3，比淹灌处理高出 0.72 kg/m^3，提高了 81.6%。采用淹水灌溉的水稻灌溉水生产效率多年平均值为 1.250 kg/m^3，而控制灌溉的水稻灌溉水生产效率达到了 2.515～3.378 kg/m^3，多年平均值为 2.864 kg/m^3，比淹水灌溉的多年平均值提高了 129.12%。

(七)有效地利用了水稻生育期的光热资源

作物体内的液态水由根系从土壤中吸收，经过根、茎、叶的输导，再汽化成气态水从叶片气孔中逸散到大气中去。在这个过程中要消耗作物体内能量，汽化潜热随温度而变化，每汽化 1 g 水，在 15 ℃ 时约需消耗 2 466 J 的热量，在 30 ℃ 时需要消耗 2 424 J 的热量。

根据试验分析，水稻在本田全生长期内，淹水灌溉的水稻植株蒸腾量为 361.8 mm，控制灌溉的水稻植株蒸腾量为 251.8 mm，两者相差 110 mm，按汽化潜热 2 424～2 466 J/g 计算，控制灌溉比淹水灌溉的水稻仅植株蒸腾一项，每公顷水稻就可以减少 $(2.67～2.71)×10^{12}$ J 的热量消耗。

水稻植株的能量来源于其生育期内的日光辐射，通过稻体的光合作用将太阳能转化为化学能，并积累于稻体中。所以，减少了水稻植株无效蒸腾引起的热能消耗，能更有效地利用水稻生育期的光热资源，从而促使水稻增产、优质。

(八)减少了田间渗漏量及土壤肥力的流失

采用控制灌溉技术,田间渗漏量大为减少,溶于水中的土壤养分流失必然随之减少,也减少了根层土壤中细颗粒土的流失,这对保持根层土壤的肥力和土壤的结构都有明显的作用,对减少面污染和灌区地下水污染也有一定的作用。所以,控制灌溉技术是一项既有经济效益和社会效益,又有生态环境效益的一项灌溉新技术。

(九)具有显著的节能效果

在提水灌区,控制灌溉的水稻生长期灌溉水用量大幅度降低,也节约了灌溉用电量,节能、省工,减少工程投入的效果十分显著。

(十)投入少而收益高

推广应用控制灌溉新技术的实际投入,主要是技术培训费用、宣传会议费用、向广大农户发放明白纸的费用及在田间增设必要测水量水设施的费用。根据山东省济宁市实际大面积推广运用这项新技术的情况,折合每公顷投入仅 3.0 元,而每公顷推广运用所取得的直接经济效益为 943.2 元,投入产出比为 1:314,效益十分显著。

推广这项新技术以后节约出的水资源量,可用来发展工农业生产,必将形成更大的社会效益。

综上所述,采用控制灌溉技术种植水稻,不仅节水、高产、优质、高效、节能、保肥,而且投入极少而效益显著。这项先进的新灌溉技术推广深受广大农民欢迎,具有广阔的应用前景。

二、技术实施要点

(一)秧苗移栽

1. 移栽前的准备工作

冬小麦或其他前茬作物收割后,要先耕地晒垡。在泡田耕田前要施足底肥,尽可能施些有机肥,有条件的地方最好采用配方施肥。要整平田块,便于灌排,无积水。办法是先放少量水,待其湿透垡头时,用耙耙平,以水找平,再撒施化肥,同时使用除草剂。

2. 待泡浆沉实后再移栽秧苗

插秧时一定要注意泥浆沉实,薄水浅插。

3. 插前施碳酸氢铵要把好技术关

秧苗移栽前施碳酸氢铵作基肥,应特别注意施肥时间及撒施的均匀程度,否则会造成大面积或连片的枯叶死苗。一定要注意施肥技术,最好施肥时间在插秧的前一天,严格掌握施肥的数量和撒施的均匀度,以避免因施肥过量和不均匀造成烧苗。

(二)薄水促返青

水稻返青期大约经历 6～8 天,控制灌水上限为 25～30 mm。如遇晴天,尤其在阳光暴晒的中午,要求薄水层不过寸,不淹苗心,最好田不晒泥。如遇干旱缺水时,下限值也应控制在饱和含水量或微露田(饱和含水量的 90%)以上。

水稻秧苗移栽后,根系受伤未能恢复(还没扎住根),吸收养分的能力较弱,如果水分供应不足,就难以保持植物内的水分平衡。麦茬稻插秧时间一般在 6 月 20 日左右,正值干旱少雨季节,晴天多、日照长、光照强度大、气温高、水面蒸发量大,此时缺水,易导致叶片永久萎蔫,甚至枯死。所以,必须灌薄水满足水稻的生理生态需水,加速返青,提前分蘖。

(三)分蘖期

分蘖期控制灌溉的标准是:上限控制在土壤饱和含水量(即汪泥塌水),下限控制在饱和含水量50%～60%。该生育期大体经历30天左右,此期的灌水方法与淹灌大不一样。淹水灌溉在分蘖末期才开始晒田;而控制灌溉在分蘖前期就进行干湿露田。主要做法概括为:前期轻控促苗发;中期中控促壮蘖;后期重控促转换。具体控制灌水方法如下。

1. 前期轻控促苗发

每次灌水量150～225 m^3/hm^2,以后自然干到田不开裂。当土壤含水量小于或等于下限值才进行下一次灌水。土壤含水量的测定方法,可用简易取土称重法或中子土壤水分仪测定,无条件时也可用表7-1目测法估计。

由表7-1可知,当土壤质地基本近似的情况下,可采用目估法判断稻田土壤含水量,以便适时、合理地控制灌水。

表7-1　田面土壤含水量目测表

稻田状况	土壤含水量(%)	占饱和含水量(%)
汪泥塌水陷脚胖	36.6	100
田泥粘脚稍沉实	30～31	81～84
不粘手、不陷脚	24～25	66～68
地板硬、轻开裂	19～20	52～55

2. 中期中控促壮蘖

一般认为水稻壮蘖应是低位分蘖,叶片刚劲,株型整齐,角质层厚实,挺拔自立;叶色深绿,氮素代谢旺盛;能形成合理的群体结构,病虫害少。因此,在做好前期栽培管理措施的基础上,本期控制灌溉方法应控制好上、下限标准。上限为饱和含水量,下限控制在饱和含水量的65%～70%,一般年份灌水次数不多,如雨水过多,还要注意适时排水。

3. 后期重控促转换

水稻分蘖后期,将由营养生长开始转向生殖生长期,稻株对养分的吸收也开始发生变化,对氮磷的吸收趋向减少,对钾的吸收趋向增大,大分蘖生长加快,小分蘖逐渐枯萎,叶面积指数也趋向增大。为了防止无效分蘖的滋生,根层土壤含水量下限值应按偏低控制,一般为饱和含水量的60%。这时正逢汛期,降雨次多量大,地下水位高,应特别注意适时排水,及时晒田,使表土层呈干旱状态,减少水稻根系对氮素的吸收,使叶片变硬而色淡,抑制无效分蘖的滋生,有利于巩固和壮大有效分蘖,增强土层透气性能,使稻根扎得深,促进根系发展,叶的生长受到控制,叶色略黄。使水稻茎秆粗壮,抑制节间过量伸长,增大秸秆充实度,提高后期抗倒伏能力,减少各种病虫害的发生和蔓延。使土壤中氧气增加,地温升高,促进好气性细菌的繁殖,抑制嫌气性细菌的活动,限制了根层土壤中有毒有害物质的产生,加快有机质的分解,提高土壤肥力。

应根据稻苗生长状况和土质、肥料、气候条件等因素确定控制的适宜时间和程度。具体做法是:一看苗量,当达到亩穗数要求后进行重控。二看苗势,稻苗长势过旺,封垄过早,应早重控;反之则可迟些重控。三看叶色,叶色浓绿应早控;叶色轻浅可迟控或轻控。四看天气,天气阴雨连绵应早排水抢晴天露田。五看肥力,土质肥沃及地下水位高的田块要早控;反之,土质差、沙性重、保水能力弱、前期施肥又不多的稻田应轻控。

适时适度地控制土壤水分,是水稻发育过程中生理转折的需要,拔节后至穗分化前尤为重要,能促使根群迅速扩大下扎,调整稻作生理状态,由分蘖期氮代谢旺盛逐渐转向碳代谢,有利于有机物质在茎秆、叶鞘的积累和向幼穗转移,达到抑氮增糖、壮秆强根,为灌浆结实创造必要的条件,具体的控制标准如表7-2所示。

表 7-2　控制露田标准

类别	水稻田面状况	稻田含水量占饱和含水量(%)
轻控	田面沉实,脚不粘泥	70
中控	踩踏无脚印,地硬稍裂纹	60
重控	田面遍裂纹,宽度 1~2 cm	50

(四)穗分化减数分裂期

水稻的穗分化减数分裂期是生育过程中的需水临界期,这个时期的稻株生长量迅速增大,根的生长量是一生中最大的时期,稻株叶片相继长出,群体叶面积指数将达最高峰值,水稻的生长也已经转移到穗部。所以,水稻对气候条件和水肥的反应比较敏感,稻田不可缺水受旱,否则易造成颖花分化少而退化多、穗小、产量低。

按照本期水稻生长发育的特点,确定该期的主攻方向为:促进壮秆、大穗,促使颖花分化,减少颖花退化,为争取较理想的亩穗数、穗粒数、结实率、千粒重打下基础。

(1)适时确定灌溉日期。①根据抽穗日期定减数分裂时间。对当地粳稻而言,减数分裂开始的时间一般在抽穗前15天左右。②以水稻剑叶的出现定日期。当稻株最后一个叶刚长出以后的7天左右,正是稻穗迅猛生长时间,上部很快发育,日增长量也逐渐增大。③剥稻穗、量穗长定时间。采用对角线五点取样法,选有代表性的稻株剥其穗、量长度,当穗伸长到8~10 cm时为花粉母细胞减数分裂期。用上述3种方法确定时间,可做到适时灌水。

(2)在巧施穗肥的基础上,此阶段灌水方法上限为饱和含水量,下限占饱和含水量的70%~80%,灌一遍水,露几天田。应注意逢雨不灌,大雨排干,调气促根保叶。

(五)抽穗开花期

水稻抽穗开花期光合作用强,新陈代谢旺盛,是水稻一生中需水较多时期,稻株体内的生理代谢逐渐转移到以碳素代谢为主,增加叶鞘、茎秆内的淀粉积累,以保证营养转向谷粒生长,为抽穗后提高结实率创造条件。此时缺水将会降低光合能力,影响有机物的合成运输及枝梗和颖花的发育,增加颖花的退化和不孕。因此,要合理调控土壤中水、氧关系,尽力保护根系,延长根系生命,保持根系活力和旺盛的吸收功能,维持正常新陈代谢能力。以期养根保叶,迅速积累有机物,提高水稻结实率。

此阶段控制灌溉采取灌水至汪泥塌水(即饱和),露一次田3~5天,土壤水分控制下限为饱和含水量的 70%～80%,照此方法灌水 10～15 天。

(六)灌浆期

水稻生育后期管理措施不可忽视,否则易造成大幅度减产。据测定,上部叶片(即剑叶、倒二叶、倒三叶)所形成的碳水化合物占稻谷碳水化合物总量的 60%～80%,积累的干物质重占水稻一生中总干物质量的 70% 左右。上部叶片(指倒三叶)制造的有机物基本上送给了稻穗,不再向下输送,下部的叶片所制造的养分向根部和下部节间输送。因此,要养稻根、保"三叶"(剑叶、倒二叶、倒三叶)、长大穗、攻大粒。

此阶段控制灌溉的具体做法是跑马水、窨地皮、田面干、土壤湿,3～4 天灌一次水。控制灌溉有利于通气、养根、保三叶、促灌浆,提高粒重和产量,使水稻后期具有"根好叶健谷粒重,秆青籽实产量高"的长相。

(七)判断根系活力、露田状况、灌浆速度

在不同生育阶段判断稻根生长好坏及稻株需水是正常还是亏缺,可采用以下比较简单的办法。

1. 判断稻根活力强弱的方法

(1)用拔稻根法作间接判断。健康、活力强的稻根,扎得深,拔稻棵时较费力,拔起来的根尽管被拔断,但靠茎基部的根多且长。早衰、活力弱的稻根,根系扎的浅,易拔起,白根量少且短,黑根多。

(2)用傍晚稻叶"叶水"情况作判断。在没有大风且温度又不高的傍晚,观看叶尖,特别是挺直的叶尖雪亮的水珠,对稻根活力进行判断:稻叶"吐水"早、水珠大的,根系活力强;根系衰退的稻根"吐水"迟、水珠小;稻根已衰亡的叶尖就不"吐水"。

2. 稻株生理、生态需水判断方法

利用观察稻叶"吐水"法,还可以判断返青期稻根吸水功能、露田的适度、抽穗开花期灌浆的速度等。

(1)移栽后可判断稻苗是否返青活棵。具体方法是傍晚或夜里看不到稻叶"吐水",则稻根受伤未恢复,吸水能力弱,水分供应不足。当叶尖"吐水"时,说明根系恢复了吸水功能。

(2)如果稻田脱水过了头,稻根的吸水受限制,因而稻叶的"吐水"就减少,水珠也小。

(3)判断抽穗开花期灌浆的快慢。开花期稻叶"吐水"多,水珠大,则根生长健壮,灌浆速度快。反之,则灌浆速度慢。

(八)控制灌溉水稻施肥法

1. 水稻全生育期可采用"两头"施肥法

所谓"两头法",就是两个关键施肥期。第一关键施肥期的基本做法是:重施基肥,早施追肥。泡田前施有机肥 37 500～75 000 kg/hm², 磷肥 375～750 kg/hm², 碳酸氢铵 375～750 kg/hm²,有条件的还可增施一定数量的饼肥。早施追肥也就是早施返青肥、分蘖肥(尤其注意底肥施用量不足的地块,更应早施、多施),可在插秧后的 10 天左右,两次施尿素计 225～300 kg/hm²,返青肥可在插秧后 3～5 天,分蘖肥可在插秧后 7～10 天。第二个关键施肥期,即结合减数分裂期浇水施穗肥。在抽穗前 15 天左右施尿素 75～112.5 kg/hm²。

2.巧施穗肥能增产

巧施穗肥是按照水稻生理转折的需求而采取的增产措施。实践证实,施穗肥并不会使节间伸长,叶面积指数也不会扩展过大,因为这时水稻的株型已经定型,施肥仅能促进剑叶生长,是比较安全的。施穗肥可减少颖花退化,增加结实率和千粒重,是一项提高水稻产量较为理想的措施。但是,在水稻后期施肥,技术上要把握一个巧字,否则,会适得其反。具体做法是:穗肥一定要在中期稳长"落黄"的基础上,才能施用,如果到成熟仍不"落黄",就不施。中期"落黄"施穗肥应掌握三点:①定时间,抽穗前 15～18 天(麦茬稻大约 8 月上旬)。②看叶色,以叶色为衡量长势、预测长相的信号,决定水稻各生育阶段应采取的栽培管理措施,叶色浓绿不施。③定肥量,一般以叶色"落黄"程度而定,控制在 75～112.5 kg/hm^2。

第二节　水稻"薄、浅、湿、晒"灌溉

水稻"薄、浅、湿、晒"灌溉,是根据水稻移栽到大田后各生育期的需水特性和要求,进行灌溉排水,为水稻生长创造良好的生长环境,达到节水、增产的目的。概括地说,就是薄水插秧,浅水返青,分蘖前期湿润,分蘖后期晒田,拔节孕穗期回灌薄水,抽穗开花期保持薄水,乳熟湿润,黄熟期湿润落干。

一、"薄、浅、湿、晒"灌溉技术的特点

(一)实现了高产水平下的再增产

广西壮族自治区 1979～1980 年 12 个灌溉试验站的水稻试验产量统计分析结果表明,采用"薄、浅、湿、晒"灌溉制度的水稻产量每公顷都超过对照(采用浅灌方法)的产量,"薄、浅、湿、晒"灌溉制度的水稻平均产量超过对照 7.72%。由于灌溉制度是项单因子的试验,所采用的试验小区面积又较大(每个小区面积 2.25～3.0 hm^2),而且对照处理是较优的灌溉制度,产量水平较高,达到 7 500 kg/hm^2 以上,因此单因子的灌溉制度试验能够达到 7.72%,就证明"薄、浅、湿、晒"灌溉方法确能增产。

(二)降低了田间耗水量

水稻田间耗水包括植株的叶面蒸腾量、棵间蒸发和地下渗漏量三部分。水稻耗水量试验对比成果表明,"薄、浅、湿、晒"相结合灌溉比全期浅灌方法田间耗水量少,平均每公顷耗水量减少 32.2～39 m^3。

(三)提高了有效分蘖率

试验观测的资料表明,不同灌溉方法的水稻植株分蘖速度和分蘖苗数,以及有效分蘖苗都不同。"薄、浅、湿、晒"灌溉制度比浅灌不仅分蘖时间早、分蘖速度快,而且有效分蘖苗数增加、有效分蘖率提高,这是构成单位面积产量高的一个重要因素。有效分蘖率高,成穗数就多,产量就能提高。以每兜禾苗比较,"薄、浅、湿、晒"灌溉制度比浅灌有效分蘖苗数增加 0.1～0.12 苗,有效分蘖率高 0.5%～8.6%。

(四)改善了植株形态

"薄、浅、湿、晒"灌溉制度下水稻植株高度较短、茎秆较粗(与浅灌灌溉制度比),对于

防止或减少倒伏、提高单产都有显著的作用。这也是"薄、浅、湿、晒"产量较高的原因之一。

(五)穗部形成了穗大、结实率高的优势

广西壮族自治区的水稻试验资料表明,"薄、浅、湿、晒"比浅灌水稻穗子长得长,结实率高。穗长比浅灌方法长 0.1~0.9 cm,结实率提高 1.1%~10.6%。

(六)增加了千粒重

谷粒的大小和饱满程度直接影响到产量的高低。"薄、浅、湿、晒"灌溉制度比浅灌制度谷粒饱满,千粒重高,而且谷粒较大。广西壮族自治区 1980 年水稻试验测试的结果,早稻千粒重高 0.3~1.6 g,晚稻千粒重高 0.3~1.5 g。谷粒长 0.2~0.33 mm,谷粒宽 0.02~0.1 mm。

(七)增强了水稻生理活力

不同的灌溉制度对水稻生理产生不同的影响。广西壮族自治区 1980 年水稻试验测试的结果表明,"薄、浅、湿、晒"灌溉制度比浅灌制度的伤流量增加,干物质积累较多,光合生产率高,每棵植株干重较大,特别在作物生长的中后期更明显。作物生长中期测定的伤流量,"薄、浅、湿、晒"比浅灌增加 37~242 mg/苗时,每亩干物质积累多 21.5~60.0 kg,每一蔸禾苗干物质重增加 0.2~2 g;光合生产率(整株植物的有效面积在一段时间内制造积累干物质的指标)高 0.04~0.46 g/(m^2·d)。

二、技术实施要点

(一)工程要求

水稻实行"薄、浅、湿、晒"灌溉制度,是水利工程管理技术的一项重大改革,是提高水利工程经济效益的必由之路。搞好推广水稻节水灌溉工作,第一应有水源保证,这是推广实施的先决条件;第二要建立健全水利工程管水组织,加强用水管理;第三应搞好水利工程维修,增加蓄水保水,确保灌区农田用水;第四应搞好灌区渠系配套,实行计划供水用水,加设干、支、斗渠的量水设备和灌区园田化工程,农田用水能灌能排,确保推广工作实施。

(二)实施要点

1.薄水插秧,浅水返青

插秧时,田间保持薄水层,有利于保证栽插质量,避免漂秧,要求水层不超过 20 mm。栽插后,由于植伤,秧苗根系的吸水能力大大减弱,为了平衡秧苗的生理需水,田间保持一定的浅水层,可以保持一个良好的温湿环境,使根系恢复生长,促进秧苗快速返青。返青期田间水层保持在 40 mm 以内,低于 5 mm 应及时灌水。

浅水层的掌握也要因地制宜,根据具体情况而定。如秧龄长、较高的秧苗,水层可以深一些,采用 40 mm 左右的水层。秧龄短、秧苗幼小,可以采用 30 mm 左右的水层。同样,扯秧移植时,水层要深些,铲秧移植的水层稍浅些。施用面肥时,插秧的田间水层宜深些,反之,施底肥的水层宜浅些。在高温或低温的条件下,田间水层都应加深到 50~65 mm。这样较深的水层可以调节田间的水温、地温和湿度。高温时采用深灌可以降低田间的水温、地温和提高棵间的湿度,避免水温高而灼伤植株茎部,影响秧苗返青。而低温

时采用深灌可以提高田间的水温和地温,避免水温和地温的急剧下降而影响秧苗返青,需待低温和高温过后才恢复到原来的 30~40 mm 的浅水层。

2. 分蘖前期湿润,分蘖后期晒田

秧苗返青后,根系生长恢复正常,保持田面处于湿润状态,有利于增强根系活力,促进分蘖早发,分蘖前期应 3~5 天灌一次 10 mm 以下的薄水层,经常保持田间土壤水分处于饱和状态。

够苗后,为了抑制无效分蘖的发生、促进根系的伸长,为生殖生长打下基础,需要进行晒田。晒田必须严格掌握好时间和程度,才能充分发挥晒田的作用,既不能过早也不能过迟,晒田过早会影响分蘖,晒田过迟则影响幼穗分化。因此,晒田时间应在分蘖后期至幼穗分化前,杂交品种分蘖能力强,应在分蘖苗数达到计划苗数的 80%~90% 时,就开始晒田,这是由于刚开始晒田的头 2~3 天,秧苗仍在继续分蘖,当晒田由轻到重时,分蘖也就停止了,这样总的分蘖数也就可达到计划苗数时进行晒田的要求。晒田的程度,要看田、看苗、看天决定。一般是叶色浓绿生长旺盛的肥田、冷底田、低洼田、黏土田要重晒;而叶色青绿,长势一般,肥料不多,瘦田、高坑田、沙质土田要轻晒。因为冷底田、低洼田、肥田、黏土田保水能力强,不易晒透,所以要重晒;沙土田、瘦田保水能力差,漏水性强,不宜重晒,要轻晒。重晒田一般 7~10 天,晒到田中间出现 3~5 mm 的裂缝,田边土略有坑白,叶色退淡,呈青绿,叶片挺直如剑为宜。轻晒田一般晒 5~7 天,晒到田中间泥土沉实,脚踩不陷,田边呈鸡爪裂缝,叶色稍为转淡为宜。晒田的天数还要看天气,如晒田期间气温高,空气湿度小,晒田的天数应少些;而气温低、湿度大的阴雨天气,则晒田天数应长些。当然,还要根据水源条件和灌区渠系配套情况,分片进行晒田,避免晒田后灌水来不及而造成干旱,影响作物生长。

3. 拔节孕穗期回灌薄水

拔节孕穗期是水稻的需水临界期,也是水稻吸肥最旺盛的时期,保证充足的水分供应,有利于壮秆,并为大穗打下基础。此期田间应保持 10~20 mm 的浅水层,在地下水位比较高的田块,也可以采用湿润灌溉方法。

4. 抽穗开花期保持薄水

抽穗开花期,水稻光合作用强,新陈代谢旺盛,也是水稻对水分反应较敏感的时期,耗水量仅次于拔节孕穗期,这个时期应采用薄水层 5~15 mm 灌溉。为了防止高温和寒露风的伤害,除了适当加深灌溉水层外(一般把水层加深到 33~50 mm),最好同时采用喷灌。高温时喷灌,可以使田间气温降低 0.6~1.5 ℃,空气相对湿度增加 3.4%~6.3%,提高结实率 2.1%~2.8%。遇寒露风时喷灌(利用喷农药的工具喷水),可以调节田间气候。当水滴洒在土壤上,能起保持土温和提高田间温度的作用,而且由于茎叶上的水滴堵塞了一部分气孔,使植株水分蒸发减少。这样植物体内随水分蒸发而散发出来的热量也相应地减少,植株体内细胞液的温度就可以比较缓慢地下降,从而减轻寒露风的危害;喷水雾化强度越大,喷水时间越长,防寒露风伤害的效果就越好。

5. 乳熟期湿润

乳熟期是净光合生产率最高的时期,水分管理应以养根保叶为目的。此期田间的土壤水分要保持湿润饱和状态。一般掌握 3~5 天灌一次 10 mm 以下的薄水层。

6.黄熟期湿润落干

黄熟期水稻田间耗水量已急剧下降。为了保证籽粒饱满,前期保持湿润,后期使其落干,遇雨应排水。

第三节 水稻薄露灌溉

水稻薄露灌溉是形象化的名称,"薄"是指灌溉水层要薄,一般为 20 mm 以下,习惯上深灌为 60 mm 以上,浅灌为 30~60 mm。"露"是指田面表土要经常露出来,表层土面不要长期淹盖着一层水。薄露灌溉也就是灌水要薄,适时落干露田。

一、水稻薄露灌溉技术特点

目前,全国水稻灌溉几乎都采用"浅灌勤灌"的方法,这种灌溉方法至今还没有明确的灌水定额,农民一般掌握最小灌溉水层 30 mm 左右,最大水层也有 60 mm 左右,而且从插秧到收割,田间一直不断水。近些年提出了"晒田控制无效分蘖"与"后期干干湿湿"等措施,"晒田控制无效分蘖"措施已提出何时晒、晒到何种程度等具体指标,而"后期干干湿湿"这种措施就没有明确标准。作为薄露灌溉试验研究和推广示范对比中的对照处理,规定"浅灌勤灌"方法为:时到或苗到晒田,黄熟期灌跑马水,其他时间基本保持田间不断水,最大水层 30~50 mm。由于这种灌溉制度有 80% 以上的时间田间不断水,处于长期淹灌状态,称之为淹灌(下同),长期淹灌的最大弊病,就是土壤通透不良,腐殖质化容易产生大量的有机酸、酮等中间产物和亚铁、硫化氢、甲烷等还原性有毒物,对作物及土壤中的微生物产生毒害作用,尤其会对水稻的根系造成伤害,使根系活力下降,减弱根系对水分和养分的吸收,严重影响水稻生长发育及产量。

薄露灌溉彻底改变了长期淹灌的状态,有效地改善了水稻的生态条件,明显地减少了灌溉水量。其具体表现如下。

(一)有效改善水稻形成高产基础的生态环境

1.使耕作层土壤通气增氧,改善根系生长环境

薄露灌溉技术在水稻移栽后的第 5 天就要落干露田,一般早稻露田有 9~12 次,晚粳稻露田有 12~16 次。落干露田时,土壤的水分减少,空气在大气压力作用下进入土壤孔隙;露田结束灌溉时,水中所含的氧气随水分充入土壤孔隙并吸附于土壤中,增加了土壤的氧气含量。随着淹水时间的延长,土壤中有机质的腐殖化产生了还原性物质,溶解氧减少,逐渐造成缺氧。据多次土壤水的溶解氧试验测定结果分析,灌后当天测定含氧量为 7.8 mg/L(含氧量高低与气温有关,不同气温下的饱和含氧量有参照表可查),按当时气温属饱和含量;每天定时测定,含氧量逐天减少,到第 5 天时仅 0.6 mg/L,以后一直测不到含氧量。多次测定的规律大体相同,即灌后到第 6 天,土壤中的含氧量已耗尽。这与土壤性状和肥力有关,黏性土壤和有机质含量较高的农田,溶解氧的消耗就较快。因此,水稻薄露灌溉技术要点提出,连续淹水超过 5 天就要排水落干露田。

研究中对薄水层和深水层的含氧量也做了测定。在大气压力和风的波动作用下,空气中的氧不断充入表面水,但不易进入较深的水层。测定结果显示,薄露灌溉比深灌的水

层含氧量高 1 倍以上。

薄露灌溉不仅使土壤通气,减少还原性物质,而且还活跃了好气性微生物的活动,促进有机质的矿物质化,有利于根系的健壮生长。根系生长好,吸收水分和养分的功能强,能促进地上植株的茎、叶生长粗壮挺拔。薄露灌溉有"强根法"之称。

2. 分蘖早、快,成穗率高

秧苗移栽大田后第 5 天便落干露田,采用除草剂的稻田在移栽后第 9 天左右落干露田(采用抛秧的田块因无法耘田必须用除草剂)。分蘖期至少有 2 次以上的露田,以增加土壤根层的通气增氧,促使根系迅速生长,吸收土壤中的养分功能强,分蘖就早且快。一般在移栽后的 15 天左右分蘖强度最大,分蘖高峰比淹灌提前 5～7 天出现,基本上是第一、二分蘖,分蘖早,节位低,成穗率高(见表 7-3)。

表 7-3　分蘖强度与有效穗率调查(1984 年,晚稻)

处理	平均日分蘖量 (株/丛)	最高苗数 (万株/hm²)	有效穗 (万穗/hm²)	有效穗率 (%)
薄露灌溉	0.54	568.5	444	78.1
淹灌	0.41	576	421.5	73.2

薄露灌溉水稻分蘖早、快,日平均分蘖强度比淹灌大 0.13 株/丛,成穗率比淹灌高4.9%,每公顷增加稻穗 22.5 万个,一般增加穗在 30 万个/hm² 以上。薄露灌溉水稻有效穗多的增产率约 8%。

3. 吸收养分多,为大穗型群体创造条件

在孕穗初期,薄露灌溉比淹灌的水稻平均单株茎粗(离地面 10 cm 处)大 0.8 mm。薄露灌溉的水稻剑叶挺拔、厚实挺笃,穗大粒多,产量高。水稻单株叶面积各生育阶段都比淹灌水稻大,前期分蘖快且早,叶面积大,后期养根保叶,功能叶好,单株绿叶面积亦大。中期单株面积仍然是薄露灌溉的大,但无效分蘖少,叶面积指数反而小于淹灌水稻。良好的叶片功能和合理的叶面积指数,反映出薄露灌溉的水稻能更有效地利用叶绿素吸收太阳光的能量,积累更多的有机物质(见表 7-4)。

表 7-4　叶面积、干物质重调查(1984 年,晚稻)

处理	叶面积				孕穗期干物质重 (g/丛)
	高峰时		收割时		
	单株面积(cm²)	指数	单株面积(cm²)	指数	
薄露	134	7.6	71	3.1	34.3
淹灌	115	8.6	47	1.9	29.9

分析表 7-4 中薄露灌溉与淹灌水稻叶面积和干物质调查结果,可以看出,叶面积高峰时,尽管薄露灌溉的单株面积比淹灌大 19 cm²,但因无效分蘖少,叶面积指数反而小 1.0。收割时薄露灌溉的单株面积比淹灌大 24 cm²,叶面积指数亦大 1.2,单株面积大,叶面积指数合理,光合效率提高。孕穗期薄露灌溉比淹灌的水稻干物质重大 4.4 g/丛,因此薄露

灌溉的增产潜力大。据试验统计,平均穗粒多 4～16 粒,穗粒多形成的增产率在 4% 左右。

　　4.养根保叶,增加灌浆速度,提高粒重

　　薄露灌溉的后期加重了露田程度,使根层土壤更多地接触空气,增强根系活力。当复灌薄水后,有效地吸收一定量的水分供最后 3 片叶光合作用,产生更多有机物。当落干露田时,有效地减少田间相对湿度 8%～10%,对防止纹枯病有明显效益,一般发病率要减少 30% 以上,病情减轻 40%～90%(见表 7-5)。病虫害的明显减轻,使得 3 片功能叶生长健康,增加了灌浆速度,干物质积累多。

表 7-5　水稻纹枯病害调查(浙江省余姚市,成熟期)

处理	调查总数（片）	纹枯病等级						发病率（%）	病情指数
		0级	1级	2级	3级	4级	5级		
薄露	252	241	9	2				4.4	0.026
淹灌	258	156	82	20				39.5	0.24

　　早稻和杂交晚稻的千粒重每增加 1 g,相当于每公顷增产 225～300 kg。粳稻千粒重每增加 1 g,相当于每公顷能增产 150～225 kg,根据试验资料统计,薄露灌溉比淹灌增加千粒重 0.8～1.4 g,个别甚至增加 3 g 左右,这方面的增产率在 2% 左右。

　　(二)减少稻田耗水量,提高雨水利用率

　　1.减少蒸腾蒸发量

　　薄露灌溉多数时间田面无水层,淹灌稻田的水面蒸发变成了薄露灌溉的土面蒸发,由于土壤水分渐渐减少,根系吸收水分也不充分,降低了蒸腾系数。据统计,薄露灌溉技术的水稻田落干露田 12～15 次,落干露田的天数占大田生长期的 45%～60%,有效地减少了水面蒸发,同时薄露灌溉的无效分蘖明显减少,也减少了无效叶面蒸腾。

　　2.减少渗漏量

　　薄露灌溉经常露田,露到一定程度时,土壤中重力水减少,相对的垂直渗漏量也减少。

　　3.提高降雨量的有效利用率

　　一般而言,常有水层的稻田遇降雨大多形成地面径流,有效利用雨量较少。薄露灌溉因田间水层很小或露田土壤水分亏缺,遇雨不仅补充土壤水分亏缺量,田间还可蓄水,一次性的降雨利用量较多。在梅雨季节,经常降强度不大的梅雨,采取薄露灌溉的早稻田对降雨的利用率更高。一般薄露灌溉比淹灌的雨量利用率提高 20%～30%。

　　由于水稻蒸腾蒸发量和田间渗漏量的显著减少,降雨有效利用率的提高,薄露灌溉技术的水稻灌溉水量大幅度降低。根据试验资料统计分析,薄露灌溉比淹灌平均每年每公顷节水 2 190 m³,节水率为 32.3%。

　　(三)适用范围广,对田间工程要求低

　　(1)除了无灌溉条件的"靠天田"和少数沙粒含量较高、地下渗漏大的土质以外,其他土质的水稻灌区均能应用薄露灌溉技术。

　　(2)田间工程是实施水稻薄露灌溉技术的保证。薄露灌溉技术对田间工程的要求较低,为保证土壤受水均匀,要平整田面,尽量做到田面平整,要求"半寸水不露泥";同时为保证灌溉供水及时灵便,供水渠道应采用渠道防渗、管道输水等措施,以保证渠系通畅;为保证入田水量的控制,应合理配置放水控制、测水量水建筑物及设备;推行薄露灌溉要达到经常露田,无论是自然落干,还是开沟排水,均要强调排水沟的疏通和深掘。对于排水性能较好的稻田,排水沟的深度要达到 0.4～0.5 m,使沟中的水位低于田间 0.2～0.3 m。对于地下水位高,排水能力弱,容易引起渍害的稻田,排水沟的深度达到 0.9～1.1 m,沟内的水位应低于田面 0.8～0.9 m。

二、技术实施要点

(一)技术要点

薄露灌溉归结起来,主要掌握如下四点。

(1)每次灌水在 20 mm 以下。

(2)每次灌水后都要自然落干露田,露田的程度要根据水稻生育阶段的需水要求而定。

(3)遇梅雨季节和台风期连续降雨,田间淹水超过 5 天,要排水落干露田。

(4)遇防治病虫害和施肥时,应与灌溉妥善结合起来,要服从和满足防治病虫害和施肥需要的水量。

在特殊情况下要改变灌溉水层,移栽时遇到高温,要深灌降温。移栽时遇 28 ℃以上气温,一般生长较嫩的秧苗容易被高温灼伤,出现稻叶卷筒、叶片枯白等败苗,将造成生育期延长、分蘖迟缓、成穗率降低。遇高温时,除尽量做到傍晚插秧外,在灌还田水时要深灌。实测资料证明,深灌比浅灌可降低根层土温 4 ℃左右。

要特别指出,在防治螟虫时,水层应比平常深一些。如薄露灌溉每次灌水在 20 mm 以下,当防治螟虫时,在施药之前田间水层必须灌至 30 mm。螟虫在水面之上咬破茎壁,钻入茎内吸取叶汁,破坏叶心,叶片便枯死,有的地方称"枯心苗"。所以,施药前先灌水至螟虫虫口上端,施药后农药随水进入虫口,将螟虫杀死。如果仍用薄露灌溉方式,农药不能进入洞内,防治效果不好。

对于采用抛秧种植的稻田,由于抛秧种植没有返青期,不受低温与败苗的威胁,而且薄露灌溉促使抛秧的稻苗根系深扎,后期抗倒伏。因此,薄露灌溉更适合于抛秧种植。

(二)具体方法

水稻薄露灌溉技术有效地改善了土壤的理化条件并调节了田间小区气候,其关键是落干露田。根据水稻的生育期,露田程度略有差异,简单地分为 3 个时期(见表 7-6)。

表 7-6　落干露田阶段

生育阶段		返青	分蘖	拔节	孕穗	抽穗	乳熟	黄熟
露田阶段		前期			中期		后期	
生长天数 (本田期)	早稻	26 天左右			22 天左右		24 天左右	
	晚稻	30 天左右			26 天左右		28 天左右	
	晚粳	30 天左右			32 天左右		40 天左右	

1. 前期

它是从移栽后经返青期和分蘖期至拔节期，主要为营养生长阶段，拔节期转入生殖生长。这阶段首先要明确第一次露田的日期与程度，其最佳时间是移栽后的第 5 天，田间已成自然落干的状况最为理想。若田间尚有水层，则要排水落干，表土都要露面，没有积水，肥力稍好的田还会出现蜂泥，说明表土毛细管已形成，氧气已进入表土，此时要复灌薄水，再让其自然落干，即进行第二次落干露田。这次露田程度要加重，可至表土微裂开才再灌薄水，如此一直至分蘖后期。在分蘖量（包括主茎）已达 450 万/hm²，或每丛（有的地方称穴）分蘖已有 13～15 个，且稻苗嫩绿，还有分蘖长势的情况下，要加重露田，可露到田周开裂 10 mm 左右，田中间不陷足，叶色退淡。此时切断了土壤对稻苗根系的水分与养分的供应，使稻苗无能力分蘖，这叫重露控蘖。拔节期仍每次露田到开微裂时再灌薄水。

薄露灌溉比淹灌容易长草，应使用除草剂除草。移栽后第 4～5 天应施除草剂，并要保持 4～5 天的水层。若不到 4～5 天的水层，自然落干效果也可以，因落干后药剂粘在土面上，草芽同样会死亡。采用药物除草，先要灌足能维持 4～5 天的水量，则采用除草剂的稻田第一次露田时间要推迟 4～5 天，也就是要在移栽后的第 9 天或第 10 天才可第一次露田。这次露田程度可重一点，与不用除草剂的第二次露田程度一样，即当表土开微裂时再灌薄水。

2. 中期

孕穗期与抽穗期的茎叶最茂盛，是需水高峰期，只要土壤水分接近饱和就能满足此时期植株的生理需水量。所以，落干程度比前期略轻，每次露田到田间全无积水，土壤中略有脱水时就复灌薄水，尽量不要使表土开裂。此时期如遇雨，要打开田缺，自然排水，田间不能产生积水。如果遇纹枯病暴发时，除及时用药物防治外，可加重露田，以减低田间相对湿度，有利于抑制纹枯病等病害。

3. 后期

水稻进入乳熟期与黄熟期渐渐转入衰老，绿叶面积随之减小，蒸腾量亦慢慢减少。但水稻还需一定的水分，以供最后三片叶的光合作用，制造有机养分，并把土壤中的养分与植株各部位积存的有机养分输送到穗部。这就要求根系保持一定的活力，达到养根保叶的目的。该时期要加重露田程度，使氧气更易进入土壤中，减少有毒物的产生，保持根系活力，才能使茎叶保持青绿。乳熟期每次灌薄水后，落干露田到田面表土开裂 2 mm 左右，直至稻穗顶端谷粒变成淡黄色，即进入黄熟期，落干露田再加重，可到表土开裂 5 mm 左右时再灌薄水。

4. 收割前要提前断水

经多次多处理试验，断水过迟会延迟成熟，延迟成熟会造成割青而影响产量。断水过早会造成早衰，灌浆不足。所以，断水过迟、过早都会造成减产，且米质易碎，整米性不高，出米率低。提前断水时间与当时的气温、湿度有很大关系。气温高、湿度大，提前断水时间短一些，相反则长一些。如果气温高、天晴干燥，提前 5～10 天断水。如气温不高，经常阴雨，提前 7～15 天断水。

第八章　农艺节水技术

我国人多、地少、水资源不足,因此必须结合我国国情,因地制宜采用不同的节水、增产技术,不能照搬国外经验,盲目追求先进,追求高投入。要在坚持不懈地抓好农业节水工程建设、农田水利基本建设的基础上,重视农艺节水措施,加强农艺节水措施与工程节水技术的结合,在提高灌溉水利用率的同时,大力提高水分生产率。同时,要充分利用天然降水,在合适的地区推广旱地农业增产技术,从而减少水资源紧缺的压力,提高水资源的利用率,促进区域水资源的可持续开发利用和经济发展,建设节水型的高产、优质、高效农业。

按照农艺节水的机制,可以划分为保墒节水类,提高光合效率、减少无效蒸腾类,或者两类措施的结合。保墒节水类措施主要包括耕作保墒、覆盖保墒、化学保墒等;提高光合效率、减少无效蒸腾类主要为化学调控、土肥措施、调整作物布局、应用抗旱新品种等。

第一节　耕作保墒技术

传统的耕作保墒技术主要有耙耱保墒技术、镇压保墒技术、中耕保墒技术,这些技术在干旱地区、干旱年份的节水、保水效果是很明显的。采用深耕松土、镇压、耙耱保墒,中耕除草,改善土壤结构等耕作方法,可以疏松土壤,增大活土层,增强雨水入渗速度和入渗量,减少降雨径流损失,切断毛细管,减少土壤水分蒸发,使土壤水的利用效率显著提高。根据天然降雨的季节分布情况,为了使降雨最大限度地蓄于"土壤水库"之中,尽量减少农田径流损失,需要因地制宜采取适宜的耕作措施,同时提高灌溉用水的田间利用率。

一、深耕保墒技术

传统的耕作由于犁底层的存在影响了土壤入渗量,限制了土壤蓄水能力,一般耕作时,水分入渗量只有 5 mm/h 左右,1 m 土层蓄水量不足 1 350 m^3/hm^2;深耕时的土壤水分入渗量 7~8.5 mm/h,1 m 土层蓄水量可达 1 800 m^3/hm^2。

用畜力耕翻土地,一般耕地深度只有 10~15 cm,耕层以下是坚实的犁底层,限制了土壤蓄水能力;采取机耕和畜力套耕法,分期分层逐年加深耕层,或推广深松犁,深松深度可达 40 cm 以上,打破犁底层,加深了耕层疏松土壤厚度,增加土壤蓄水量。据已有的试验资料,深耕后底层土壤密度由 1.5 g/cm^3 降到 1.35 g/cm^3,孔隙度由 45% 增加到 54%。深耕后底层土壤根系下扎,增加对深层土壤水的利用量。深耕地根系深入到 1.5 m 以下,而浅耕地根系分布在 1 m 土层。作物根量深耕地比浅耕地增加 30% 以上。试验表明,采用"上翻下松"的深松耕作法,在一定深度内,作物增产幅度为 20%～50%,土壤蓄水增加20%。深耕蓄水的根系分布范围比传统耕作大 14.3%,冬小麦深耕后底层土壤根系下扎,增加深层土壤水和养分的利用率。

二、耙耱保墒技术

耙耱保墒技术主要是碎土、平地,以减少表土层内的大孔隙,减少土壤水分蒸发,达到保墒的目的。

山东省的降雨一般集中在6～9月,10月份秋种时降雨季节已过,此时气温仍较高,土壤蒸发量较大,耕作后不及时耙耱,碎土保墒,土壤水分蒸发很快,地面上会形成大量的干土块,不仅会影响到秋种,而且若冬季无较大的雨雪,将严重影响春播。

我国青海省东部的试验结果表明,在9月中旬及时耕地和耙耱的,0～100 cm土层内,蓄水量较不及时耙耱的多59.6 mm,较未耙耱的多85.5 mm,秋耕若结合施肥并及时耙耱,则保墒效果更好。

春季多风少雨,土壤的蒸发强度大,所以,在土地刚刚解冻达3～4 cm深,昼消夜冻时就宜开始耙地,反复纵横交错进行2～3次,使地表形成一层疏松的干土层,切断毛管,保持土壤水分。据有关资料介绍,连续三次进行顶凌耙地,10～60 cm深的土壤含水量比未耙地相对多9%～28%。

三、镇压保墒技术

镇压是指碎土及压紧土壤表层,具有保墒和提墒作用。在冬季地冻的时候进行,效果较好。这是因为冬季土壤的土块大而多,容易失墒,镇压可以压碎土块,减少土表的大孔隙,减少土壤气体与大气的交流,可抑制土壤气态水损失。当土壤湿度较小,在毛管断裂含水量以下时,土壤水分的损失主要是在土壤内部汽化,通过土壤大孔隙向大气扩散。因此,进行镇压压碎土块,堵住大孔隙,也可起到保墒作用。俗话说"麦喜战场",说明了镇压对小麦的保墒作用。

山东省桓台县的经验是:小麦播种前土壤墒情一般状况时,可采取镇压提墒、增水保苗的措施。即播种后1～2天顺垄踏压、破碎土块,减少表层土壤水分蒸发,增加土壤表墒,促使早出苗。此种方式不但省去一次跟种水,充分利用土壤水,而且避免了跟种水带来的土壤地湿、地表板结、降低地温的弊病。

四、中耕保墒技术

在作物生长期内,采用中耕保墒技术。中耕的主要作用是松土、锄草、切断土壤毛管、防止土壤的板结,从而减少水分蒸发,增加降水入渗能力,雨后2～3天,及时中耕,有利于保墒。山东省许多地区的农民有在冬小麦拔节前中耕的习惯,对冬小麦的生长极为有利。对山东省的冬小麦种植区来讲,早春气温回升快、土壤逐渐解冻,应当抓住时机中耕,切断毛细管水上升。

第二节　覆盖保墒技术

农田覆盖是一项人工调控土壤—作物间水分条件的栽培技术,是降低农田水分无效蒸发、提高用水效率的有效农业措施之一,也是当前世界上干旱和半干旱地区广泛推广的一项保墒措施。在我国,覆盖栽培技术在传统农业中应用早已有之,近十几年得到广泛的推广和应用,利用覆盖技术可以抑制土壤水分蒸发,减少地表径流,蓄水保墒,提高地温,培肥地力,改善土壤物理性状,抑制杂草和病虫害,促进作物的生长发育,提高水的利用率。试验表明,降雨和灌溉进入农田的水量,小部分补给地下水,大部分转化为土壤水,而土壤水的棵间蒸发是农田节水可以调控利用的潜在水量,据观测,土壤表面蒸发量占农田总蒸发的 $1/4 \sim 1/2$。

覆盖材料可以就地取材,可以利用作物的残茬、秸秆、草肥、沙石、塑料薄膜等。下面分别进行介绍。

一、秸秆覆盖保墒技术

秸秆覆盖能减少地表蒸发和降雨径流,提高耕层供水量,取得明显的增产效果。据测定,秸秆覆盖的抑蒸保墒效应可波及土体 1 m 深处,减少耗水量 895.5 m^3/hm^2,节约灌溉用水 2 100 m^3/hm^2。在降雨或者灌后,将秸秆覆盖垄间,可以调节地温,保持土壤湿度,改良土壤,培肥地力。

秸秆覆盖就是利用作物的秸秆、干草等覆盖在土壤表面上,以达到预期的效果。我国的北方旱作农业和补充性灌溉农业区,多采用麦秸、麦糠、玉米秸等;山东省的鲁中南低山丘陵区,秸秆覆盖主要用于果园、茶园,覆盖材料多是麦秸、麦糠、杂草。覆盖厚度一般为 15～25 cm,覆盖时间为春、夏两季。可随腐烂随添加,无需取出,起到秸秆还田培肥地力的作用。为防秸秆、杂草内发生虫害,可适当喷施部分农药;在山东省的淄北平原井灌区桓台县,秸秆覆盖和还田取得了良好的效果,特别是随着农机化作业程度的提高,收、耕、播一体化,秸秆还田可以培肥地力、抑蒸保墒。同时推广秸秆过机还田,还防止了燃烧造成的环境污染。目前山东省桓台县全县已推广秸秆覆盖和还田 80%。秋后倒茬用玉米收割机,粉碎秸秆还田,避免土壤裸露晾晒,有利于保墒。

(一)秸秆覆盖的效果

秸秆覆盖有利于保墒和改善土壤物理性状,通常表现在如下两个方面。

1. 秸秆覆盖可减少土壤蒸发,增强降雨入渗

秸秆覆盖可明显减少土壤水分的蒸发。河北省灌溉中心试验站的试验结果表明,有秸秆覆盖的农田,能增强降雨入渗。如 1998 年 8 月 2 日降雨量为 118.9 mm,有秸秆覆盖的农田,没有产生地面径流;不覆盖的农田,径流深达到 7.3 mm。在相同的条件下,玉米地覆盖,1 m 土层的含水率比不覆盖提高 0.37%～4.45%;麦田提高 0.79%～2.24%。

2. 秸秆覆盖可以调节地温、培肥地力、改善土壤物理性状

夏季土壤水分蒸发强度较大时进行覆盖,不论早晨还是中午,也不论观测的哪一个土层,土壤温度都明显低于不覆盖的,中午 5 cm 土层深度温度差别最大,温差随着土层深度的增加而减少。土层温度降低不仅可以减少蒸发,有利于保墒,同时有利于微生物的繁殖和活动,促使土壤养分转化,而且秸秆腐烂以后,增加了土壤的有机质,通过培肥土壤达到以肥调水的目的。

(二)秸秆覆盖的研究成果

1. 不同秸秆覆盖量对覆盖效果的影响

夏季覆盖土壤温度有随着覆盖量的增加而明显降低的趋势。根据已有的试验成果，产量随着覆盖量的增加有增加的趋势，但也不宜过多，对冬小麦来说，覆盖过多，影响到小麦的分蘖。试验证明，覆盖材料为麦草，则适宜覆盖量为 4 500~6 000 kg/hm²；覆盖材料为玉米秸，则适宜覆盖量为 6 000~7 500 kg/hm²。

2. 不同覆盖材料对覆盖效果的影响

由于不同地区的种植结构等不同，覆盖材料也有差别，但都能达到保墒、灭草、肥田、改善土壤物理性状等作用。试验结果表明，不同的覆盖材料，对作物的生长发育和作物的产量有一定影响，但差异并不明显。如河南省陕县农技站对麦秸、玉米秸、麦糠覆盖进行对比试验，与不覆盖相比，分别增产 16.6%、19.8%、20.1%。

3. 不同秸秆覆盖时间对产量的影响

由于秸秆覆盖对作物的增产具有综合作用，因此出于不同的目的，覆盖的时间有所差别。冬小麦以增温保墒为主要目的，应在入冬前进行覆盖，这样可以提高地温，使分蘖免受冻害，同时减少棵间蒸发，促进其生长发育。河北省灌溉中心试验站的试验结果见表 8-1。

表 8-1　冬小麦覆盖期及其产量

覆盖期	播种后	分蘖期	越冬期	返青期	起身期
产量 (kg/hm²)	5 007	5 504	5 961	5 597	5 442

从表 8-1 中可以看出，该站的试验结果也证明，越冬期覆盖冬小麦的产量最高。

秋作作物的覆盖以调节地温、灭草、减少地表径流和蒸发为目的，以营养生长期覆盖为佳，据有关试验研究成果，夏玉米的覆盖时间按照下列经验公式计算：

$$y = 5.779x - 0.081\ 9x^2 - 62.59 \tag{8-1}$$

式中　y——作物产量；

　　　x——叶龄。

通过计算可知，$x = 7.6$ 时，y 最大，因此玉米最佳覆盖时间为 7~8 叶展开时。通过试验和生产实践，可以得到各种作物的最佳覆盖时间。

4. 山东省临清市试验成果

据临清引黄灌区 2000 年对冬小麦冬季覆盖的测试结果表明，地表增温幅度较大，最高为 6.8 ℃，5~15 cm 增加幅度较小，5、10、15 cm 增值分别为 5.8、2.5、2.6 ℃。覆盖 5 天后，0~40 cm 的含水量，不覆盖区内土壤蓄水量由 92.88 mm 降至 83.99 mm，耗水 8.89 mm。而覆盖区内土壤蓄水量由 103.92 mm 降至 101.23 mm，耗水 2.69 mm，比不覆盖少耗水 6.20 mm。冬小麦全生育期，1 m 土层内覆盖比不覆盖少耗水 40 mm，增产粮食 19 kg，覆盖后水分生产率，覆盖为 1.72 kg/m³，不覆盖为 1.42 kg/m³。由于两个试验均为非充分灌溉，水分生产率均较高，覆盖的效果非常明显。对比效果见表 8-2。

表8-2　覆盖与不覆盖全生育期耗水量及产量对照

分区处理	1 m 土层含水量 (mm)		耗水量 (mm)	灌水量 (mm)	降水 (mm)	全生育期耗水 (mm)	产量 (kg/hm²)
	播前	收割					
覆盖	301	203	98	147.2	47.5	292.7	5 025
不覆盖	311	173	138	147.2	47.5	332.7	4 640

5.果园(茶园)秸秆覆盖试验效果

果园进行秸秆覆盖后,可减少地面蒸发,稳定保持土壤水分,土壤水分一般提高5%以上;可以调节控制土壤的温度,冬季可使表层的土壤温度提高2~6℃,保护果树根系安全越冬,夏季表层土温比不覆盖的低3~5℃,使果树根系处于适宜的生长状态,促进了根系的生长和发育,有利于土壤的改良。果园覆盖2~3年,秸秆腐烂,促进了土壤微生物和土壤动物(如蚯蚓)的繁殖,有利于团粒结构的形成,还抑制了杂草的生长。山东省土壤肥料总站在平阴县的秸秆覆盖试验测试结果如表8-3所示。

表8-3　果园覆盖与不覆盖(0~20 cm)土壤养分和密度的变化对比

处理	有机质 (%)	碱解氮 (mg/kg)	有效磷 (mg/kg)	速效钾 (mg/kg)	密度 (g/cm³)
覆盖3年	1.17	67	12.3	175	1.21
不覆盖	1.01	55	11.5	117	1.47
覆盖比不覆盖增加	0.16	12	0.8	58	−0.26

从试验结果来看,秸秆覆盖后有机质、碱解氮、速效磷、速效钾都有较大提高,尤其是速效钾三年提高了58 mg/kg,密度也降低了0.26,效果十分明显。

以山东省莒南县示范区为例,全县覆盖面积占茶果面积的50%以上,达8 000 hm²。2000年6月对茶园覆盖与不覆盖土壤含水量进行测试,结果表明覆盖后0~20 cm土层10天后土壤含水量由23%降到19.7%,下降3.3%,而不覆盖的0~20 cm土层10天后土壤含水量由22.9%下降到14%,下降近9%。果树微喷后覆盖比不覆盖节水15%,增产10%,测试成果见表8-4。

表8-4　果树生育期耗水量、水分生产率试验成果

处理	灌溉定额 (m³/hm²)	耗水量		平均耗水强度 (mm/d)	产量 (kg/hm²)	水分生产率 (kg/m³)
		(mm)	(m³/hm²)			
Ⅰ微喷不覆盖	2 100	625.7	6 256	2.55	29 940	4.8
Ⅱ微喷覆盖	2 100	531.7	5 318	2.17	31 500	5.9
Ⅲ穴灌不覆盖	2 700	638.7	6 387	2.61	27 030	4.2
Ⅳ穴灌覆盖	2 700	619.7	6 194	2.53	24 960	4.0
Ⅴ对照	不灌水	418	4 185	1.14	12 960	3.1

注:果树生育期为245天,期内降水503.5 mm。

二、砂石覆盖保墒技术

砂石覆盖是利用卵石、砾石、粗砂和细砂的混合体覆盖在土壤表面,铺设一层厚度为5~15 cm的覆盖层,称为砂田或石田。砂田是甘肃省干旱地区创造出来的蓄水保墒、防旱抗旱、提高地温、保护土壤的一项有效措施,已经有300多年的历史。山东省属于半湿润、半干旱季风性气候区,干旱程度没有达到西北干旱地区的干旱程度,自然条件差距较大,至今为止未见山东省研究和采用该技术的报道。

三、地膜覆盖保墒技术

(一)地膜覆盖的发展过程

地膜覆盖技术20世纪50年代在日本、法国、意大利、美国等已开始试验应用,我国60年代开始试验研究,80年代正式在全国推广应用,应用的范围逐步扩大,对农业生产具有很大的促进作用。

(二)地膜覆盖的机理和作用

农田地膜覆盖阻断了土壤水分的垂直蒸发,使水分横向迁移,增大了水分蒸发的阻力,有效地抑制土壤水分的无效蒸发,抑蒸力可达80%以上。覆膜的抑蒸保墒效应促进了土壤—作物—大气连续体系中水分有效循环,增加了耕层土壤储水量,有利于作物利用深层水分,改善作物吸收水分条件、水热条件及作物生长状况,有利于土壤矿质养分的吸收利用。

实行地膜覆盖后,土壤水分与大气交换受到地膜的阻隔,有效地控制了土壤水分向大气的蒸发。从土壤表面蒸发出来的水汽只能滞留在地膜内的小环境中,当早晚气温较低时,在膜下形成水滴,并不断滴在膜下的土壤中,再渗入下层土壤中。当白天温度上升时,土壤表层水分再次蒸发,温度降低时又凝结成水,这样周而复始,构成一个水汽小循环,使土壤表层含水量增加。另外,地膜覆盖以后,地表温度升高,在无重力水的情况下,由于土壤热梯度的差异,促使深层土壤水分向上移动,提高了上层土壤水分。

根据河南省农科院小麦研究所的试验资料,地膜覆盖比对照不覆盖土壤水分明显上升(见表8-5)。

表8-5　冬小麦地膜覆盖对土壤水分(占干土重的百分数)的影响

处理	土壤水分(%)			
	0~10 cm	10~20 cm	20~30 cm	30~40 cm
覆膜	19.0	19.2	17.8	18.3
对照	14.2	15.2	15.4	17.1
增加	4.8	4	2.4	1.2

(三)地膜覆盖的应用范围和效果

地膜覆盖主要用于旱作农业区、旱寒地区、灌溉条件较差的地区或麦棉套种区。应用的主要农作物有小麦、玉米、棉花、花生、甘薯、马铃薯、甜菜、蔬菜、瓜果、保护地栽培等。

东北、华北、西北主要旱作农业区推广较好,在山东省推广面积较大。

地膜覆盖的增产效果非常明显,山西省沁水县试验表明,小麦覆盖比对照增产112%~230%;山东省胶南县在1986年严重干旱的情况下,全县5 333 hm²花生覆盖比不覆盖平均单位面积增产1 731 kg/hm²。

山东省莒南县花生种植面积2 800 hm²,多在缺少灌溉条件的山坡地。全部采用地膜覆盖。操作过程是:扶沟、压窝、点水种、盖种、荡脊、喷洒除草剂、覆膜、压边。一沟两行花生,膜宽90 cm,膜厚0.03 mm,每公顷用膜60~75 kg,同时增施有机肥、合理施用化肥,选用良种,合理密植。春花生高产时可达6 000 kg/hm²(皮果),夏花生与小麦套种,力争早播,做到光热互补,可达到花生、小麦双产5 250 kg/hm²的好收成。覆盖与不覆盖比较,皮果增产23.18%,花生米增产28.55%;灌溉与不灌溉比较,皮果增产41.78%,花生米增产43.86%。

四、化学覆盖保墒技术

化学覆盖剂是利用高分子化学物质加工成乳剂,喷洒到土壤表面,形成一层覆盖膜,阻止水分子通过,从而抑制土壤水分的蒸发。原苏联是最先使用(1933年开始)农田化学覆盖剂的国家,20世纪60年代,化学覆盖剂引起了美国、日本、法国、印度、罗马尼亚、比利时等10个国家的重视,应用该技术增产效果达到10%~30%。我国于20世纪60年代开始试验研究,研制出了多个产品,并在辽宁、甘肃、河南、湖北、陕西、浙江和山东等10个省试验推广,取得了较好的效果。其主要作用是保墒、增温、改良土壤结构、促进作物生长发育,从而提高作物产量。

近几年,在山东省青州市邵庄镇的对比试验结果证明,应用化学覆盖剂保墒、增产效果明显,土壤水分增加3.5%~3.7%,玉米、苹果、小麦增产8.5%~13.2%(见表8-6)。由于使用化学覆盖剂投入较大,大面积推广有一定困难。

表8-6　三种作物土壤含水量和作物产量

作物	处理	土壤含水率（%）	增加量（%）	产量（kg/hm²）	增加幅度（%）
小麦	液体地膜	17.3	3.5	5 160	13.2
	对照	13.8		4 560	
玉米	液体地膜	未测		4 950	8.6
	对照	未测		4 560	
苹果	液体地膜	16.8	3.7	36 090	8.5
	对照	13.1		33 270	

第三节　增施有机肥与秸秆还田技术

增施有机肥料可以增加土壤有机质含量,有机质经微生物分解后形成腐殖质中的胡敏酸,它可把单粒分散的土壤胶结成团粒结构的土壤,使土壤密度变小,孔隙度增大,能使雨水和地表径流渗入土层中。有团粒结构的土壤能把入渗土壤中的水变成毛管水保存起来,以减少蒸发。因此,增施有机肥既能提高土壤肥力,又可改善土壤结构,增大土壤涵蓄水分的能力,增强根系吸收水分的能力,达到以肥调水、提高水分生产率的效果。

结合秸秆还田增施有机肥,可以取得满意的效果。山东省的桓台县除全年统一施有机肥和 N、P、K 肥外,还大面积推广小麦、玉米秸秆粉碎,深耕还田,这实际上也是施用有机肥的一种间接形式,大大改善土壤理化性质,土壤孔隙率增加,增大了土壤的蓄水能力,土壤肥力明显提高。1990～1999 年桓台县秸秆还田后,土壤养分含量变化见表 8-7。

表 8-7 1990～1999 年秸秆还田与不还田肥力比较

年份	有机质(g/kg)		碱解氮(mg/kg)		速效磷(mg/kg)		速效钾(mg/kg)	
	不还田	还田	不还田	还田	不还田	还田	不还田	还田
1990	13.6	14.6	59.0	68.0	10.8	10.8	91.0	98.0
1993	14.7	14.8	71.0	75.0	19.6	23.0	92.0	92.0
1996	14.8	15.3	60.0	87.0	22.0	29.0	90.0	109.0
1999	14.9	15.6	64.0	89.0	22.0	30.0	98.0	112.0

第四节 水肥耦合技术

作物生长需要一定的水分和肥料的供应,结合作物的生长特点,以及生长的需肥规律和需水规律,研究水肥耦合技术,需要大量的室内外试验。通过对土壤肥力的测定,建立以肥、水、作物产量为核心的耦合模型,合理施肥,培肥地力,以肥调水,以水促肥,充分发挥水肥协同效应和激励机制,提高抗旱能力和水分利用效率,对提高作物的产量和品质,起着非常关键的作用。我国未来发展高效精准农业,无土栽培农业,农业工厂化生产,水肥耦合技术是关键和核心技术。

一、大田作物的水肥耦合技术

(一)山东省水利科学研究院研究成果

为了提高大田作物水分生产率,水和肥料的适宜耦合很关键。同样灌水量施肥量大并不一定产量就高,施肥量相同灌水量大产量也不一定高,这就说明水和肥要有一个适宜的组合问题。1999～2000 年山东省水利科学研究院在山东省桓台县对冬小麦进行了 8 种水肥组合试验。除均灌跟种水外,1～4 处理为春灌水 2 次,5～6 处理为春灌水 3 次。灌水 2 次总灌水量少于灌水 3 次的总灌水量,但 2 次灌水处理的后期灌水量增大,水肥耦合适宜,利用充分,促进了灌浆,千粒重增加。所以平均产量增加 337.5 kg/hm²。另外,同一灌水处理下施肥少的两个处理反而比施肥多的产量高。小麦单产以处理 3、4 最高,平均在 7 950 kg/hm² 左右,水分生产率 1.85～1.87 kg/m³。处理 1～4 灌水量相同,但处理 3、4 施肥量少于 1～2 处理。这充分说明了只有水肥耦合好才能使土壤中的肥料溶液浓度更适宜作物吸收。试验结果见表 8-8、表 8-9。

在小麦每公顷产量提高到 7 500 kg 左右,群体已经达到或超过高产群体指标,要想进一步提高产量,仍然沿用传统的大水大肥栽培方法去管理,就会出现大群体与大株型不相容的被动局面,即发生严重倒伏、产量徘徊、质量下降等问题,造成人力、肥料、水资源的浪费。因此,栽培管理办法必须改革,将原来的"促、控、促"改为"长控、短促"。

表 8-8　不同水肥组合下的冬小麦生长动态变化

处理	总耗水量 (mm)	灌水量 (mm)	基本苗	越冬前分蘖数	拔节前总分蘖数	有效分蘖数	平均每株分蘖数 (个)	有效分蘖率 (%)	成熟后株高 (cm)	叶面积系数
				(万株/hm²)						
I	431	273	223.2	873.3	1 197.9	299.4	4.36	25.0	79.90	2.45
II	431	273	217.2	825.15	1 179.15	323.85	4.43	27.5	78.18	2.47
III	431	273	200.7	859.65	1 270.8	310.95	5.33	25.0	75.62	2.63
IV	431	273	228.45	992.7	1 272.9	318	4.57	25.0	79.30	2.27
V	467	291	222.6	862.35	1 164	308.1	4.23	26.5	84.60	2.69
VI	467	291	226.95	801.45	1 229.85	313.5	4.41	25.5	80.94	2.45
VII	467	291	205.95	861.15	1 177.65	303.6	4.72	25.7	86.10	2.72
VIII	467	291	232.35	913.05	1 250.55	315.15	4.38	25.2	85.10	2.73

表 8-9　不同水肥组合下的冬小麦产量

处理	总耗水量 (mm)	施肥总量(kg/hm²)			平均穗长 (cm)	穗粒数 (个)	千粒重 (g)	产量 (kg/hm²)	水分生产率 (kg/m³)
		N	P₂O₅	K					
I	431	217.95	130.95	130.95	136.05	765	721.5	7 740	1.80
II	431	189	102	102	135.15	759	706.5	7 800	1.81
III	431	162	75	75	135.45	742.5	726	8 085	1.87
IV	431	133.05	46.05	46.05	133.05	700.5	741	7 995	1.85
V	467	217.95	130.95	130.95	139.05	772.5	711	7 620	1.63
VI	467	189	102	102	137.25	691.5	709.5	7 335	1.57
VII	467	162	75	75	137.4	732	718.5	7 425	1.59
VIII	467	133.05	46.05	46.05	134.7	760.5	747	7 890	1.69

(二)中国农业科学研究院研究成果

中国农业科学研究院商丘试验区在"八五"期间对作物水肥耦合效应进行了试验研究。结果表明,冬小麦、玉米水肥耦合存在阈值反应。冬小麦水肥耦合的阈值是:N 90～240 kg/hm², P₂O₅ 56.25～221.25 kg/hm²,灌溉定额 1 500～3 750 m³/hm²。夏玉米水肥耦合的阈值是:N 105～255 kg/hm², P₂O₅ 52.5～127.5 kg/hm²,灌溉定额 1 500～3 000

m^3/hm^2。低于阈值下限水平，N、P 无明显增产效应，水分利用效率（WUE）低；高于阈值上限，水肥互作效应呈减小趋势；在阈值范围，水肥互作增产效应显著。

二、保护地水肥耦合——微灌施肥技术

由于水肥耦合技术要求高，对大田作物，由于本身经济效益不大，若增加自动控制系统投入大，因此该技术一般用于保护地作物的灌溉中，结合微灌系统供水进行施肥，从长远看，对高效经济作物的生产发展潜力十分巨大。膜下滴灌技术近几年发展很快，施肥技术也开始起步。

（一）微灌施肥的基本概念

微灌施肥是将施肥与微灌结合在一起的一项农业技术。微灌不仅可与施肥结合，而且还可以与可溶性农药等结合。微灌包括滴灌、微喷灌、涌泉灌（小管出流灌溉）、渗灌，目前国内外用的较多的是应用滴灌和微喷灌系统施肥。据有关资料介绍，以色列微灌面积占灌溉面积的 80%，微灌基本与施肥结合；美国微灌施肥面积占微灌面积的 65% 以上，在西部太平洋沿岸各州，微灌施肥占微灌面积的 95% 以上。

（二）微灌施肥的优缺点

1. 微灌施肥的优点

（1）提高水的利用效率。微灌施肥与地面灌溉传统施肥比较，每公顷年节水 2 250 m^3 左右，保护地栽培滴灌施肥比畦田灌溉节水 30%～40%。

（2）提高肥效。保护地蔬菜微灌施肥与畦灌冲肥相比，节省化肥 35%～50%。根据山东省土壤肥料总站有关试验结果，保护地畦灌冲肥氮肥的利用率为 20%～30%，滴灌施肥氮肥的利用率为 57%～65%，磷肥的利用率为 40%～50%，钾肥的利用率为 70%～80%。果园微灌施肥和传统的施肥方法相比，节肥 25%～30%。

（3）节能、省工。微灌施肥减少了灌溉、施肥的劳动力投入，每公顷、季节可节约劳动力 225 个以上。据统计，保护地滴灌施肥与地面灌溉相比，每公顷年节电、省水、节肥等效益约 6 750 元。

（4）提高农作物的产量和品质。微灌施肥同传统的灌溉、施肥方法相比，保护地蔬菜的产量一般可提高 15%～28%，而且由于棚内的空气湿度降低，病虫害减少，减少了农药的施用量，提高了蔬菜的质量。果园采用微灌施肥可增产 10%～14%。

（5）有利于改善土壤的理化性质。微灌的灌水均匀度达到 80% 以上，不容易破坏土壤的结构，属于局部灌溉，蒸发量小，土温较高。试验表明，灌水 7 天后，滴灌与畦灌相比，地温提高 2.7 ℃，这有利于增强土壤微生物的活性，促进土壤养分的转化和作物对养分的吸收。

（6）对地形和土壤适应性强。由于微灌系统利用有压管道输水，除了工程首部枢纽和灌水器外，可以埋于地下，只要科学规划设计可适应不同的地形条件。

（7）防止过量施肥造成水质污染。山东省的一些蔬菜种植区，由于过量施肥，有的造成了严重的地下水的污染。微灌施肥水肥用量便于控制，提高了肥料的利用效率，不会造成深层渗漏，对减少水污染特别是地下水污染有重要作用。

（8）便于实现自动化控制。随着我国农业现代化建设进程的加快，灌溉自动化已经成

为精准农业发展的重要组成部分,根据不同的作物、不同的生长阶段需要的水分和养分,进行自动控制和供应,是我国城市近郊发展蔬菜、花卉以及其他高效经济作物的重要的技术保证。

2．微灌施肥的缺点

微灌施肥技术要求高,需要专业技术人员来操作;一次性投入较大,投入有一定风险;存在使用不当滴头容易堵塞的问题;对肥料的溶解性有严格要求;在某些情况下,特别是水的含盐量较高时,土壤盐分有在土壤表层湿润边缘积聚的现象。

(三)微灌施肥方案的制订

微灌施肥系统由水源工程、首部枢纽控制、输配水管道、灌水器等组成。微灌施肥工程的形式、施肥方法和设备详见第六章。

1．微灌施肥遵循的原则

(1)根据作物的需肥规律拟订施肥方案,并针对土壤肥力和生产条件对方案进行调整。

(2)灌溉制度与施肥方案合理、科学拟合。

(3)增加灌溉施肥的次数,减少每次的水肥量,以达到水肥的供需平衡。

(4)施用水溶性好、养分含量和配比适宜的肥料。

2．拟订施肥方案的要求

按照平衡施肥的原理:作物某阶段某种养分的施肥量＝(某生育阶段单位面积某养分吸收总量－同期土壤某养分供给量)÷(某肥料养分含量×肥料当季利用率)。一些现代化温室,特别是从国外引进的温室,代表了未来"精准农业"的发展方向,可以基本做到根据作物的水分和养分需要施肥。但由于投入大、管理水平要求高,大面积推广有困难,具体内容见节水灌溉管理技术部分。在现有的保护地蔬菜栽培条件下,一般难以实现平衡施肥,这主要是保护地土壤养分含量千差万别,通过土壤分析获得养分含量水平,再根据土壤养分含量和作物需肥规律拟订施肥方案,在生产中难以操作。假定保护地栽培的土壤作为生长基质,根据不同作物、不同生育阶段的营养特点拟订施肥方案,同时配制专用肥料,作为作物该生育阶段的配方肥料,可以达到较为精确的施肥程度。这样,对大面积推广保护地蔬菜的水肥耦合技术,促进肥料生产的专业化、产业化,有着非常重要的意义。

3．制订微灌施肥方案的方法与步骤(以西红柿为例)

(1)根据栽培作物种类和品种、密度、土壤肥力水平、保护地生产条件、生长期长短、上年(或上季)同种作物产量(正常条件下)等条件,拟订西红柿目标产量为 10 000 kg/hm²。

(2)资料查询获得:每 1 000 kg 西红柿吸收 N 3.18 kg、P_2O_5 0.74 kg、K_2O 4.83 kg。实现 10 000 kg/hm² 产量,理论需求量分别是 N 31.8 kg/hm²、P_2O_5 7.4 kg/hm²、K_2O 48.3 kg/hm²,合计 87.5 kg/hm²。

(3)根据现有土壤资料和生产条件对其进行调整。若土壤某种养分含量很丰富(P_2O_5 >100 mg/kg、K_2O>250 mg/kg,为偏高含量),可以适当减少相应肥料的投入,也可以依据前 1、2 季投入化肥数量和品种、作物长势和产量对所使用肥料的反映,确定有机肥的数量等调整养分理论需求量。

(4)同种养分的施吸比因土壤和栽培条件、肥料品种的不同也有一定差异。据山东省各地试验结果,应用微灌施肥技术,氮肥当季利用率为57%～65%,磷肥利用率为40%～50%,钾肥利用率为70%～80%。某肥料养分利用率的倒数即为其施吸比。由此,氮、磷、钾肥施吸比分别为1.54～1.75、2.22～2.5、1.25～1.43。肥料施用量即养分理论需求量与其养分施吸比之乘积,经计算,实现西红柿上述目标产量需要 N 53.12 kg/hm²、P_2O_5 16.44 kg/hm²、K_2O 60.38 kg/hm²,合计 129.94 kg/hm²。

(5)作物各生育期各种养分吸收量及其比例都不相同,为简化施肥管理,一般将种植作物的生长期划分为 2 个或 3 个生长阶段,根据每个阶段的需肥特点,分别计算每个生长阶段 N、P、K 肥施用量。从图 8-1 中可以看出西红柿有以下需肥特点:西红柿从移栽至第 5 周,吸氮量高于吸钾量;在 5～10 周,日吸钾量明显增加,直到结果早期(第 10 周达到一恒定 K/N 值);自开花结果至收获 N、K 需求量均衡增长;整个生育期,需 P 保持相对稳定低水平。

西红柿上述需肥特点也可以从有关数字资料中获得。资料分析表明,西红柿的营养生理可以划分为移栽—开花、开花—结果、收获期三个阶段。根据各个阶段的需肥特点,配置 2 种或 3 种肥料施用期,就能达到平衡施肥的要求。

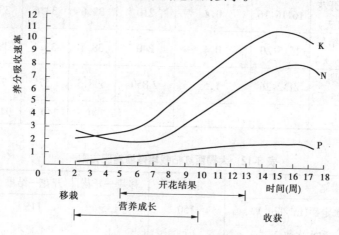

图 8-1 西红柿全生育期养分吸收积累曲线

(6)根据(5)的分析可以看出,若配置出 $N:P_2O_5:K_2O$ 分别为 16:16:16、15:5:20、21:2:26 的三种肥料,按照上述需求量阶段分别加入系统,就可以满足西红柿全生育期对养分的需求。

(7)将灌溉制度和施肥方案拟合即为微灌施肥方案。表 8-10 是西红柿冬暖大棚栽培灌溉制度,表 8-11、表 8-12 是根据西红柿营养规律拟订的施肥方案。二者结合即为西红柿的微灌施肥方案,见表 8-12。

可以依据表 8-12 对西红柿实施灌溉和施肥管理。采用微灌技术,增加了灌水次数,原则上要求每次灌水都应加入肥料,只是加入肥料的品种和数量依作物生长需肥特点而相应改变。

表 8-10　大棚西红柿栽培微灌灌溉制度及土壤含水率与水势

生育期	灌水次数	水量 (mm)	含水率(占田间持水量百分比)与水势				耗水强度 (mm/d)	备注
			上限		下限			
			(%)	(kPa)	(%)	(kPa)		
苗期	1	20.3	90	13.8	60	38.9	0.82	冬暖大
花期	1	17.1	80	18.9	55	46.3	0.11	棚栽培
结果期	11	251.4	95	12.4	60	38.9	1.46	

表 8-11　大棚西红柿施肥推荐方案

作物产量 (kg/hm²)	施肥期	肥料配方	用量 (kg/(hm²·d))	总量 (kg/hm²)	总养分量(纯)(kg/hm²)			施肥次数
					N	P_2O_5	K_2O	
	基施	16:16:16		750	120.0	120.0	120.0	
	移栽—开花 (1~35 天)	16:16:16	0.4	210	33.6	33.6	33.6	1
10 000	开花—结果 (36~75 天)	15:5:20	0.4	240	38.4	38.4	38.4	1~2
	收获期 (76~205 天)	21:2:26	1.5	2 850	598.5	57	741	11
	累计				790.5	249.0	944.0	

表 8-12　大棚西红柿栽培微灌施肥方案

措施		定植前	移栽—开花	开花—结果	收获期
灌溉	灌水定额(m³/hm²)	150	135	115	155
	灌水次数	1	1	1	11
施肥	每次施肥数量(kg/hm²)	750.0	210.0	240.0	259.5
	N:P_2O_5:K_2O	16:16:16	16:16:16	15:5:20	21:2:26

　　化肥施用是借助灌水来完成的,在灌水的同时加入肥料,除了对肥料溶解性有严格要求外,还要遵循以下两个要点:一是加入的肥料要满足作物生长需要;二是加入肥料后形成的肥液浓度在正常范围内。每次加入肥料量过少,不但会导致作物营养不足,还会使应该在总灌溉水量中加入的肥料有剩余;加入的肥料量过大,则会造成肥料的浪费和系统堵塞。

　　由于生产条件的限制,在某些情况下,灌溉制度与施肥方案不能完全同步。例如,在山东省冬季大棚栽培蔬菜,10 月定植后至开始坐果(时间 2 个月左右),一般仅浇水 1 或 2次,目的是提高地温,促进发苗、开花,同时避免温差太大引起病害。由于这个期间不能灌溉,也无法施肥,所以要施足底肥,作物苗期所需的肥料也可一并作基肥施入,否则会影响产量。在气候条件差异较大的不同区域,作物生长速度有很大不同,它们对养分的吸收量和比例也不同,不宜完全套用同一微灌施肥方案,应根据土壤、气温、光照等生产条件对微灌施肥方案作出相应修改。图 8-2 为微灌施肥步骤。

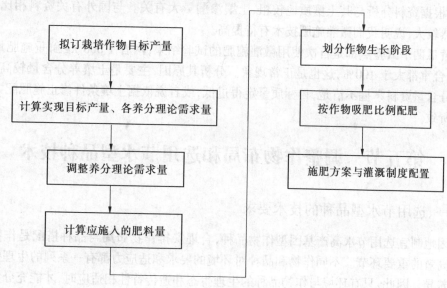

图 8-2　微灌施肥步骤

(四)微灌施肥的试验成果

山东省土壤肥料总站对各县试验示范点的试验成果进行了精确性评价与效益比较(见表 8-13)。为使各地试验结果具有可比性,选择同种作物、相同栽培方式、同一年度的试验资料进行比较。

表 8-13　西红柿、黄瓜保护地栽培微灌施肥主要试验点技术精准性评价

作物	地点	土壤	化肥施用量 (kg/hm²)			实际产量 (kg/hm²)	耗水量与耗肥量 (每 1 000 kg 鲜重)		符合率 (%)
			N	P₂O₅	K₂O		m³	kg	
西红柿	海阳市 石民泊	棕壤 轻壤土	45.5	48.5	74.0	11 500	19.0	14.61	88.8
	历城区 党家庄	褐土 中壤土	42.5	35.5	54.5	8 670	17.8	15.28	86.7
	临沂市 南方镇	褐土 中壤土	40.2	30.5	50.0	8 773	18.0	13.76	97.5
	以色列	沙质土	30.0	9.66	56.8	13 000		7.42	
黄瓜	临沂市 道口村	褐土 中壤土	34.5	7.5	45.0	10 210	23.5	8.53	—
	嘉祥县 何亩村	潮土 中壤土	53.3	14.0	24.0	11 500	21.0	7.94	—

注:西红柿资料为 2001～2002 年度冬季大棚试验结果,黄瓜资料为 1999～2000 年度试验结果。

在合理制定灌溉制度和配方施肥的前提下,1 000 kg鲜重产品所消耗的水量和化肥量越少,表明其实际技术操作的精准性越高。由表8-13可以看出,西红柿三处试验点的精准性皆较高,实际产量与配方施肥的目标产量符合率都大于85%。其中,海阳点耗水量大,根据资料分析与其土壤质地较粗、土壤渗漏量大有关。与国外有关资料相比,施肥量仍然较大,说明我们微灌施肥技术有待提高。

黄瓜两个试验点都是首次使用微灌施肥的试验结果,两者1 000 kg鲜重施肥量都较低,符合率都大于100%,这也是正常现象。分析其原因,主要是土壤养分含量较高,对土壤养分含量资料掌握不清楚,目标质量定得过低,或者说依据土壤条件修正施肥配方不够精确所致。

第五节　调整作物布局和选用节水型品种技术

一、选用节水型品种的技术要求

因地制宜选用节水高产基因型作物品种,合理安排作物布局与品种搭配是作物节水高产高效的重要环节。不同作物和品种对环境的要求和适应力都有一系列的生理生态和形态差异。因此,只有环境与作物品种的生理生态和遗传特性相适应时,才能充分发挥品种的优良特性与产量潜力,合理利用当地的各种资源。

具体做法是:根据降雨时空分布特征、地下水资源、水利工程现状,合理调整作物布局,增加需水与降水耦合性好的作物和耐旱、水分利用率高的作物品种,以充分利用当地水资源;调整作物种植制度,使之与水分条件相适宜;调整播期,使作物生育期耗水与降水相耦合,提高作物对降水的有效利用,避免干旱的影响。如在黄淮豫东平原,春夏播作物需水和降水的耦合关系较好,生长期降雨量占年降雨量的60%以上,尤以棉花最高,达82%;其次是春播花生、红薯和高粱等。

节水高产型作物品种是指具有节水、抗逆、高产、水分利用效率高的作物品种。不同种类作物,水分利用效率存在很大差异,作物品种对水分亏缺的适应性和水分利用效率的差异,是对作物品种选择和布局搭配的重要依据之一。

冬小麦是山东省主要的粮食作物,也是灌溉用水的"大户",其品种的主要筛选指标是:种子吸水力强、叶面积小、气孔对水分胁迫反应敏感,根系发达,株高80 cm左右,分蘖力中等,成穗率高,生长发育冬前壮、中期稳、后期不早衰,籽粒灌浆速度快、强度大,穗大粒多,千粒重40~45 g,抗寒、抗旱、抗病、抗干热风。玉米品种的主要筛选指标是:出苗快而齐,苗期生长健壮;中后期光合势强,株型紧凑;籽粒灌浆速度快;耐旱、抗病、抗倒伏;产量高而稳,籽粒品质好;生育期适合于当地种植制度。

二、山东省有关示范区的小麦、玉米品种选育

临清等地总结的经验是:根据水源条件对引黄下游农业种植布局进行调整,在灌溉条件较好的地区,以粮食作物和蔬菜种植为主,在灌溉用水保证率较低的地区,以棉花、杂粮(豆、谷)等耐旱作物为主。粮田种植应以选择熟期早、植株矮秆、叶片小、生长周期短的耐

旱品种,降低作物耗水量,如鲁麦 13 号、昌乐 5 号等。鲁西北是产棉区,调整粮棉结构布局可错开用水高峰,有利于缓解区域水资源的供需矛盾。

在选用良种方面,桓台县的经验是:选用早熟、耐旱、耗水量小的良种是高产节水的主要途径。桓台县以鲁麦 23 号为主要推广品种,种植面积 90% 以上,该品种粒大、穗大、株型紧凑、茎秆短而粗壮,叶片斜向上挺,生长期短,抗倒伏,耐旱,耗水量小于其他品种,单产可达 9 000 kg/hm² 以上。山东省一些缺水区选用早熟,生育期短,植株矮秆,叶小,紧凑型,抗倒伏耐旱品种,减少植株蒸腾。选用多穗型或中间型,解决小麦后期水分胁迫对产量的影响。如小麦选用鲁麦 23 号,玉米选用鲁玉 10 号、烟单 14 号、鲁玉 15 号。

三、甘薯(地瓜)优良品种的组织培育

甘薯是山东省第三大粮食作物,全省常年种植面积 180 万 hm²,每年需求 480 亿株脱毒苗。河南、河北、东北等省、市和地区也都把推广脱毒甘薯作为本省、本地区粮食增产的重要手段,发展面积逐步扩大。专家预测,全国将兴起脱毒甘薯种苗产业,掀起大面积推广的热潮。甘薯的长期无性繁殖使种苗体内病毒不断积累而导致品种退化,产量、品质降低。应用结果表明,脱毒生产苗一般用一代,至多用两代效果较好,两代后必须换用新的脱毒苗。因此,开发甘薯脱毒技术、培育优良品种对于农业发展意义重大,甘薯脱毒技术具有广阔的推广前景。

下面以济南市农业高新开发区为例,对甘薯脱毒技术进行介绍。

(一)优良品种选定

首先引进了徐薯 18、鲁薯 7 号、鲁薯 8 号和北京 B553 优良脱毒品种,通过指示植物鉴定和抗血清鉴定,确认了 4 个品种脱除了甘薯羽状斑驳病毒和甘薯潜隐病毒两种主要病毒,然后以这 4 种脱毒品种进行组织培养繁育。

(二)组织培养繁育技术

将确认脱毒的试管苗在无菌的条件下进行操作,首先把待繁的脱毒试管苗的单叶节切段扦插于基本培养基中。一周左右,切断基部生根同时腋芽开始生长;3~4 周后,新株可达 3~5 片新叶并充满整个培养瓶。甘薯组培繁苗周期为 30 天。

(三)脱毒苗扦插快繁

生根的试管苗通过炼苗移至温室或网棚内剪段扦插,以苗繁苗。

(1)温室育苗。脱毒苗移到温室中,及时加盖防虫网。温度偏低时需加热。可按行距 20~30 cm、株距 10~15 cm 定植,小苗长到 4~5 片叶时剪取 1~2 叶节,进行扦插。一般 2 周左右可剪苗一次,同时加强小苗管理。

(2)塑料拱棚育苗。拱棚每公顷施有机肥 7.5 万 kg;碳酸氢铵和过磷酸钙 450 kg;栽苗株行距 10 cm×10 cm;栽苗前浇一次透水,栽苗后再浇一次小水。温度控制在 25~28 ℃,一般在 3 月中下旬开始覆膜栽苗,4 月中旬可剪苗扦插。

(四)脱毒苗良种的生产及效果

一般情况下,每年 7~9 月是高温多雨季节,其间不进行生产,是保种阶段;10~12 月进行试管苗病毒检测,建立新的脱毒苗无性系列;1~6 月是组培繁育和扦插繁苗阶段,繁苗阶段可随时移苗交付农民进行大田生产。

经过几年试验、示范、推广,发现脱毒苗比未脱毒苗增产 $8.9\% \sim 57\%$。不同品种的增产效果不同,其中徐薯 18 增产幅度最大,达 57%,鲁薯 7 号相对小些。与对照区相比,脱毒苗不感染黑痣病,而对照区发病率在 90% 以上。脱毒苗分枝多、叶面积大、长势旺、结薯早、膨大快,大中薯率明显增加,光泽鲜艳。

四、温室花卉品种选育与栽培

随着人民物质生活水平的提高,花卉作为商品市场广阔,前景看好。而温室能够创造适宜于花卉生长发育的水、肥、气、热环境,可全年栽培,供人们四季欣赏。因此,温室花卉栽培已成为城市近郊精细农业的一部分,且取得了较高的效益。近年来,由于杜鹃价格适中,观赏价值高,深受欢迎,在此仅对杜鹃的品种选育及其栽培管理技术加以介绍。

(一)试验选用品种

试验品种选为丹东杜鹃,性状特点是体形矮小,生长缓慢,枝干粗短;同株异花时有发生,花序顶生;花多重瓣或半重瓣,少有单瓣。

(二)栽培措施

栽培方法为盆栽,盆栽时主要注意以下两个方面:

(1)保护根系。杜鹃花是须根性,上盆时应尽量不伤根,使根系与盆土充分接触,因此要选择稍大的花盆。

(2)盆土。栽培杜鹃花的土壤应是肥沃的酸性土,pH 值以 $4 \sim 4.5$ 最为适宜。土壤的透气性要好,宜于渗水,有利于杜鹃花的生长。一般用锯末、腐叶、玉米芯、厩肥、花生壳等加以发酵,不可用未腐熟的新鲜有机物,以防止发生病虫害。

(三)盆花的栽培管理

经过几年的观测、分析,盆栽杜鹃的栽培管理应掌握适宜的温度、光照、湿度、病毒防治、修剪、施肥等系列技术。

(1)温度。杜鹃花的正常生长温度应控制在 $12 \sim 25$ ℃。冬季夜间加温,白天温度较高时,应注意随时放风降温。5 月 1 日后,气温升高,应及时在温室上方加竹帘或遮阳网降温。10 月 1 日后可去掉遮阳网。

(2)光照。杜鹃原始种群主要生长在株下,光照太强,容易灼伤叶片及花蕾。在盆花生长管理中应注意:整个夏季,一定要防止太阳直射,散射光已足够其正常生长。

(3)施肥。杜鹃花比较喜欢有机肥,微量元素也必不可少,其浓度在 $0.05\% \sim 0.1\%$ 最适合。丹东杜鹃施用充分腐熟猪血对其生长很有利,浓度控制在 3% 以内。从春季到 7、8 月施肥 $3 \sim 5$ 次,以后很少施肥,施肥的原则是勤施少施。在追施有机肥的同时,也可以进行叶面施肥,施用浓度为 $0.5\% \sim 2\%$ 的尿素溶液。由于经常浇水,盆土的 pH 值会升高,影响杜鹃花的生长,因此要施用硫酸亚铁溶液以降低 pH 值。

(4)病虫害防治。5 月份喷洒杀螨类农药可防治危害叶片的红蜘蛛;一般情况下喷洒多菌灵、百菌清等药品进行病虫害防治,可保证全年杜鹃花的正常生长。

(5)修剪。杜鹃花修剪的主要目的是获得完整的树冠,促进全株开花丰满适度,调整长势,达到市场要求的规格。杜鹃开花后,会从花序下抽生出枝条,一般多是 3 枝,不开花的枝条也是如此,经过摘心,可以节约养分,促进下面新枝早发,不完整的植株可发育完整。同时还应修掉枯枝、残枝、徒长枝等,培养出具有商品价值的盆花。

(6)灌水。杜鹃花适宜生长的相对湿度在 70% ~ 80%,冬季要经常浇水且要浇透,以促进根系发育,平均 3 天浇水一次;夏季勤浇水保持空气湿度;秋季少浇水。

由于杜鹃的土壤基质是透气性强、透水强的腐殖土,其生长期内的需水相对其他花卉来说较大,为节水增效,采用微喷进行灌水。表 8-14 为杜鹃花在不同季节不同方式下的灌水间隔时间及灌水量。

表 8-14　杜鹃花灌水情况统计

季节	常规灌水(小管灌水)		微喷	
	间隔时间(d)	灌水量(mL/株)	间隔时间(d)	灌水量(mL/株)
夏季	2	800	2	400
秋季	3~5	800	3~5	500
冬季	2	800	2	400
春季	3	800	3	500

利用微喷灌水可省水 50% 左右,同时可改变花卉的生长微环境,提高花卉生长发育所需的水、肥、气、热等环境因子的质量。微喷可以洗涤杜鹃叶片上附着的灰尘,使叶片翠绿光洁,有利于花卉充分吸收太阳光,促进叶片的光合作用,比不采用微喷的杜鹃叶绿花红;杜鹃冠径平均增加 1 cm,花蕾开花率达 99%,开花期提前 1~2 周,花期可延长 10~20 天,产值可增加 20% 左右。

第六节　化学调控节水技术

植物吸收的水分中有 90% 以上是由植株表面蒸腾作用消耗的,通过光合作用直接用于生长发育的水分还不到 1%。因此,无论是理论上的推论还是在实践中的探索,人们形成的共识是蒸腾过程不一定要消耗那么多水分,即作物存在奢侈蒸腾,降低蒸腾耗水是节水、防旱、抗旱的重要环节。

作物蒸腾的化学控制的目的是:保持供应作物的水分不过度消耗;改善作物的水分状况,不致使作物受水分胁迫的危害;不影响光合作用的物质积累;提高产量和水分利用效率。1986 年法国出版的《植物气孔蒸腾剂的研究和利用》一书,对国际上抗蒸腾剂 30 年的研究历史进行总结,指出大多数尚处于试验研究阶段,只有中国发明的黄腐酸是惟一的可大面积应用的抗蒸腾剂。我国近 10 年来推广的旱地龙主要成分是黄腐殖酸,从风化煤中提炼,主要品种有 FA 旱地龙、新一代旱地龙、青山旱地龙等,但主要成分和效果大致相同,主要产地是新疆、陕西、内蒙古、河南等。

一、化学调控节水技术机理

(一)植物化学抗旱剂对作物生理生态影响

植物化学抗旱剂——旱地龙是以天然低分子量黄腐殖酸为主要成分,含有植物所需的多种营养元素和氨基酸及生理活性强的多种生物活性基团,能有效地降低植物叶片气孔的开张度,减少植物的水分蒸腾,保持植物体内水分;提高植株体内多种酶的活性,促进根系发育;增加植物叶片叶绿素的含量,增强光合作用,调节作物的生长发育。

1. 对作物生态的影响

山东省莒南县 1998~1999 年度对施用旱地龙的冬小麦整个生育期进行了试验观测。试验点设在莒南县涝坡镇。该区为棕壤土,密度 1.46 g/cm³,田间持水量 23.2%(占干土重),无灌溉条件,播种小麦品种为鲁麦 23 号,每公顷施土杂肥 15 000 kg、氮肥 750 kg,种子用量 165 kg。使用方法为小麦旱地龙拌种加叶面喷施。旱地龙每公顷施用量:拌种 900 g,扬花后叶面喷施一次(旱地龙 1 500 g,按比例兑水)。试验结果见表 8-15。

表 8-15 莒南县涝坡镇唐涝坡村小麦施用旱地龙试验观测结果(1998~1999 年度)

| 处理 | 生态观测 | | | | | | 考种测产 | | | | 备注 |
	生育期(d)	基本苗(万株/hm²)	有效分蘖数(万株/hm²)	有效分蘖率(%)	株高(cm)	累计干物质重(kg/hm²)	叶面积系数(%)	穗长(cm)	穗粒数(粒)	千粒重(g)	产量(kg/hm²)	
施用旱地龙	239	255	648	44.6	87	10 185	3.48	5.35	28.3	35.6	5 730	旱地龙拌种喷施各 1 次
对照	245	180	550	42.9	83	8 820	3.25	4.69	24.1	33.2	4 380	

试验结果显示,当地小麦施用旱地龙生育期缩短 6 天,促使作物早熟;基本苗增加 75 万株/hm²,增加 40%,小麦有效分蘖率增加 1.7%,株高比对照高 4 cm,干物质累计量增加 15.5%,叶面积系数提高 0.23%,小麦的穗长、穗粒数、千粒重均有增加,产量增加 30.8%。可见在无灌溉条件下施用旱地龙对冬小麦整个生育期的生态影响很大,增产效果十分明显。

2. 对作物耗水量的影响

山东省临清市在进行小麦喷施旱地龙(小麦孕穗期、灌浆期各喷施一次)的试验中,对喷施旱地龙后的土壤含水量进行了观测,测试结果见表 8-16。

从表 8-16 可以看出,小麦喷施旱地龙后其地块土壤含水量与不喷施旱地龙的对照比,明显高于对照区。喷施旱地龙后 3 天内少耗水 3.8 mm(0~60 cm 土层),5 天内少耗水 5.5 mm(0~60 cm 土层)。相当于在观测期 3 天内每公顷比对照区节水 37.5 m³,5 天内每公顷比对照区节水 55.5 m³。显然在同样条件下,喷施旱地龙试验区与对照区土壤水分的差别,只能是因喷施旱地龙后小麦的蒸腾量减少所致。说明作物叶面喷施旱地龙能抑制作物的蒸腾。

3. 对作物生理的影响

济南市农业高新技术开发试验示范区进行了小麦在不同灌水次数情况下的叶面喷施旱地龙试验(小麦的孕穗期、灌浆期各喷施一次旱地龙),试验组合见表 8-17。

表 8-16　冬小麦喷施旱地龙对耗水量影响分析

	处理		喷施	不喷施
喷前	土壤含水率(%)	0~20 cm	18.8	18.8
		20~40 cm	21.2	21.2
		40~60 cm	20.5	20.5
	蓄水量(mm)		175.5	175.5
喷后3天	土壤含水率(%)	0~20 cm	17.0	16.6
		20~40 cm	19.0	18.5
		40~60 cm	19.7	19.3
	蓄水量(mm)		161.6	158.8
喷后5天	土壤含水率(%)	0~20 cm	15.7	15.1
		20~40 cm	17.7	17.0
		40~60 cm	18.5	17.9
	蓄水量(mm)		150.5	145.0

注:喷施日期为 1999 年 5 月 13 日。

表 8-17　小麦叶面喷施旱地龙与灌水次数的试验处理设计

项目	处理	地块	处理方案	备注
试验区	处理(3-2)	区 35-8 畦	灌 3 次水,加喷旱地龙	喷施旱地龙在孕穗、灌浆期;灌 3 次水:在返青、孕穗、灌浆期;灌 2 次水:在返青、灌浆期;灌 1 次水:在孕穗期
	处理(3-3)	区 39-12 畦	灌 2 次水,加喷旱地龙	
	处理(3-4)	区 313-16 畦	灌 1 次水,加喷旱地龙	
对照区	处理(4-1)	区 41-4 畦	灌 3 次水	
	处理(4-2)	区 45-8 畦	灌 2 次水	
	处理(4-3)	区 49-12 畦	灌 1 次水	

　　试验重点对作物的气孔导度、光合速率等指标进行了测试,试验结果如下:

　　(1)施用化学抗旱剂对作物蒸腾的影响。气孔导度是衡量气体通过气孔进出细胞间隙阻力的一个重要指标。气孔导度大,意味着气体进出细胞间隙的阻力小,蒸腾增大。反之阻力大,蒸腾减小。

　　图 8-3 是喷施旱地龙的 3 个处理小麦叶片气孔导度平均值与未用旱地龙的 3 个处理小麦叶片气孔导度平均值对比柱状图。

　　从图 8-3 可以发现,施喷的冬小麦的气孔导度比未喷施的气孔导度低。也就是说,喷施旱地龙,可降低作物叶片气孔开张程度,降低气孔导度,减少了作物蒸腾,从而增加作物植株的保水能力。

　　(2)施用化学抗旱剂对作物光合作用的影响。光合速率是农作物同化物质积累的关

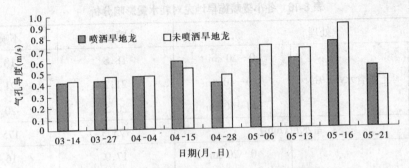

图8-3 冬小麦喷施旱地龙气孔导度对比柱状图

键生理指标,是作物光合作用强弱的主要标志。在济南试验示范区进行了冬小麦喷施旱地龙试验。

图8-4是喷施旱地龙3个处理的小麦光合速率平均值与未用旱地龙的3个处理小麦光合速率平均值对比柱状图。试验结果表明,在喷施旱地龙后小麦的光合速率在各个生育阶段均略高于未喷施的。整个生育期内,冬小麦的光合速率总的趋势都是先升后降。3月14日~4月底总趋势增加,以后逐渐降低,喷施旱地龙的处理和未喷施旱地龙的处理光合速率总的趋势是一致的,只是喷施旱地龙作物的光合作用强于同期未喷施旱地龙的作物。可见喷施旱地龙能增强作物的光合作用。

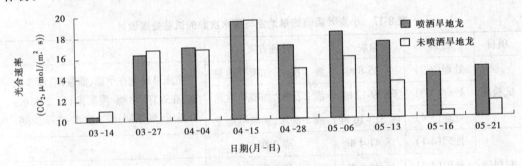

图8-4 冬小麦喷施旱地龙光合速率对比柱状图

(二)作物施用化学抗旱剂抗旱增产机理

作物施用旱地龙后能显著地改善作物各生育阶段的生态状况,提高产量和品质,增强作物抗旱能力,减少作物耗水量,节约灌溉水。主要是因为化学抗旱剂——旱地龙的组成是天然低分子量的黄腐殖酸、植物所需的多种营养元素、氨基酸及生理活性强的多种生物活性基团。低分子量的黄腐殖酸很容易被作物吸收,它能降低作物叶片气孔的开张度,从而减小了叶片的气孔导度,提高了叶水势,保持了植物体内的水分,减小了作物的部分无效蒸腾,减小了作物的耗水量,也就减少了作物从土壤中消耗的水分,提高了作物的抗旱能力;旱地龙的组成成分能促进作物各种酶的活性,使作物根系发育,发达的根系可以很好地吸收土壤深层的水分和更多的养分,也同样增强了作物的抗旱及抗倒伏能力;能提高作物体内的叶绿素含量,提高光合速率,增强光合作用,增加干物质的积累,从而提高作物的产量和品质。值得注意的是,作物施用旱地龙,虽然减小了叶片气孔开张度,降低了蒸腾量,但由于旱地龙综合因素的相互影响,作物水分不亏缺,又提高了叶绿素的含量,故实际的光合强度不仅没有降低,反而有所提高。这就是作物施用旱地龙抗旱、节水、增产的机理。

二、施用化学抗旱剂对粮食作物的影响

(一)施用化学抗旱剂拌(浸)种效果

山东省桓台县试验示范区进行了小区小麦旱地龙拌种试验,测试结果见表 8-18、表 8-19、表 8-20。

表 8-18　小麦旱地龙拌种不同处理出苗率和根长比较

处　理	出苗日期 (年-月-日)	6 天后 出苗率 (%)	7 天后 出苗率 (%)	24 天后株 生根平均长 (cm)	24 天后次 生根平均长 (cm)
旱地龙 900 g/hm² 拌种	1998-10-12	43.5	53.2	3.06	16.72
旱地龙 700 g/hm² 拌种	1998-10-12	43.3	51.8	2.40	16.58
旱地龙 300 g/hm² 拌种	1998-10-12	38.0	47.1	2.14	14.92
清水拌种(对照)	1998-10-13	30.3	45.4	1.93	14.20

注:拌种时气温 20 ℃,小麦品种为鲁麦 23 号,时间 1998 年 10 月。

由表 8-18 可知,小麦采用旱地龙拌种比不拌种提前一天出苗,出苗率也明显高于对照。随着旱地龙用量的增多,出苗率、株生根长、次生根长都随着增加,明显促进根系的发育。旱地龙拌种用量超过 750 g/hm² 后,再增加用量其效果并不明显,反而由于旱地龙显较强的酸性会影响出苗率。因而小麦采用旱地龙拌种其经济用量可控制在 750 g/hm² 左右为宜。

表 8-19　桓台任庄 1997~1998 年度冬小麦旱地龙拌种效果对比

处　理	基本苗 (万株/ hm²)	4 月 3 日 测干物质 (kg/hm²)	5 月 4 日 测干物质 (kg/hm²)	有效穗数 (万穗/ hm²)	根深 (cm)	株高 (cm)	孕穗期 叶面积 系数	穗长 (cm)	产量 (kg/hm²)	增产 (%)
用旱地龙拌种	226.86	3 641	9 621	354.18	137	75.5	3.86	8.62	6 165	10.78
对照	226.86	3 464	7 821	226.16	129	70.4	3.06	8.40	5 565	—

表 8-20　桓台任庄 1998~1999 年度冬小麦旱地龙拌种效果对比

处　理	基本苗 (万株/hm²)	3 月 3 日 测根系长 (cm)	3 月 3 日 测总根数 (根/株)	有效穗数 (万穗/hm²)	株高 (cm)	叶面积 系数	穗长 (cm)	产量 (kg/hm²)	增产 (%)
用旱地龙拌种	226	17.53	21.22	356.84	96.3	4.96	9.3	6 810	3.42
对照	226	15.52	16.22	332.84	90.1	3.96	9.0	6 585	

由表 8-19、表 8-20 试验数据对比可知,用旱地龙拌种对作物的根系、株高、叶面积系数及产量的影响效果都很显著,旱地龙拌种小麦明显比对照根系发达,提高干物质积累,增加小麦有效穗数、株高和叶面积系数,冬小麦平均增产 3.42%~10.78%。

从以上试验结果分析可见,适宜用量的旱地龙拌种能促进作物种子内各种酶的生理活性,提高种子发芽率和出苗率。促进根系发育,提高根系活力,根系发达,有利于吸收更多的养分和更深层的水分,使作物生长旺盛,对作物生长发育和产量形成显著影响。

(二)叶面喷施化学抗旱剂效果

1. 水浇灌溉区

山东省桓台县试验示范区在满足灌溉条件的井灌区进行小麦叶面喷施旱地龙试验,其观测结果见表 8-21。

表 8-21　桓台县西镇 1998 年冬小麦叶面喷施旱地龙效果对比

处理	有效穗数 (万穗/hm²)	穗粒数 (粒)	千粒重 (g)	产量 (kg/hm²)	增产 (%)
没喷施(对照)	658.00	27.67	35.0	5 955	
叶喷一遍	666.25	29.58	36.55	6 390	7.3

临清示范区冬小麦叶面喷施旱地龙(孕穗期、灌浆期各喷一次)观测结果见表 8-22。

在小麦的孕穗期和灌浆期两次喷施旱地龙的试验小区,在同等灌水条件下,穗粒数平均增多 1.17 粒,千粒重增加 2.43 g,水分生产率均达 1.5 kg/m³ 以上,比对照区提高6%~8%。

表 8-22　冬小麦叶面喷施旱地龙与对照区产量对比

年度	试验处理	株高 (cm)	穗长 (cm)	千粒重 (g)	分蘖率 (万株)	穗粒数 (个)	产量 (kg/hm²)	增产幅度 (%)	水分生产率 (kg/m³)
1997~ 1998	对照区	80	6.0	42.5	32	43	4 740	—	1.29
	叶面喷施旱地龙	81	6.2	45.8	34.02	45	5 040	6.33	1.72
1998~ 1999	对照区	67	5.5	46.5	36.44	44	4 545	—	1.23
	叶面喷施旱地龙	70	6.3	47.4	39.67	44.5	4 935	8.58	1.67
1999~ 2000	对照区	69	6.0	42.4	38.89	42	5 325	—	1.47
	叶面喷施旱地龙	71	6.4	45.5	40.02	43	5 700	7.04	1.56

2. 旱作农业区

山东省胶东地区 1999~2000 年冬小麦生长期间遭遇百年不遇的大旱,在无灌溉条件的麦田进行叶面喷施试验,结果见表 8-23。

从表 8-23 试验结果可以看出,旱作农业区作物叶面喷施旱地龙效果更为显著。上述试验结果显示,在无灌溉条件下,作物叶面喷施旱地龙可大幅度提高作物产量,小麦增产幅度可达 12%~22%。在作物不同时期叶面喷施旱地龙,其效果也不相同,喷施次数不同其效果也不一样。

表 8-23 冬小麦叶面喷施旱地龙产量对比(山东省龙口市)

处理	重复1产量 (kg/hm²)	重复2产量 (kg/hm²)	重复3产量 (kg/hm²)	平均产量 (kg/hm²)	增产率 (%)
起身、扬花期各喷一次	1 650	3 540	2 610	2 520	21.7
起身喷一次	1 680	2 850	2 805	2 475	19.6
扬花期喷一次	1 680	2 265	2 925	2 325	12.3
不喷施旱地龙	1 530	1 800	2 700	2 070	—

(三)拌(浸)种与叶面喷施综合效果

桓台试验示范区在水浇灌溉区进行了小麦拌种与叶面喷施综合试验,其试验结果见表 8-24。

表 8-24 桓台任庄小麦旱地龙拌种与叶面喷洒效果对比

处理	有效穗数 (万穗/hm²)	穗长 (cm)	穗粒数 (粒)	株高 (cm)	孕穗期叶 面积系数	产量 (kg/hm²)	增产 (%)
旱地龙拌种且喷洒	338.84	9.45	54.23	89.75	4.62	7 170	13.3
不拌不喷(对照)	317.68	9.2	56.9	85.8	3.81	6 330	—

从表 8-24 中可见,小麦用旱地龙拌种加喷洒,有效穗数提高 6.7%,穗长增加 3%,株高增加 5%,孕穗期叶面积系数增加 21%,产量增加 13.3%,效果非常明显。

在旱作农业区进行了小麦拌种与叶面喷施综合试验,其试验结果见表 8-25。

表 8-25 冬小麦采用旱地龙拌种加叶面喷施产量对比

处理	重复1产量 (kg/hm²)	重复2产量 (kg/hm²)	重复3产量 (kg/hm²)	平均产量 (kg/hm²)	增产率 (%)
拌种加起身、扬花期各喷一次	1 710	4 350	3 105	2 970	43.5
拌种加起身喷一次	1 845	3 405	2 955	2 700	30.4
拌种加扬花期喷一次	1 740	3 615	2 850	2 745	32.6
不喷施旱地龙	1 530	1 800	2 700	2 070	—

表 8-25 中的数据是在无灌溉条件地区降雨量偏少的年份得出的试验结果,最高增产幅度达 43.5%。可见,在旱作农业区施用旱地龙效果更为显著。

三、蔬菜喷施旱地龙的增产效果

济南示范区对大棚西红柿、黄瓜采用旱地龙喷洒试验,对比试验结果见表 8-26、表 8-27。

表 8-26　西红柿喷洒旱地龙效果对比

处理	平均比对照延长 生长期(d)	比对照提前采摘 天数(d)	产量 (kg/hm²)	平均增产率 (%)
喷施旱地龙	21	10	112 500	11.1
未喷(对照)	0	0	101 250	—

注:1997 年 4 月 5 日、5 月 12 日各喷一次。

表 8-27　黄瓜喷洒旱地龙效果对比

处理	平均比对照延长 生长期(d)	比对照提前采摘 天数(d)	产量 (kg/hm²)	平均增产率 (%)
喷施旱地龙	24	11	117 000	30
未喷(对照)	0	0	90 000	—

注:1997 年 4 月 5 日、5 月 12 日各喷一次。

大棚西红柿、黄瓜喷施旱地龙后,西红柿黄瓜的长势明显比对照旺盛,叶片宽厚舒展,呈墨绿色。从表 8-26 和表 8-27 中可见,喷施旱地龙的西红柿、黄瓜比对照提前上市 10 天左右。比对照延长生长期 21~24 天,增产幅度西红柿达 11.1%,黄瓜达 30%。效果非常明显。

四、果树喷施旱地龙增产效果

在济南试验示范区进行了红富士苹果叶面喷施旱地龙试验,喷施方法为在果树开花以后至下果期间每隔 20 天喷施一次,对喷施后的果树测量其叶面积、花芽数、果形和产量,其对比试验结果见表 8-28。

果树喷施旱地龙后枝叶繁茂,长势旺盛,果树叶片比对照宽展肥厚,叶色浓绿,叶绿素含量增加,光合作用增强,抗旱、抗寒、抗病能力增强,当年形成花芽数增加 50% 左右,增产 23.3%。

表 8-28　苹果树叶面喷施旱地龙效果对比

处理	下果前平均 单叶面积 (cm²)	当年形成 花芽数 (个)	果形 80 mm 占有数 (%)	产量 (kg/hm²)	增产率 (%)
喷施旱地龙	33.4	968	85	120 120	23.3
未喷(对照)	24.6	645	64	97 440	—

注:在果树开花到下果期间每 20 天喷一次旱地龙。

五、作物施用化学抗旱剂的效益分析

(一)经济效益分析

以山东省种植面积最大的小麦为例,每公顷小麦拌种需要 900 g,叶面喷施一遍需用 1 500 g,一般情况下旱地龙施用为拌种加生育期喷 2 遍,合计每公顷投资 97.5 元。小麦平均产量按 6 000 kg/hm²,增产平均按 10%计,每公顷可增产小麦 600 kg,小麦按市场价 1.0 元/kg,每公顷增效益 600 元,扣除投资每公顷净增效益 502.5 元,投入产出比为 1:5.15。

大棚蔬菜作物以黄瓜为例,每公顷黄瓜叶面喷施一遍需用 1 500 g,在整个生育期喷 5 遍,合计每公顷旱地龙投资 187.5 元。大棚黄瓜平均每公顷增产 15 000 kg,按 1.0 元/kg 价格计算,可增效益 15 000 元,扣去成本 187.5 元,每公顷净增效益 1.48 万元,投入产出比为 1:79。

果树以苹果为例计算,每年平均喷施 5 次旱地龙,每公顷每次喷施 2 250 g,则每年每公顷喷施旱地龙的投资为 281.25 元。苹果平均每公顷增产按 15 000 kg,按 1.0 元/kg 的价格计算,可增效益 15 000 元,扣去成本每公顷净增效益 1.47 万元,投入产出比为 1:52。

以上分析可见,粮食作物和经济作物施用旱地龙其经济效益是相当可观的,特别是大棚蔬菜和果树施用旱地龙,增产效果尤为显著。

(二)社会、环境效益

施用旱地龙不仅能产生巨大的经济效益,而且社会和环境效益显著。施用旱地龙可使无灌溉条件地区的广大农民增加了农业生产的新的途径,减轻为抗旱、保苗、救灾等付出的繁重的体力劳动,走上致富的道路;旱地龙的应用和推广还可缓解灌溉水量的不足,节约水资源,降低灌溉成本,以减轻农民负担。随着农业种植结构的调整,旱地龙的推广应用面积将不断扩大,必将带来更大的社会效益。

旱地龙的组成成分决定了它是一种不含激素、无毒、无害、无环境污染的化学药剂。可广泛应用于多种作物,对作物、畜禽、人体无毒副作用。旱地龙的应用和大面积推广对保护环境、发展绿色无公害农业具有积极的意义。

综上所述,化学抗旱剂——旱地龙在粮食、蔬菜、果树中应用,对其整个生育期的生理生态和产量都有较大影响,能够提高种子的发芽率、出苗率;促进作物果实早熟;促进作物的根系发育和干物质积累,增强作物对水分和养分的需求,减少作物的无效蒸腾,具有抗旱、节水、抗病的能力;可减少灌溉次数,提高作物的产量和品质。具有"有旱抗旱,无旱增产"的双重功效。从试验结果来看,经济效益非常显著,冬小麦施用其投入产出比为 1:5.15,大棚黄瓜为 1:79,果树为 1:52。

尽管旱地龙的施用效益显著,但也是有条件的,比如作物生长最基本的水分和养分条件要具备,施用的方法要得当,不同水文年型、不同作物类型等作用不太一致。

第七节　充分开发利用土壤水的综合农艺节水技术

山东省种植的主要粮食作物是冬小麦和夏玉米,通过多年的试验研究,形成了一整套开发利用土壤水的综合农艺节水技术。据试验测试分析,冬小麦生育期内的有效降水和2 m 土层内共用的土壤水总量占冬小麦生育期总耗水量的 50% 以上。而夏玉米耗水量与同期自然降水接近,一般不需灌溉。土壤水年内变化一般有两个高峰期,一个高峰是 7~9 月,120~200 cm 土层内土壤含水率达 18% 以上,这一部分水资源是冬小麦春季供水的重要来源;另一高峰是封冻到次年早春的土壤蓄墒,这是全年保墒的关键时期。在小麦、玉米的不同生育期,总结出了多种开发利用土壤水的综合农艺措施。

一、适当延长播收期,充分利用土壤水

根据试验观测,深层根系主要是初生根。适时晚播能增加初生根量,对小麦产量起决定性作用,是提高后期深层土壤水的一项关键技术。另外适当推迟玉米收获期 7~8 天,既避免玉米未完全成熟就收获的弊病,又减少了棵间蒸发,为播种小麦造墒提供条件。试验观测表明,玉米收后 7~9 天 0~20 cm 土壤含水率比未收割的土壤含水率降低 5% 左右。由此可知,小麦晚播与玉米推迟收获是无需投入的提高水利用效率的有效农业措施。

二、科学灌水,促控结合,充分利用土壤水

对小麦灌水采取促与控相结合的措施,可减少灌溉用水,充分利用土壤水。改冬灌为春季控制灌水施肥,在清明节后浇拔节水施肥攻穗,浇挑旗水保花增产,适量灌溉灌浆水(麦黄水),夏玉米苗期由浇水保苗改为灭茬覆盖,控制土壤水分,蹲苗促根。这种促控结合、科学灌水的方法是冬小麦、夏玉米高产节水的重要措施,使水肥得到了充分利用。

试验分析表明,冬小麦生育期内,随着降水量的增大,灌水量与土壤水利用量占总耗水量的比例减小。冬小麦生育期降雨 166 mm 时,灌溉水与土壤水耗水总量占总耗水量的 60% 以上,而降雨 99 mm 时,占总耗水量的 75% 以上。不同灌水量的总耗水量接近。

随着灌水量的增加,土壤水的利用率也逐渐减少,如 1998~1999 年,灌水量由 135 mm 增加到 360 mm 时,土壤水的利用量也从 199 mm 减少到 42 mm,见表 8-29、图 8-5。当春天不灌水或灌 1 水时,300 cm 土层内土壤水利用量达 200 mm 以上,而灌 2 水或 3 水时,仅利用 200 cm 土层内的土壤水,消耗土壤水 100~150 mm。0~80 cm 土层内土壤水利用的比例随灌水量的增加而增加,春天不灌水 0~80 cm 土层土壤水利用量占总利用量的 57.8%,而灌 3 次土壤水的利用量占 86.5%,见表 8-30 和图 8-6。

测试发现,冬小麦拔节后期不同灌水处理的 0~100 cm 土层根系量和分布与处理(春天不灌水)和处理 3、5、6(春天 1 次水)明显不同,春天不灌水时 0~20 cm 土层根量占总量的 83%,深层土壤根量尚有 17%。而春灌 1 水的 0~20 cm 土层根量占总量的 92.6%。说明灌水次数多时,作物根系主要分布在表层,消耗表层水,不利于深层土壤水的开发利用。而适时灌水,可造成作物根系下扎吸取深部土壤水,因此灌关键水不仅起到充分利用土壤水、减少地下水开采的作用,而且还易于吸收溶解于深层土壤水的可利用养分,试验

结果见表 8-31。灌水量大小对冬小麦产量影响较大,但并不是灌水量越多越好。

表 8-29　各试验区不同灌水处理的冬小麦、夏玉米耗水量的组成

作物处理		总耗水量 (mm)	有效降雨		灌溉		土壤水利用		备注
			有效降雨量 (mm)	占总耗水量比例 (%)	灌溉水量 (mm)	占总耗水量比例 (%)	利用量 (mm)	占总耗水量比例 (%)	
冬小麦	1	419	166	39.6	120	28.7	133	31.7	
	2	476	166	34.9	195	41	115	24.1	
	3	524	166	31.7	245	46.7	113	21.6	
	4	491	166	33.8	330	67.2	−5	−1	
	5	488	166	34.0	270	55.3	52	10.7	
夏玉米	1	378	378	100	143	37.8	−143	−37.8	西镇村 1997～ 1998年
	2	378	378	100	125	33.1	−125	−33.1	
	3	376	378	100.5	120	31.9	−122	−32.4	
	4	429	378	88.1	60	14.0	−9	−2.1	
	5	406	378	93.1	90	22.2	−62	−15.3	
冬小麦套夏玉米	1	797	544	68.2	263	33.0	−10	−1.2	
	2	854	544	63.7	320	37.5	−10	−1.2	
	3	900	544	60.4	365	40.5	−9	−0.9	
	4	920	544	59.1	390	42.4	−14	−1.5	
	5	894	544	60.8	360	40.3	−10	−1.1	
冬小麦	1	433	99	22.9	135	31.2	199	45.9	唐山镇 郭家村 1998～ 1999年
	2	454	99	22.8	210	46.3	145	31.9	
	3	462	99	21.4	210	45.5	153	33.1	
	4	468	99	21.2	285	60.9	84	17.9	
	5	472	99	21.0	285	60.3	88	18.7	
	6	501	99	19.8	360	71.9	42	8.3	

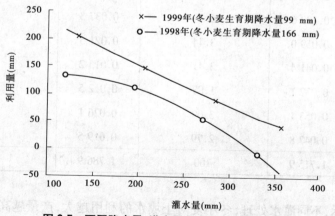

图 8-5　不同降水量、灌水量冬小麦对土壤水的利用

表 8-30　郭家村试验区 1998～1999 年冬小麦消耗的土壤水垂直分布

土层 (cm)	处理 1(春无水)		处理 3(春 1 水)		处理 5(春 2 水)		处理 6(春 3 水)	
	耗水量 (mm)	所占比例 (%)	耗水量 (mm)	所占比例 (%)	耗水量 (mm)	所占比例 (%)	耗水量 (mm)	所占比例 (%)
0～40	68.2	26.38	66.0	31.61	63.8	45.25	57.1	56.04
40～80	76.1	29.42	66.8	32.96	32.3	21.47	31.0	30.42
80～120	49.6	19.18	34.0	16.29	23.7	16.81	9.2	9.03
120～160	29.4	11.36	17.7	8.5	17.2	12.20	3.4	3.34
160～200	17.9	6.93	14.8	7.10	4.9	3.45	1.2	1.18
200～300	17.4	6.73	7.4	3.54	1.2	0.82	0	0
Σ	258.7	100	212.8	100	148.2	100	101.9	100

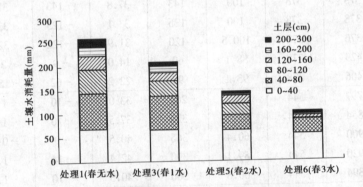

图 8-6　不同灌水处理不同土层的土壤水消耗量

表 8-31　冬小麦拔节后期不同处理的根系分布(1999 年 4 月 10 日)

测定土层 (cm)	处理 1		处理 3、5、6	
	(g/50.27 cm²)	占总根量比例(%)	(g/50.27 cm²)	占总根量比例(%)
0～10	1.023 1	59.62	1.345 9	75.32
10～20	0.349 8	23.39	0.308 8	17.28
20～30	0.109 6	6.38	0.037 3	2.09
30～40	0.059 0	3.44	0.021 5	1.21
40～50	0.041 4	2.41	0.015 2	0.85
50～60	0.032 1	1.87	0.012 5	0.70
60～80	0.053 1	3.09	0.026 1	1.46
80～100	0.047 8	2.79	0.019 5	1.09
Σ	1.715 9	100	1.786 9	100

表 8-32 显示,不同灌水处理,冬小麦对土壤水的利用越大,产量越高。西镇村灌水 330 mm 却比灌水 270 mm 处理产量低 315 kg/hm²,郭家村灌水 360 mm 与灌水 285 mm

产量接近。因此,从本试验结果看,多灌一水非但不能增产,反而减产或增产不明显。由此足可以看出关键期灌水的重要性。灌水大小对夏玉米产量影响较小。1988年西镇村冬小麦、夏玉米年产量超过1.55万 kg/hm^2、水分生产率在2.0 kg/m^3 左右。

表8-32　各试验区不同灌水处理的主要作物产量及水分生产率

地点、时间、作物	处理	耗水量 (mm)	灌溉水量 (mm)	产量 (kg/hm²)	增产 (%)	水分生产率 (kg/m³)
试验1 1997~1998年 西镇冬小麦	1	419	120	6 810	—	1.63
	2	476	195	7 365	8.1	1.55
	3	524	245	7 125	4.6	1.36
	4	491	330	7 245	6.4	1.48
	5	488	270	7 560	11.0	1.55
试验1 1997~1998年 西镇夏玉米	1	378	143	9 315	—	2.46
	2	378	125	9 255	−0.6	2.45
	3	376	120	9 270	−0.5	2.47
	4	429	60	9 225	−1.0	2.15
	5	406	90	9 210	−1.1	2.27
试验1 1997~1998年 西镇冬小麦套种 夏玉米	1	797	263	15 510	—	1.95
	2	854	320	15 840	2.1	1.85
	3	900	365	15 645	0.9	1.74
	4	920	390	15 675	1.1	1.70
	5	894	360	16 065	3.6	1.80
试验2 1998~1999年 郭家冬小麦	1	433	135	6 015	—	1.39
	2	454	210	7 050	17.2	1.55
	3	462	210	7 050	17.2	1.53
	4	468	285	7 515	24.9	1.61
	5	472	285	7 515	24.9	1.59
	6	501	360	7 560	25.7	1.51

第八节　旱地农业高效用水技术体系

旱地农业高效用水技术体系包括如下5个方面的内容:

(1)深松土壤,建立土壤水库。深松土壤能促进降雨入渗,起到蓄水保墒的效果,改变土壤水分运移规律,改善作物根系生长环境,提高作物产量和水分利用效率。

(2)水分空间聚集径流技术。在地形起伏的旱地,可构筑梯田,推行沟垄种植等技术控制农田径流,提高降水利用率。

(3)调整种植结构,实现适水种植。必须考虑充分利用降水,华北地区春作物棉花、花生、红薯等降水利用率达60%以上,夏播玉米、大豆、棉花为50%~60%,而秋播小麦为38%。适当压缩低产麦、晚播麦和盐碱地麦,适当发展春棉花、春花生、夏大豆等作物。

(4)选用抗逆高产品种,提高作物本身抗逆能力。用抗旱丰产良种代替农家种,其增产幅度在10%~20%。选用小麦品种的要求是矮秆、小叶、早熟,使小麦水分生产率达到$1\sim1.5$ kg/m³。

(5)增施有机肥提高土壤水分利用效率。试验表明,施厩肥和覆盖秸秆比单施化肥土壤总孔隙度增加1%~3%,毛管孔隙度增加1.5%~4%,非毛管孔隙减少,提高土壤持水和供水能力,以及抑制潜水蒸发,增加降雨入渗,提高土壤水分利用率。

第九章　节水灌溉管理技术

研究节水管理机制,推行科学水管理措施,是发展节水灌溉的一项重要内容。世界各国及有关专业组织都非常重视节水管理工作。节水管理技术包括工程技术和社会经济两个大的方面。工程技术类管理措施主要包括改进工程管理(水源工程管理、骨干工程管理、田间工程管理)、改进灌溉制度(高产省水灌溉制度、限额灌溉制度、调亏灌溉制度)、灌溉预报等内容;社会经济类包括水价与水费、配套法规、管理体制与机制、技术服务、产品营销与市场,等等。

从节水灌溉这一角度来说,其管理技术主要包括实施节水灌溉制度,土壤墒情监测预报技术,灌区配水、量水技术,现代化灌溉管理技术等内容。

第一节　节水灌溉制度

一、充分灌溉条件下的节水灌溉制度

根据经济发展要求,调整作物种植结构,经过优化,在首先确定单项作物灌溉制度的基础上叠加后,选取一个综合灌溉定额较小的综合灌溉制度,是规范中对节水灌溉制度一种比较可行的界定。这样做概念清晰、方法简单,可以完全按照国家标准规定的程度作出计算论证。调整作物种植结构是确定节水灌溉制度的核心,由于各地自然条件和经济发展水平的差异,不可能在较大范围内采取统一的结构模式,必须区别对待,使之与当地农业经济发展速度、规模、结构相适应。

当然,对一种具体作物和灌溉水平来讲,理论上的节水灌溉制度在实践上往往难以实现,现实中的灌溉制度往往不一定最优,改变传统的灌溉制度,按照作物需水量和需水规律确定科学、合理、可行的灌溉制度,考虑生产实际和参考大量的试验成果,确定经济合理的灌溉制度也应当是节水灌溉制度的内容。

(一)中国农科院的研究成果

根据中国农科院商丘试验区"八五"期间研究结果,提出主要作物需水规律及其灌溉制度。

1. 冬小麦

全生育期需水量 387.5 mm,需水量最大时期是拔节至成熟期,占总需水量的 75.1%。需水临界期在孕穗至灌浆期,占总需水量的 40%。而黄淮平原小麦生长期平均有效降雨量只有 173 mm,尚亏缺 214.5 mm。每公顷 6 000 kg 以上的高产区灌溉定额为 1 800 m^3/hm^2,全生育期浇 3 次水,即冬灌、返青—拔节、抽穗期各浇 1 水。最佳经济灌溉定额为 1 200 m^3/hm^2。

2. 棉花

棉花生长期需水量为 379.6 mm,一般年份有效降水量能满足其正常生长的需求,但年际间降水量差异大,遇伏旱时也需要浇一次蕾期水或铃水。浇水量不宜过大,一般浇 450～600 m³/hm²,避免土壤水分过多而使蕾铃脱落,麦棉套种的棉花 5 月上旬的移栽期正值小麦灌浆期,棉花营养钵移栽结合浇水,一水两用,对小麦灌浆和棉苗成活都很有利。花铃期再浇一水,灌溉定额为 900～1 200 m³/hm²。

3. 夏玉米

夏玉米生长期需水量 365.9 mm,同期年均有效降水量 276.5 mm,相当于需水量的 75.6%,尚缺水 89.5 mm。6 月上旬常因降雨来迟而延误播期,播种前后浇水是确保适时播种、苗全苗壮的关键。抽雄至灌浆期是夏玉米需水量最多时期,此期若遇干旱会造成"卡脖旱",对产量有严重影响。因此一般年份夏玉米需要浇 2 水,即抽雄水和灌浆水,灌溉定额 1 200 m³/hm²,干旱年需增加一次播期水,湿润年在灌浆期浇 1 水即可。

(二)山东省主要旱作物灌溉制度

山东省水利科学研究院、山东省水利厅农村水利处"六五"科技攻关项目——主要农作物高产省水灌溉技术研究,给出了主要农作物冬小麦、夏玉米、棉花三种作物不同水文年型灌溉制度。

1. 冬小麦节水灌溉制度

山东省冬小麦分区,25%、50%、75%、95%保证率的灌溉制度如表 9-1 所示。

表 9-1　冬小麦灌溉制度成果

分区名称	频率 (%)	灌溉定额 (mm)	灌水次数	灌溉模式			
				越冬水	拔节水	抽穗水	灌浆水
鲁西南	25	120	2		60	60	
	50	180	3		60	60	60
				60	60	60	
	75	210	3		75	75	60
				60	75	75	
	95	270	4	60	75	75	60
鲁北	25	210	3		75	75	60
				60	75	75	
	50	270	4	60	75	75	60
	75	285	4	60	90	75	60
	95	315	4	75	90	75	75

续表9-1

分区名称	频率（%）	灌溉定额（mm）	灌水次数	灌溉模式			
				越冬水	拔节水	抽穗水	灌浆水
鲁中	25	225	3	75	75	75	
					75	75	75
	50	270	4	60	75	85	60
	75	300	4	75	75	75	75
	95	330	4	75	90	90	75
鲁南	25	150	2		75	75	
	50	210	3		75	75	60
				60	75	75	
	75	240	4	60	60	60	60
	95	285	4	60	75	75	75
胶东	25	120	2		60	60	
	50	180	3	60	60	60	
					60	60	60
	75	225	3	75	75	75	
					75	75	75
	95	270	4	60	75	75	60

2. 夏玉米节水灌溉制度

山东省夏玉米分区，25%、50%、75%、95%保证率的灌溉制度如表9-2所示。

表9-2　夏玉米灌溉制度成果

分区名称	频率（%）	灌溉定额（mm）	灌水次数	灌溉模式（mm）			
				出苗水	拔节水	抽雄水	灌浆水
鲁西南	25						
	50	50	1	50			
	75	100	2	50		50	
	95	150	3	50	50	50	
鲁北	25	50	1	50			
	50	100	2	50		50	
	75	150	3	50	50	50	
	95	240	4	60	60	60	60

续表 9-2

分区名称	频率 (%)	灌溉定额 (mm)	灌水次数	灌溉模式(mm)			
				出苗水	拔节水	抽雄水	灌浆水
鲁中	25	50	1	50			
	50	100	2	50		50	
	75	120	2	60		60	
	95	240	4	60	60	60	60
鲁南	25						
	50						
	75	50	1	50			
	95	120	2	50		50	
胶东	25						
	50	50	1	50			
	75	100	2	50		50	
	95	150	3	50	50	50	

3. 棉花节水灌溉制度

山东省棉花分区,25%、50%、75%、95%保证率的灌溉制度如表 9-3 所示。

表 9-3 棉花灌溉制度成果

分区名称	频率 (%)	灌溉定额 (mm)	灌水次数	灌溉模式(mm)					
				播前	幼苗	现蕾	开花	结铃	吐絮
鲁西南	25	60	1	60					
	50	120	2	60		60			
	75	180	3	60		60	60		
	95	300	5	60	60	60	60	60	
鲁北	25	60	1	60					
	50	180	3	60		60	60		
	75	240	4	60		60	60	60	
	95	360	6	60	60	60	60	60	60
鲁中南 及胶东	25	45	1	45					
	50	120	2	60		60			
	75	180	3	60		60	60		
	95	280	5	60	40	60	60	60	

4. 灌水下限指标、计划湿润层深度

根据山东省多年的研究成果,三种主要农作物冬小麦、夏玉米、棉花的灌水下限指标和计划湿润层深度,如表9-4~表9-6所示。

表 9-4 冬小麦灌水下限指标和计划湿润层深度

项目		苗期	分蘖期	越冬期	返青期	拔节期	抽穗期	灌浆期
灌水下限	土壤含水率（%）	70	70	70	55	70	70	55
	土壤张力（cmH₂O）	250~350	250~350	250~350	450~650	250~350	250~350	450~650
计划湿润层深度（cm）		40	40	40	40	60~80	60~80	60~80

注:1 cmH$_2$O=98.1 Pa,下同。

表 9-5 夏玉米灌水下限指标和计划湿润层深度

项目		出苗期	幼苗期	拔节期	抽雄期	灌浆期
灌水下限指标	土壤含水率（%）	60	50	65	75	65
	土壤张力（cmH₂O）	350~500	500~700	300~450	200~300	300~450
计划湿润层深度（cm）		40	40	60	80	80

表 9-6 棉花灌水下限指标和计划湿润层深度

项目		出苗期	幼苗期	现蕾期	花铃期	吐絮期
灌水下限指标	土壤含水率(%)	70	60	60	65	45
	土壤张力（cmH₂O）	250~350	350~500	350~500	300~450	600~800
计划湿润层深度(cm)		40	40	60	60	60

二、非充分灌溉(限额灌溉)条件下的灌溉制度

在供水量小于作物需水量的前提下,不能说用水量越小越节水,如果灌溉水量减少造成作物大幅度减产,也就失去了节水的意义。冬小麦生长期如果能减少灌水次数,无疑可以显著节省灌溉用工,特别是在大中型灌区更有必要。通过试验研究如能进一步证实减少灌水次数既不影响产量又能节水,将会给灌溉制度带来一场重大的变革。但这个问题目前还处在一个值得深入探讨的阶段。

非充分灌溉是在供水能力不能充分满足一定条件下的作物需水量时采取的一种常规

做法。比如灌溉设计保证率50%为在100年将可能有50年不能按作物正常需要供水，在这些被不能充足供水的年份只能实行非充分灌溉，把低于正常水平的供水量，安排在作物对水分需求相对更敏感的时期，以争取在全灌区范围内取得较高的产量。由于非充分灌溉没有一个固定的标准，只能根据当年实际降水和供水量加以科学地灵活运用，从根本上讲不是什么新概念，而是我国北方许多地区在干旱年份供水能力不能满足设计要求时，经常采用的做法。20世纪80年代初期北方许多地区开展的关键水试验、有限灌溉试验及减产试验等，也正是为了解决供水不足时，把有限水量用在"刀刃"上，实现有限水量的最大产出，这实际上就是实施非充分灌溉。

非充分灌溉(NO-Full Irrigation)可以减少灌溉用水，虽然单产有所降低，但因灌溉面积扩大了，总产会有所提高，但应当看到，这是一个非常复杂的社会经济问题。一是在我国这样一个人多地少的大国，能不能把农业产量的提高，建立在单产的降低上就是一个值得深入研究的问题；二是我们把灌溉面积的扩大建立在损害原有灌区农户利益的基础上，也值得认真研究；三是现阶段灌区用水的浪费，并不是因为按规范即按作物正常需水要求设计的灌溉制度定额偏高，而主要是传输损失和田间灌水量人为偏大造成的；四是非充分灌溉还没有一个可用于灌区设计的规范。

当然，在水资源紧缺的地区，由于历史的原因，或由于经济发展的需要，不得不用有限的水量多灌溉一些土地，或在减少灌溉水量的情况下确保部分灌溉面积，必要时经过论证也可以考虑采用规范中规定的灌溉设计保证率低限，以降低设计水平年的灌溉定额，扩大灌溉面积。这样就可以按照现行设计规范的规定，把非充分灌溉设计纳入"有章可循"。还可以按照已有的试验研究成果，计算出低于设计水平年的、不同频率降水和供水年份的各种非充分灌溉制度，作为必须实行非充分灌溉年份制定灌溉计划的参考。

(一)研究和应用非充分灌溉条件下节水灌溉制度的重要性

虽然非充分灌溉和节水灌溉并没有必然的联系，但在水资源不足、供水"多元化"、农业用水严重不足的情况下，或干旱年份里往往实施非充分灌溉，因此研究非充分灌溉条件下的灌溉制度有其现实意义。

表9-7给出了山东省冶源水库灌溉试验站不同灌水次数和灌水组合的产量结果。

表9-7　冶源水库灌溉试验站冬小麦灌溉制度试验结果　　　（单位：kg/hm²）

灌水处理	组合产量						
灌1水	拔 2 955	孕 2 610	抽 2 790	灌 2 190			
灌2水	拔+灌 3 495	冬+拔 3 330	冬+抽 4 110	冬+灌 4 200	返+抽 3 495	拔+抽 5 175	返+抽 3 495
灌3水	冬+拔+抽 5 430	冬+拔+灌 5 475	冬+孕+灌 5 700				
灌4水	冬+起+孕+灌 5 460	冬+拔+抽+灌 5 700	冬+拔+灌+熟 5 745				

注：冬指越冬期，起指起身期，拔指拔节期，抽指抽穗期，孕指孕穗期，灌指灌浆期，熟指乳熟期。

从表9-7可以看出,在供水较充分(3 水、4 水)时,不同灌水组合对小麦产量影响不大,产量较为接近,在 5 430～5 745 kg/hm² 之间;非充分供水(1 水、2 水)时,灌水组合或灌水时间对产量影响较大,灌 2 水组合最高产量为最低产量的 1.55 倍,灌 1 水组合最高产量为最低产量的 1.35 倍,这和山东省已有的研究成果是一致的。由此可见,在非充分灌溉条件下,灌溉制度对作物产量影响很大。

夏玉米灌溉制度试验成果表明,苗期灌水比对照增产 5.8%,拔节期灌水比对照增产 10%,抽雄期灌水比对照增产 12%,灌浆期灌水平均比对照增产 11%。由此可见,不同生育期灌水均有一定增产作用,但差别不太大。试验和生产中还表明,夏玉米的耐旱能力比冬小麦差,造墒水对夏玉米的生长至关重要,抽雄期缺水可造成玉米大幅度减产甚至绝收,所以,夏玉米虽然生育期降雨量较大,但由于时空分配不均,仍需研究供水不足情况下的节水灌溉制度。

(二)作物水分生产函数的研究与应用

在水资源配置、产量预测和灌溉制度的确定中,作物产量与水分的关系即水分生产函数的研究成为基础性、关键性的工作,故对作物水分生产函数的研究尤为重要。

1. 作物水分生产函数的研究现状

国外在水分生产函数的研究方面大致经历了三个阶段:第一阶段,20 世纪 50 年代以前,主要研究作物产量与降雨量、产量与有效雨量的关系;第二阶段,20 世纪 50 年代至 70 年代,研究产量(或干物质重)与实际蒸散量之间的关系;第三阶段,20 世纪 80 年代至今,主要研究非充分灌溉条件下的作物产量与水分关系的多种模型。在国内,灌溉试验在 20 世纪 80 年代相继恢复,并对水分生产函数进行了初步研究,特别是 20 世纪 90 年代,随着我国国民经济的进一步发展,水资源供需矛盾加剧,灌溉用水不足促进了对水分生产函数研究的进程。在利用试验资料借助电子计算机确定水分生产函数、利用水分生产函数进行产量预测和确定灌溉制度等方面有了一定进展。但由于试验资料系列等条件的限制,直接用于灌区管理的实例较为少见。利用山东省已有的大量灌溉试验资料,结合各地的水资源、灌区工程状况、作物种类等建立适合当地类型区的水分生产函数,并直接应用于生产实践有重要意义。

2. 作物水分生产函数的建立方法

根据精度要求和灌区管理水平的不同,通常可用三种方法确定作物水分生产函数:一是调查法。通过对区内作物品种、土壤类型、用肥状况等农业生产措施基本一致的条件下的产量与供水量(含有效降雨量)调查,用回归分析法确定产量与供水量之间的关系,这对于试验资料缺乏或根本没有试验资料的灌区,虽精度不高,但较符合实际,确定的水分生产函数也很实用。二是田间灌溉试验法。通过布置田间小区试验,设置不同灌溉定额、不同灌水组合的试验处理,通过多年的试验资料,用回归分析法可确定作物水分生产函数,这种方法精度高,对试验条件要求较高,一般由灌溉试验站来做。三是综合法。用邻近的,在土壤类型、种植结构、气候状况相近的试验站(点)的水分生产函数,再用本地的调查数据进行检验、修正,也可获得满足生产要求的作物水分生产函数。

3. 作物水分生产函数的类型及特点

1) 线性关系

对大量试验资料进行分析,其线性关系的相关性并不太好,但对某一年度或某一供水量范围内建立产量与耗水量关系,相关性较好。以山东省冶源水库灌溉试验站夏玉米试验资料为例,回归方程为:

$$Y = -152.75 + 2.28E \quad (n = 23, R = 0.94) \tag{9-1}$$

从图 9-1 可知,线性关系的基本表达式为: $Y = a + bE$, Y 为产量, E 为耗水量(或供水量), a、b 为回归系数。E 轴的截矩反映的是土壤蒸发和作物形成产量以前的蒸腾水量,即在形成籽粒产量以前要付出一定的水量。事实上,即使作物绝收,也有一定的蒸发量,因为作物生长初期地面覆盖不完全,把这部分水量认为是棵间蒸发是合理的。该直线的斜率反映产量与水量的关系,部分消除了棵间蒸发的影响,这正是节水灌溉所要研究的重要内容,即作物产量与耗水量之间的关系。

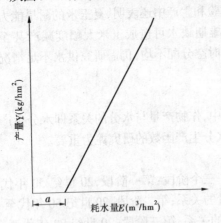

图 9-1　产量与耗水量线性关系

由于作物的产量不可能随着供水量的增加而无限增加,故此式仅在一定的范围内成立,一般适用于管理水平不太高的灌区。但从理论上讲,线性关系反映了产量与耗水量的本质关系。20 世纪 90 年代初,我国的农田灌溉专家曾按"SPAC"理论的思路,考虑作物生长特性、生产水平和环境学等方面的因素,以植物环境物理学和生物学为基础,对产量与水量关系进行试验和机理分析,认为在一定的作物品种、生产技术和自然条件下,生产单位质量的粮食所必须消耗的水量大致是一个常数,这个关系是基本不变的。

2) 抛物线关系

对不同试验点的试验资料进行综合分析表明,用二次抛物线来拟合产量与耗水量的关系(见图 9-2),相关密切,可用下式表示:

$$Y = aE^2 + bE + c \tag{9-2}$$

式中　a、b、c——回归系数;

其余符号含义同前。

该曲线反映的物理意义是:当形成籽粒产量时,必须付出一定的水量 E;当 E 开始增加时, Y 增加,但边际产量逐渐减少;当 E 大于 E_2 时,产量

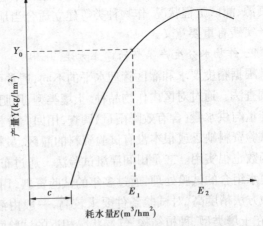

图 9-2　产量与耗水量抛物线关系

降低,边际产量为负值。这说明,在水资源较为充分的灌区或某个丰水年份,产量达到一定程度后若再增产,仅靠增加水量是不行的,此时,除水以外的其他农业措施已成为限制

作物产量增长的因素,在农业措施没有大的变革的情况下,过多供水有害无益。表9-8给出了山东省雪野水库、唐村水库、北邢家水库试验站水分生产函数。

表9-8 不同作物水分生产函数

代表点	作物	回归方程	数据组数	相关系数	F检验值
雪野水库	冬小麦	$Y = 18.87 + 3.61E + 0.072E^2$	14	0.88	8.53
	夏玉米	$Y = -88.83 + 13.54E - 0.38E^2$	12	0.98	24.8
唐村水库	冬小麦	$Y = -12.53 + 2.95E - 0.06E^2$	14	0.87	13.8
	夏玉米	$Y = -92.18 + 14.41E - 0.42E^2$	8	0.95	26.62
北邢家水库	冬小麦	$Y = -21.49 + 3.62E - 0.068E^2$	8	0.99	15.5
	夏玉米	$Y = -92.52 + 12.99E - 0.33E^2$	23	0.99	29.33

3)幂函数关系

在分析产量与耗水量关系时,有时用幂函数曲线进行回归,相关性较好,通常其表达式为:

$$Y = c + aE^b \tag{9-3}$$

式中符号含义同前。

此函数曲线的物理意义是:耗水量为零时,仍有一定的产量 c,这显然是不合理的,也是不可能的;当耗水量增加到某一数值 E_0 时,产量猛增,这说明除水以外其他因素在起作用,实际上模糊了产量与耗水量的关系。这也就是说,在充分供水条件下,其他措施发挥良好的增产作用。此种类型曲线在实践中应用较少,在此不再赘述。

4)Doorenbos 和 Stewat 模型

作物生育阶段供水不同可能对产量造成一定影响,相应产量及其总耗水量也不相同,故产生如下两种模型:

Doorenbos 模型表达式

$$1 - \frac{Y}{Y_m} = k_Y \left(1 - \frac{E}{E_m}\right) \tag{9-4}$$

Stewat 模型表示式

$$\frac{Y}{Y_m} = 1 - \beta_0 + \beta_0 \frac{E}{E_m} \tag{9-5}$$

式中　k_Y——产量反映系数;

　　Y——实际产量;

　　E——实际耗水量;

　　Y_m——最高产量;

　　E_m——最高产量水平下的耗水量(无水分亏缺);

　　β_0——经验系数。

将上述两式初等变换,可表示为下式:

$$\frac{Y_m - Y}{Y_m} = k \left(\frac{E_m - E}{E_m}\right) \tag{9-6}$$

式(9-6)实际上反映了产量的增量和耗水量的增量呈线性关系。

4. 作物产量与各生育阶段耗水量之间的关系

仅有产量与总耗水量之间的关系难以定量反映作物不同生育阶段的水分亏缺对产量的影响,通常用相加模型和相乘模型来表示产量与不同生育阶段耗水量的关系。

1)相加模型

$$\frac{Y}{Y_m} = \sum_{i=1}^{n} k_{Yi} \left(\frac{ET_i}{ET_{mi}} \right) \tag{9-7}$$

式中　Y——实际产量;

　　　Y_m——供水充分条件下的最高产量;

　　　ET_i——第 i 阶段的耗水量;

　　　ET_{mi}——第 i 阶段的最大耗水量;

　　　k_{Yi}——敏感系数;

　　　n——作物生育期划分阶段数。

建立产量与阶段耗水量关系模型,同建立产量与总耗水量相比,本身就是一种进步,但从其物理意义来看,把本来连续的生长过程划分为若干个独立的生长阶段,若某一生育阶段因严重受旱而绝收,而产量仍有一定的计算值,这与事实不符,但作为一种计算方法,在一定的范围内应用有其实用性,据西北农业大学康绍忠博士在我国北方进行产量预测结果表明,其标准误差小于 6%。

2)相乘模型(Jensen 模型)

作物在某个生育阶段受旱后,会对以后的生长过程产生影响,每个生育阶段都是人为划分的,不是孤立的,因此考虑模型为:

$$\frac{Y}{Y_m} = \prod_{i=1}^{n} \left(\frac{ET_i}{ET_{mi}} \right)^{\lambda_i} \tag{9-8}$$

式中　λ_i——第 i 阶段作物水分亏缺反映的敏感指数;

　　　其余符号含义同前。

从物理意义上来讲,相乘模型优于相加模型。相加模型中的 k_{Yi} 可据已有的试验资料,用多元线性回归法求得;求相乘模型中的 λ_i,可将该模型数学式进行数学变换(等式两边取对数),也可以转化为线性回归问题,借助计算机很容易求得。

5. 果树水分生产函数

龙口市北邢家水库灌区试验站对果树的灌溉制度进行试验研究,提出了长把梨、苹果、红杏三种作物的水分生产函数(见表 9-9)。

表 9-9　不同果树水分生产函数

果树名称	数据组数	水分生产函数	相关系数
长把梨	18	$Y = -0.026\,7E^2 + 31.549E - 6\,358.2$	$R = 0.982$
苹果	18	$Y = -0.026\,4E^2 + 28.609E - 4\,935$	$R = 0.973$
红杏	15	$Y = -0.021\,5E^2 + 22.806E - 4\,050.9$	$R = 0.952$

注:Y 为产量,kg/hm²;E 为耗水量,m³/hm²;R 为相关系数。

(三)作物非充分灌溉制度的确定方法

1. 根据对比试验成果直接确定作物节水灌溉制度

灌水次数及相应的最佳灌水时间是灌溉制度的重要内容,同时,确定灌溉制度还要考虑土壤、水文、栽培条件和生产水平等因素的变化,该灌溉制度适宜于无异常气候条件、当前的栽培水平和生产水平。在特殊情况下还需根据作物的需水规律来调整灌水决策,应根据作物生长、气候状况、土壤类型和墒情而定,同时,应结合灌溉预报进行灌水决策。

1)冬小麦不同灌水次数的增产效益及最佳灌水时间

通过不同灌水次数和灌水时间试验,分析其增产效果和生长发育状况,得出如下结论:灌 1 水比对照不灌增产 10% ~20%,最高增产 48%,最佳灌水时期为拔节期,其次为孕穗、抽穗期,再次为冬灌期。灌 2 水比对照不灌增产 20% ~40%,较灌 1 水平均增产 15%,灌 3 水最佳组合,若前期墒情好,其最佳灌水组合为拔节、抽穗和拔节、灌浆;若前期墒情较差,土壤水分偏低,则以冬灌、拔节和冬灌、孕穗为宜。灌 3 水一般年份即为充分灌溉,但在特旱或中等干旱年份,也难以实行充分灌溉,其最佳灌水组合为冬灌、拔节、抽穗或冬灌、孕穗、灌浆。

2)夏玉米不同灌水次数的增产效益及最佳灌水时间

如前所述,夏玉米的耐旱能力较差,生长期内雨热同步,一般年份和干旱年份灌水 1~2 次,最佳灌水期为抽雄期和灌浆期,其次为拔节期。另外 5、6 月份气候干旱,一般需灌造墒水,可结合小麦的灌浆水套种。

2. 在已有作物水分生产函数的基础上,用边际分析法确定灌溉制度

根据作物生产函数和边际分析理论,利用价值生产函数的关系,确定经济灌溉定额,经济灌溉定额确定后,即可根据前述对比试验成果确定的最佳灌水时间,制定节水灌溉制度,或用数学模型计算确定灌溉制度。

1)经济灌溉定额的确定

在水资源供给不充分时,以灌区最大农业生产效益为目标而合理确定作物的灌溉定额、灌水定额、灌水时间,即经济灌溉制度,也就是说,确定的经济灌溉制度,允许作物一定生长期内遭受一定程度的水分亏缺,从而减少蒸发耗水量,节约灌溉用水,扩大灌溉面积,虽然单位面积产量可能因此而降低,但灌区总的农业效益最大。因此,需要首先确定经济灌溉定额。

对一个灌区来说,确定经济效益最大时灌溉定额,应从如下两个方面进行考虑:一是灌溉面积和最大可供水量一定,确定灌溉定额和可供水量;二是供水量和最大可能的灌溉面积一定,确定灌溉定额及相应的灌溉面积,使总效益最大。

根据以上思路,求某种作物的经济灌溉定额,可建立如下两个目标函数:

$$F = A_0 \left[(P_1 + \alpha P_2) Y - C_a - C_w M \right] \tag{9-9}$$

约束条件:

$$M A_0 / \eta \leqslant W \tag{9-10}$$

或

$$F = (\eta W / M) \left[(P_1 + \alpha P_2) Y - C_a - C_w M \right]$$
$$+ (A_0 - \eta W / M) \left[(P_1 + \alpha P_2) Y_0 - C_0 \right] \tag{9-11}$$

约束条件：

$$W\eta/M \leqslant A_0 \tag{9-12}$$

式中　A_0——在式(9-9)中为灌溉面积,在式(9-11)中为最大可能灌溉面积;

　　　η——灌溉水利用系数;

　　　M——灌溉定额,m^3/hm^2;

　　　W——在式(9-10)中为可供水量,式(9-11)、式(9-12)中为分配于该作物的总用水量,m^3;

　　　P_1——作物主产品价格,元/kg;

　　　P_2——作物副产品价格,元/kg;

　　　α——作物副、主产品产量比值;

　　　Y——作物单产,是灌溉定额 M 的函数,kg/hm^2;

　　　C_a——除灌溉以外(田间管理、肥料、种子、农药等)的单位面积生产费用,元$/\text{hm}^2$;

　　　C_w——供水费用,元$/\text{m}^3$;

　　　Y_0——非灌溉面积上的产量,kg/hm^2;

　　　C_0——非灌溉面积上的农业费用,元$/\text{hm}^2$。

　　若假定在作物全生育期内,土壤水及地下水盈亏平衡,则耗水量 $E = P + M$(P 为降雨量)。对试验资料的分析结果表明,产量 Y 与耗水量($P + M$)可用二次抛物线关系拟合,关系式为:

$$Y = a(M + P)^2 + b(M + P) + c \tag{9-13}$$

对式(9-9)求极值,并与式(9-13)联立求解,整理后可得效益最大时的灌溉定额:

$$M = \{[C_w/(P_1 + \alpha P_2) - b]/2a - b\}/2a - P \tag{9-14}$$

其相应总供水量 MA_0/η 必须满足:$MA_0/\eta \leqslant W$,否则应取 $M = W\eta/A_0$。

对式(9-11)求极值,并与式(9-13)联立,也可得到效益最大时的灌溉定额:

$$M = \sqrt{[(C_a - C_0)/(P_1 + \alpha P_2) - (aP^2 + bP + c - Y_0)]/(-a)} \tag{9-15}$$

其相应灌溉面积 A 必须满足:$A \leqslant A_0$,否则应取 $M = W\eta/A_0$。

假定非灌溉面积上的净效益为零,即$(P_1 + \alpha P_2)Y_0 - C_0 = 0$,则有:

$$M = \sqrt{[C_a/(P_1 + \alpha P_2) - (aP^2 + bP + c - Y_0)]/(-a)} \tag{9-16}$$

式中符号含义同前。

2)确定经济灌溉制度的实例

　　下面以山东省龙口市北邢家试验站的实测资料来说明产量与耗水量关系的建立及经济灌溉定额的确定方法。该试验站设置 8 个处理,耗水量与产量见表 9-10。

表 9-10　试验站各处理的实测资料

处理	Ⅰ	Ⅱ	Ⅲ	Ⅳ	Ⅴ	Ⅵ	Ⅶ	Ⅷ
耗水量(m^3/hm^2)	1 881	2 631	3 381	4 131	4 881	5 631	6 381	7 131
产量(kg/hm^2)	763.5	2 241.0	4 312.5	4 753.5	5 500.5	5 859.0	5 895.0	5 715.0

将各处理的产量与耗水量按 $Y = f(E)$ 函数关系进行回归计算,回归方程为二次抛物线,即:

$$Y = -0.004\ 49E^2 + 3.623E - 332.33 \quad (n = 8, R = 0.993\ 9) \tag{9-17}$$

从图 9-3 也可看出,产量 Y 与耗水量 E 的相关关系。

式(9-17)中,$a = -0.004\ 49$,$b = 3.623$,$c = -332.33$,若 $P = 1\ 881$ m³/hm²,$P_1 = 0.54$ 元/kg,$P_2 = 0.12$ 元/kg,$\alpha = 0.22$,$C_a = 1\ 775.1$ 元/hm²,$C_w = 0.2$ 元/m³,则可用于冬小麦的灌溉水量为 607.5 万 m³,可灌溉面积 1 220 hm²。

按灌溉面积全灌考虑。将上述参数代入式(9-14)得,$M = 3\ 580.5$ m³/hm²,此时耗水量为 5 461.5 m³/hm²,查图,产量为 5 775 kg/hm²,说明产量较高,而用水量 $MA_0 = 3\ 580.5 \times 1\ 220 = 4\ 368\ 210$(m³)$\approx$ 436.8 万 m³,取 $\eta = 0.5$,则总供水量为 873.6 万 m³,而可供水量仅有 607.5 万 m³,故应取 $M = 607.5 \times 10^4 \times 0.5/1\ 220 = 2\ 489.75$(m³/hm²)$\approx 2\ 490$ m³/hm²,耗水量为 4 371 m³/hm²,查图,$Y = 5\ 100$ kg/hm²,总产量 $Y = 622.2$ 万 kg,其相应的效益 $F = 69.9$ 万元。

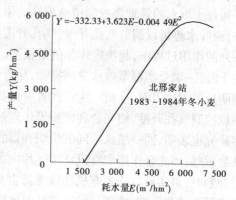

图 9-3　产量与耗水量关系

按最佳控制面积确定。设非灌溉效益为零,用式(9-16)计算,求得 $M = 2\ 809.5$ m³/hm²,此时的灌溉面积 $A = 1\ 080$ hm²,$A \leqslant A_0$,耗水量 4 690.5 m³/hm²,产量 5 400 kg/hm²,总产 583.2 万 kg,其相应净效益 $F = 77.9$ 万元。

由以上分析可知,若参考净效益最大,应取 $M = 2\ 809.5$ m³/hm²,这样,就需舍弃 140 hm² 土地而对其余部分灌溉。

三、作物调亏灌溉制度

作物调亏灌溉(Regulated Defit Irrigation,RDI)是国际上 20 世纪 70 年代中期在传统的灌溉原理与方法的基础上,提出的一种新的灌溉方式,其基本概念不同于传统的充分灌溉,也有别于非充分灌溉或限额灌溉(Limited Irrigation)。非充分灌溉放弃单产最高,追求一个地区总产量最高,即在水分限制的条件下,舍弃部分单产量,追求总产量,这是在一个灌区供水量不足的情况下经常采用的一种灌溉方式;调亏灌溉是舍弃作物产量总量(干物质重),追求经济产量(籽粒或果实)最高。它主要是根据作物的遗传和生态生理特性,在其生育期内的某些阶段(时期)人为地主动施加一定程度的水分胁迫(亏缺),调节其光合产物向不同组织器官的分配,调控作物地上和地下生长动态,促进生殖生长,控制营养生长,从而提高经济产量,舍弃有机合成物总量,达到节水高效、高产优质和增加灌溉面积的目的。调亏灌溉方法的关键在于从作物的生理角度出发,根据其需水特性进行主动的调亏处理。因而可以说,调亏灌溉开辟了一条最佳调控"水—植物—环境"(SPAC 系统)关系的有效途径,是一种更科学、更有效的新的灌水策略。这是目前国际上灌溉及其有关领域研究的一个热点,20世纪90年代,澳大利亚与中国林业大学合作,曾经做过油桃等果树的调亏灌溉试验,取得了一些成果,并在山东省的平阴县进行了示范推广。山东省龙口市北邢家水库试验站对三种水果进行了试验。中国水利水电科学研究院、水利部中国农业科学研究院农田灌溉研究所等单位承担的"九五"国家科技攻关计划"节水农业技术研究与示范"项目在河北省栾城站、山西省洪洞等示范区进行了大量的研究,取得了一些成果,但总体来讲在国内尚处于研究示范阶段。

(一)作物调亏灌溉的生态生理机制

通过土壤水的管理来控制植株根系的生长,从而控制地上部分的营养生长及其植株水势,而叶水势可以调节气孔开度,气孔开度则对光合和植株水分利用有重要作用,在这一系列的作用过程中,起决定作用的是根系。因为当对植株进行分根处理且部分土壤逐渐变干时,一半受旱根系吸水受到抑制,尽管叶水势、ABA(脱落酸)含量不变,但大部分气孔却明显关闭。因而,推测一定存在着一种物质,在植株受旱时,由根系产生并输送到叶片中以控制气孔开度,使光合和蒸腾等生理过程发生变化,影响其最终的收获产量。同时许多研究也表明,同一植株不同的组织和器官对水分亏缺的敏感性不同,细胞膨大对水分亏缺最敏感,而光合作用和有机物由叶片向果实的运输过程敏感性次之。因而在营养生长受抑制时,果实可以积累有机物以维持自身的膨大,使其在调亏期的生长不明显降低。在果实的快速膨大期,即调亏结束重新复水期,由于调亏期细胞的扩张因亏水而受抑制时积累的代谢产物,在水分供应量恢复后可用于细胞壁的合成及其他与果实生长相关的过程,起到补偿生长的效应,以致不会因适度水分胁迫而引起产量的下降。如果胁迫程度过大或历时过长,细胞壁可能变得太坚固以致当供水增加时也不能恢复扩张,引起产量下降。这些机理使调亏灌溉的功效在分子水平上得到解释,为在调亏灌溉研究领域定性化和可操作化的深层次的研究提供了理论依据。

(二)冬小麦调亏灌溉制度

1. 不同生育时期调亏对冬小麦产量的影响

根据河北省栾城试验站大型蒸渗仪结合小型棵间蒸发器测定的充分供水条件下冬小麦日蒸腾和棵间蒸发量变化(见图9-4),冬小麦整个生育期间耗水量在460 mm左右,其中棵间蒸发占大约1/3。日耗水量最高达到5~6 mm,在其生育早期,田间耗水量以棵间蒸发为主,中后期以作物蒸腾为主。

许多试验都表明了作物耗水量与产量的关系并不是直线关系,栾城试验站的结果也说明了这个问题。随着冬小麦耗水量的增加,产量增加,增加到一定程度后,产量反而递减。产量和水分生产率则非最高耗水量时最高,从这一点可说明作物生长期间并不是灌水量越多,产量越高。

而对于同样灌水次数的冬小麦,由于灌水时间的不同,同样的耗水量可产生不同的产量和水分生产效率(作物每消耗1 m³水所能生产的籽粒产量),如表9-11所示,返青后同样灌2水,总耗水量470 mm的水平下,由于灌水时间不同,最高和最低产量相差15.3%,水分生产效率相差16.73%。这进一步说明冬小麦生育期在总耗水量相同时,由于各生育阶段水分分配不均导致产量有差异;在同一产量下,总耗水量也不相同,产生不同的水分生产效率。这种产量的上下波动和耗水量、水分生产效率的差异表明冬小麦最优供水

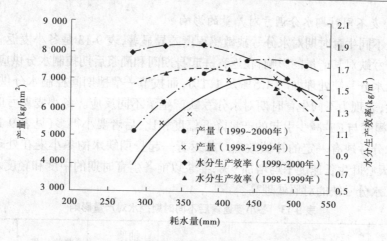

图 9-4　冬小麦产量和水分生产效率与耗水量的关系

方式的存在和各生育时期对水分状况反映差异的存在。

表 9-11　返青后同样灌 2 水的冬小麦产量、水分生产效率差异比较

灌水日期	总耗水量 （mm）	产量 （kg/hm²）	水分生产效率 （kg/m³）
3 月 27 日,4 月 29 日	475.9	6 308.6	1.33
3 月 27 日,5 月 7 日	460.0	6 503.3	1.41
3 月 27 日,5 月 14 日	476.1	6 219.8	1.31
4 月 18 日,5 月 14 日	470.1	7 170.0	1.53

2. 调亏对冬小麦产量构成因素的影响

构成冬小麦产量的 3 个因素是穗数、穗粒数和粒重。表 9-12 是冬小麦盆栽试验各处理的穗粒数、千粒重以及有效穗数与充分供水小麦的比较,返青期间的轻度和中度水分亏缺对组成冬小麦产量的 3 个因素均是正效应,而且拔节期间的轻度和中度水分亏缺增加了有效粒数,灌浆期以前的轻度和中度水分亏缺都增加了千粒重,灌浆期轻度水分亏缺对产量也是正效应,表明作物在经历了一定程度的干旱后可以促进后期干物质向籽粒的转移而提高其经济产量。因此,水分亏缺对作物并不都是负面影响,适当程度的水分亏缺反而对作物是有利的。

表 9-12　不同生育期不同缺水程度对冬小麦产量构成因素的影响（1997 年）

项目	对照	返青—起身期			拔节期			孕穗期			抽穗—开花期			灌浆期		
		轻度	中度	重度	轻度	中度	重度	轻度	中度	重度	轻度	中度	重度	轻度	中度	重度
有效穗数	46.7	0.7	0.6	0	−1.4	−6.4	−17.9	−7.8	−9.2	−16.4	−6.4	−4.2	−8.5	0.1	−0.2	−0.5
穗粒数	33.9	0.7	0	−0.9	1.5	2.4	−1.2	−1.4	−9.9	−17.1	−5.3	−12.5	−13.7	1.6	−2.8	−2.8
千粒重	36.1	1.3	3.4	−1.7	0.3	0.2	−0.4	0.5	5.9	3.9	3.0	0.1	1.3	0.9	−5.6	−21.5

注:轻度、中度、重度分别为轻度水分亏缺、中度水分亏缺和重度水分亏缺。

3. 冬小麦不同时期水分调亏对产量的影响

冬小麦不同生育时期对水分亏缺敏感程度差异显著,表 9-13 是冬小麦返青后不同生育时期水分亏缺对其产量的影响,在返青—起身期间和灌浆后期控制水分供应,冬小麦产量反而比无水分亏缺处理增产 8.5% 及 1.1%,而拔节—孕穗期间控制水分供应,产量降低幅度最大,表现为不同生育时期对水分亏缺产生了不同反应。冬小麦调亏时期蒸散量 ET 的降低幅度与 ET 减少引起的产量降低幅度相比,后者要小得多(见表 9-14),表现在冬小麦对水分亏缺有一定的补偿效应。如返青—起身期缺水的冬小麦在处理结束后复水,连续三天心叶生长速度平均增加 9%,灌浆以前各生育时期的中度和轻度水分亏缺千粒重均比无水分亏缺的对照处理高。

表 9-13 冬小麦返青后不同时期控水对产量影响

调亏时期	返青—起身期	拔节期	孕穗期	抽穗—灌浆期	灌浆后期	无水分亏缺(对照)
产量 (kg/hm²)	7 059	6 196.5	6 237	6 378.8	6 575.25	6 503.3
与对照差异 (%)	+8.5	−4.7	−4.1	−1.9	+1.1	

表 9-14 冬小麦各生育时期不同调亏程度的阶段蒸散量(ET)与充分供水蒸散量(ET_P)的比值及相对应的产量比值(Y/Y_m)

生育期	返青—起身期		拔节期		孕穗期		抽穗—开花期		灌浆期	
调亏程度	ET/ET_P	Y/Y_m	ET/ET_P	Y/Y_m	ET/ET_P	Y/Y_m	ET/ET_P	Y/Y_m	ET/ET_P	Y/Y_m
重度	75.0	100	29.3	83.9	33.6	83.4	34.5	84.4	26.8	76.3
中度	85.2	100	53.6	86.1	89.1	62.7	86.3	55.4	55.4	89.9
轻度	95.0	100	97.6	90.1	92.6	89.7	91.7	90.3	90.3	98.4

根据水量和产量试验结果建立水分生产函数模型,对水分和产量关系进行理论分析。由于作物生长是连续的,某一生育阶段缺水不仅影响该生育期,而且对下一生育期也产生影响。因此,作物产量与生育期内各生育阶段的耗水量应是集合关系,故采用 Jensen 连乘模型来分析确定作物不同生育阶段缺水量对产量的影响。

根据栾城试验站 1996～1997 年、1997～1998 年和 1998～1999 年 3 个试验年度冬小麦生育期内的降水量、耗水量和产量资料,分别代表平水年、丰水年、干旱年,采用 Jensen 连乘模型求得 3 个试验年度冬小麦不同生长阶段的缺水减产敏感性指数 λ_i,计算结果见表 9-15。

从表 9-15 的计算结果可以看出:

(1)不同水文年,Jensen 模型中 λ 值从大到小的顺序为:1998～1999 年的干旱年③→④→⑤→②→①;1996～1997 年的平水年③→④→②→⑤→①;1997～1998 年的丰水年③→④→①→⑤→②。但 λ 的最高值和次高值均出现在第③阶段和第④阶段,λ 值越高,则缺水后减产率越高(Y/Y_m 越低),即对缺水减产越敏感。这一结论与冬小麦试验结果和灌溉生产实践相吻合。当小麦进入拔节后至抽穗阶段,由于气温升高很快,小麦生长旺盛,此期是冬小麦营养生长和生殖生长并举的需水关键时期,水分充足,有益于促进小麦有良好的个体和群体发育,提高成穗率,增加小麦产量。此期一旦缺水,就会影响小麦的优化产量构成,使分蘖成穗率降低,影响小麦单产,故此期 λ 值较大。抽穗—灌浆期,是小麦生殖生长形成籽粒的关键时期,此期由于气温高,小麦植株蒸腾旺盛,需要制造大量的养分以形成籽粒,所消耗的水分主要是通过叶面气孔进行的,麦田的土壤水分消退很快,一旦缺水,就会使小麦的穗重、粒重降低,直接影响小麦籽实的形成,所以此期小麦产量高低对水分亏缺也很敏感,故 λ 值也比较大。

表 9-15　冬小麦各生育阶段缺水减产敏感性指数 λ_i

水文年型	生育阶段 λ_i					相关系数	资料年份 (年)
	播种—返青 ①	返青—拔节 ②	拔节—抽穗 ③	抽穗—灌浆 ④	灌浆—成熟 ⑤		
干旱年	0.018 1	0.133 3	0.214 9	0.213 0	0.144 3	0.999 8	1998～1999
平水年	−0.149 2	0.322 7	0.934 0	0.638 6	0.096 6	0.938 2	1996～1997
丰水年	0.156 9	−0.120 8	0.673 7	0.518 1	0.087 5	1.000 0	1997～1998
平均	0.008 6	0.111 7	0.607 5	0.456 6	0.109 4	0.979 3	1996～1999

(2)3 个降水代表年型 λ 的大小变化顺序不尽相同,从其平均值看,λ 值从大到小的顺序为③→④→②→⑤→①,即中间大、两头小,这也符合冬小麦生长发育的实际情况。冬小麦在生长发育前期,由于苗小、气温低、根系不很发育且较浅,耗水主要以棵间蒸发为主,此期小麦主要处于营养生长阶段,作物进行光合作用生成的物质主要用于小麦的植株生长,发生水分亏缺并不直接影响到小麦产量的形成,所以 λ 值较小。当小麦进入灌浆乳熟期后,其籽粒已基本形成,虽然水分亏缺会影响籽实的进一步形成和巩固,即饱满程度和千粒重,但产量对水分亏缺的反应不如前两个阶段敏感。试验表明,如果抽穗—灌浆期土壤水分供应充足,后期不再灌水,一般不会对小麦产量造成较大影响;相反,小麦生长后期过量灌水或土壤水分过高,特别是灌浆后进入蜡熟期,还会造成小麦遭干热风倒伏和贪青(即常说的倒青)晚熟,使千粒重减小,反而会严重影响小麦产量。1996～1999 年 3 个试验年度的冬小麦水量与产量试验结果就说明了这一点,所以小麦生长前期和后期不是缺水敏感期,λ 值也比较小。

4.冬小麦不同生育时期适宜调亏土壤水分下限指标

作物计划湿润层内土壤水分适宜调亏下限值,是实施作物调亏灌溉的一个重要指标。它与灌溉时间早晚、灌溉次数多少、灌水定额和灌溉定额大小,以及作物产量高低密切相关。根据 4 年中不同灌溉试验条件下土壤水分动态过程分析,得到冬小麦不同生育期适宜调亏下限指标为:越冬前 0～50 cm 土壤含水量不低于田间持水量的 55%;返青—起身期间 0～50 cm 土壤含水量不低于 50%,但高于 80%～85% 时,会随着土壤含水量的增加,产量降低;拔节期间 0～50 cm 土壤含水量应高于田间持水量的 65%,孕穗期间 0～

80 cm土壤含水量应不低于田间持水量的 60%,抽穗—灌浆前期应维持 0～100 cm 土壤含水量高于 60%,而灌浆后期低于 50%～55%将不会造成冬小麦明显减产。

5. 冬小麦调亏灌溉制度

通过以上分析及 4 年来的试验结果(表 9-16～表 9-20),可以看出,在不同降水年型中,不同的灌溉制度产生了不同的产量和水分生产效率。在降水量多的 1997～1998 年,没有灌水处理的冬小麦产量与灌水处理的冬小麦最高产量相差较小,大约为 12%;而在最旱的 1999～2000 年,两者相差 52.4%,说明了干旱年份灌溉对于北方地区冬小麦生产的重要性。这 4 年的试验结果也表明,湿润年份灌 1 水,平水年灌 2 水,干旱年份灌 3 水,灌水定额 60 mm,冬小麦水分生产效率和产量都比当地农民所采用的灌水制度高,产量提高幅度为 7%～10%,水分生产效率提高幅度为 11%～24%。在山西省洪洞示范区,冬前和拔节期灌水处理的产量和水分生产效率最高,比灌 3 水的处理产量和水分生产效率分别提高了 7.7%和 23.2%。因此,通过冬小麦调亏灌水制度,可以显著提高农田水分生产效率。

北方冬小麦调亏灌溉制度应是:①一般降水年份,灌 2 次水。这 2 次水分别在越冬前和拔节期。由于这些年来,北方冬小麦区冬季雨雪少,冬灌是必需的,然后在关键期拔节期再灌 1 次水,就能保证高产。但是如果播种后降水多,越冬时土壤墒情好,可以不冬灌,春季早灌,然后在拔节后期至孕穗期再灌 1 次水。②干旱年份灌 3 次水。除了越冬水和拔节水外,如果降水少,在抽穗和开花期需要再进行一次灌溉。③湿润年份灌 1 次水。如果遇上多雨年份,结合追肥,冬小麦拔节期灌 1 次水即可。每次灌水量为 60～80 mm。

表 9-16　1996～1997 年不同灌水条件下的冬小麦产量和水分生产效率(河北栾城)

灌水时间	总灌水量 (mm)	总耗水量 (mm)	产量 (kg/hm²)	水分生产效率 (kg/m³)
不灌	0	364.7	5 500.6	1.51
4 月 22 日	144.4	428.6	6 900.8	1.61
4 月 29 日	153.5	434.5	6 164.3	1.42
3 月 27 日,4 月 22 日	171.4	428.9	6 494.3	1.51
3 月 27 日,4 月 29 日	200.1	475.9	6 308.6	1.33
3 月 27 日,5 月 7 日	186.7	460.0	6 503.3	1.41
3 月 27 日,5 月 14 日	193.7	476.1	6 219.8	1.31
4 月 18 日,5 月 14 日	194.8	470.1	7 170.0	1.53
4 月 29 日,5 月 22 日	176.7	413.2	6 236.6	1.51
3 月 27 日,4 月 22 日,5 月 14 日[①]	252.5	474.7	6 503.3	1.37

注:①试验地点周围群众大田的灌水次数和灌水时间。

表 9-17　1997～1998 年不同灌水条件下的冬小麦产量和水分生产效率(河北栾城)

灌水时间	总灌水量 (mm)	总耗水量 (mm)	产量 (kg/hm²)	水分生产效率 (kg/m³)
不灌	0	299.4	5 413.8	1.81
3 月 25 日,4 月 21 日	95.0	338.4	5 954.9	1.76
3 月 25 日,5 月 20 日	151.3	366.0	5 958.0	1.63
4 月 15 日	84.7	333.7	6 088.2	1.83
3 月 25 日,4 月 21 日,5 月 20 日	175.9	375.6	5 650.7	1.50
4 月 7 日,4 月 21 日,5 月 20 日[①]	166.6	389.8	6 066.0	1.56

注:①试验地点周围群众大田的灌水次数和灌水时间;所有处理越冬时进行了冬灌。

表 9-18　1998～1999 年不同灌水条件下的冬小麦产量和水分生产效率(河北栾城)

灌水时间	总灌水量 (mm)	总耗水量 (mm)	产量 (kg/hm²)	水分生产效率 (kg/m³)
不灌	0	323.0	5 325.8	1.65
3 月 16 日	80	366.4	7 023.8	1.92
4 月 3 日	80	338.2	6 697.5	1.98
4 月 24 日	80	370.4	7 058.3	1.91
3 月 4 日,4 月 24 日	160	444.2	7 592.0	1.71
3 月 11 日,4 月 24 日	160	438.4	7 422.5	1.69
3 月 17 日,5 月 6 日	160	399.0	6 915.0	1.73
3 月 17 日,5 月 14 日	160	403.9	7 344.6	1.82
11 月 21 日,4 月 24 日	160	400.3	6 923.0	1.73
3 月 31 日,5 月 5 日	160	442.5	7 296.0	1.65
11 月 21 日,3 月 31 日,4 月 24 日,5 月 5 日[①]	240	478.5	6 937.5	1.45

注:①试验地点周围群众大田的灌水次数和灌水时间。

表 9-19　1999～2000 年不同灌水条件下的冬小麦产量和水分生产效率(河北栾城)

灌水时间	总灌水量 (mm)	总耗水量 (mm)	产量 (kg/hm²)	水分生产效率 (kg/m³)
不灌	0	282.9	5 103.8	1.80
4 月 6 日	60	325.0	6 180.8	1.90
12 月 2 日,4 月 6 日	120	374.6	6 810.0	1.82
3 月 25 日,4 月 25 日	120	414.2	7 092.9	1.71
12 月 2 日,4 月 18 日,5 月 10 日	180	432.6	7 593.2	1.76
12 月 2 日,4 月 6 日,4 月 25 日,5 月 15 日[①]	240	487.7	6 937.8	1.42

注:①试验地点周围群众大田的灌水次数和灌水时间。

表 9-20　　1998～1999 年不同灌水条件下的冬小麦产量和水分生产效率(山西洪洞)

灌水时间	降水量 (mm)	总灌水量 (mm)	总耗水量 (mm)	产量 (kg/hm²)	水分生产效率 (kg/m³)
拔节	80.7	180.0	363.0	4 500.3	1.24
冬灌、拔节	80.7	255.8	441.3	5 967.0	1.35
冬灌、起身、灌浆	80.7	369.9	505.0	5 539.2	1.10
冬灌、拔节、灌浆	80.7	329.9	467.0	5 900.3	1.26

(三)夏玉米调亏灌溉制度

1.不同调亏时间及调亏水平对玉米生态特性的影响

研究结果表明,玉米苗期调亏可抑制其株高生长及叶片扩展,对玉米根系的伸长及其干物质积累也有一定的影响。1997～1999 年的大田试验结果也证明了该结论的正确性。在大田生长环境下,一般苗期调亏对株高的抑制幅度可达 12.3%(渭北旱塬试验表明,苗期调亏水平为 40% 时,植株高度平均比对照区降低 4.4 cm;调亏水平为 50% 时,比对照降低 2.7 cm)。而盆栽和桶栽试验(表 9-21)则表明,苗期调亏对株高的抑制幅度可达 36%,桶栽试验当调亏水平为 40% 时,植株高度可比对照降低 43 cm;当调亏水平为 50% 时,比对照降低 40 cm;调亏水平为 50%～60% 时,比对照降低 28 cm。苗期调亏对叶面积的抑制程度也比较大。试验结果还表明,玉米苗期适度水分调亏可增加根冠比,且苗期调亏后恢复充分供水的玉米其株高及叶面积的生长在后期基本上等同于一直充分供水的植株。说明苗期调亏可增加玉米抵御干旱的能力,为加强后期调节和补偿能力创造了条件。玉米苗期经受适度的水分调亏可以促使根系生长,增大根冠比,如苗期重度调亏、中度调亏、轻度调亏与对照相比,根冠比分别增大了 11.5%、23.14% 及 6.36%;根系长度与相应株高比值分别增大了 52.24%、55.15% 及 37.82%。但根系发育的绝对长度及根系发育总量则是供水水平高的大于供水水平低的。

表 9-21　　苗期不同调亏水平对玉米生态特性的影响

处理	株高 (cm)	叶片数	叶面积 (cm²/株)	根系长 (cm)	干物质重 (g/株)	根系干重 (g/株)	根冠比	根系长/ 植株高
1	52	6	1 229.2	90	18.75	7.7	0.410 0	1.731
2	55	6	1 315.6	97	20.23	9.16	0.452 8	1.764
3	67	7	1 789.2	105	29.28	11.45	0.391 1	1.567
CK	95	8	3 052.7	108	38.29	14.08	0.367 7	1.137

注:表中数据为苗期—拔节期结束时的取样实测值。处理 1、2、3、CK 分别为苗期重度、中度、轻度调亏及对照。

通过对不同处理的根系进行观察发现,苗期调亏还可通过增加植株根系的单根粗度来进行调节补偿。经受调亏处理的根系单根粗度大于充分供水的处理,同时由于其呼吸条件优于充分供水处理,所以其根系颜色比充分供水处理的白,根冠比及根系长度与相应株高比值一般高于丰水处理,表明苗期经受水分调亏的玉米其水分与营养的供给均向根系倾斜,根系生长基本没有受到抑制,为作物后期恢复生长提供了有利条件。综合考虑苗期调亏以中度最佳。

2. 拔节期不同调亏水平对玉米生态特性的影响

拔节—抽雄期调亏同样可抑制玉米株高生长和叶片扩展,同时也影响到玉米根系的伸长及其干物质积累。拔节—抽雄期调亏对株高抑制幅度达 35.6%,对叶面积的抑制幅度达 31.5%。拔节期干旱对玉米株高及叶面积的抑制作用小于苗期。从根系发育情况来看,拔节期调亏同样可以促使根系生长,增大根冠比。与对照相比,拔节期重度调亏、中度调亏、中轻度调亏及轻度调亏根冠比分别增大了 6.25%、24.2%、40.29% 及 43.00%;根系长度与相应株高比值分别增大了 1.18%、47.54%、6.35% 及 4.38%(见表 9-22)。拔节期调亏后恢复充分供水的玉米株高及叶面积在后期小于一直充分供水的植株。说明拔节期调亏虽然也可增加玉米抵御干旱的能力,但此阶段调亏后玉米后期调节和补偿能力减弱,此期调亏应以中轻度亏水为宜。另外从试验结果看,抽雄期以后的调亏对玉米植株增高、叶片扩展及根系的生长影响要大大小于苗期和拔节期。

表 9-22　拔节期不同调亏水平对玉米生态特性的影响

处理	株高 (cm)	叶片数	叶面积 (cm²/株)	根系长 (cm)	干物质重 (g/株)	根系干重 (g/株)	根冠比	根系长/ 植株高
4	96	13	4 281.6	88	51.75	19.44	0.375 7	0.916 7
5	98	13	4 421.9	131	56.97	18.30	0.321 2	1.336 7
6	110	13	5 098.9	106	70.03	29.70	0.424 1	0.963 6
7	129	13	5 187.2	122	78.25	33.83	0.432 3	0.945 7
CK	149	13	6 249.0	135	98.44	29.76	0.302 3	0.906 0

注:表中数据为拔节—抽雄期结束时的取样实测值。处理 4、5、6、7、CK 分别为拔节期重度、中度、中轻度、轻度调亏及对照。

在陕西省长武的试验表明(表 9-23),苗期经受重度亏水的 3、6、8 处理,其平均株高依次低于经受中轻度亏水的 1、5、7 处理和丰水的 2、4、9 处理,这说明水分亏缺对其营养生长有一定的抑制作用。但从拔节期的平均株高情况又可以发现,苗期受到一定程度的水分胁迫,而拔节期恢复充分供水的 7、8 处理,其植株生长速度最大(除对照区外),也即补偿生长最强,但此期的补偿生长主要是促进其营养器官的生长。成熟期的株高,除了拔节期未进行调亏的 3 个处理外,5、6 处理的株高恢复能力较强,而此时期的补偿生长也有利于形成最终的收获产量。由表 9-24 可以看出,水分的亏缺抑制了根系的生长,单株根重除了处理 5 和处理 6 比对照 9 大之外,其余处理的根重都小于对照。处理 5 绝对根重大于对照,很可能是由于一直受到中、轻度水分胁迫的处理,根部比地上部有着更有效的渗透调节作用,以致轻度的胁迫抑制地上部分生长超过抑制光合,造成过量的碳水化合物用于根系的生长,使根的绝对质量增加(Sharp and Davies,1979)。处理 6 的绝对根重大于对照,可能与后期根的补偿生长有关。表 9-24 中的地上干物质重表明,调亏各处理的干物质重都小于对照。根冠比除了处理 4 比对照小之外,其余的都大于对照,尤其以处理 5 和处理 6 最为显著。可见,调亏处理时,地上部的生长比根系的生长减小得更多,致使根冠比因水分胁迫而增加。

表 9-23　调亏处理对玉米株高的影响(陕西长武试验站)　　　(单位:cm)

处理	1	2	3	4	5	6	7	8	9
5月26日	27	28	26	30	28	27	27	26	29
5月30日	30	31	30	32	32	31	33	30	31
6月6日	43	47	38	45	39	38	42	39	47
苗期平均	33.3	35.3	31.3	35.7	33	31.7	34	31.7	35.7
6月15日	52	56	51	50	54	54	54	53	57
6月23日	68	72	64	67	74	72	77	77	80
拔节期平均	60	64	57.5	58.5	64	63	65.5	65	68.5
成熟期9月6日	170	175	162	168	180	176	183	185	198

注:各处理分别为:1.苗期中度亏水、拔节期重度亏水(苗中拔低);2.苗丰拔中;3.苗低拔低;4.苗丰拔低;5.苗中拔中;6.苗低拔中;7.苗中拔丰;8.苗低拔丰;9.苗丰拔丰(对照)。

表 9-24　调亏灌溉对地上干物质重、根重及根冠比的影响

处理	1	2	3	4	5	6	7	8	9
根重(g/株)	15.1	18.3	15.3	12.33	28.3	26.2	21.0	18.3	23.7
地上干物质重(g/株)	96.0	104.6	87.7	99.5	98.8	95.6	124.9	108.6	172.8
根冠比	0.157	0.175	0.174	0.124	0.287	0.263	0.172	0.168	0.139

注:各处理分别为:1.苗期中度亏水、拔节期重度亏水(苗中拔低);2.苗丰拔中;3.苗低拔低;4.苗丰拔低;5.苗中拔中;6.苗低拔中;7.苗中拔丰;8.苗低拔丰;9.苗丰拔丰(对照)。表中数据以单株平均计。

3. 不同调亏水平对玉米生长的后效性影响分析

从图 9-5 可知,苗期经受调亏的处理恢复充分供水后其株高及叶面积在后期基本上等同于一直充分供水的植株且对产量影响不大,说明苗期调亏可增加玉米抵御干旱的能力,为加强后期调节和补偿能力创造了条件。拔节期经受调亏的处理恢复充分供水后其株高生长及叶面积指数在后期却一直低于充分供水的植株,其产量降低幅度也比苗期调亏处理的大,尤其是拔节期重度调亏和中度调亏其减产幅度达到 18% 和 9%。说明了此阶段调亏后玉米后期调节和补偿能力减弱,因此此期调亏应以中、轻度亏水为宜。抽雄期以后玉米由营养生长向生殖生长过渡,叶面积指数及蒸腾均达到其一生中的最高值,即为玉米需水临界值,该期水分调亏虽然对玉米植株增高、叶片扩展及根系的生长影响要小于苗期和拔节期,但对产量的影响却较大,且各处理都是节水幅度小于增产幅度,说明拔节期以后不宜进行调亏。

4. 玉米不同时期、不同调亏水平的产量效应及最佳调亏时期、调亏水平分析

玉米不同生育期不同调亏处理水平其产量效应明显不同。1997 年其产量效应大小为:处理 2>处理 1>处理 3>处理 4>处理 5,说明玉米苗期适宜的调亏具有增产作用,而拔节期的调亏却使玉米产量降低。各处理的水分生产率大小为:处理 5>处理 4>处理 3>处理2>处理1,基本上是随着产量降低而增大,但仔细分析则不难发现,处理 5 同处

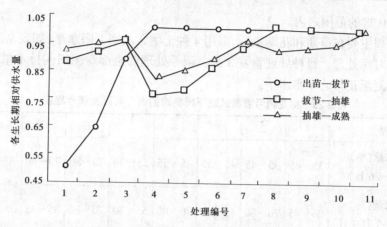

图9-5　不同调亏水平对玉米生长的影响

理1相比,其产量降低了11.30%,但其节水率却高达31.8%,处理5同处理2相比,其产量降低了12.33%,其节水率为27.5%。从产量因素来进行比较,处理2最优,从水分生产率比较,则处理5最优。

对1997~1999年大田试验的玉米产量和全生育期耗水量进行了回归分析,结果除1997年回归系数大于0.8外,其余两年的回归系数都在0.6左右。这说明玉米产量不但与全生育期耗水量有关,与各个时期耗水量的关系更为密切。另外在调亏灌溉条件下,作物水分生产函数不可避免地受到作物补偿作用的影响。除此之外,可能主要是1998、1999年玉米生育期降雨较多,由于玉米需水与降雨的不同步性,导致无效蒸发量加大,从而使产量与耗水关系变得较为复杂。但从总体上看,1998年水分生产率处理2最高,其次为:处理4>处理3>处理1>处理5>处理8>处理9>处理7>处理6;产量为:处理9>处理5>处理3>处理2>处理4>处理8>处理7>处理1>处理6。1999年的水分生产率仍以处理2为最高,其次为:处理3>处理9>处理1>处理5>处理4>处理6>处理8>处理7;产量为:处理9>处理2>处理3>处理4>处理5>处理8>处理1>处理7>处理6。综合分析以处理2为最优。

从节水和高产双重意义上来讲,玉米调亏适宜时期可选为苗期+拔节期,苗期以50%的田间持水量为宜,拔节期则以60%的田间持水量为宜,拔节期以后不宜调亏。

(四)棉花调亏灌溉制度

1.盆栽棉花调亏灌溉试验研究

盆栽试验于1998年在西北农林科技大学农业部农业水土工程重点开放实验室温室内进行。盆高35 cm,口径22 cm。盆两侧各装有直径为4 cm的供水细管,底部开有小孔,用以控制、调节盆内土壤的通气状况和水分条件,底部铺有沙石过滤层,表层覆盖有细沙,防止灌水时供水管头的堵塞。盆内装有过筛的均匀耕层干土12.0 kg,土质为黑垆土,土壤密度为1.2 g/cm³,田间持水量为24%,土壤中均匀拌和相同数量的N、P、K复合肥和有机肥。盆中各埋置一根20 cm长的波导线,在灌水前后用TDR水分仪进行土壤含水量的测定。棉花品种为中棉12号,于5月5日由大田(4月20日播种)移栽至盆中,然后置于温室中。盆栽3株,待棉苗长至6叶时,留长势均匀的植株一棵。温室中的温度维持在 30 ℃ ± 10 ℃ 的范围之内。

调亏处理主要在苗期和花期进行,采用 4 种土壤含水率下限水平,如表 9-25 所示,其中处理 6 为对照处理。每种处理重复 3 次。调亏处理前全部灌至田间持水量,调亏处理结束后均恢复至正常的丰水水平。

表 9-25　棉花调亏灌溉试验不同处理的调亏阶段及调亏程度

处理	1	2	3	4	5	6	7	8	9
苗期含水量(%) (6 月 12~26 日)	35~45	35~45	45~55	45~55	55~70	70~80	70~80	70~80	70~80
花期含水量(%) (6 月 27 日~7 月 7 日)	35~45	70~80	45~55	70~80	55~70	70~80	35~45	35~45	45~55

注:含水量为占田间持水量的百分数。

调亏灌溉对棉花株高生长、根系生长、叶面积、根冠比、叶片光合速率和蒸腾速率的调控作用,以及调亏灌溉对棉花产量形成的影响与调亏灌溉的节水效应见表 9-26~表 9-31。

表 9-26　不同调亏处理棉花收获时的单株根系生长状况

处理	1	2	3	4	5	6	7	8	9
根干重(g)	6.88	7.42	7.55	7.11	8.36	8.77	7.55	8.39	8.65
根条数	11.5	16.0	13.0	15.0	17.0	18.0	15.3	15.5	11.5
根系平均长度(cm)	15.41	14.63	15.96	18.6	17.5	11.2	13.88	11.98	11.82
根长密度(cm/cm³)	0.061	0.021	0.019	0.025	0.027	0.018	0.019	0.017	0.012

表 9-27　不同调亏处理的棉花株高和茎秆横截面面积

处理	株高(cm)					茎秆横截面面积(cm²)	
	6 月 12 日	6 月 27 日	6 月 30 日	7 月 7 日	7 月 16 日	调亏期	调亏后
1	31.0	36.0	42.3	45.8	49.0	0.126	0.138
2	32.0	38.0	44.5	48.8	52.3	0.132	0.192
3	31.5	40.0	48.0	51.0	55.0	0.129	0.129
4	30.0	38.8	47.5	52.3	57.5	0.143	0.172
5	32.6	45.0	51.8	54.7	61.0	0.160	0.228
6	31.0	52.0	55.0	58.0	65.0	0.199	0.207
7	30.5	42.5	49.5	54.0	58.0	0.144	0.140
8	32.0	50.0	49.7	55.7	61.0	0.138	0.177
9	29.8	49.8	52.0	56.0	62.5	0.179	0.192

表 9-28 不同调亏处理的棉花叶面积和绿叶片数

处理	叶面积（cm²）					绿叶片数			
	6月12日	6月27日	6月30日	7月10日	7月16日	6月12日	6月27日	6月30日	7月7日
1	497	650	680	713	939	11	11.5	12	10
2	568	649	864	1 020	1 275	11	10.5	16	16
3	542	676	756	842	967	10	10.5	12	12
4	549	682	946	1 096	1 321	10	10	14	15
5	563	865	986	1 234	1 418	14	13	16	18
6	552	1 045	1 205	1 504	1 858	15	15	17	15
7	569	987	921	1 059	1 314	13	15	12	14
8	558	998	904	1 045	1 408	16	14	15	15
9	543	1 023	935	1 199	1 608	14	13	16	16

表 9-29 不同调亏处理的棉花根冠比

处理	1	2	3	4	5	6	7	8	9
根干重（g）	6.88	7.42	7.25	7.10	8.35	8.76	7.55	8.3	8.65
冠干重（g）	16.79	20.08	18.13	22.93	25.33	30.23	19.87	23.98	26.24
根冠比	0.41	0.37	0.40	0.31	0.33	0.29	0.38	0.35	0.33

表 9-30 不同调亏处理的棉花单株产量

处理	籽棉（g）	单铃（g）	棉桃平均直径（cm）	不同时期的蕾铃数				累计落花落果数
				6月27日	6月30日	7月7日	7月16日	
1	23.67	1.86	3.89	3	4	5	3	4
2	27.51	3.65	4.96	4	4	7	5	3
3	25.38	2.58	4.14	3	4	5	5	5
4	30.04	3.95	4.21	4	4	6	6	2
5	33.69	3.80	4.52	5	4	6	6	2
6	39.00	4.20	4.09	8	7	7	4	6
7	27.42	3.20	2.80	7	6	5	4	7
8	32.37	3.48	3.65	6	5	5	6	6
9	34.90	4.06	3.55	7	5	6	8	5

表 9-31　不同调亏处理的棉花产量及水分生产率

处理	1	2	3	4	5	6	7	8	9
籽棉产量 Y (g)	15.57	19.86	16.57	21.06	22.61	24.55	16.79	18.27	22.30
总耗水量 ET(L)	10.50	11.66	11.61	11.90	12.24	16.31	12.93	13.37	13.82
水分生产率 (kg/m³)	1.483	1.703	1.428	1.770	1.847	1.505	1.299	1.366	1.614

当棉花营养生长期水分较为充足时,易产生营养器官的"疯长"现象,使棉田中的通风透光条件变差,落花落果现象严重,其经济产量受到严重影响,尤其在多雨的季节更是如此。因此,棉花的过剩和冗余生长现象相对于其他作物表现得更为突出。从这种意义上讲,调亏灌溉对棉花更为适用。盆栽试验的结果表明:

(1)苗期至花期历时 14 天,土壤含水量分别为 35%～45% 和 45%～55% 的调亏处理,尽管产量与对照相比依次下降了 19.1% 和 14.2%,下降的幅度较大,但与对照处理相比分别节水 28% 和 27.5%,节水幅度更大。从经济的角度讲,是可取的调亏方式。同时,由于调亏处理以后,作物株型长势较为紧凑,这样就为密植度的增加和产量的进一步提高创造了有利条件。苗期至现铃期历时 24 天的中轻度亏水处理(土壤含水量为 55%～80%)的节水增产效果最为显著,与对照处理相比,产量无显著性差异,但节水 25% 以上。苗期至现铃期历时 24 天的重度、中度亏水处理(土壤含水量分别为 35%～45% 和 45%～55%),使作物的光合功能面积大幅度减小,严重影响了作物的正常生理机能和抗逆功能,使作物的产量和水分生产效率明显降低。

(2)处理 2、4、5 调亏效果显著,主要由以下几个因素决定:调亏使得大量的生长冗余减小,株型紧凑,作物通风透气条件明显改善,落花落果现象缓解;根系分布较深,根冠比增大,使得根系可吸收更多的水分和养分,以利于作物的生长,同时调亏复水后根系吸水能力的增强有助于总的生物量和产量的提高;调亏复水后,新叶的数目明显增多,光合功能面积增大,光合产物出现补偿和超补偿现象,使得"源"对"库"的供应相对充足,明显地促进了棉蕾、棉桃的形成和生长;调亏灌溉使养分的分配模式发生变化,同化物不仅由营养器官向生殖器官的分配增加,而且使更多的养分向棉桃运转和分配,最显著的变化表现为单铃重的明显增加和籽棉产量的显著提高;光合和蒸腾对气孔的反应差异及调亏对气孔行为的优化是产量和水分生产效率提高的生理学基础。

2. 大田棉花调亏灌溉技术体系

(1)低土壤水分同时抑制棉株冠部和根部的生长,但根冠比在增加。低土壤水分能抑制棉株高度的增加却刺激根系的下扎。低土壤水分使棉株光合速率降低,且灌前土壤水分越低,灌后恢复越慢。蕾期经历占田间持水量的 48% 的低土壤水分对棉花营养生长的影响可以通过复水来消除。前期经历较高土壤水分情况下的棉株在花铃后期宜经历一次低土壤水分(占田间持水量的 45% 左右),不会对产量产生不利的影响。

(2)在河北省栾城站和山西省洪洞示范区的大田试验结果表明,在棉花苗期和吐絮期控制水分供应,棉花产量可显著提高,而花铃期发生水分亏缺,棉花产量降低。山西省洪洞示范区棉花不同生育时期适宜的调亏下限指标是:苗期 $0 \sim 50$ cm 土壤含水量不低于田间持水量的 60%;现蕾期 $0 \sim 80$ cm 土壤含水量不低于田间持水量的 65%;花铃期是棉花对水分最敏感的时期,其 $0 \sim 100$ cm 土层的含水量不低于田间持水量的 70%;吐絮期 $0 \sim 80$ cm 土壤含水量可降至田间持水量的 45% $\sim$ 50%。棉花的调亏灌溉制度应是:苗期适当控水,蕾期水分供应适当,花铃期充足,吐絮期不灌水。

(3)新疆覆膜棉花从保证高产稳产考虑,可选择采用的调亏灌溉模式是:头水时间在蕾期,但灌水量适当减小到 $525 \sim 600$ m^3/hm^2;花铃前灌第 2 水,灌水量为 750 m^3/hm^2;灌第 3 水的时间在花铃期,灌水定额为 750 m^3/hm^2。

总之,作物早期阶段植株较小,需水强度也小,作物缺水的发展速度比较慢。较慢的水分亏缺发展速度对作物产量的影响较小,调亏灌溉应在作物生长的早期阶段;而在作物生长中期阶段,不适于进行调亏灌溉。

调亏灌溉的亏水度应控制在适度缺水的范围内。不同地区、不同作物以及同一种作物的不同阶段其亏水度的标准都不同。根据对几种不同作物适宜土壤含水量下限的研究,在作物的早期生长阶段,土壤含水量控制在田间持水量的 45% $\sim$ 50%,一般不会对作物产量产生明显的不利影响。由于调亏灌溉是在作物适度缺水的条件下进行的,要充分利用调亏灌溉技术,必须有准确的灌溉决策技术和先进的灌水技术及完善的灌溉系统,否则,适度缺水就可能发展成为严重缺水,从而对作物产量造成较大影响。

试验结果表明,如果棉花整个生育时期土壤湿度维持在较高土壤含水量水平,产量反而减少;而不同生育期轻度水分亏缺与没有水分亏缺的对照相比,产量均有提高,苗期、现蕾期和吐絮期的中度水分亏缺也没有引起产量的降低,特别是吐絮期,在重度水分亏缺下,产量也高于对照,而花铃期的中度和重度水分亏缺均导致产量的显著降低。在栾城站和洪洞示范区的大田试验结果也表明,在棉花苗期和吐絮期控制水分供应,棉花产量可显著提高,而花铃期发生水分亏缺,棉花产量降低(见表 9-32 和表 9-33)。棉花对水分最敏感的生育时期是花铃期,其次是蕾期。

表 9-32 不同时期调亏对棉花产量的影响(测坑试验)

调亏时期	苗期—现蕾	苗期、花铃期	花铃期	蕾期	花铃—吐絮期	苗期—吐絮期	CK
产量(kg/hm^2)	3 201.0	2 376.2	1 913.4	3 064.5	2 275.5	3 451.7	2 889.0

表 9-33 不同时期调亏对棉花产量和水分生产效率的影响(山西洪洞)

处理	皮棉产量 (kg/hm^2)	总耗水量 (mm)	水分生产效率 (kg/m^3)
无水分亏缺	2 105	509.4	0.413
苗期水分亏缺	2 156	496.7	0.434
蕾期水分亏缺	1 884	524.7	0.359

3.棉花调亏灌溉结论

(1)对于棉株来说,大的冠部需有大的根部来维持;冠干重在某一株高(或叶干重)由渐增发展为渐减;茎叶生长量大未必会得到高产;控制棉株高度应在7月中旬进行。

(2)低土壤水分同时抑制棉株冠部和根部的生长,但根冠比增加。低土壤水分使棉株光合速率降低,且灌前土壤水分越低,灌后恢复越慢。蕾期经历占田间持水量48%的低土壤水分对棉花营养生长的影响是可以通过复水来消除的,不会对产量产生不利的影响。

(3)棉花的调亏灌溉制度应是:苗期适当控水,蕾期水分供应适当,花铃期充足,吐絮期不灌水。

第二节　旱作物灌溉预报技术

农田墒情监测与灌溉预报是节水灌溉管理技术的重要内容,是作物适时适量灌溉,实现节水增产、高效利用有限水资源的基础,是现代"精准农业"的重要组成部分,也为水资源合理配置、灌溉供水决策提供科学依据。在灌区选定具有代表性的测点,定时测定作物各生育阶段的土壤水分,并及时进行预报,对指导灌区灌溉起到了很大作用。用张力计、中子仪、电阻法等监测土壤墒情,数据经分析处理后,配合天气预报,对适宜灌水时间、灌水量进行预报,可以做到适时适量灌溉,有效地控制土壤含水量,达到节水又增产的目的。

灌溉预报分长期和短期两种形式。长期预报是利用播种时测得的土壤含水量为初始含水量,根据作物不同生长阶段和不同水文年份的地下水补给量、有效降水、作物需水量,预报在整个生育阶段所需要的灌水次数、灌水时间及灌溉水量;短期预报是利用播种时测得的土壤含水量为初始土壤含水量,以旬、月或生育阶段为时间段预报,逐次推算,直到作物成熟。若预报阶段内不需灌水,则以预报时段末含水量推算下一次预报的灌水量和日期。

长期预报由于受降水的随机影响,因此在执行中应根据降水情况进行修正。在实践中,应以短期预报为准。

一、墒情监测方法

(一)取土烘干法

取土烘干法是当前常规墒情测报最常用的一种方法,且有足够的精度,但烘干法取土在深度上层次多,通常还需2~3次重复,不仅劳动强度大,而且还破坏了原土壤的结构,不能作定点连续观测。山东省水利科学研究院对四个典型灌溉试验站大量土壤水分资料回归分析,得出作物主要根系层20~40、40~60 cm的土壤含水量平均值与0~100 cm的加权平均含水量之间存在着极显著的相关性。

依据土水势理论,在农田土壤剖面埋设30、50、100、150、200 cm五个深度石膏水势传感器(三个重复),通过土水势过程线测试分析,得出30、50 cm土水势受作物耗水、大气降水影响较大的结论。

由以上两个试验得出常规测墒1 m土层土壤水分加权平均值可用20~40、40~60 cm土壤水分平均值来确定的结论,这样与常规测墒相比可减轻工作量40%~50%,对提高测墒效率和灌溉管理水平有着十分重要的意义。

(二)负压计法

负压计法是测定土壤基质势的方法,有水传感和气传感两种方法,气传感使用于北方结冰时水势的测定,由山东省水利科学研究院和中国农科院南京土壤研究所研制。该方法主要用于旱作物。

(三)石膏块传感器法

石膏块传感器是由经特殊加工制成的质地均匀、结构致密且外观形状、大小固定的石膏块,以及埋入石膏块中位置、间隔确定的两个电极和将电极引出以便测量的导线组成的。石膏块传感器的测量范围是从田间持水量到凋萎点,测量的是各种土壤的水势而非含水量,需根据土壤水分特征曲线求出相应含水量。石膏块传感器具有准确度高、测量范围大、节省人力物力的特点,适用于定点、连续观测。山东省水利科学研究院的研究成果表明,石膏块的埋设深度在 30 cm 和 50 cm 即可代表 100 cm 土层的土壤含水量,并通过室内模拟试验率定土壤水分特征曲线(见图9-6):

$$\theta_v = 44.175(-\Psi_m)^{-0.084\,1}\,(R^2 = 0.909\,9)$$

式中　　θ_v——土壤体积含水量(%);

　　　　Ψ_m——土壤水势,kPa。

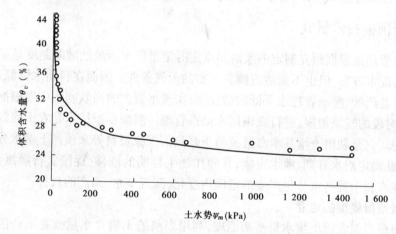

图9-6　土壤水分特征曲线

(四)时域反射法

时域反射仪(Time Domain Roflectometry,TDR)是目前国际上测墒水平较高的仪器,它由探测仪(用于信号监测)和探头(用于引导信号在介质中传输)两部分组成,利用土壤的介电常数随土壤含水量的变化而规律地发生变化的原理进行测量。TDR 测量土壤的体积含水量,每个 TDR 都存在自身的系统误差,使用前必须进行率定。

1. 测定原理

TDR 测定土壤含水量原理相当简单,一个电压的阶梯状脉冲波沿在土壤中放置或垂直插入的探针(长度为 L)发射,电压的阶梯状脉冲波沿探针金属棒(片)传播,并在金属棒末端反射回来,土壤含水量由延迟的时间决定。

用 TDR 测定的优点之一是不需要取样,并且在指定的标准时间如几秒内就可完成对一个测点的测定。

TDR 测定的精度取决于 TDR 仪的分辨率,既取决于探针至导线脉冲电压的减弱,也取决于土壤介质的性质(介电常数和电导率),以及用以分析 TDR 数据的技术。

2. TDR 测定的电场分布和测定的范围

TDR 探针(或片)周围的电场分布决定了测定范围的大小。室内和野外用的探针(片)有多种形状,如平行的两棒金属探针,三棒、四棒金属探针及 8 片、16 片金属片。在许多情况下,使用 TDR 测定时,探针灵敏度受探针和介质之间的紧密程度影响,这表明 TDR 测定有严格的使用条件。安装探针(片)时必须小心,要紧贴被测物,在探针(片)周围不要留有空隙。很明显,黏土的龟裂出现时就有这问题,特别是随着土壤的逐渐变干,沿探针形成的裂缝。因此,在龟裂土壤中会造成很大误差。

一般情况下,直径小的探针测定范围很小,直径为拇指大的探针在平均土粒直径 10 倍以上的范围,能保证测得的土壤含水量值具有代表性。试验采用的 TRIME-T3 管状 TDR,探测器为 16 片金属片,分上、下两级,有效测量深度可达到 15 cm。

根据实际应用,TDR 探针在土壤剖面中可垂直放置、水平安放或任意放置,各种放置形式都可以给出探针长度的平均含水量。

除了以上测墒方法以外,还有中子水分仪法等测定方法。

二、灌溉预报技术研究

传统用水管理是根据预先制定的灌溉制度定时定量供水。虽然灌溉制度是根据不同水文年确定的配水方案,但也不能适应瞬息万变的天气条件。因而在目前水资源紧缺、农业供水形势日益严峻、灌溉管理水平低的情况下,实现水资源的高效利用应当根据当前墒情,结合未来时段的气象预报,进行农田用水动态管理。灌溉预报技术是农田灌溉用水动态管理的核心。它是利用土壤基本参数及易于观测的气象资料等来预测土壤水分状况的动态变化,据此确定灌水日期、灌水定额,并随作物生育期的推移,逐段实行灌溉预报,控制土壤水分在有利于提高水分生产率的范围内变化,实现节水、高产的目标。

(一)灌溉预报模型的建立

灌溉预报即根据农田土壤水量平衡原理,利用当前的土壤含水量推算下一阶段的土壤含水量,进而预报灌溉时间和灌水量。土壤含水量的递推模型如下:

$$W_i = W_{i-1} + D_i + M_i + I_i + P_i - R_i - S_i - ET_{ai} \tag{9-18}$$

式中　W_i、W_{i-1}——作物第 i、第 $i-1$ 时段计划湿润层的土壤蓄水量,mm;

D_i——第 $i-1$~第 i 时段地下水补给量,mm;

M_i——第 $i-1$~第 i 时段因计划湿润层增加而增加的水量,mm;

I_i——第 $i-1$~第 i 时段灌水量,mm;

P_i、R_i、S_i——第 $i-1$~第 i 时段有效降水量、径流量、渗漏量,mm;

ET_{ai}——第 $i-1$~第 i 时段作物实际耗水量,mm。

模型中参数的确定方法如下。

1. 计划湿润层土壤蓄水量(W_i)

$$W_i = 10\gamma\beta_i H_i \tag{9-19}$$

式中　W_i——计划湿润层的土壤蓄水量,mm;

γ——土壤干密度,g/cm³;

H_i——计划湿润层深度,m;

β_i——计划湿润层土壤含水率(占干土重百分数)。

2. 降雨量、径流量、渗漏量(P_i、R_i、S_i)

$$P_{有效i} = P_i - R_i - S_i \qquad (9\text{-}20)$$

因产生径流和渗漏主要发生在雨量和雨强较大的汛期,对冬小麦生育期而言(10月~翌年6月),其全部降雨量均视为有效降雨量;对夏玉米、大豆等秋季作物来说,当降雨折算成有效降雨时,R_i、S_i 也可取 0,折算方法为:当 $P \leqslant 5$ mm 时,$P_{有效} = 0$;当 $5H\gamma(\beta_{田持} - \beta) < P < 10H\gamma(\beta_{田持} - \beta)$ 时,$P_{有效} = P$;当 $P > 10H\gamma(\beta_{田持} - \beta)$ 时,$P_{有效} = 10H\gamma(\beta_{田持} - \beta)$。$\beta$ 为降雨前土壤含水率。

3. 地下水补给量(D_i)

地下水补给量大小与地下水埋深、土壤性质、作物种类及耗水强度等因素有关。其计算非常复杂,涉及的因素众多,而且对作物的生长影响较大。在查阅了大量资料,并参考试验站测试结果及比较了多项研究成果的基础上,认为下述两种计算方法较为合适。

(1)一般经验公式:

$$D_i = ET_{ai} \times a \qquad (9\text{-}21)$$

式中　a——地下水补给系数,当地下水埋深小于 1 m 时,取 0.5,在 1~1.5 m 时,取0.4,在 1.5~2.0 m 时,取 0.3,在 2.0~3.0 m 时,取 0.2,在 3.0~3.5 m 时,取 0.1,大于 3.5 m 以上时,取 0;

ET_{ai}——作物耗水量,mm。

(2)华北旱作物地下水利用量计算公式:

$$D_i = (A - B\lg H)t_i/T \qquad (9\text{-}22)$$

式中　H——地下水埋深,m;

T——作物生育期天数,其中小麦从拔节开始计算;

t_i——第 $i-1$~第 i 计算时段的天数;

A、B——经验参数,其取值如表 9-34 所示。

4. 灌水量(I_i)

$$I_i = 10\gamma H_i \beta_{田持}(1 - \phi_{下限}) \qquad (9\text{-}23)$$

式中　$\beta_{田持}$——计划湿润层田间持水量(占干土重百分数);

$\phi_{下限}$——灌水下限指标(占田持百分数),见表 9-35、表 9-36;

其余符号含义同前。

5. 作物耗水量(ET_{ai})

作物耗水量(或作物需水量)是农业方面最主要的水分消耗部分,包括棵间蒸发量和植株蒸腾量,是制定农田灌溉制度的重要依据。可采用参考耗水量法计算,即

表 9-34　华北平原作物对地下水利用量

土　壤	冬小麦			夏玉米		
质　地	A	B	H_{max}	A	B	H_{max}
轻质沙壤土	80	210	2.4	49	162	2.0
轻质黏壤土	100	209	3.0	59	192	2.0
中质黏壤土	120	199	4.0	69	173	2.5
重质黏壤土	150	249	4.0	86	180	3.0
黏　土	200	332	4.0	115	211	3.5

表 9-35　冬小麦灌水下限指标

生育期	出苗—越冬	越冬—返青	返青—拔节	拔节—抽穗	抽穗—灌浆	灌浆—成熟
土壤含水率下限(%)	55~65	60~70	50~60	60~70	60~70	50~60

表 9-36　夏玉米灌水下限指标

生育期	出苗—幼苗	幼苗—拔节	拔节—抽雄	抽雄—灌浆	灌浆—成熟
土壤含水率下限(%)	60~75	50~65	65~75	70~80	65~75

$$ET_{ai} = ET_{0i} \times K_{ci} \tag{9-24}$$

式中　ET_{0i}——参照腾发量,mm;

　　　K_{ci}——作物系数。

1)参照腾发量(ET_{0i})

Penman-Monteith 公式是 1990 年联合国粮农组织(FAO)向全世界推荐计算潜在耗水量的新方法,与 20 世纪 70 年代应用的 Penman 公式比较,该方法是统一标准的计算方法,无须进行地区率定和使用当地的风速函数,同时也不用改变任何参数即可适用于世界各个地区,估值精度较高且具备良好的可比性。

$$ET_{0i} = \{0.408\Delta(R_n - G) + \gamma[900/(T + 273)]U_2(e_a - e_d)\}/[\Delta + \gamma(1 + 0.34U_2)] \tag{9-25}$$

式中　T——平均日或月气温,℃;

　　　R_n——作物冠层的净辐射量,MJ/(m²·d);

　　　U_2——地面以上 2 m 处的风速,m/s;

　　　e_a——饱和水汽压,kPa;

　　　e_d——实际水汽压,kPa;

　　　G——土壤热通量,MJ/(m²·d);

　　　Δ——饱和水汽压与温度曲线上在 T 处的斜率,kPa/℃;

γ——湿度计常数，kPa/℃。

R_n 按下式计算：

$$R_n = 0.77R_s - 2.45 \times 10^{-9}\left(0.1 + 0.9\frac{n}{N}\right)\left(0.34 - 0.14\sqrt{e_d}\right)\left(T_{kx}^4 + T_{kn}^4\right)$$

$$\tag{9-26}$$

$$R_s = [0.25 + 0.5(n/N)]R_a \tag{9-27}$$

$$R_a = 37.6d_r(\omega_s\sin\phi\sin\delta + \cos\phi\cos\delta\sin\omega_s) \tag{9-28}$$

$$d_r = 1 + 0.033\cos(J \cdot 2\pi/365) \tag{9-29}$$

$$\delta = 0.409\sin(J \cdot 2\pi/365 - 1.39) \tag{9-30}$$

$$\omega_s = \arccos(-\tan\phi\tan\delta) \tag{9-31}$$

$$N = (24/\pi)\omega_s \tag{9-32}$$

式中　R_s——实际短波辐射量，$MJ/(m^2 \cdot d)$；

n——实际日照时数，h；

N——最大天文日照时数；

T_{kx}、T_{kn}——24 小时时段内的最大与最小绝对温度，$K(℃) + 273.15$；

ϕ——纬度，地理 rad；

δ——太阳偏磁角，rad；

ω_s——日落时角度，rad；

d_r——日、地相对距离的倒数；

J——年内的天数。

对于月 ET_{0m} 按下式计算：

$$G = 0.07(T_{mi+1} - T_{mi-1}) \tag{9-33}$$

式中　T_{mi+1}、T_{mi-1}——计算月下一个月和前一个月的平均气温，℃。

Δ 和 γ 可根据气温与海拔直接求得：

$$\gamma = 0.001\,63(P/2.45) \tag{9-34}$$

$$P = 101.3[(293 - 0.006\,5H_e)/293]^{5.26} \tag{9-35}$$

$$\Delta = 4\,098e_a/(T + 237.3)^2 \tag{9-36}$$

式中　P——在高程 H 处的气压，kPa；

H_e——气象站海拔，m；

T——平均气温，℃。

其余几项可用下式求得：

$$e_a = [e^o(T_{max}) + e^o(T_{min})]/2 \tag{9-37}$$

$$e^o(T) = 0.611\exp[17.27T/(T + 237.3)] \tag{9-38}$$

$$e_d = RH/\{[50/e^o(T_{min})] + [50/e^o(T_{max})]\} \tag{9-39}$$

式中　T_{max}、T_{min}——最高、最低气温，℃；

RH——平均相对湿度(%)。

当实测风速不是 2 m 高度的风速时：

$$U_2 = 4.87U/\ln(67.8Z - 5.42) \qquad (9\text{-}40)$$

式中　U——测量点的实测平均风速,m/s;

　　　Z——测量风速的实际高度,m。

2)作物系数(K_{ci})

作物系数是计算作物需水量的重要参数,它反映了作物本身的生物学特性、产量水平、土壤耕作条件等对作物需水量的影响。在充分灌溉条件下,不同生育阶段 K_{ci} 值为一常数。但对冬小麦来说,全生育期都处于干旱少雨季节,加之目前水资源严重缺乏,很难保证全生育期充分灌溉。当含水量小于土壤适宜含水量时,作物腾发受到抑制,K_{ci} 将按非线性函数变化。K_{ci} 的选取可参考已有研究成果(见表 9-37)。

表 9-37　作物系数与土壤含水率的关系

作物	生育阶段	$K_{ci} = K_c$		$K_{ci} = K_s \times K_c$					
		适用范围	K_c	适用范围	K_s	R	n	F	S
冬小麦	10月	$0.85 \leqslant X \leqslant 1$	0.898	$0.55 \leqslant X < 0.85$	$K_s = 1.198\ 4\ln X + 1.206\ 7$	0.743	100	120	0.173
	11月	$0.85 \leqslant X \leqslant 1$	1.266	$0.60 \leqslant X < 0.85$	$K_s = 0.989\ 8\ln X + 1.170\ 7$	0.653	107	78	0.187
	12月~翌年2月	$0.85 \leqslant X \leqslant 1$	0.932	$0.60 \leqslant X < 0.85$	$K_s = 1.248\ 7\ln X + 1.203\ 8$	0.698	147	137	0.156
	3月	$0.75 \leqslant X \leqslant 1$	0.798	$0.50 \leqslant X < 0.75$	$K_s = 1.754\ 2\ln X + 1.506\ 2$	0.712	121	122	0.171
	4月	$0.85 \leqslant X \leqslant 1$	1.238	$0.60 \leqslant X < 0.85$	$K_s = 0.758\ 7\ln X + 1.124\ 2$	0.629	123	79	0.161
	5月	$0.80 \leqslant X \leqslant 1$	1.238	$0.60 \leqslant X < 0.80$	$K_s = 1.099\ 6\ln X + 1.235\ 1$	0.870	105	321	0.162
	6月	$0.70 \leqslant X \leqslant 1$	0.956	$0.50 \leqslant X < 0.70$	$K_s = 0.839\ 3\ln X + 1.294\ 3$	0.757	110	145	0.195
夏玉米	播种—拔节	$0.70 \leqslant X \leqslant 1$	0.682	$0.55 \leqslant X < 0.70$	$K_s = 2.013\ 8\ln X + 1.777$	0.785	15	20	0.199
	拔节—抽雄	$0.70 \leqslant X \leqslant 1$	1.294	$0.65 \leqslant X < 0.70$	$K_s = 1.312\ 7\ln X + 1.522\ 8$	0.746	15	16	0.173
	抽雄—灌浆	$0.85 \leqslant X \leqslant 1$	1.51	$0.70 \leqslant X < 0.85$	$K_s = 0.904\ 7\ln X + 1.200\ 1$	0.710	15	13	0.207
	灌浆—成熟	$0.75 \leqslant X \leqslant 1$	1.168	$0.65 \leqslant X < 0.75$	$K_s = 0.946\ 9\ln X + 1.345\ 3$	0.831	15	29	0.142

注:X 为占田持百分数(以小数计);土壤水分计算深度为 100 cm。

(二)灌溉预报程序结构

灌溉预报程序应用 Visual Basic 软件开发的 Microsoft Windows 应用程序,具有极强的可视性和直观性。该程序由主程序和各个子程序组成。主程序的功能是各个子程序之间的相互调用,起出入口引导作用,引导由菜单完成,根据选择进入相应的子程序。子程序是该程序的核心部分,它包含了示范区基本情况子程序,降水量、耗水量、地下水补给量计算子程序,灌水时间和灌水量计算等十几个子程序。该程序采用模块化结构,符合自上而下逐步求精的设计原则,结构清晰,便于阅读和修改。程序功能的实现采用菜单选择的方式,提示明了,操作简单,便于推广应用。其预报程序流程见图 9-7。

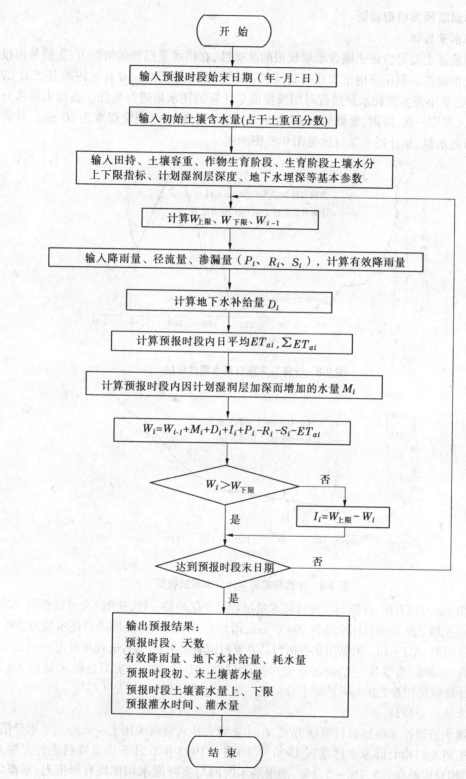

图 9-7　灌溉预报流程图

(三)灌溉预报模型验证

1.耗水量验证

模型验证主要是验证土壤含水量预报的准确性,在供水量已知的情况下,主要是预报耗水量的准确性。利用济南市农业高新技术开发区 1998 年 10 月 10 日~1999 年 5 月 27 日(229 天)冬小麦实测耗水量过程对用预报模型计算的耗水量进行验证。实测土壤水分每隔 10 天测算一次,降雨、灌溉后加测,耗水量计算及土壤水分测定深度为 60 cm。计算与实测日耗水量、累计耗水量对比见图 9-8、图 9-9。

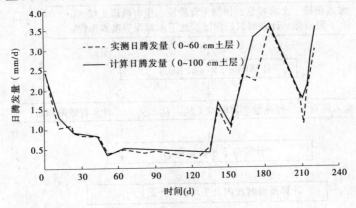

图 9-8　计算与实测日耗水量过程线

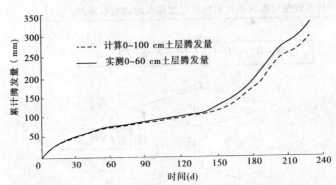

图 9-9　计算与实测累计耗水量过程线

从图 9-8 可以看出,计算与实测日耗水量过程线变化趋势一致,从图 9-9 可以看出,实测 0~60 cm 土壤 229 天中总耗水量为 294.0 mm,而计算 0~100 cm 土壤的总耗水量为 330.1 mm,两者相差 36.1 mm。根据山东省桓台县郭家村试验得出 0~80 cm 耗水量占 0~120 cm 耗水量的 88.4%,借鉴这一结果可近似求出该试验中 0~100 cm 实测总耗水量为 328.1 mm,与计算值仅相差 2.0 mm,结果十分接近。这充分说明模型计算是正确的。

2.土壤水分验证

土壤水分递推采取逐日计算的方式,在计算当天耗水量时采用上一天的土壤水分值。利用山东省龙口市北邢家水库灌区 1996 年 10 月~1997 年 6 月冬小麦资料进行土壤水分验证,相对误差在 -5.9%~5.2%,预报灌水时间与实际灌水相比均有所推迟,灌溉定额相差 70 m³/hm²(见表 9-38 和图 9-10)。因此按灌溉预报实施灌溉能达到科学配水、计

表9-38　北邢家水库灌区1996年10月～1997年6月冬小麦灌溉预报

作物生育阶段	预报起止日期(月-日)	天数	计划湿润层深度(m)	时段初土壤含水率(%)	计划湿润层内储水量(mm) 上限	计划湿润层内储水量(mm) 下限	时段初计划湿润层储水量(mm)	时段内作物腾发量(mm)	时段内来水量(mm) 有效降水	时段内来水量(mm) 灌溉	时段内来水量(mm) 地下水补	计划湿润层加深增加储水量(mm)	时段末计划湿润层储水量(mm)	时段末预期土壤含水率(%) 实测值	时段末预期土壤含水率(%) 预报值	相对误差(%)	实际灌水 日期(月-日)	实际灌水 灌水定额(mm)	灌溉预报 日期(月-日)	灌溉预报 灌水定额(mm)
播种—越冬	10-11~11-11	31	0.4	21.33	130	71	115.2	38.6	21.8				98.4	17.7	18.22	2.9				
越冬—	11-12~11-28	16	0.4	18.22	130	71	98.4	20.5	10.1				88	16.24	16.30	0.4				
	11-29~12-11	12	0.4	16.30	130	78	88	10.46	17.9				95.49	16.8	17.68	5.2				
越冬—返青	12-12~03-11	89	0.4	17.68	130	78	95.5	74.4	53.6				74.7	13.84	13.94	0.7				
	03-12~03-16	5	0.4	13.84	130	78	74.7	4.8	15.3				85.22	15.9	15.78	-0.8				
返青—拔节	03-17~04-11	25	0.4	15.78	130	65	85.2	65.7	2	80			101.5	18	18.8	4.4	03-29	80	04-01	75
	04-12~04-13	2	0.4	18.8	130	65	101.5	6.1	0				95.4	17.74	17.67	-0.4				
拔节—抽穗	04-14~05-05	21	0.6	17.67	195	169	95.4	72.73	15.38	70		47.7	155.7	20.44	19.23	-5.9	04-21	70	04-26	68
抽穗—灌浆	05-06~05-11	5	0.8	19.23	259	156	155.7	20	20			52.0	207.7	18.9	19.23	1.7				
	05-12~05-16	4	0.8	19.19	259	156	207.7	24	5				188.7	17.84	17.47	-2.1				
灌浆—成熟	05-17~05-23	6	0.8	17.47	259	169	188.7	33.8	0	90			244.9	23	22.67	-1.4	05-21	90	05-26	90
	05-23~06-15	23	0.8	22.67	259	169	244.9	77.6	0				167.3	15.7	15.49	-1.3				
Σ		239						448.69	161.08	240		99.7								

划调水、节约用水的管理目的。

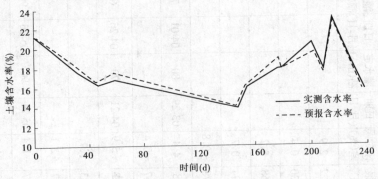

图 9-10　土壤含水率实测值与预报值对照

(四)灌溉预报模型评价

(1)利用水量平衡原理及 Visual Basic 软件编制了灌溉预报程序,同时建立了数据库,并进行了灌溉预报的应用验证,精度较高,对灌区水资源合理配置和作物适时适量灌溉发挥了重要作用。

(2)该灌溉预报模型中考虑到非充分灌溉条件下耗水量随土壤含水量的变化而变化的情况,使灌溉预报模型更为准确,提高了预报精度。

(3)水量平衡原理中所用参数较多,这些参数的取得需通过大量田间和室内试验。采取由试验总结出的经验公式进行计算有一定地区局限性,这些参数误差将直接影响到预报的准确度,还有待于进一步试验研究。

第三节　灌区测水量水技术

测水量水是节水灌溉管理工作的重要内容之一。在水资源日益紧缺的今天,大力推广测水量水技术,不仅能够为征收水费、水资源费提供依据,提高人们的节水意识,促进节约用水,而且还可以为灌溉工程的规划、设计和管理提供第一手资料。

一、灌区测水量水的任务

(1)测算历年、月、日时段渠道水位、流量变化情况以及输水能力,为编制渠系用水计划提供依据。

(2)根据用水计划和水量调配方案,及时准确地从水源引水,并配水到各级渠道的用水单元和灌溉地段。

(3)为灌区定额供水、按方征收水费和水资源费提供可靠依据。

(4)利用测水量水观测资料和灌溉面积资料,分析、检查灌水质量和灌溉效率,修正、调整供配水方案,指导和改进用水工作。

(5)利用测水量水资料验证渠道和建筑物的输水能力、渠道输水损失率,为灌区改建、扩建、新建工程提供规划、设计和科研的基本资料。

二、灌区测水量水的特点

灌区测水量水,与大江大河的水文测验不尽相同。灌区测水量水施测流量一般较小,但观测次数频繁,时间要求严格,亦要有一定的精度。

三、灌区测水量水网点的规划布局

(一)测水量水网点的分类和作用

测水量水网点分为基本网点和辅助网点两大类。

1. 基本网点

(1)引水渠渠首。观测从水源引入流量及水位,分析引水口水位与引水流量变化关系和引水渠水位与流量关系,指导配水工作。测水量水点布设在引水渠渠首以下 50~100 m 范围内的水流平稳渠段处。亦可利用引水建筑物测水量水。

(2)配水渠渠首。观测从上一级渠道配得的水量及渠道的输水损失。测水量水点布设在配水渠渠首以下 30~80 m 范围内的水流平稳渠段处。亦可利用配水建筑物测水量水。

(3)分水渠渠首。观测从配水渠分得的水量及渠道的输水损失。测水量水点布设在分水渠渠首以下 30~50 m 范围内的水流平稳渠段处。亦可利用分水建筑物测水量水。

2. 辅助网点

(1)平衡点。观测渠道及灌区的退泄和排出水量,为灌区水量平衡的分析计算提供数据。平衡测水量水点应分别布设在各级灌溉渠道的末端及排水渠上。

(2)专用点。为观测、收集专门的资料(如渠道输水损失、糙率系数、流速、流量与冲淤关系等)而设。专用测水量水点布设位置视实际需要选定。

(二)测水量水网点布设程序

(1)根据测水量水要求,在灌区、渠系平面图上,全面规划,统一布设,分步实施。

(2)实地勘察,确定测水量水点的具体位置。

(3)设立标志,建立施测断面,鉴别建筑物类型,或安装特设测水量水设备。

(4)布设完毕后,应将测水量水网点类型、位置、使用测水量水方法等,编表列册,并分别标示在渠系平面图上,以备参考。

(三)测水量水网点布设要求

(1)充分利用现有水工建筑物测水量水,并视经济条件,逐步安装特设测水量水设备。

(2)测水量水网点布设应自上而下进行,优先保证灌区渠首、乡与乡或村与村等用水单元分界点的计量。

(3)测水量水网点布设应因地制宜,由粗到细,分步实施。在经济欠发达地区,先计量出大的用水单元用水量,单元内部再进行合理分摊。

(4)测水量水网点布设应和供水方式协调,如支渠续灌,斗农渠分组轮灌,在支渠首计量。下游轮灌组实际用水量,如小于计量水量,在条件许可时,可增设网点。

四、灌区测水量水的原则要求

(1)灌区测水量水应从源头开始,即从灌区引水渠首开始,从上到下,从头到尾,逐级延伸,先干、支后斗、农。

(2)灌区水源及引水渠(如总干、干渠、支渠)宜采用水工建筑物测水量水;配水渠渠首(如支、斗渠)、分水点(如斗、农渠)宜采用特设测水量水设备量水。

(3)鉴于当前经济条件和灌溉用水管理的水平,目前没有必要计量到最小的用水单元,即每个田块、每家每户,可采用"适当放大用水单元,大的用水单元计量、单元内部分摊"的过渡方法。开始时放大计量单元,条件成熟后,缩小计量单元。

(4)灌区测水量水设备的选用,应当侧重于具有施工方便、造价低廉、测算简捷、损失水头小、抗干扰能力强(既让杂物和泥沙顺利通过,又不影响自身的安全和精度)。

(5)对于计量的精确度不一定要求过高,一般仪表类测水量水设施测水量水误差不超过±5%,特设测水量水设备测水量水误差不超过±8%,利用水工建筑物测水量水误差不超过±10%。推广的初始阶段,精度可低些,以后再逐步提高。

(6)对于任何新设备的引进和采用,必须经过认真的检验和试点,确认其适用,才可推广。

(7)在今后灌区更新改造时,测水量水设施的配套应作为一项主要内容,统一规划,统一实施。

五、常用的灌区测水量水方法的特点及其使用条件

(一)水工建筑物测水量水

利用水工建筑物进行测水量水是一种比较经济而简便的方法,如启闭式的水闸、涵洞放水口、迭梁式闸门、跌水、倒虹吸、渡槽、小水库台阶式卧管等均可用来进行测水量水。在有可能用水工建筑物测水量水的地方,应优先考虑利用。实际选用时可参考有关规范标准提供的标准设计建筑物的各种流量公式的流量系数来进行计算或查用有关图表。

用做测水量水的水工建筑物,须符合下列条件:

(1)建筑物本身完整无损,无变形,不漏水,无淤积及阻塞现象。

(2)调节设备(即启闭闸门等)不漏水,无歪斜、扭曲、损坏现象,闸门边缘与闸槽能紧密吻合。

(3)建筑物符合水力计算要求,上下游水头差不少于 5 cm,水流呈淹没状态时,其淹没度(下游水深与上游水深之比)不大于0.95。

(4)建筑物高度或上面填土封闭高度,须高出最高水位,不允许由上面漫水。

(二)特设测水量水设备

常用的水量测量仪器设备有矩形量水堰、三角形量水堰、梯形堰、复式量水堰、巴歇尔量水槽、无喉段量水槽、各种量水槛、闸前套管式量水建筑物、农用分流计、文丘里量水计、孔板、管嘴等。特设量水设备一般在没有水工建筑物或现有水工建筑物不能用以测水量水时,或是要求的测水量水精度超过水工建筑物测水量水能达到的精度时,采用特设测水量水设备。当渠系上水工建筑物不能满足测水量水的需要,或为取得特定渠段、地段的水量资料,也可以利用特设测水量水设备进行测水量水。特设测水量水设备测水量水的成果比较精确,但要增加设备费用、加大水头损失。

特设测水量水设备,可以就地施工,也可以预制成装配式构件;可做成固定式的,也可

以做成活动式的。

在选择特设测水量水设备时,应按以下原则考虑:

(1)水头损失小、不妨碍渠道加大流量的通过。

(2)观测计算方便。

(3)在渠道通过允许输沙能力的流量时,测水量水不受影响。

(4)设备费用及维修费用少。

在安装特设测水量水设备前,应先收集资料,包括渠道的比降、正常水位、加大水位及流量等,供选择测水量水设备时参考。

(三)流速仪测流

流速仪测流,成果精确,但测流及计算费时较多,且设备费用高,多在无水工建筑物及特设测水量水设备可资利用的情况下使用。利用流速仪还可校正其他测流水工建筑物的系数,测定测水量水设备的过水能力。

利用流速仪测流时,测流渠段及测流断面应符合下列要求:

(1)渠段平直,渠床比较规则完整,无显著变形现象。

(2)水流均匀平稳,无漩涡及回流现象。

(3)渠段内无阻碍水流的杂草、杂物及建筑物。测流渠段长 50～100 m,设两个辅助断面及一个测流断面,辅助断面设在渠段两端,测流断面设在上、下两辅助断面之间。

(4)对测流断面应进行断面测量。

(四)水尺测流

利用水尺测流,系选择(或专门修建)一段断面比较稳定均直、没有回流影响的顺直渠段(测流渠段也可以人工加以衬砌,以保证渠床稳定),在渠道内设立一水位尺,利用流速仪测定不同水位时的相应流量,绘制水位—流量关系曲线。测流时,只要根据渠中水位测出水尺读数,便可从水位—流量关系曲线中直接查得相应的流量。在没有条件利用水工建筑物、特设测水量水设备和仪器测流的地区,可以直接利用在渠道内设置的水尺测流。利用水尺测流,方法简便易行,设备费用低,容易为群众所掌握,只是精确度稍差。这种方法对于含沙量大、经常有落淤现象的渠道不宜采用。

为保证测试精度,应用仪器定期校核水位—流量关系曲线。同时,测流时,测流渠段的水流应不受下游节制闸或壅水建筑物回水的影响,以免影响测水量水精度。

为保持测流段渠道断面的稳定,也可以对测流段渠道加以衬砌,安设经过测量换算制成的流量尺,直接观读流量。

(五)水面浮标测流

利用水面浮标测流是一种简单易行的测流方法,经济简单,但精度低,成果比较粗糙,一般在缺乏水工建筑物、特设测水量水设备及要求测水量水精度不高的情况下采用。

表 9-39 给出了常用测水量水方法的特点及其适用范围。

表 9-39　常用测水量水方法的特点及其适用范围

量水设施		特点	适用范围
建筑物量水	闸涵量水	比较经济的方法,量水精度不高	渠道坡度较大,过闸水流为自由流的情况
	标准断面量水	一般下游 1 000 m、上游 200 m 以内无分水口即可	测流精度高,广泛应用于骨干渠道
	渡槽量水	为引渡水流平顺地跨越局部低洼地段或横跨河谷的联结建筑物	不具有广泛性,只在个别灌区的个别地方采用,测流精度较高
特设量水建筑物量水	巴歇尔量水槽	壅水、淤积较少,量水精度高,测流范围大,观测方便,结构复杂,造价较高	适合各级渠道,建筑材料选用混凝土结构或块石抹面
	无喉段量水槽	是在巴歇尔量水槽基础上改进的新型量水设备,结构简单,省工省料,经济实用,便于修建,壅水减小,水槽不易淤塞,潜没度对无喉段量水槽精度影响较大	较巴歇尔量水槽适用范围窄,建筑材料选用混凝土结构或块石抹面
	农用分流计	读数直观,不受水流形态的影响	受灌溉水流清浊度影响较大,建议慎用
	三角薄壁量水堰	过水断面为等腰三角形,结构简单,造价低廉,观测方便,精度较高,过水能力小,自由流的水头损失大	测流范围小,在自由流状态下测流精度较高,宜建在支渠以下坡度较大渠道上
	梯形薄壁量水堰	结构简单,造价低廉,观测方便,其过水能力较三角堰大,自由流的水头损失大,不易通过泥沙	测流范围大,在自由流状态下测流精度较高,可建在各级渠道上,流量系数需现场测定
	平坦V形堰	测流精度高,是较理想的灌区测流设施	
智能化仪表量水	流速仪		广泛应用于灌区各级渠道,尤其是干、支渠测流
	微机自动化测流	自动化程度高,功能丰富	投资高,应用受到一定限制
	全息明渠量水计	能自动显示瞬时流量和累计水量,造价较低	可在各级渠道及分水闸门使用

六、选择测水量水设备应注意的问题

(1)应具有一定的测水量水精度和准确度。各种测水量水设备的精度和准确度不同。对于使用者来说,应根据自己的测水量水目的,选取精度和准确度能满足要求的测水量水设备。

(2)应使测水量水设备的过水能力与渠道的过水能力相适应,并力求经济耐用,观测方便。

（3）造价低廉，施工简易。测水量水建筑物数量较多，应尽量利用当地的建筑材料建造，造价太高或施工太复杂的型式就不宜选用。

（4）测算要简捷，观测和计算水量要简单易行，便于群众掌握。管理工作量要小，以免占用过多的人力。

（5）水头损失要小，测流范围要大。选用的测水量水设施水头损失越小越好，而测流范围则越大越好。

（6）测水量水设施应具有较高的灵敏度。灵敏度越高，可以测准的流量就越小。

（7）抗干扰能力要强。农业用水中泥沙和杂物常常较多，测水量水设施应能让这些泥沙和杂物顺利通过，不致影响测水量水设施的安全和测水量水精度。测水量水设施还应能抵抗如高温、冰冻等不利因素的影响。

七、测水量水设备的安装

（一）量水建筑物的安装

具体的安装方法因设备不同而异，这里仅提出几个应共同注意的问题。

（1）应严格遵守量水设备设计时的各部分尺寸要求，控制断面的尺寸及高程一定要准确。

（2）量水堰、槽应当坚固和不透水，在宣泄最大流量时，不会产生绕渗或下游冲刷等现象，堰顶或喉道应与水流方向垂直。

（3）量水设备所在渠段的地基一定要夯实，无沉陷、漏水现象。必须建截水墙。量水槽的截水墙建在槽的上下游两处，堰的截水墙建在堰板位置上，淹没式量水建筑物截水墙建在挡水墙位置上。截水墙应比渠底护砌厚度深 0.2~0.5 m，要根据土质和流量大小选择，最好用混凝土现浇，并穿过渠底护砌层。

（4）量水设备的两侧墙应高出上游最高水位 0.1~0.2 m。

（5）淹没式量水设备的挡水墙及量水堰的堰板应垂直于水平面及水流中心线，薄壁堰的堰口倾向下游。

（6）推移质泥沙含量大时，可在量水设备上游建沉沙池，并应经常清淤，量水堰的下游可建消力池，防止自由流水舌冲刷渠底。

（二）观测设备的安装

1. 水头观测设备的安装

观测堰上水头的测压管或测针的位置，应在堰上游一定距离，以便使观测断面避开水面下降区，并要保证观测断面至堰上控制断面间的能量损失可以忽略不计。按国际标准规定，水头观测断面应位于堰的上游，与其上游面的距离为 3~4 倍最大水头。在与水位观测断面的距离等于 10 倍最大水头的渠段内不能装设竖向隔条来稳定或调整水流流态。

2. 观测井的安装

观测井必须垂直，并且井深要比估计最高观测水位高出 0.2 m。观测井由连通管与行近渠道相连通，连通管的尺寸应能保证井内水位的变化与渠内水位的变化同步，不应出现明显的滞后现象。但在便于维护的前提下，应尽可能缩小连通管的尺寸，使水面波动减小。野外以选用 100 mm 直径为宜。

观测井和连通管都应当不漏水。如装设浮筒式水位计的观测井,一般可采用 60~80 cm 的直径,其直径和深度必须保证装置浮筒所需的间隙,一般应在 7 cm 以上。连通管的管口必须与边墙齐平,并与边墙表面垂直,在连通管上游 10 倍管径的范围内,边墙表面必须平整光滑,井上最好加盖,以防损坏。同时,观测井深还要给进入井内的泥沙留有沉淀的地方,以防上浮筒碰到井底。在多沙渠道上,也可在观测井和行近渠道之间布置一个沉沙室,其尺寸和观测井相似,以便沉淀泥沙和清除泥沙。

如行近渠道中流速较大,或因 h_1/p 或 b/B 值很大,而使水面发生扰动或不规则时,则有必要安装几个压力进水口,以保证在观测井中测得的水头是这几个测点测得的平均水头。

3. 水尺零点校核

以堰顶高程作为水头观测的零点,必须用水准仪反复测量和核对水尺零点和观测井中相应水位的测针零点。由于表面张力的影响,水尺零点不能根据水流停止流动时的水位来校正,这样很容易产生较大误差。

4. 量水设备的检测

量水设备建好后,还应进行检测。检测方法为:同时测定量水设备的流量和水头或压差(测次应达 10 次以上),求其计算流量与实测流量误差。如误差不大,在量水设备的精度范围内,说明该量水设备建得符合要求;如误差太大,则应查明原因,或翻修重建,或按实测流量系数计算流量。

八、测水量水设备的维护与保养

(1)量水建筑物和行近渠道的完好是准确、连续测流的重要保证。行近渠道应保持清洁,至少要将上游水头观测断面以上 5 倍渠顶宽度(5B)的渠段内的淤泥和杂草等物清除。下游(3B~4B)的渠段内要防止由于冲刷造成的堆积物抬高下游水位,使量水建筑物处于淹没流状态。

(2)水位观测井及其在行近渠道上的连通管应保持清洁,应经常检查是否有淤积堵塞现象。

(3)量水堰、槽应保持清洁和防止淤积,在清淤过程中应注意不要使堰顶、喉道或槽底遭到破坏。如发现量水建筑物有损坏现象,应立即进行修补。

(4)对观测设备也要经常检查有无损坏和失灵,对水尺零点应定期用水准仪进行校核。

第四节　自动化控制灌溉技术

我国的灌区管理体制改革正在不断深化,新技术、新设备在灌溉用水管理中的应用与发达国家相比,目前还存在一定的差距,灌溉用水管理技术的推广应用在我国有着广阔的前景。

采用电子技术对河流、水库、渠道的水位流量、含沙量乃至提水灌区的水泵运行工况等技术参数进行采集,输入计算机,利用预先编制好的计算机软件对数据进行处理,按照最优方案用有线或无线传输的方式,控制各个闸门的开启度或调节水泵运行台数,实行自动化监测控制。

提高灌溉用水管理水平是提高灌溉水的利用率和农作物产量的重要措施之一。这既需要建立恰当的灌溉用水管理体制、制定合理的用水管理政策,也需要运用电子计算机技术、信息技术和自动控制等现代技术,实现水资源的合理配置和灌溉系统的优化调度,使有限的水资源获得最大效益。利用这些现代技术,我们可以通过对灌区气象、水文、土壤、农作物状况等数据进行及时采集、存储与处理,并采用预测预报方法及优化技术,及时做出来水预报及灌溉预报,进而编制出适合作物需水状况的短期灌溉用水实施计划。一旦来水、用水信息发生变化,可以迅速修正用水计划,并通过安装在灌溉系统上的测控设备及时测量和控制用水量,实现按计划配水。

一、灌区灌溉管理技术引进

中国水利水电科学研究院 1997 年承担的水利部"948"项目,"高扬程多梯级泵站提水灌区用水管理调度技术"课题,通过引进国外先进用水管理技术,开发出一系列适合我国实际的用水管理技术。该项目引进的技术包括灌溉管理及灌溉预报技术、优化管理技术、G2 模拟仿真开发系统和渠道太阳能自动控制关键设备及技术等。

(1)引进灌溉管理及灌溉预报 PROBE 软件,经过消化、创新,该院开发完成了"灌区用水管理信息系统",该系统是基于微机的 Windows95/98 及 NT 环境下,包括渠系及用户信息自定义式建立、用水计划制定、用水统计、水费管理、灌溉进度、数据传递、信息查询及联机帮助等。

(2)引进 G2 模拟仿真开发系统之后,中国水利水电科学研究院已研制开发出"灌区灌溉渠系水流模拟仿真系统"。G2 模拟仿真开发系统可以对灌区的输配水系统进行模拟仿真,并通过可视化的方法用计算机搭建灌溉渠系建筑物,在灌溉渠系搭建完毕后,输入灌溉系统控制点工况,模拟仿真系统可以自动完成灌溉过程水流在渠系中的动态变化情况。模拟仿真结果回放功能可以帮助灌溉管理人员选择更为合理的渠系配水方案,同时还可起到图形和数据库的作用。

(3)引进太阳能自动控制设备用于渠道平板闸门和弧形闸门的自动控制。这是一种廉价的渠道自动化管理技术,它利用太阳能板将光能转化为电能,并用蓄电池存储能量,在渠道闸门上安装闸门定位装置和小型电动机,同时依靠对下游水位和流量的计量,对上游闸门的开度进行测控,从而可以实现按照用水计划配水。

(4)渠系水位自动监测和记录设备——WL-2000 自记式水位计。采用蓄电池供电,功耗很低,水位测量精度高,并采用大容量闪存技术,记录数据量大,存储可靠,输出可采用 IC 卡和串口分别进行。存储在各地存储器中的水位数据可以通过 3 种方式导入计算机。一是利用专用电缆直接连接计算机与水位计读取数据;二是利用磁卡读取数据;三是利用无线传输设备发送数据,此种方式可以实现实时控制,数据采集方便灵活。

二、温室大棚环境及水肥一体化自动控制技术

据专家预测,21世纪中叶以前,我国城市化水平可达到60%,城市人口将增加到9.6亿左右,工业、生活用水将占总用水量的近50%。城市的迅速膨胀,工业、生活需水的不断增加必然对城市近郊农业用水造成严重威胁。因此,城市近郊区农业的可持续发展,已经是农业节水中的重要研究内容。城市近郊由于劳动力向城市集中,劳动力资源相对不足,传统种植较粗放,但城市郊区经济实力强,依托的科技力量雄厚,是发展高新节水农业的有利条件。

为使城市近郊农业向高效、高产、节水方向发展,实现高投入高产出,济南市高新农业开发区引进了荷兰现代化的自控温室,主要目的是对现代化的水肥耦合技术、栽培技术及自动化运行管理技术进行消化吸收、研究示范并应用推广。将工业自动化这一精确控制的管理技术引入传统的农业管理,将灌溉节水技术、农作物栽培技术有机结合,通过计算机程序实现水、肥、环境因子的模拟优化,灌溉节水、作物生理、水肥耦合、温度、湿度等技术控制指标的逼近控制,将农业高效节水的理论研究提高到新的现实应用水平。

现代化的自控温室是山东省首家由荷兰引进的整套工艺和装备,占地10 000 m²。由中外专家设计安装,于1997年11月建成投产。运用了无土栽培、配方施肥、植物保护、计算机自控等先进技术工艺,生产全过程由计算机控制。该温室已成为济南市现代化设施农业的示范样板工程。目前,温室内主要有无土栽培的蔓式西红柿、名贵花卉等。通过3年的运行,已经全部掌握了蔬菜、花卉栽培管理技术、配方施肥技术、计算机自控技术。配方施肥及水肥耦合技术已在新建的一般温室中应用。

自控温室性能。自控温室内的传感系统和控制系统可全天连续采集外界自然环境的温度、风向、风速、光照,进行风暴、霜冻、降雨等农业信息预报。可以将信息的采集汇总通过计算机打印并绘制24小时的连续传感数据及实时参数图。连续采集温室内的温度、湿度及二氧化碳的含量。通过内外部各传感器的实时测控信号来对温室内作物的供水系统做出适应性的调整,并对水肥、环境控制系统从自动控制到人为干预方面给出良好的操作界面和实时控制状况的计算信息汇总。可以用图形、实时数据、警报等方式通知操作人员来做出优化,采用逐级逼近的方式对主要作物主因子和相关因子做出理想的控制。在灌水系统方面,实现了合理营养的水、肥同时供应。控制全部由计算机来完成,人为影响因素只是给出不同作物栽培中不同生育期的要求参数。

(一)温室内外的环境智能控制系统研究

室外自然环境控制的主要因子有:温度、湿度、光照、风力、风向、土壤或基质的肥力(这里将肥力的概念纳入到自然环境)以及CO_2等。通过以上主要因子的控制,模拟计算得到作物的理想环境条件或土地条件。

室内系统主要可控因子有:室内温度、室内湿度、室内CO_2、室内作物所需水量及所需综合肥力指标。各主控因子的控制原理及相互模拟量的影响如下。

1.温度的智能控制

温度是作物生长的关键环境因子,而且不同作物对温度的敏感程度也不尽相同。在传统的农作物栽培上控制温度指标困难很大,在不同的季节、不同农作物、同一种农作物

的不同生长阶段对温度的敏感程度和要求范围不同,面临传统栽培上存在的控制复杂难度,将自动化智能技术引入温度控制方式中,可简化温度控制的传统程序。

温度的适宜范围可人为设定,即根据不同作物在不同生育期对温度的要求设定适宜温度范围值。

通过计算机程序的高速数据处理能力,对温度相关因子理论值和实际值做出科学判断,最终得到在现有环境中应该达到的模拟温度值。

以上两步计算和程序控制,可推广到不同作物、同一作物不同生长阶段的温度控制模拟程序。控制原理示意图见图 9-11。

图 9-11 中,"设定的适宜温度值"与"允许的温度偏差值"可随不同作物和同一作物的不同生长阶段,并考虑外界环境的变化情况来随时人为设定,而其中的每一环节都是由计算机通过程序来完成的,这样不仅可以人为控制环境的温度,而且还具有相当范围的可调整性。

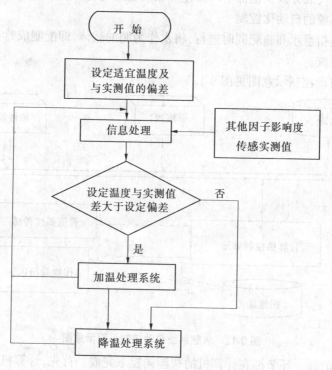

图 9-11　温度职能控制流程图

2. 湿度的智能控制

湿度是作物最为敏感的环境因子之一。其控制状况包括湿度的变化情况和相应灌水系统等综合指标。然而湿度的控制难度却相对较大,因为每一作物所在土壤情况及局部环境的差异都将导致其较大幅度的变化。湿度控制方式如下:

湿度的控制是以空气中相对湿度作为标定值,所以它直接受温度影响,而温度的改变将同时改变温室环境的湿度及其他环境因子,所以它将表现为一系列的控制相关影响及其量的控制关系,而最为直观理解的理论公式如下:

RH(相对湿度) = RD(绝对湿度)/R(某温度下饱和含水量)×100%

将温度和湿度传感器放置在同一感应装置盒中,这样可以测定同一位置的温度、湿度,以便更好地调整、控制其适宜范围。

通过人为设定适宜湿度值和最大允许的偏差值,计算机程序将综合现有各因子的相互影响来实时调整其执行部件,完成湿度的最佳控制。

湿度控制流程图与温度控制流程图原理是一致的。最佳湿度的实现,难度很大,往往其设定的最大允许偏差较大。但在不同季节、不同作物的生长阶段可通过人为操作来确定哪些因素作为主控因子,从原理上可以实现控制机能和指标。在实际中其他因素的综合影响下能够产生较大的湿度偏差。在不同光照、不同温度下,以及不同的空气流动状态下,将会迅速地改变相对湿度。因此,由于人的具体操作所产生的误差较大,且湿度改变的缓冲性不能在变化的综合因子的影响下给以严格准确的确定。只有在光照、温度、湿度、空气流动、空气成分以及植株平均高差等相对稳定时,湿度才可能实现适宜控制。

（二）水肥系统的自动化控制

水肥系统是指灌水和施肥同时进行,将水作为肥的载体,即配制成营养液来供给作物的计算机控制系统。

水肥系统自动控制示意图见图9-12。

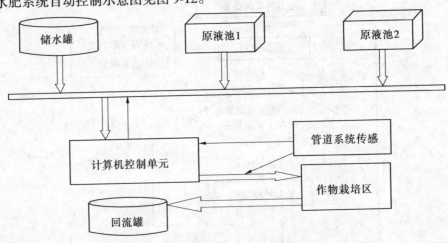

图9-12　水肥系统自动控制平面示意图

图9-12中的每一环节都在计算机的智能调控下完成。首先,计算机将监测管道系统内的营养液的肥料指标,以判断如何来动作,从原液池加入营养液还是从储水灌中加入水。就这样始终保持管道系内的营养液的控制指标稳定在一个实际要求值上。营养液通过作物吸收营养后其剩余液通过回流管流入回流罐。

1. 水肥系统的控制流程

首先计算机收到灌水信号后,将会对所有传感器进行实时采样,确定灌水要求的指标值是否相适宜(即达到最大允许偏差值),若没有达到,它将视具体情况来启动原液池、储水罐的电磁开关和相应的管道来完成一个调整循环。计算机将随时告诉相应部件该怎样调整,具体计算机检测单元的工作流程如图9-13所示。

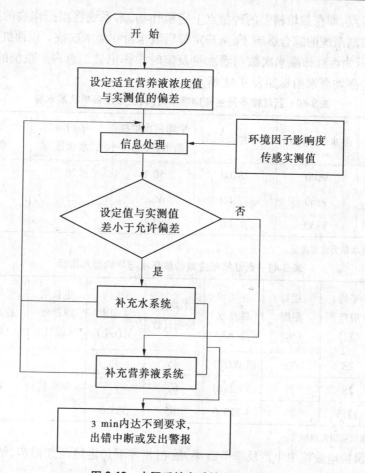

图 9-13 水肥系统自动控制流程图

在整个灌溉过程中,它将水和肥料同时通过计算机的控制供给作物,而在水肥达到相应指标时,计算机将顺利完成灌溉任务。若在连续的 3 min 不能调整达到要求指标值,计算机将自动停止灌水系统,并给以警报提示。这样能够确保供给作物的水肥以较为理想的设定值供给,由计算机来实现这一综合复杂的执行过程。

2.适宜的灌水量、灌水时间

本系统特别稳定的是精确控制作物的灌水量,每条管道定植的作物株数和所占面积可由人为来设定和更改,改后计算机将计算出相应的流量来保证作物的充分灌水,这一控制将通过流量传感和主管道泵的协作来完成。作物在每一支管道的株数和其平均每株占用的面积,将会受到不同作物的生长生理特征限制,但该系统的实时控制能适应这一调整,也就是说,该系统能适应性地将不同作物的具体灌水、肥料要求配置在同一设备上,适时、适量地灌水、施肥。

水肥系统是将水和肥同时控制,它的控制不仅要满足不同作物、不同生育生长期对水的需要,而且同时要满足作物对肥的要求。此系统利用传感器将水肥系统的控制指标综合为一个模型控制,即综合控制营养液以满足作物要求。

在现代温室大棚中,作物的栽培是以无土栽培槽为根系生长的主环境,以种植点作为作物接受营养点,即在栽培槽上的种植点上定植作物,水系统将根据作物的要求,在定时系统和环境控制系统的综合影响下,来确定最后灌水量和灌水次数。以西红柿灌溉为例,如表 9-40 所示为西红柿灌水次数与灌水量及定时操作记录汇总表。系统的西红柿年生育阶段环境与平均灌水指标如表 9-41 所示。

表 9-40　西红柿不同生育期灌水时间、次数及日单株灌水量

生长阶段	灌水开始时刻	灌水结束时刻	平均每次单株灌水量(mL)	平均灌水次数	平均日单株灌水量(mL)
苗生长期	9:00	18:00	50.0	20	1 000.0
营养生长期	9:30	17:00	65.0	25	1 625.0
结果期	9:30	16:00	75.0	25	1 875.0

注:表中所列灌水量为营养液量。

表 9-41　西红柿年生育阶段环境与平均灌水指标

生育阶段	平均温度(℃)	相对湿度(%)	平均单株灌水量(mL)	平均生长期日数	平均单株灌水量(mL)	生长期单株灌水量(L)	平均单株产量(kg)	需水量(L/kg)
苗生长期	23	75	1 000.0	45	45			
营养生长期	18	75	1 625.0	60	97.5	508.1	20	25.4
结果期	17.5	75	1 875.0	195	365.6			

注:表中所列灌水量为营养液量。

由于在保护地栽培中生产反季节蔬菜,故在 8 月下旬定植西红柿苗,结果期在初冬,可实现高产高效。

西红柿营养液分析:系统采用综合指标 E_c 值来控制其水、肥,但从其肥料分析出发,它是一种全素化合肥料,根据一定的比例配制而成,包含 16 种元素,同时含多种微量元素。

苗期指从育苗开始,从种子期到成苗定植的时期。营养生长期指从定植苗到苗株开花坐果的时期。结果期指开花结果到此次苗株的整个生命期。从苗期到结果期为整个生长周期。苗株的定植密度为 2.5 株/m^2。栽培基质为作物的营养载体。

由表 9-41 中平均产量需水量可知,2.5 株/m^2 的情况下,25.4 L 的营养液可以收获 1 kg 的西红柿,而每年每株平均生产 20 kg,即每平方米产西红柿 50 kg/m^2,每公顷需营养液量 12 750m^3,每公顷产西红柿 49.5 万 kg,每立方米营养液约含肥料 0.8 kg,由此可见,该系统体现了高效节水农业的优点,实现了作物生长适宜环境的要求。

三、露地灌溉计算机自动化控制技术

为发展郊区现代化农业,山东省水利科学研究院、济南市水利局等单位对露地灌溉计算机自动控制灌溉技术进行了研究开发应用。计算机自动监控系统由计算机、编程控制器、变频控制器、土壤水分传感器、远传压力表、流量传感器及电磁阀、水动阀等组成。计

算机自动化控制灌溉系统对灌溉工程的主要执行部件进行控制、监视，并对灌溉中的各种信息（如水压力、土壤含水率等）进行处理，保证作物得以适时适量灌溉。

（一）自动化控制系统工作原理及配置

1．系统工作原理

计算机自动监控系统开启后，土壤水分传感器将采集的数据通过控制器传输给计算机处理单元，当采集数据达到土壤含水量下限值时，监控系统按照程序处理设定值发出开机指令，变频控制器启动水泵并开启相应阀门，进行适时灌溉。然后按照预先设定的灌水时间，由监控系统下达停止灌溉指令，通过变频控制器关闭水泵，并关闭相应阀门。在整个灌溉过程中，管网工作压力通过变频控制器调节，管网始终处在设定的正常工作压力范围内安全运行。

系统可对土壤含水量、管网压力、流量、灌水总量等进行实时控制，并将灌水时间、日期、灌水总量等数据及时储存并随时打印分析。系统工作原理见图9-14。

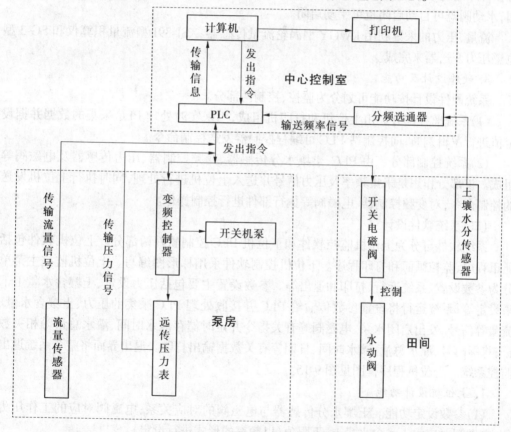

图9-14　计算机系统工作原理框图

（1）土壤含水量控制。在代表性的地块土层（上、中、下）埋设一组（三支）电容式土壤水分传感器，传感器采集的是频率信号，不同的土壤含水量对应不同的频率，根据土壤含水量—频率关系曲线查出灌溉地块中土壤含水量上、下限值所对应的频率值进行标定，并固化在计算机处理单元中。各传感器所采集的频率信号经过分频选通器传输给计算机处理单元,取上、中、下三层传感器采集到的频率均值与标定值比较,确定是否开机灌溉。

(2)管网压力控制。管网压力控制是由计算机处理单元、变频控制器、远传压力表来完成的。远传压力表将采集到的压力信号由变频控制器传输给计算机处理单元;当压力信号小于设定值时,计算机处理单元向变频控制器发出指令,加大频率增大水压力,使之稳定在设定压力值范围内;当压力信号大于设定值时,计算机处理单元发出指令,变频控制器减频降低水压力,并使水压力稳定在设定值范围内。

2.系统配置

自动监控系统由上位机和下位机 PLC 相结合,是目前自控领域中较高的配置方案。PLC 对于系统的扩展修改灵活方便并减少软件编写的工作量。土壤水分传感器是自动控制系统的关键部分,其灵敏程度直接关系到能否适时启闭供水设备。变频器是维持恒压供水、利于系统安全经济运行的重要控制部分,不同的灌溉方式对应不同的工作压力,可在程序处理中预先设定,程序处理则是首先控制电磁阀启闭,然后由电磁阀控制水动阀,水动阀既可自动启闭也可手动启闭。

流量、压力的采集利用 LWGY 型涡轮流量传感器、XSJ-39I 型流量积算仪和 SG-3 型电感压力变送器来完成。

3.硬件设计及功能

系统硬件设计按功能可划分为监控、控制两部分。

(1)系统监控部分。由上位机和打印机组成,用来实时处理 PLC 采集的数据并据设定值进行逻辑判断,向控制站 PLC 可编程控制器发送控制命令。

(2)系统控制部分。由 PLC、土壤水分传感器、变频控制器、压力传感器及电磁阀等组成。该部分作用是采集频率及压力信号并送入上位机进行处理,同时执行上位机发送的控制命令,对变频控制器、电磁阀等执行部件进行控制操作。

(二)系统软件设计

系统软件可分为上位机监控软件和下位机 PLC 控制软件两部分。上位机软件包括通讯程序、监控画面和打印程序。下位机控制软件采用梯形图编写。上位机监控主菜单分为参数设置、系统运行、打印和退出等。参数设置主要包括压力设定、土壤含水量上下限设定等;系统运行将设置参数传输给 PLC 并接收处理 PLC 采集的压力、土壤含水量、流量等信号,发出启闭水泵、电磁阀等有关指令并定时储存灌水时间、灌水总量等相关数据;将阀门号、灌水总量、灌水时间、日期等有关数据输出打印。退出界面将整个系统退出监控系统。上位机程序框图见图 9-15。

1.上位机设计功能

(1)参数设定功能。土壤水分传感器与电磁阀的对应关系;电磁阀对应的工作压力值;电磁阀对应的土壤含水量上、下限值(以频率的形式进行设定)。

(2)监控功能。实时接收由 PLC 传送的频率、压力、流量等信号;实时分析处理上述信号并发出开关水泵、电磁阀、变频调压器等指令。

(3)统计功能。累计各阀门的开关时间和相应的灌水总量。

(4)显示功能。实时显示各电磁阀的开关状态;实时显示流量;实时显示压力;实时显示各土壤水分传感器的频率。

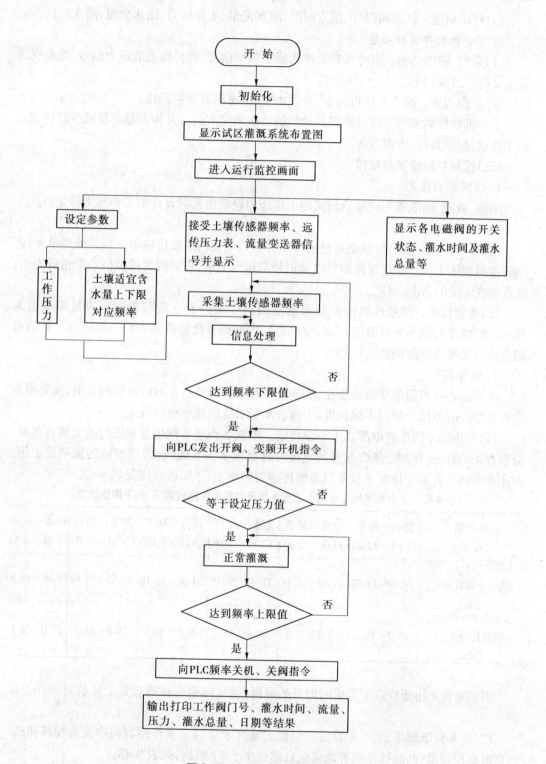

图9-15 上位机程序设计框图

(5)打印功能。打印阀门号、灌水时间、灌水流量、工作压力、灌水总量、灌水时间等。

2. 下位机软件设计功能

(1)采集、输送功能。实时采集土壤传感器频率信号、远传压力表压力信号、流量变送器流量信息，并由 PLC 向上位机输送。

(2)控制功能。接受上位机指令，开关水泵、电磁阀并变频调压。

下位机软件的编写工作是根据其承担的功能来完成的。其特点是尽量减少软件编写的工作量，简单易行，管理方便。

(三)控制参数设定与校核

1. 灌溉压力设定

喷灌、微灌、滴灌等不同灌溉形式的工作压力设定由实际设计的工作压力确定。

2. 输出校核

(1)压力校核。压力信息是通过远传压力表以电流的形式传输给计算机处理单元，进而转换得到压力值。经过反复调节电流信号与压力关系，直到两者模拟值非常相近为止，其误差在 ±0.01 MPa 以内。

(2)流量校核。流量范围按控制灌溉范围内作物的灌水定额确定。流量最大值为 50 m³/h(畦灌)，最小流量值为 6 m³/h(滴灌)，因此调节流量范围为 6~50 m³/h。计算机输出值与实测流量值误差≤1.8%。

3. 频率设定

冬小麦在拔节前根系活动层在 45 cm 深的范围，拔节后在 60 cm 深的范围，蔬菜根系主要在 20 cm 范围。故以不同深度、土壤含水量对应的频率进行设定。

(1)冬小麦不同生育期灌溉上下限设定。根据冬小麦不同生育期适宜的土壤含水量，分别查 45、60 cm 深处土壤含水量与土壤传感器频率关系曲线，即得对应的频率设定值。冬小麦不同生育期土壤含水量及对应的传感器频率上、下限值设定见表 9-42。

表 9-42　冬小麦不同生育期土壤含水量及对应的传感器频率上、下限值设定

生育期 (月-日)	播种—分蘖 (10-1~12-2)	分蘖—越冬 (11-3~12-30)	越冬—返青 (12-31~2-16)	返青—拔节 (2-17~3-19)	拔节—抽穗 (3-20~4-27)	抽穗—成熟 (4-28~6-6)
土壤含水率上、下限 (占干土重百分数) (%)	18.49~13.87	20.80~16.18	20.80~16.18	20.80~16.18	19.65~16.18	18.49~13.87
土壤含水率对应的 频率上、下限值 (kHz)	24.7~35.6	20.3~30.5	20.3~30.5	20.3~30.5	19.8~24.2	21.0~26.1

当实际频率小于设定下限值时即开始灌溉，当实际频率接近设定上限值时需停止灌溉。

(2)蔬菜灌溉频率上、下限设定。根据土壤含水量与土壤传感器频率关系校核曲线，同样可查得黄瓜、西红柿等两种蔬菜适宜的频率上、下限值，见表 9-43。

表 9-43　黄瓜、西红柿土壤含水量与传感器频率上、下限设定

生育期		苗期	花期	结果期
黄瓜	土壤含水率上、下限(%)	20.8~16.18	18.49~13.87	21.96~16.18
	对应的频率上、下限(kHz)	23.2~32.3	29.2~34.8	21.7~32.3
西红柿	土壤含水率上、下限(%)	20.80~13.87	18.49~12.71	21.96~13.87
	对应的频率上、下限(kHz)	23.2~34.8	29.2~36.9	21.7~34.8

根据土壤水分传感器实时采集的频率信号,对水泵、电磁阀自动启闭,实现整个灌水过程的自动化。土壤水分传感器的采用实现了作物的精准灌溉,使作物生长始终处在所需的最优含水量状态,真正实现了水资源的高效利用。

第五节　农业节水工程管理模式

由于各地情况不一,产权不同,管理体制也不相同,对中小型节水工程,目前主要有如下几种模式。

一、国有产权节水工程的管理模式

这种工程是由国家投资、设计,农户投劳建设并委托某村或单位组织管理经营的一种模式。对一些抗旱防洪任务较重的小型水利工程,设有专门的管理机构,用水和灌区工程维护相对较好;大多则由乡、村组织管理,工程效益发挥差,水费征收困难,运行费用不能保证,工程老化严重。主要原因是工程收益权和管理支配权脱节,在水价制定和水费征收方面受地方政府和农民的干预,存在着产权的"多重代理"问题,降低了工程运行效益。

二、集体产权节水工程的管理模式

这是乡村集体组织出资兴建并负责经营管理的一种产权模式。一般由村委统管或生产小组统管,并指定专职人员负责管护,每公顷一次灌溉水费在 75~450 元不等,这也是农村小型水利工程运行管理的主要方式。从调查情况来看,集体产权管理难度也很大,这是由于集体产权是一种残缺的产权,集体仅享有所有权、处置权、管理权,而使用权和收益权归农户,这就降低了集体投资兴建节水工程的积极性,但据调查,85%的农民持满意的态度,但另一部分人认为,集体产权是一个模糊的产权,设备重复购置、争水抢水的现象时有发生,出现了资源配置的低效现象,同时,由于集体产权缺乏激励功能,在管理不善的地方,农民投资的积极性不高。但也应当看到,在一些集体经济实力较强、基层村委班子较好的地方,成功的管理经验还是有的。

在山东省的井灌区,已有机井及配套设施和村集体投入建的机井配套工程,产权大都属于村集体,对经济实力较强的村,由村统一组织灌溉服务,村从非农业收入中补贴,或少收一些能耗费,用于工程的维修养护和相关人员的工资。有的村对灌溉服务组织的人员实行民主推荐,使农民参与管理,有利于调动农民的积极性。这种管理模式,从产权上来

看,具有集体产权的特征,但它符合农村的利益,农民在自主经营的同时享受到经济利益并体会到团队精神,发挥了农村节水技术专业人才的作用,有利于实现灌溉专业化。如:淄博市周村区彭阳乡的东阳夕村喷灌工程,村委副主任和有关人员组成灌溉服务组,设备统一保管使用,灌溉时期负责设备安装,统一服务,预收部分费用。

三、承包经营的模式

这是一种在全民或集体所有权不变的基础上,按照所有权和经营权相分离的原则,以承包经营合同的形式,明确所有者和承包者之间的关系,该管理方式的实施,改变了工程无人负责或责任不明确的状态,降低了对工程管护的监督成本,这种模式刺激了承包者的积极性。但也应当看到,工程承包还在有些地方存在工程的收益权受一些人为的限制,如不得改变工程用途等;工程设施的管护权有分割现象,如维修费用的分摊问题;有的承包时间短,缺乏投资预期的激励,造成短期行为和破坏性生产。从理论上讲,该模式应当作为由计划经济向市场经济过渡的产权模式。

在山东省的井灌区,有的地方实行单井为单元,联户承包的办法。农户推荐"井长"或"片长"一名,负责灌溉工程的实施,并确定任期,确定年报酬。"井长"或"片长"定期向片内的农户代表通报灌水成本支出,工程的维修养护、承包费用等情况。

反租倒包也是承包经营的一种形式。由于山东省的人均占有耕地较少,农民的土地实行承包 30 年不变,分散经营不利于节水灌溉的规模化发展,懂经营、会管理的农户将分散的土地集中经营,对节水灌溉技术的推广十分有利。如淄博市临淄区内有一农民,从做小生意开始,积累了一定的资金,投资 3 400 万元,从农民手中反包土地 66.67 hm² (1 000 亩),国家和地方补助 180 万元,征用的土地全部建成高标准大棚,发展果树保护地微灌,解决了 350 名劳动力的就业问题,较好地配置了水土资源和人力资源;梁山县一位农民,从农民手中反租倒包土地 40 hm²(600 亩),建起了草本苗木基地,灌溉系统采用滴灌和微喷灌,是本村的水土资源和人力资源得到优化配置;烟台市牟平区一农民个人建果树微灌 45.33 hm²(680 亩)、粮田管灌 20 hm²(300 亩),节水灌溉工程经营管理得都很好。发挥农民中的能人的特长,通过反租倒包的形式,使土地适度集中规模经营,即对通过土地使用权的有偿转让和使用权拍卖,土地相对集中成为集体农场、家庭农场,实行一体化经营管理,在水源较好的井灌区,这种类型有发展前景,具有较强的生命力。

四、租赁和拍卖经营的管理模式

租赁是一种市场化的产权模式,是以公开招标的形式,两个独立的产权实体,通过签订租赁合同,将工程经营权在一定的期限内让给经营者的一种模式。租金由租赁市场的供求关系来确定,可退租、转租,但转租的工程不能随意改变其灌溉用途。租赁实现了经营管理权与收益权的统一。但在市场经济不健全的情况下,租赁对水源工程来讲,有一定风险,这种管理形式在山东较少。

山东省的某些井灌区,租赁方式也是以单井为单元,村集体与农户签订承包、租赁合同,水费按照水表或用电量加人员工资等,水费根据农户和村集体签订的合同确定,并非按照成本核算收费。

村集体以拍卖的形式租赁机井和灌溉工程,是小型水利工程产权制度改革的重要组成部分。肥城老城镇罗窑村就是其中的一个典型,该村 2 824 人,186.67 hm² 耕地,全村 63 眼井,争水抢水现象严重,效益衰减,连续有 4 眼井坍塌报废,村集体根据国家小型农田水利产权制度改革的精神,把全村的机井分为 30 个单元,每个单元连片,实行分片拍卖使用权,使用期 10 年,分两期付款,并签订合同,不仅回收了 15 万元资金用于新的节水灌溉工程的建设,而且很好地调动了农民投资的积极性,30 多个农民投入 16 万元,使工程效益显著提高。

五、农户家庭经营模式

这是指以单个农户投入为主体,乡、村投入为导向,其他投入为补充购买或兴建的小型灌溉工程。这种模式购买的使用期达到 50～100 年,这种模式在山丘缺水区极大地调动了农民的积极性,如 1996 年,费县大田庄乡黄土庄村全村人均投入 475 元,出现了户户办水利、高效利用水资源的良好局面。

六、合伙经营管理模式

这是指由两个或两个以上的农户主体共同出资购买、兴建或承包、租赁的产权模式,合伙管理经营,突破了一家一户独立经营的局限性,降低了资本的风险,有利于生产要素的合理组合。

在山东省的淄北平原桓台等地的农村,有的村经济条件差,机井报废后,由井片农户按耕地多少集资打井,进行机泵配套和管道工程建设,产权、使用权归农户,农民灌溉自行管理。灌溉费用互相监督,单井效益高。

七、股份制管理模式

这是一种以入股的方式采取纯资本联合的形式,集多方资金入股联建、联营,并按照股份多少进行分配的一种产权模式。这是社会化大生产的产物,但目前发展还不成熟,尤其在小型节水工程中应用有困难。

八、股份合作制管理模式

这是一种按照协议以资金、实物、技术、劳动等生产要素联合的形式共同合股兴建、管理的模式。在管理上实行一人一票制,在分配上是按劳分配和按股分配相结合。由于股份制把共有产权和私有产权结合起来,体现了公平的原则,是现代较理想的产权模式。如肥城市潮泉镇百福图西村,原来灌溉条件较差,每公顷灌溉水成本达到 600 多元,他们按照群众自愿的原则,实行股份合作建设与管理,采取了股金共筹、收益共享、风险共担、自主经营、独立核算的办法,每股 60 元,共募集股金 3 000 股,其中,村集体股占 67%,个人股占 33%,1998 年底,出水量 80 m³/h 的水源工程建成,控制面积 17.33 hm²,并立即制定了章程,健全了规章制度,推选了会计和机手。入股户水价按照 10 元/h,非入股户按照 12 元/h,净收入 30% 作为公积金,70% 年底分红。

又如淄博市周村区彭阳乡双沟村,村以原有的水井、机泵、地下输水管等设施入股,村民李太玉购置安装和保管地上移动喷灌设备。灌溉季节由该村民具体负责安装,共同商定收费标准,折旧和利润按照股份进行分成。

九、经济自立灌排区

(一)基本概念

经济自立灌排区这一管理模式在国外,特别是农业发达的欧洲、美洲等国家已有20多年的发展历史,我国从20世纪90年代初开始引进这一先进的农业灌溉管理模式。

完整的经济自立灌排区(Self–financing Irrigation and Drainage District, SIDD)由供水公司(Water Supplying Company, WSC)和农民用水者协会(Water Using Association, WUA)两部分组成,通过组建供水公司和农民供水者协会,建立符合市场经济体制的用水和供水的供求关系,实现商品化供水和用水。供水公司是在独立的灌排区建立的非政府灌溉管理的经济实体,在当地工商行政管理部门登记注册后,具有法人地位,自主经营、自负盈亏,负责水源工程和骨干渠(沟)的管理和运行,同时向农民用水者协会收取水费。

农民用水者协会是由灌区农民自愿参加组成的群众性用水管理组织,经当地民政部门登记注册后,具有独立法人资格,实行独立核算、自负盈亏,实现经济自立。农民用水者协会负责所辖灌排系统的管理和运行,保证灌溉资产的保值和增值,同时向供水公司缴纳灌溉水费。农民用水者协会由用水小组和用水者协会会员组成。

(二)SIDD 的推广应用情况

SIDD 作为一种在国外应用成熟、符合市场经济特点的管理模式,在国内得到了推广和应用。自1992年开始,首先在湖北、湖南进行试点研究,并取得了较好的效果,之后在新疆进行试点。1997年开始,在山东、河南、江苏、河北、安徽等省进行应用。据不完全统计,湖北省已建成用水者协会118个,甘肃省建成62个,河南省建成20个,河北省建成43个。山东省已经在世行二期加强灌溉农业项目区建成9个经济自立灌排区试点,分别在济南市、滕州市、梁山县、肥城市、平原县、巨野县、微山县。其中济南原天桥区靳家乡、平原县王打卦乡、微山县刘庄乡是完整的 SIDD 试点,其余只进行了农民用水者协会试点。

如肥城县陆房乡对节水工程管理进行大胆改革,建立了节水灌溉协会,实行群众民主管理,乡抗旱服务队统一服务,各村组织群众民主推荐本村协会会长、会员和出席乡协会的首席代表,再由代表民主选举乡节水协会会长及其成员。协会实行企业化管理,具有独立的管理机构和法人地位,协会将全乡喷灌区内的井、电、机、管道等水利设施全部纳入协会管护、运营。为规范协会的服务行为,协会制定了章程,建立健全了各种规章制度,并在成本核算的基础上确定了合理的水费征收标准。管理人员工资从水费15%的限额内提取,并将工资分为基本工资和奖励工资。1998年,全乡360 hm² 生姜喷灌比大水漫灌节水130万 m³,节约费用78万元,增产110万 kg。在同一水源情况下,扩大灌溉面积66.67 hm²,缩短轮灌周期3~5天。这实际上也是用水者协会的一种国产化形式。

附录A 规划设计常用土壤及作物资料

表A-1 耕作层土壤密度及水分常数

土壤	密度 γ （g/cm³）	水分常数			
		质量比（%）		体积比（%）	
		凋萎系数	田间持水量	凋萎系数	田间持水量
沙土	1.45～1.60	—	16～22	—	26～32
沙壤土	1.36～1.54	4～6	22～30	2～3	32～42
轻壤土	1.40～1.52	4～9	22～28	2～3	30～36
中壤土	1.40～1.55	6～10	22～28	3～5	30～35
重壤土	1.38～1.54	6～13	22～28	3～4	32～42
轻黏土	1.35～1.44	15.0	28～32	—	40～45
中黏土	1.30～1.45	12～17	25～35	—	35～45
重黏土	1.32～1.40	—	30～35	—	40～50

注：田间持水率(体积百分数) = 田间持水率(占干土重百分数) × 土壤干密度 γ。

表A-2 作物灌水临界期平均日需水量 E_a

作物	地区	E_a（mm/d）	作物	地区	E_a（mm/d）
冬小麦	北京	5.5～6.5	梨园	浙江	4～5
	云南	3.2～4.2	桑园		10
	河北	5	大蒜		5.3
玉米	吉林	6～6.5	甜椒		6.1
	辽宁	5～7	茄子		7.9
	内蒙古	5～7	春黄瓜		9.9
棉花	湖北	4～5.5	西红柿	北京	9.1
花生	山东	4.8～5.2	萝卜		8.2
大豆	吉林	5～6	大白菜		9.4
茶园	浙江	6～7	菜花		6.7～7.2
烟草	河南	5～6			

表 A-3　农作物主要根系活动层深度和适宜土壤含水量

作物	生育期	深度(cm)	适宜土壤含水量(占田间持水量的百分数)
冬小麦	苗期—越冬	20～30	70%～80%
	返青—拔节	30～40	
	拔节—孕穗	40	
	孕穗—灌浆	40～50	
春小麦	苗期	20～30	80%～90%
	拔节—孕穗	30～40	
	孕穗—灌浆	40～50	
玉米	苗期—拔节	30	苗期—拔节 60%～70%, 后期 80%～90%
	拔节—抽穗	40	
	抽穗—灌浆	50～60	
高粱	苗期—拔节	30	苗期—拔节 60%～70%, 后期 70%～90%
	拔节—孕穗	40	
	孕穗—灌浆	50～60	
谷子	苗期—拔节	20～30	苗期 60%～70%, 后期 70%～80%
	拔节—孕穗	30～40	
	孕穗—灌浆	40～50	
大豆	苗期—拔节	20～40	苗期—分枝 70%～80%, 开花—鼓粒 90%～100%
	开花—鼓粒	40～50	
棉花	苗期	20	苗期 65%～90%, 现蕾—开花 70%～90%, 花铃期 75%～80%, 吐絮期 65%～90%
	现蕾—开花	30	
	花铃期	30～40	
	吐絮期	20～30	
花生	苗期	30	苗期 50%～70%, 花针期 55%～75%, 结荚期 60%～80%, 饱果期 60%～80%
	花针期	40～50	
	结荚期	50～60	
	饱果期	40～50	
油菜	苗期	30	苗期 60%～90%, 花期 75%～95%, 角果期 60%～80%
	花期	30～40	
	角果期	40～50	
甘蔗	苗期	20	苗期 60%～70%, 分蘖期 60%～80%, 伸长期 70%～90%, 成熟期 60%～70%
	分蘖期	30	
	伸长期	40	
	成熟期	40	

续表 A-3

作物	生育期	深度(cm)	适宜土壤含水量(占田间持水量的百分数)
甜菜	播种—幼苗—苗期	20～30	幼苗期60%， 苗期70%～80%， 繁茂期70%～90%， 块根膨大糖分积累期60%～65%
	块根膨大糖分积累期	40～50	
红麻	苗期	20	70%～80%
	旺长前期	30	
	旺长后期	40～50	
烟草	移栽—缓苗	20～30	移栽—缓苗60%～80%， 成活—团棵60%～70%， 团棵—现蕾70%～90%， 现蕾—成熟60%～80%
	成活—团棵	40	
	团棵—现蕾	50～60	
	现蕾—成熟	50～60	
茶树	幼龄茶园	30	80%～90%
	壮龄茶园	50	
柑橘	果实膨大期	40～50	70%～85%
	越冬期		
苹果	壮龄果园	40～60	70%～90%
葡萄	壮龄果园	40～50	70%～90%
蔬菜	生长前期	20～30	80%～90%
	生长后期	30～40	
苜蓿	二年生	40～50	70%～90%

表 A-4　作物茎秆(树干)高度

作物名称	茎秆(树干)高度(cm)	作物名称	茎秆(树干)高度(cm)	作物名称	茎秆(树干)高度(cm)
小麦	70～110	甘蔗	180～220	柑橘	200～400
玉米	190～210	茶树	60～100	苹果	200～400
黑麦	100～165	甜菜	20～40	桃树	300
大麦	50～90	胡萝卜	20～30	枇杷	400～600
燕麦	40～80	甘蓝	25～40	木耳架	100～120
向日葵	180～200	西红柿	50～70	棉花	120～150
亚麻	55～56	黄瓜	100～150		
大麻	130～240	菜豆	70～90		

附录 B 多口系数 F 值

表 B-1 多口系数 F 值

出水口数目 N	$m=1.74$		$m=1.75$		$m=1.77$	
	$x=1$	$x=0.5$	$x=1$	$x=0.5$	$x=1$	$x=0.5$
2	0.651	0.534	0.650	0.533	0.648	0.530
3	0.548	0.457	0.546	0.456	0.544	0.453
4	0.499	0.427	0.498	0.426	0.495	0.423
5	0.471	0.412	0.469	0.410	0.467	0.408
6	0.452	0.402	0.451	0.401	0.448	0.398
7	0.439	0.396	0.438	0.395	0.435	0.392
8	0.430	0.392	0.428	0.390	0.425	0.387
9	0.422	0.388	0.421	0.387	0.418	0.384
10	0.417	0.386	0.415	0.384	0.413	0.382
11	0.412	0.384	0.410	0.382	0.407	0.379
12	0.408	0.382	0.406	0.380	0.404	0.378
13	0.404	0.380	0.403	0.379	0.400	0.376
14	0.401	0.379	0.400	0.378	0.397	0.375
15	0.399	0.378	0.398	0.377	0.395	0.374
16	0.396	0.377	0.395	0.376	0.393	0.373
17	0.394	0.376	0.394	0.375	0.390	0.372
18	0.393	0.376	0.392	0.374	0.389	0.372
19	0.391	0.375	0.390	0.374	0.388	0.371
20	0.391	0.375	0.389	0.373	0.387	0.371
22	0.388	0.374	0.387	0.372	0.384	0.370
24	0.386	0.373	0.385	0.371	0.382	0.369
26	0.384	0.372	0.383	0.371	0.380	0.368
28	0.383	0.372	0.382	0.370	0.379	0.368
30	0.381	0.371	0.380	0.370	0.378	0.367
35	0.379	0.370	0.378	0.369	0.375	0.366
40	0.378	0.370	0.376	0.368	0.374	0.366
50	0.375	0.369	0.374	0.367	0.371	0.365
100	0.370	0.367	0.369	0.365	0.366	0.363
>100	0.365	0.365	0.364	0.364	0.361	0.361

续表 B-1

出水口数目 N	$m=1.85$		$m=1.90$		$m=2.00$	
	$x=1$	$x=0.5$	$x=1$	$x=0.5$	$x=1$	$x=0.5$
2	0.639	0.519	0.634	0.512	0.625	0.500
3	0.535	0.422	0.529	0.436	0.519	0.422
4	0.486	0.412	0.480	0.405	0.469	0.393
5	0.456	0.396	0.451	0.390	0.440	0.378
6	0.438	0.387	0.433	0.381	0.421	0.369
7	0.425	0.381	0.419	0.375	0.408	0.363
8	0.416	0.377	0.410	0.370	0.398	0.358
9	0.409	0.374	0.402	0.367	0.391	0.355
10	0.402	0.370	0.396	0.365	0.385	0.353
11	0.398	0.369	0.392	0.363	0.380	0.351
12	0.393	0.367	0.388	0.361	0.376	0.349
13	0.390	0.366	0.384	0.360	0.373	0.348
14	0.388	0.365	0.381	0.358	0.370	0.347
15	0.385	0.364	0.379	0.357	0.367	0.346
16	0.383	0.363	0.377	0.357	0.365	0.345
17	0.381	0.362	0.375	0.356	0.363	0.344
18	0.379	0.361	0.373	0.355	0.362	0.344
19	0.378	0.361	0.372	0.355	0.360	0.343
20	0.376	0.360	0.370	0.354	0.359	0.342
22	0.374	0.359	0.368	0.353	0.356	0.341
24	0.372	0.359	0.366	0.352	0.354	0.341
26	0.370	0.358	0.364	0.352	0.353	0.340
28	0.369	0.357	0.363	0.351	0.351	0.340
30	0.368	0.357	0.362	0.351	0.350	0.339
35	0.365	0.356	0.359	0.350	0.348	0.338
40	0.363	0.365	0.357	0.349	0.346	0.338
50	0.361	0.355	0.355	0.348	0.343	0.337
100	0.356	0.353	0.350	0.347	0.338	0.335
>100	0.351	0.351	0.345	0.345	0.333	0.333

注：x 为进口端至第一个出水口的距离与出流口(孔口)间距值比；m 为流量指数。

附录 C 管道局部水头损失系数

表 C-1 管道局部水头损失系数

名称	简 图		计算局部水头损失公式：$h_j = \zeta \dfrac{v^2}{2g}$，式中 v 如图说明 局部水头损失系数 ζ 值					
断面突然扩大	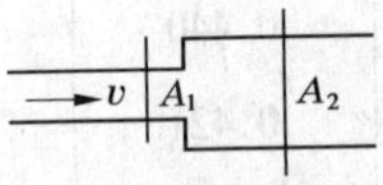		$\zeta = \left(1 - \dfrac{A_1}{A_2}\right)^2$					
断面突然缩小	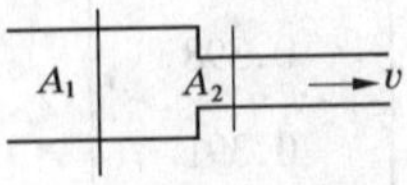		$\zeta = 0.5\left(1 - \dfrac{A_1}{A_2}\right)$					
进口	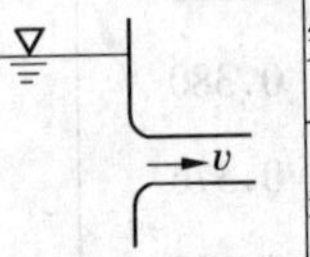	完全修圆	0.05~0.10					
		稍微修圆	0.20~0.25					
	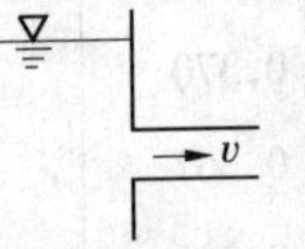	没有修圆	0.5					
出口	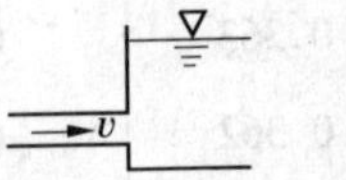	流入水库（池）	1.0					
	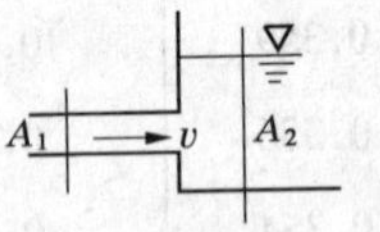	流入明渠	A_1/A_2	0.1	0.2	0.3	0.4	0.5
			ζ	0.81	0.64	0.49	0.36	0.25
			A_1/A_2	0.6	0.7	0.8	0.9	
			ζ	0.16	0.09	0.04	0.01	
渐放管	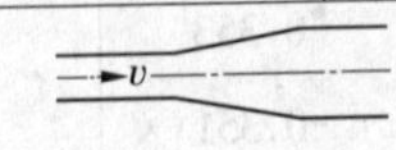		0.25					
渐缩管	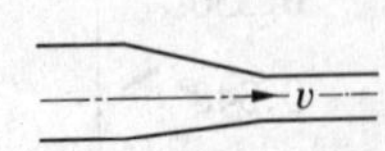		0.1					
莲蓬头滤水网	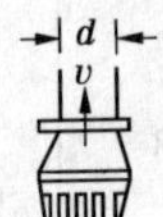	有底阀	吸水管直径 d(mm)	40	50	75	100	125	150
			ζ	12	10	8	7	6.5	6
			吸水管直径 d(mm)	200	250	300	400	500	750
			ζ	5.2	4.5	3.7	3	2.5	1.6
		无底阀	2~3(大型~小型)					

续表 C-1

名称	简　图	局部水头损失系数 ζ 值							

计算局部水头损失公式：$h_j = \zeta \dfrac{v^2}{2g}$，式中 v 如图说明

名称	简　图								
弯管	1	R/d	0.5	1	1.5	2	3	4	5
		$\zeta_{90°}$	1.2	0.8	0.6	0.48	0.36	0.3	0.29
	2	d(mm)	50	100	150	200	250	300	350	400
		$\zeta_{90°}$	0.36	0.36	0.37	0.37	0.4	0.42	0.42	0.45
		d(mm)	450	500	600	700	800	900	1 000
		$\zeta_{90°}$	0.45	0.46	0.47	0.48	0.48	0.49	0.5
	$\zeta_a = a\zeta_{90°}$	α	20°	30°	40°	50°	60°	70°	80°
		ζ	0.4	0.55	0.65	0.75	0.83	0.88	0.95
		α	90°	100°	120°	140°	160°	180°
		ζ	1	1.05	1.13	1.2	1.27	1.33
急转弯管	圆形	α	30°	40°	50°	60°	70°	80°	90°
		ζ	0.2	0.3	0.4	0.55	0.7	0.9	1.1
	矩形	α	15°	30°	45°	60°	90°
		ζ	0.025	0.11	0.26	0.49	1.2
铸铁弯头	标准90°弯头	d(mm)	75	100	125	150	200	250	300	350
		ζ	0.34	0.42	0.43	0.48	0.48	0.52	0.58	0.59
		d(mm)	400	450	500	600	700	800	900
		ζ	0.6	0.62	0.64	0.67	0.68	0.7	0.71
	标准45°弯头	d(mm)	75	100	125	150	200	250	300	350
		ζ	0.17	0.21	0.22	0.24	0.24	0.26	0.29	0.3
		d(mm)	400	450	500	600	700	800	900
		ζ	0.3	0.32	0.34	0.34	0.34	0.35	0.36
	标准90°可锻弯头	d(mm)	15	20	25	32	40	50
		ζ	0.95	1	1.03	1.04	1.1	1.1
		d(mm)	70	80	100	125	150
		ζ	1.12	1.13	1.14	1.16	1.18
逆止阀		1.7							

续表 C-1

名称		计算局部水头损失公式：$h_j = \zeta \dfrac{v^2}{2g}$，式中 v 如图说明							
	简　图	局部水头损失系数 ζ 值							

闸阀

全开时（即 $a/d = 1$）

d(mm)	15	20~50	80	100	150		
ζ	1.5	0.5	0.4	0.2	0.1		
d(mm)	200~250		300~450		500~800		900~1 000
ζ	0.08		0.07		0.06		0.05

各种开启度时

管径 d		开度 a/d					
mm	英寸	1/8	1/4	3/8	1/2	3/4	1
12.5	1/2	450	60	22	11	2.2	1
19	3/4	310	40	12	5.5	1.1	0.28
25	1	230	32	9	4.2	0.9	0.23
40	1 1/2	170	23	7.2	3.3	0.75	0.18
50	2	140	20	6.5	3	0.68	0.16
100	4	91	16	5.6	2.6	0.55	0.14
150	6	74	14	5.3	2.4	0.49	0.12
200	8	66	13	5.2	2.3	0.47	0.10
300	12	56	12	5.1	2.2	0.4	0.07

名称	简图	ζ 值
等径三通		0.1
		1.5
		1.5
		3.0
斜三通		0.05
		0.15
		0.5
		1.0
		3.0

续表 C-1

名称	计算局部水头损失公式: $h_j = \zeta \dfrac{v^2}{2g}$, 式中 v 如图说明						
	简 图	局部水头损失系数 ζ 值					
孔板	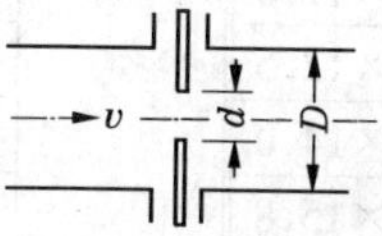	孔口截面直径与进水管直径之比(d/D)	0.3	0.4	0.45	0.5	0.55
		ζ	309	87	50.4	29.8	18.4
		孔口截面直径与进水管直径之比(d/D)	0.6	0.65	0.7	0.75	0.8
		ζ	11.3	7.35	4.37	2.66	1.55
标准喷嘴	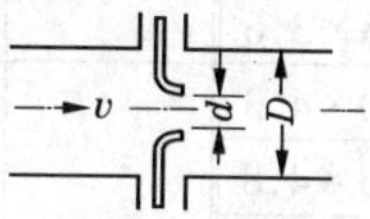	孔口截面直径与进水管直径之比(d/D)	0.3	0.4	0.45	0.5	0.55
		ζ	108.8	29.8	16.9	9.9	5.9
		孔口截面直径与进水管直径之比(d/D)	0.6	0.65	0.7	0.75	0.8
		ζ	3.5	2.1	1.2	0.76	
文丘里管	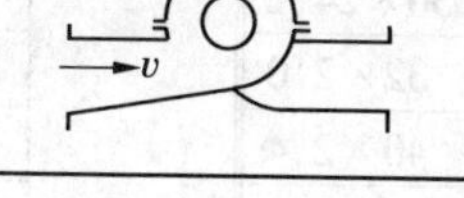	孔口截面直径与进水管直径之比(d/D)	0.3	0.4	0.45	0.5	0.55
		ζ	19	5.3	3.06	1.9	1.15
		孔口截面直径与进水管直径之比(d/D)	0.6	0.65	0.7	0.75	0.8
		ζ	0.69	0.42	0.26		
水泵入口		1.0					

附录 D　PVC 管材常用规格及配套管件

表 D-1　卫生型给水用硬聚氯乙烯(PVC-U)管材

品名	规格(mm)	品名	规格(mm)	品名	规格(mm)	品名	规格(mm)
0.25 MPa	160×2.0	0.5 MPa	200×4.9	0.8 MPa	315×11.0	1.25 MPa	160×7.7
	200×2.5		225×5.5		355×12.5		200×9.6
	225×2.8		250×6.2		400×14.0		225×10.8
	250×3.1		280×6.9		450×15.8		250×11.9
	280×3.5		315×7.7		500×16.8		315×15.0
	315×5.9		355×8.7		560×17.2		355×16.9
	355×4.4		400×9.8		630×19.3		400×19.1
	400×5.0	0.6 MPa	63×2.0	1.0 MPa	40×2.0		450×21.5
0.3 MPa	110×1.8		75×2.2		50×2.4		500×23.9
	160×2.5		90×2.7		63×3.0		560×26.7
	200×3.2		110×3.2		75×3.6		630×30.0
	225×3.5		125×3.7		90×4.3	1.6 MPa	16×2.0
	250×3.9		160×4.7		110×4.8		20×2.0
	280×4.4		200×5.9		125×5.4		25×2.0
	315×4.9		225×6.6		160×7.0		32×2.4
	355×5.6		250×7.3		200×8.7		40×3.0
	400×6.3		315×9.72		225×9.8		50×3.7
0.4 MPa	75×1.5		355×9.4		250×10.9		63×4.7
	90×1.8		400×10.6		315×13.7		75×5.6
	110×2.2		450×12.6		355×14.8		90×6.7
	160×3.2		500×13.3		400×15.3		110×7.2
	200×3.9		560×14.0		450×17.2		125×7.4
	225×4.4		630×16.7		500×19.1		160×9.5
	250×4.9	0.8 MPa	50×2.0		560×21.4		200×11.9
	280×4.4		63×2.5		630×24.1		225×13.4
	315×6.2		75×2.9	1.25 MPa	32×2.0		250×14.8
	355×7.0		90×3.5		40×2.4		315×18.7
	400×7.8		110×3.9		50×3.0		355×21.1
0.5 MPa	63×1.6		125×4.4		63×3.8		400×23.7
	75×1.6		160×5.6		75×4.5		450×26.7
	90×2.2		200×7.3		90×5.4		500×29.7
	110×2.7		225×7.9		110×5.7		
	160×4.0		250×8.8		125×6.0		

注:PVC 管材常用规格及配套管件为福建亚通和河北龙达产品。

表 D-2 卫生型给水用硬聚氯乙烯(PVC-U)管件

品名	规格(mm)	品名	规格(mm)	品名	规格(mm)
直接	20	异径接头（长型）	110×90	异径三通	63×50
	25		*160×110		75×20
	32		*200×110		75×25
	40		*200×160		75×32
	50	变径圈（短型）	*250×160		75×50
	63		*250×200		75×63
	75		25×20		90×40
	90		32×25		90×50
	110		40×32		90×63
异径接头（长型）	25×20		50×40		90×75
	32×20		*63×50		*110×25
	32×25	正三通	20		*110×32
	40×20		25		110×40
	40×25		32		110×50
	40×32		40		*110×63
	50×20		50		*110×75
	50×25		63		110×90
	50×32		75		*160×50
	50×40		90		*160×63
	63×20		110		*160×75
	63×25		160		160×90
	63×32		20×1.6 MPa		160×110
	63×40		25×1.6 MPa		*200×63
	63×50		32×1.6 MPa	45°弯头	20
	75×20		40×1.6 MPa		25
	75×25		50×1.6 MPa		32
	75×32	异径三通	25×20		40
	75×40		32×20		50
	75×50		32×25		63
	75×63		40×20		75
	90×25		40×25		90
	90×32		40×32		110
	90×40		50×20		160
	90×50		50×25		16
	90×63		50×32	90°弯头	20
	90×75		50×40		25
	110×40		63×20		3
	110×50		63×25		40
	110×63		63×32		50
	110×75		63×40		63

注:带 * 的产品为加工件或不常用件。

表 D-3　卫生型给水用硬聚氯乙烯(PVC－U)管件

品名	规格(mm)	品名	规格(mm)	品名	规格(mm)
90°弯头	75	三通内螺纹变接头	20×1/2″	球阀	20
	90		25×3/4″		25
	110		32×1″		32
	160		*40×1－1/4″		40
	20×1.6 MPa		*50×1－1/2″		50
	25×1.6 MPa		*63×2″		63
	32×1.6 MPa		*75×2－1/2″		75
	40×1.6 MPa		*90×3″		90
	50×1.6 MPa		*110×4″		110
外螺纹接头	20×1/2″	镶铜三通内螺纹变接头	25×1/2″	带内螺纹球阀	
	25×3/4″		*32×1/2″		
	32×1″		*32×3/4″		20×1/2″
	40×1－1/4″		*40×3/4″		25×3/4″
	50×1－1/2″		*40×1″		32×1″
	63×2″		*50×1″		40×1－1/4″
内螺纹接头	20×1/2″		*50×1－1/4″		50×1－1/2″
	25×3/4″		*63×1－1/4″		63×2″
	32×1″		*63×1－1/4″		75×2－1/2″
	40×1－1/4″		20×1/2″		90×3″
	50×1－1/2″		25×3/4″		110×4″
	63×2″		32×1″	活接	20
	75×2－1/2″		25×1/2″		25
	90×3″		32×3/4″		32
	110×4″	90°内螺纹变接头	20×1/2″		40
镶铜内螺纹变接头	20×1/2″		25×3/4″		50
	25×3/4″		32×1″		63
	32×1″		*40×1－1/4″	活法兰接头	63
	25×1/2″		*50×1－1/2″		75
	32×1/2″		*63×2″		90
	32×3/4″		*75×2－1/2″		110
镶铜90°内螺纹变接头	20×1－1/2″		*90×3″		160
	25×3/4″		*110×4″	卫生型胶水	1.0 kg
	32×1″		25×1/2″		0.5 kg
	25×1－1/2″		*32×1/2″		0.1 kg
	32×3/4″		32×3/4″		

附录 E　井用潜水电泵规格型号

表 E-1　井用潜水电泵规格型号

序号	规格型号	功率 (kW)	流量 (m³/h)	扬程 (m)	序号	规格型号	功率 (kW)	流量 (m³/h)	扬程 (m)
1	150QJ5-50/7	3	3.5	58	12	150QJ10-200/28	11	7	223
			5	50				10	200
			6	43				12	180
2	150QJ5-100/14	3	3.5	109	13	150QJ10-250/35	13	7	288
			5	100				10	250
			6	92				12	221
3	150QJ5-150/21	4	3.5	163	14	150QJ10-300/42	15	7	340
			5	150				10	300
			6	138				12	270
4	150QJ5-200/28	5.5	3.5	218	15	150QJ10-350/49	18.5	7	405
			5	200				10	350
			6	184				12	265
5	150QJ5-250/35	7.5	3.5	272	16	150QJ20-26/4	3	14	30
			5	250				20	26
			6	230				24	20
6	150QJ5-300/42	9.2	3.5	326	17	150QJ20-33/5	3	14	37
			5	300				20	33
			6	276				24	25
7	150QJ5-350/490	11	3.5	380	18	150QJ20-39/6	4	14	56
			5	350				20	39
			6	322				24	30
8	150QJ5-400/56	13	3.5	434	19	150QJ20-52/8	5.5	14	60
			5	400				20	52
			6	368				24	40
9	150QJ10-50/7	3	7	60	20	150QJ20-72/11	7.5	14	82
			10	50				20	72
			12	45				24	55
10	150QJ10-100/14	5.5	7	116	21	150QJ20-78/12	7.5	14	90
			10	100				20	78
			12	84				24	60
11	150QJ10-150/21	7.5	7	179	22	150QJ20-85/13	9.2	14	97
			10	150				20	85
			12	132				24	65

续表 E-1

序号	规格型号	功率 (kW)	流量 (m³/h)	扬程 (m)	序号	规格型号	功率 (kW)	流量 (m³/h)	扬程 (m)
23	150QJ20-98/15	9.2	14	112	35	150QJ32-36/6	5.5	22	41
			20	98				32	36
			24	75				38	33
24	150QJ20-104/16	11	14	120	36	150QJ32-42/7	7.5	22	47
			20	104				32	42
			24	80				38	37
25	150QJ20-111/17	11	14	120	37	150QJ32-54/9	9.2	22	60
			20	111				32	54
			24	98				38	48
26	150QJ20-125/20	13	14	150	38	150QJ32-66/11	11	22	72
			20	125				32	66
			24	100				38	60
27	150QJ20-137/21	15	14	165	39	150QJ32-72/12	13	22	81
			20	137				32	72
			24	120				38	65
28	150QJ20-143/22	15	14	172	40	150QJ32-84/14	13	22	92
			20	143				32	84
			24	115				38	76
29	150QJ20-156/24	15	14	180	41	150QJ32-90/15	15	22	100
			20	156				32	90
			24	120				38	82
30	150QJ20-176/27	18.5	14	210	42	150QJ32-96/16	15	22	110
			20	176				32	96
			24	140				38	87
31	150QJ20-182/28	18.5	14	217	43	150QJ32-108/18	15	22	
			20	182				32	108
			24	145				38	
32	150QJ32-18/3	3	22	21	44	200QJ20-40/3	4	14	45
			32	18				20	40
			38	16				24	35
33	150QJ32-24/4	4	22	27	45	200QJ20-54/4	5.5	14	60
			32	24				20	54
			38	22				24	50
34	150QJ32-30/5	5.5	22	34	46	200QJ20-81/6	7.5	14	87
			32	30				20	81
			38	27				24	73

续表 E-1

序号	规格型号	功率 (kW)	流量 (m³/h)	扬程 (m)	序号	规格型号	功率 (kW)	流量 (m³/h)	扬程 (m)
47	200QJ20-93/7	9.2	14	103	59	200QJ25-56/4	7.5	19	60
			20	93				25	56
			24	86				30	50
48	200QJ20-108/8	11	14	117	60	200QJ25-70/5	9.2	19	77
			20	108				25	70
			24	97				30	64
49	200QJ20-121/9	13	14	130	61	200QJ25-98/7	11	19	107
			20	121				25	98
			24	111				30	92
50	200QJ20-148/11	15	14	159	62	200QJ25-112/8	13	19	120
			20	148				25	112
			24	137				30	104
51	200QJ20-175/13	18.5	14	189	63	200QJ25-126/9	15	19	140
			20	175				25	126
			24	161				30	120
52	200QJ20-202/15	22	14	218	64	200QJ25-154/11	18.5	19	165
			20	202				25	154
			24	189				30	142
53	200QJ20-243/18	25	14	262	65	200QJ25-182/13	22	19	210
			20	243				25	182
			24	230				30	160
54	200QJ20-270/20	30	14	287	66	200QJ25-210/15	25	19	240
			20	270				25	210
			24	256				30	185
55	200QJ20-297/22	30	14	315	67	200QJ25-252/18	30	19	290
			20	297				25	252
			24	281				30	220
56	200QJ20-351/26	37(T)	14	370	68	200QJ25-308/22	37	19	340
			20	351				25	308
			24	334				30	262
57	200QJ25-28/2	4	19	32	69	200QJ32-26/2	4	22	29
			25	28				32	26
			30	24				38	24
58	200QJ25-42/3	5.5	19	45	70	200QJ32-39/3	5.5	22	43
			25	42				32	39
			30	37				38	36

续表 E-1

序号	规格型号	功率 (kW)	流量 (m³/h)	扬程 (m)	序号	规格型号	功率 (kW)	流量 (m³/h)	扬程 (m)
71	200QJ32-52/4	7.5	22	58	83	200QJ32-299/23	45(T)	22	315
			32	52				32	299
			38	50				38	285
72	200QJ32-65/5	9.2	22	71	84	200QJ40-26/2	5.5	29	47
			32	65				40	26
			38	59				48	24
73	200QJ32-78/6	11	22	85	85	200QJ40-39/3	7.5	29	47
			32	78				40	39
			38	72				48	34
74	200QJ32-91/7	13	22	98	86	200QJ40-52/4	9.2	29	62
			32	91				40	52
			38	85				48	45
75	200QJ32-104/8	15	22	113	87	200QJ40-65/5	11	29	75
			32	104				40	65
			38	96				48	57
76	200QJ32-130/10	18.5	22	140	88	200QJ40-78/6	15	29	90
			32	130				40	78
			38	120				48	70
77	200QJ32-143/11	22	22	153	89	200QJ40-104/8	18.5	29	130
			32	143				40	104
			38	134				48	95
78	200QJ32-156/12	25	22	167	90	200QJ40-117/9	22	29	150
			32	156				40	117
			38	146				48	100
79	200QJ32-169/13	25	22	180	91	200QJ40-143/11	25	29	170
			32	169				40	143
			38	159				48	125
80	200QJ32-195/15	30	22	210	92	200QJ40-169/13	30	29	190
			32	195				40	169
			38	183				48	150
81	200QJ32-234/18	37	22	250	93	200QJ40-208/16	37	29	240
			32	234				40	208
			38	218				48	175
82	200QJ32-247/19	37	22	263	94	200QJ50-26/2	5.5	35	31
			32	247				50	26
			38	233				60	22

续表 E-1

序号	规格型号	功率 (kW)	流量 (m³/h)	扬程 (m)	序号	规格型号	功率 (kW)	流量 (m³/h)	扬程 (m)
95	200QJ50-39/3	9.2	35	44	107	200QJ63-72/6	22	45	81
			50	39				63	72
			60	35				75	62
96	200QJ50-52/4	11	35	48	108	200QJ63-84/7	25	45	95
			50	52				63	84
			60	45				75	75
97	200QJ50-65/5	15	35	72	109	200QJ63-96/8	30	45	105
			50	65				63	96
			60	56				75	85
98	200QJ50-78/6	18.5	35	87	110	200QJ63-120/10	37	45	150
			50	78				63	120
			60	68				75	105
99	200QJ50-91/7	22	35	102	111	200QJ63-144/12	45(T)	45	180
			50	91				63	144
			60	80				75	125
100	200QJ50-104/8	25	35	119	112	200QJ80-22/2	7.5	56	28
			50	104				80	22
			60	93				96	17
101	200QJ50-130/10	30	35	149	113	200QJ80-33/3	13	56	42
			50	130				80	33
			60	114				96	24
102	200QJ50-156/12	37	35	176	114	200QJ80-44/4	15	56	54
			50	156				80	44
			60	142				96	38
103	200QJ50-182/14	45(T)	35	202	115	200QJ80-55/5	18.5	56	68
			50	182				80	55
			60	168				96	39
104	200QJ63-24/2	7.5	45	31	116	200QJ80-66/6	22	56	80
			63	24				80	66
			75	21				96	55
105	200QJ63-36/3	11	45	44	117	200QJ80-77/7	25	56	95
			63	36				80	77
			75	32				96	58
106	200QJ63-60/5	18.5	45	70	118	200QJ80-88/8	30	56	107
			63	60				80	88
			75	52				96	74

续表 E-1

序号	规格型号	功率 (kW)	流量 (m³/h)	扬程 (m)	序号	规格型号	功率 (kW)	流量 (m³/h)	扬程 (m)
119	200QJ80-99/9	37	56	124	131	250QJ50-60/3	13	35	68
			80	99				50	60
			96	74				60	55
120	200QJ80-121/11	45	56	145	132	250QJ50-80/4	18.5	35	90
			80	121				50	80
			96	105				60	74
121	200QJ100-20/2	9.2	70	24	133	250QJ50-100/5	22	35	112
			100	20				50	100
			120	17				60	92
122	200QJ100-30/3	13	70	34	134	250QJ50-120/5	25	35	133
			100	30				50	120
			120	26				60	110
123	200QJ100-40/4	18.5	70	44	135	250QJ50-140/7	30	35	154
			100	40				50	140
			120	36				60	128
124	200QJ100-50/5	25	70	54	136	250QJ50-160/8	37	35	175
			100	50				50	160
			120	45				60	148
125	200QJ100-60/6	30	70	64	137	250QJ50-200/10	45	35	218
			100	60				50	200
			120	55				60	186
126	200QJ100-70/7	37	70	75	138	250QJ80-20/1	7.5	56	23
			100	70				80	20
			120	65				96	18
127	200QJ100-80/8	45	70	84	139	250QJ80-40/2	15	56	46
			100	80				80	40
			120	76				96	35
128	200QJ100-90/9	45	70	95	140	250QJ80-60/3	22	56	67
			100	90				80	60
			120	85				96	54
129	250QJ50-20/1	5.5	35	24	141	250QJ80-80/4	30	56	88
			50	20				80	80
			60	18				96	73
130	250QJ50-40/2	9.2	35	46	142	250QJ80-100/5	37	56	110
			50	40				80	100
			60	36				96	89

续表 E-1

序号	规格型号	功率(kW)	流量(m³/h)	扬程(m)	序号	规格型号	功率(kW)	流量(m³/h)	扬程(m)
143	250QJ80-120/6	45	56	131	155	250QJ100-216/12	110(T)	70	278
			80	120				100	252
			96	109				120	230
144	250QJ80-160/8	55	56	174	156	250QJ125-16/1	9.2	90	18
			80	160				125	16
			96	146				150	14
145	250QJ100-18/1	7.5	70	20	157	250QJ125-32/2	18.5	90	36
			100	18				125	32
			120	16				150	26
146	250QJ100-36/2	15	70	40	158	250QJ125-48/3	25	90	54
			100	36				125	48
			120	32				150	38
147	250QJ100-54/3	25	70	59	159	250QJ125-64/4	37	90	75
			100	54				125	64
			120	49				150	52
148	250QJ100-72/4	30	70	80	160	250QJ125-80/5	45	90	93
			100	72				125	80
			120	67				150	64
149	250QJ100-108/6	45	70	118	161	250QJ125-96/6	55	90	112
			100	108				125	96
			120	99				150	76
150	250QJ100-126/7	55	70	140	162	250QJ125-112/7	63	90	130
			100	126				125	112
			120	110				150	88
151	250QJ100-144/8	63	70	160	163	250QJ125-128/8	75	90	152
			100	144				125	128
			120	126				150	100
152	250QJ100-162/9	75	70	182	164	250QJ125-160/10	90	90	190
			100	162				125	160
			120	146				150	125
153	250QJ100-198/11	90	70	220	165	250QJ125-176/11	100	90	210
			100	198				125	176
			120	178				150	140
154	250QJ100-216/12	100(T)	70	240	166	250QJ125-192/12	110	90	226
			100	216				125	192
			120	194				150	156

续表 E-1

序号	规格型号	功率(kW)	流量(m³/h)	扬程(m)	序号	规格型号	功率(kW)	流量(m³/h)	扬程(m)
167	250QJ140-15/1	9.2	100	18	176	250QJ200-40/2	37	150	50
			140	15				200	40
			168	12				240	30
168	250QJ140-30/2	18.5	100	34	177	250QJ200-60/3	55	150	74
			140	30				200	60
			168	27				240	45
169	250QJ140-45/3	30	100	51	178	250QJ200-80/4	75	150	95
			140	45				200	80
			168	40				240	60
170	250QJ140-60/4	37	100	68	179	250QJ200-100/5	90	150	118
			140	60				200	100
			168	52				240	80
171	250QJ140-75/5	45	100	84	180	250QJ200-120/6	110	150	140
			140	75				200	120
			168	66				240	100
172	250QJ140-95/6	55	100	101	181	300QJ300-22/1	30	225	25
			140	90				300	22
			168	79				360	18
173	250QJ140-105/7	63	100	118	182	300QJ300-44/2	63	225	51
			140	105				300	44
			168	93				360	36
174	250QJ140-120/8	75	100	134	183	300QJ300-66/3	90	225	76
			140	130				300	66
			168	108				360	54
175	250QJ200-20/1	18.5	150	24	184	300QJ300-88/4	125	225	102
			200	20				300	88
			240	15				360	72

参 考 文 献

[1] 钱正英,张光斗．中国可持续发展水资源战略研究综合报告及各专题报告．北京:中国水利水电出版社,2001

[2] 石玉林,卢良恕．中国农业需水与节水高效农业建设．北京:中国水利水电出版社,2001

[3] 钱蕴壁,李英能,杨刚,等．节水农业新技术研究．郑州:黄河水利出版社,2002

[4] 林性粹,赵乐诗,等．旱作物地面灌溉节水技术．北京:中国水利水电出版社,1999

[5] 许迪,李益农,等．田间节水灌溉新技术研究与应用．北京:中国农业出版社,2002

[6] 李安国,建功,曲强．渠道防渗工程技术．北京:中国水利水电出版社,1999

[7] 李龙昌,王彦军,李永顺,等．管道输水工程技术．北京:中国水利水电出版社,1999

[8] 李晓,孙福文,张兰亭．管道灌溉系统的管材与管件．北京:科学出版社,1996

[9] 李晓,吕宁江,王昕,等．低压管道输水灌溉管道附属设备型号编制方法探讨与研究．灌溉排水,1998(增刊)

[10] 李龙昌,李晓．管道输水灌溉技术．中国农村水利水电,1997(7)

[11] 吴普特,牛文全,郝宏科．现代高效节水灌溉设施．北京:化学工业出版社,2002

[12] 沈振荣,汪林,于福亮,等．节水新概念——真实节水的研究与应用．北京:中国水利水电出版社,2000

[13] 许迪,蔡林根,王少丽,等．农业持续发展的农田水土管理研究．北京:中国水利水电出版社,2000

[14] 水利部国际合作司等编译．美国国家灌溉工程手册．北京:中国水利水电出版社,1998

[15] 喷灌工程设计手册编写组．喷灌设计手册．北京:水利电力出版社,1989

[16] 赵竞成,任晓力,等．喷灌工程技术．北京:中国水利水电出版社,1999

[17] 傅琳,董文楚,郑耀泉,等．微灌工程技术指南．北京:水利电力出版社,1988

[18] 周卫平,宋广程,邵思．微灌工程技术．北京:中国水利水电出版社,1999

[19] 水利部农村水利司,中国灌溉排水技术开发中心．水稻节水灌溉技术．北京:中国水利水电出版社,1999

[20] 杜贞栋,谷维龙,王华忠,等．农业非工程节水技术．北京:中国水利水电出版社,2004

[21] 蔡勇,周明耀,等.灌区量水实用技术指南.北京:中国水利水电出版社,2001